張仁青著

文史哲學集成

張仁青學術論著集（上冊）

原名：揚芬樓文集

文史哲出版社印行

國家圖書館出版品預行編目資料

張仁青學術論著集（原名：揚芬樓文集）/ 張仁
青著. -- 初版. --臺北市：文史哲，民 101
冊： 公分.（文史哲學集成；525）
ISBN 978-986-314-047-4 （全套：平裝）

848.6 101014665

文史哲學集成 525

張仁青學術論著集（全二冊）

原名：揚芬樓文集

著 者：張 仁 青
出 版 者：文 史 哲 出 版 社
http://www.lapen.com.tw
登記證字號：行政院新聞局版臺業字五三三七號
發 行 人：彭 正 雄
發 行 所：文 史 哲 出 版 社
印 刷 者：文 史 哲 出 版 社
臺北市羅斯福路一段七十二巷四號
郵政劃撥帳號：一六一八〇一七五
電話886-2-23511028・傳真886-2-23965656

實價新臺幣一二〇〇元

中華民國一〇一年（2012）八月再版

ISBN 978-986-314-047-4 00525

自序

張仁青

余家世貧薄，負郭無田，故甫屆志學之年，即提前入伍，接受文武合一之嚴格教育。軍旅馳驅，幾近四載，既無生計之拖累，更無升學之壓力，乃得以海闊天空，任我翱翔。其間最令余愜意醉心者，厥為各體古典文學之創作，獲得全面之瀏覽追摩，獨立鑽研，靡間昕宵，無論詩詞曲賦，駢散韻文，以至聯語燈謎，旁及戲劇小說，均一定程度之認知與仿作。迨戎衣既解，還我初服，除角戰文場，與莘莘學子一爭高下之外，即矢志終身從事筆耕，而此尖尖之筆，方方之硯，遂成為余之「愛人」，與我長相左右，此正民國四十八年孟秋負笈國立政治大學政治系之時也。不意幼同原憲之赤貧，竟促成終身與古典文學結下糾葛不清之因緣，生死以之，義無反顧，年事愈長，其志益篤，斯則當年志學之初所不及料，而在今日亦得以深自慰藉者也。

本書所錄，均為民國四十八年孟秋至九十五年隆冬所作者，除部分卷帙已告散亡，容俟蒐尋以外，大體略備於是。全書共分八大類：一曰學術論著，二曰韻文，三曰駢體文，四曰文言文，五曰語體文，六曰詩，七曰詞，八曰聯語。簡而明之，繫諸左方。

（一）學術論著

此為本書之主軸，佔全書之大半。余自幼襟袍恢宏，豪氣干霄，頗有以學術經綸邦國，霖雨蒼生之大志。及披讀《後漢書》列傳，始知早在劉宋之世，范曄已將「儒林」、「文苑」嚴格分疆，畫清界限，毋相奪倫。所謂「儒林傳」，即今之「學術界」，所謂「文苑傳」，即今「文藝界」，沿襲至今，世無間然。於是發下宏願，終其一生，盡其在我，堅守學術報國之初衷，從容就道，既欲作儒林之勁卒，行有餘力，復欲兼作文苑之尖兵，二者苟能互取巧助，相得益彰，得非學術、文藝二界之一大盛事歟；而杜少陵「名豈文章著」之憾事非立即可以彌補耶。

（二）韻　文　吾華夙稱文章大國，美冠寰宇，先哲殺青所就者，叢雜猥多，殆非更僕所能盡數。僅就韻文體製而論，觀姚鼐《古文辭類纂》、李兆洛《駢體文鈔》及曾國藩《經史百家雜鈔》所分類者，即多達數十種，雖有生知之資，累世不能竟其業，況其下焉者乎。余研究心揣摩之對象，歸納為**慶賀**、**哀祭**、**銘誌**、**題辭**等四小類而已。蓋自童蒙識字之伊始，即偏愛有韻之篇什，以其音節鏗鏘，口脗調利，而又便於記誦也。例如《百家姓》、《千字文》、《聲律啟蒙》、《龍文鞭影》，以至《千家詩》、《唐詩三百首》、《古詩源》、《古唐詩合解》等，皆為余所經常心維口誦，寢斯饋斯，視同良伴者，至今思之，猶覺滋味醰醰，令人難忘。

（三）駢體文　駢體文為古典文學之極品，亦唯美文學之神品，乃全世界最艱深、最美麗、最難學之文章。其所涵蓋之條件，多達五項：一曰對仗精工，二曰聲律諧美，三曰典故繁富，四曰辭藻華麗，五曰句型靈動。此五者必須全部具備，缺一不可，蓋缺其任何一項，即不得謂為標準之駢體文，而被視作「野狐禪」矣。余嘗分駢文為廣狹二義：廣義之駢文，即「六朝體」，條件寬鬆，稍具規模，編字不隻，捶句皆雙即可，如劉勰《文心雕龍》、鍾嶸《詩品》、蕭繹《金樓子》是也。而狹義之駢文，即「四六體」，條件嚴謹，無稍寬假，世所通稱之駢體文即指此而言，如李商隱《樊南四六甲乙集》、陳球《燕山外史》、永瑢〈進四庫全書表〉是也。猶記童蒙苦讀《古文觀止》之時，尚不知駢體文為何方神聖，但知其遣詞造句，風神外貌，顯然與眾不同，中心藏之，無日忘之。迨春秋漸盛，涉獵愈富，始知王勃之〈滕王閣序〉、駱賓王之〈討武后檄〉、李白之〈春夜宴桃李園序〉、蘇軾之〈乞校正陸宣公奏議劄子〉為二百二十首「古文」中四枝挺秀之四六文。自是全力追琢，刻意模擬，不到一年，即粗略明其精蘊所在，而豁然貫通，無復窒礙矣。舉世最難學之文章，竟為我在十六歲時通而貫之，有如彈丸脫手，左右逢源，自憙之情，雖千萬言亦難名狀。惟其條件限制，多達五項，用典（第三項典故繁富）借代（第四項辭藻華麗）二端，又關乎腹笥之豐儉，而余資僅中材，文思遲緩，又情同長卿，每完成一篇，輒嗒然而廢，若喪匹耦。以是平生所作，自認尚有可觀者，僅寥寥二十八篇而已。其餘諸多情事本來欲以駢體成篇者，輒往往改弦易轍，為「韻文」與「文言文」所瓜代矣。

（四）文言文　自秦始皇鞭笞群雄，統一宇內以後，文字與文章，遂如日月經天，江河行地，無所容其疵議，成為官定之制式書寫工具，所謂「書同文，車同軌，行同倫」是也。吾人披讀遜清乾隆年間所纂修之《四庫全書》，蒐書凡三千四百六十種，計七萬九千三百三十九卷，幾於全是文言，而無語體，即可知其梗略。易詞言之，苟非文字、文章之統一，則吾國恐怕早已步歐洲之後塵，分裂成二十幾個國家矣。直至民國初年五四新文化運動興起以後，始漸行衰退，以迄於今。本人欲保存國粹，有時亦視文章之實際需要，間亦用文言文創作，庶幾繼美揚徽，不作《廣陵》之絕響。焦桐見棄，固事屬尋常，而敝帚自珍，亦情所難免。其裒然成章者，凡五十二篇，因全錄之，俾作飛鴻之泥爪焉耳。

（五）語體文　當今之世，由於科技掛帥，工商各業蓬勃發展，今人已無耐性，更無雄心學作文言文。一般芸芸諸生，無不畏懼文言之艱難，而忻樂語體之簡易。自民初語體文推行以後，曾不旋踵，即橫掃全國，震撼華夏，有如洪水巨潦，沛然莫之能禦。流風所扇，能作文言文者，直如靈光之一殿，變成碩果僅存之稀有動物矣。余平生所作語體文極少，僅戔戔十二篇而已。雖大海一瀾，未窮崖涘，而吉光片羽，亦往往而備加珍惜。

（六）詩　余愛讀詩而不愛作詩，以其耗時費事，有時一字未安，旬日躊躇。

賈島云：「二句三年得，一吟雙淚流。」盧延遜亦云：「為安一個字，撚斷數根鬚。」道盡創作詩歌之苦況，蓋不啻為我詠也。綜錄舊稿，甫逾百篇，而在此四十七年間，為求學位而受學術之訓練，為生活故而治他人之事，其所用以作詩者，為時甚少，而稟性駑緩，天資魯鈍，故平生所作，如是而已。

（七）詞　余協律匪精，填詞差少，今所甄錄者，凡一十三首，且率為三十餘年前之舊作，於時家業不豐，生活困頓，往往泛宅浮家，三移九往，其所亡佚之篇什，以詞為獨多，然即使僅此覆瓿之數，要不難於此窺其梗概焉。前修或有以少許勝人多許者，余也不敏，何敢奢望，但願能免於買菜求益，或失之冗濫而已。

（八）聯　語　我國文字之特色，在於孤立與單音。惟其為孤立，故易於講對偶；惟其為單音，故易於務聲律。由對偶與聲律所構成之文字，即是聯語。聯語實駢文之支流，譬如一篇駢文，拆開即是一幅一幅的聯語；合之則為一篇完整的文章。余於民國六十七年起，在行政院國軍退除役官兵就業輔導委員會兼任設計委員，專司文字應酬，歷時九年，撰擬文稿，以聯語為獨多，今擇其尤要者百餘首，刊載於此。聯語一道，自遜清道咸以還始盛行於世，旌善表徽，義資潛化，通人為此，亦時有可觀者焉。所錄諸作，揄揚雖偶溢量，侔揣或嫌失真，然其悉為作者心血之結晶，則敢於自信者也。

「別錄」俗稱「附錄」，自漢劉向首創「別錄」，為我國目錄學之祖，後世學者宗之，競相仿效。「別錄」有敬意，而「附錄」則無，此則筆者捨「附錄」而用「別錄」之真旨所在。「別錄所甄錄者，率自民國四十八年起，迄九十五年止，在此四十七年期間，凡師長魁儒之所期許，朋輩友生之所贈予，以及媒體記者之所訪談者，裒為一輯，用留墨蹟，以攝駒影，拳拳厚意，敢不拜嘉。

陸放翁詩云：「文章本天成，妙手偶得之。」吾常謂文章得失，驗諸寸心，千載悠悠，孰為真賞。數十年來，深荷海內外儒林耆宿，文苑名家，時加揄揚，彌多鞭策，俾得益勵炳燭之勤，特在此一申謝悃。

民國九十六歲次丁亥上元節

序於台北永和之揚芬樓

揚芬樓文集

上冊目錄

張仁青 著

(一) 學術論著

駢文在中國文學中之地位(一九六八)……一
中國語文之特質(一九六九)……一八
文學與時代環境(一九七〇)……三七
高中國文教學改良芻議(一九七一)……四二
六朝文學與佛教的關係(一九七二)……六四
評介陸宣公之駢文(一九七二)……七一
謝靈運〈擬魏太子鄴中集詩〉(一九七三)……七五
評介羅根澤《中國文學批評史》(一九七四)……八一

蕭子顯之文學思想（一九七六）……八四
聯語概說（一九七六）……九三
略論中國古典詩歌之用典（一九七七）……一〇〇
魏晉時代中原士庶之南遷（一九七八）……一一二
蔡邕父女的文學成就（一九八〇）……一一九
鍾嶸之文學思想（一九八一）……一三七
略論成惕軒先生之駢文（一九八一）……一七二
唯美文學產生於六朝之背景分析（一九八二）……一九〇
六朝人之愛美心理（一九八二）……一九四
徐陵與《玉臺新詠》（一九八四）……二〇二
儒家文學理論與駢體文（一九八五）……二一五
略論宋代四六文之特色（一九八五）……二三五
應用文淺說（一九八六）……二三七
清代駢文家之地域分布（一九八七）

——兼論歷代駢文家之地域分布……二四〇
六朝人之文學觀（一九八七）……二八一
唐代詩壇兩女傑（一九八八）
——薛濤與魚玄機……二九四
孔孟學說之永恆價值（一九八八）……三一六
文學與生活（一九九〇）……三三二
六朝隱士導論（一九九一）……三三九
李商隱〈錦瑟詩〉新詮（一九九二）……三八〇
蕭統之文學思想（一九九二）……三八六
宋代駢文新探（一九九四）……四〇六
李商隱〈淚詩〉詮評（一九九五）……四二七
李商隱〈嫦娥詩〉詮評（一九九五）……四四二
評析李商隱〈北青蘿詩〉（一九九五）……四四八
評析李商隱之〈韓碑詩〉（一九九五）……四五〇

應用文之革新問題（一九九七）……四五三
比興詩初探（二〇〇〇）……四五九
高啟詩之用典藝術（二〇〇〇）……四六九
《認識中國》發刊辭（二〇〇三）……四八六
《中華詩學雜誌》之沿革（二〇〇四）
——兼論臺灣詩學之傳承與展望……四九二
駢文略說（二〇〇四）……四九八
兩個中國之延續甚為必要（二〇〇四）……五一〇
現代人創作古典詩歌之聲韻問題（二〇〇五）……五二一
庾信詩文之用典藝術（二〇〇五）……五六五
李商隱無題詩新詮（二〇〇五）……六〇〇
成惕軒先生駢文之用典與借代（二〇〇六）……六一一

揚芬樓文集

下冊目錄

張仁青　著

（二）韻　文

一 慶賀類

京華粵菜館開業誌慶（一九六七）……六六一
賀杜負翁先生八十榮慶代中國文字學會撰（一九六九）……六六一
賀方永蒸考試委員八秩嵩慶代臺灣師大文學院長沙學浚作（一九六九）……六六一
賀李文齋立法委員七十雙壽代立法院撰（一九六九）……六六二
賀王致雲先生八十雙慶代行政院退輔會撰（一九八〇）……六六二
賀譚延敬之母九十萱慶代行政院退輔會作（一九八〇）……六六二

梅州管智民教授七十雙壽頌詞（一九八一）……六六三
賀陳本昌先生八十雙壽代退輔會作（一九八三）……六六三
賀袁守成先生八十嵩慶代（一九八四）……六六四
國民大學校長張香譜先生百齡大慶頌詞代（一九八四）……六六四
葉夢麟先生九十嵩慶頌詞代（一九八四）……六六四
賀陳夢渭先生八秩晉二榮慶代（一九八四）……六六五
賀潘廉方先生八十大慶代退輔會撰（一九八四）……六六五
賀何元文將軍九秩晉七佳慶二首・代退輔會撰（一九八四）……六六五
賀中印文化經濟協會成立二十週年代（一九八四）……六六五
美國舊金山祭孔大典祝詞代退輔會作（一九八五）……六六六
壽陳志正將軍之令堂九十代（一九八五）……六六六
賀全球各地僑領八十佳慶八首・代退輔會作（一九八五）……六六六
賀清傳商職二十週年校慶代（一九八五）……六六七
恭祝嚴前總統家淦先生八十華誕代（一九八六）……六六七

板橋廣厚宮創建一百三十週年頌并序（一九八九）……六六八
蕭自誠先生八秩榮慶頌詞（一九九〇）……六六九
賀中山大學黃仲崙教授榮退（一九九三）……六六九
賀李登輝先生就第一屆民選總統職代（一九九六）……六七〇

二哀　祭　類

祭程元藩司長文代業師成惕軒氏撰（一九六八）……六七一
祭台灣師大附中黃澂校長文代台灣師大校長孫亢曾撰（一九六九）……六七二
祭雷夫人文代台師大賈馥茗教授作（一九七〇）……六七三
祭台師大人事室許立泰主任文代臺灣師大校長孫亢曾撰（一九七一）……六七四
祭夫李漁叔教授文家祭文·代（一九七二）……六七四
祭李漁叔教授文代業師李曰剛氏撰（一九七二）……六七五
祭兄杜勝雄先生文代（一九七四）……六七六
祭台灣師大程發軔教授文代（一九七五）……六七七

祭周孟揚老先生文（一九七五）……六七八
祭台灣大學戴銘辰教授文代治喪會撰（一九七五）……六七九
祭台灣大學戴銘辰教授文家祭文・代台大校長閻振興撰（一九七五）……六八〇
祭台灣大學戴君仁教授文代治喪會撰（一九七八）……六八一
祭台灣大學屈萬里教授文代台灣大學校長閻振興撰（一九七九）……六八一
祭台灣大學屈萬里教授文代臺大文學院作（一九七九）……六八二
祭台灣大學屈萬里教授文代臺大中文系作（一九七九）……六八三
祭王雲五董事長文代中山基金會作（一九七九）……六八三
祭潘母劉太夫人文代臺灣師大國文系作（一九七〇）……六八四
祭潘母劉太夫人文代臺灣師大國文研究所作（一九七〇）……六八五
祭榮民文代退輔會撰（一九八〇）……六八六
祭蔡故副教授朝欽先生文代中山大學企管系撰（一九八一）……六八六
李鰡先生家祭文代（一九八一）……六八七
祭基隆醫院郭進財院長文代中山大學林基源教授撰（一九八二）……六八八

彭氏宗親會祭祖文（一九八二）……六八九
祭林尹先生文代台灣師大撰（一九八三）……六九〇
大千居士誄（一九八三）……六九〇
尹殿華烈士殉國七十週年哀辭代（一九八四）……六九一
孫雨航先生哀辭代退輔會撰（一九八四）……六九二
祭張金藻將軍文代退輔會主委鄭為元氏撰（一九八六）……六九二
祭夫成惕軒先生文家祭文・代師母徐文淑女史撰（一九八九）……六九三
天安門死難同胞百日祭代中山大學校長林基源撰（一九八九）……六九四
陳毓祥烈士哀辭代香港珠海學院撰（一九九六）……六九四
祭蘇文擢教授文代香港珠海學院撰（一九九七）……六九五
祭徐文珊教授文（一九九八）……六九五
祭龔丕芳先生文代中山大學中文系撰（一九九九）……六九六
祭孔仲溫教授文代中山大學校長劉維琪氏撰（二〇〇〇）……六九七
祭孔仲溫教授文代國立中山大學中國文學系撰（二〇〇〇）……六九八

祭胡秋原先生文代治喪會撰（二〇〇四）……六九九

三銘誌類

故海軍上將王恩華墓誌銘代參謀總長撰（一九六一）……七〇一
西螺硯銘（一九六六）……七〇三
梁母淩太夫人墓誌銘（一九九三）……七〇三

四題辭類

謝鴻軒教授近代名賢墨蹟展覽題辭代業師臺灣師大國文系李曰剛主任作（一九六九）……七〇五
中國經濟評論雙月刊》創立十週年題辭代（一九七九）……七〇五
民國六十八年一二三自由日特刊題辭代（一九七九）……七〇五
美洲至孝篤親總公所懇親會題辭代（一九八〇）……七〇五
全美黃氏宗親會題辭代行政院退輔會作（一九八一）……七〇六
《黃埔月刊》題辭代退輔會作（一九八二）……七〇六

黃埔軍校香港校友會七十二年會刊題辭代（一九八三）……七〇六
全國詩人聯吟大會題辭代（一九八四）……七〇七
香港《黃埔會刊》題辭代（一九八四）……七〇七
平江歐陽氏族譜題辭代（一九八四）……七〇七
僑資事業協進會成立卅年題辭代（一九八四）……七〇七
印度中國之友社題辭代（一九八五）……七〇八
民國七十四年自由日特刊題辭代（一九八五）……七〇八
中華棒球協會特刊題辭代（一九八五）……七〇八
菲律賓三姓成立百年專刊題辭代（一九八五）……七〇八
黃埔軍校香港校友會七十五年會刊題辭代（一九八六）……七〇九
重修廣東省平遠縣張氏族譜題辭代（一九九七）……七〇九

（三）駢體文

山房尋夢記（一九六〇）……七一一

瀛海新聲弁言（一九六一）……七一四
為開平中學十週年校慶募捐啟（一九六一）……七一五
慈谿顧崇庵先生七十壽序（一九六二）……七一六
林子靖先生八十嵩壽徵文啟（一九六六）……七一八
蕭母黎太夫人九十壽序代業師林尹先生撰（一九六七）……七一九
周樹聲立法委員八十壽序代行政院院長嚴家淦撰（一九六八）……七二一
瑞安林尹先生六秩壽頌并序（一九六九）……七二四
日月潭玄奘寺擴大文物建設募緣啟（一九七〇）……七二八
程發軔教授八十華誕紀念論文集序代臺灣師大國文研究所撰（一九七〇）……七二九
孫科先生言論集序代考試院撰（一九七〇）……七三〇
陽新成惕軒先生六秩壽頌并序（一九七一）……七三一
慧炬月刊社創立十二週年頌并序（一九七三）……七三五
俞國華總裁六十壽頌并序・代中央銀行撰（一九七三）……七三七
陳翰珍委員八秩雙壽序代中國青年黨撰（一九七六）……七三九

錢思亮院長七十壽序代中央研究院撰（一九七七）……七四二
王雲五博士九秩華誕頌詞並　序（一九七七）……七四五
何應欽上將軍九秩華誕頌詞並序・代中山基金會撰（一九七九）……七四八
前宛西縣長陳重華先生九秩榮慶頌詞並　序（一九七九）……七五一
王世杰院長九十華誕頌並　序・代中央研究院撰（一九八〇）……七五三
前銓敍部長雷法章先生八秩壽頌代（一九八一）……七五五
國立中山大學行政大樓奠基記代中山大學校長李煥作（一九八一）……七五八
傅玉甫上將軍八十華誕頌詞并　序・代空軍總司令部撰（一九八四）……七五九
長沙陳家俊先生暨德配龔夫人八秩雙壽鑽婚紀念頌并　序（一九八四）……七六一
石覺上將軍八秩華誕頌詞並　序・代銓敍部撰（一九八五）……七六四
故東海大學教授徐文珊先生百歲冥誕紀念文（一九九九）……七六七
張定成先生八秩華誕頌詞並　序（二〇〇六）……七七三
中國文化大學表揚狀（二〇〇六）……七七七

(四)文言文

大學聯考甘苦談(一九六〇)……七七九
詩歌與音樂(一九六〇)……七八三
交友論(一九六〇)……七八六
金門瑣憶(一九六一)……七八七
鯉魚潭記遊(一九六一)……七九〇
孟子之政治思想(一九六一)……七九二
晏殊《珠玉詞》讀後抒感(一九六一)……七九五
孔門論教育(一九六二)……七九六
論儒家之仁與孝(一九六三)……七九九
《周易鄭氏學》序代臺灣師大國研所林尹所長撰(一九六九)……八〇二
《國文研究所集刊》弁言代臺灣師大國文研究所林尹所長撰(一九七〇)……八〇三
簡介枚皋(一九七〇)……八〇六

簡介成公綏（一九七〇）……八〇七
簡介張協（一九七〇）……八〇八
簡介張華（一九七〇）……八〇九
簡介任昉（一九七〇）……八一〇
簡介庾肩吾（一九七〇）……八一一
釋連珠（一九七〇）……八一二
釋韻文（一九七〇）……八一三
釋誄（一九七〇）……八一四
釋對偶（一九七〇）……八一五
釋贊（一九七〇）……八一六
釋墓誌銘（一九七〇）……八一八
釋行狀（一九七〇）……八一九
釋駢體文（一九七〇）……八二〇
情說（一九七二）……八二三

《三唐詩絜》弁言（一九七三）……八二六
戴故教授銘辰女史行述（一九七五）……八二八
馬壽華先生事略（一九七八）……八二九
《魏晉南北朝文學思想史》自序（一九七八）……八三二
自　序應國立中山大學之聘而作（一九八〇）……八三八
習文五要（一九八〇）……八四二
《徐庾駢文研究》序（一九八三）……八四五
佳里榮譽國民之家落成紀念碑代退輔會主委鄭為元撰（一九八四）……八四八
谷陳怡君女士事略（一九八八）……八四九
為編印成惕軒先生紀念集徵文啟（一九八九）……八五〇
《中國唯美文學之對偶藝術》自序（一九九〇）……八五一
《李商隱豔情詩之謎》序（一九九一）……八五九
六朝駢文聲律探微序（一九九一）……八七〇
《唐詩采珍》卷首小語（一九九一）……八七四

《李賀詩新探》序（一九九六）……八七七
《稼軒詞探賾》序（一九九九）……八七九
國立中山大學《采詩》序（二〇〇〇）……八八三
《平遠會訊》發刊詞代（二〇〇一）……八八五
《李商隱絕句詩闡微》序（二〇〇一）……八八七
《唐代青樓詩人及其作品研究》序（二〇〇一）……八九七
國立中山大學中文系詞課弁言（二〇〇一）……九〇〇
中國文化大學中文系詩課弁言（二〇〇二）……九〇一
《李白詩醇》自序（二〇〇三）……九〇二
《歷代女子名作選讀》卷頭小語（二〇〇六）……九〇五
《李群玉詩歌探微》序（二〇〇六）……九〇七
成母徐太夫人事略（二〇〇六）……九一一

（五）語體文

新科舉（一九七三）……九一三
《思齋說詩》序（一九七六）……九一四
怎樣提高自己的國文程度（一九七九）……九一七
應用文淺說（一九八一）……九一九
大學聯考國文科應考須知（一九八五）……九二二
怎樣學作文言文（一九八六）……九三七
《駢文觀止》自序（一九八六）……九四〇
漫談應用文（一九八六）……九四三
國立中山大學七十七年畢業典禮致詞代林基源校長撰（一九八八）……九四九
漫談語言文字的使用方法（一九八八）……九五一
風木哀思代林氏家屬作（一九九三）
——先父林尹先生逝世十年祭……九五四

師門雜憶（一九九九）……九五七

（六）詩

旅金詩鈔有序・十二首（一九五九）……九六五
呈林尹師門（一九六〇）……九六八
碧潭泛舟（一九六〇）……九六八
陽明即景（一九六〇）……九六八
辛丑生日抒感（一九六一）……九六八
秋夜詠懷（一九六一）……九六九
野柳浪跡（一九六一）……九六九
本事詩（一九六二）……九六九
賞　菊（一九六三）……九六九
贈閔蜀鵑女史（一九六四）……九六九
碧潭臨泛（一九六四）……九七〇

月　夜（一九六五）……九七〇
春日寄懷（一九六六）……九七〇
憶　昔（一九六六）……九七〇
贈湯雁湘女史（一九六六）……九七一
冬日寄懷（一九六六）……九七一
楊花落有序（一九六六）……九七一
春　思三首（一九六六）……九七一
無　端（一九六七）……九七二
琴　心（一九六七）……九七二
秋　夕（一九六八）……九七二
憶　舊古體（一九六八）……九七二
夏日偶成（一九六八）……九七三
本事詩二首（一九六八）……九七三
戊申上元偕小蘋螢橋賞月（一九六八）……九七三

天　涯（一九六八）……九七四
冬　雨（一九六九）……九七四
贈林麗珠女史嵌名詩（一九六九）……九七四
贈陳淑麗女史（一九六九）……九七四
山房秋思（一九六九）……九七四
遣　興（一九六九）……九七五
紅　梅二首（一九六九）……九七五
觀魏海敏女史演太真外傳（一九六九）……九七五
春日寄懷（一九六九）……九七五
山居雜詠六首（一九六九）……九七六
憶　舊（一九七〇）……九七六
濱海道中作（一九七〇）……九七六
秋夜寄懷（一九七〇）……九七七
賞　梅（一九七〇）……九七七

月塘聞簫（一九七一）……九七七
寫　意（一九七一）……九七七
岑樓憶舊四　首（一九七一）……九七八
游　泳　歌現代詩・為中華民國游泳協會作（一九七一）……九七八
送尹定國赴美留學（一九七二）……九七九
聽鄭開道教授古箏獨奏即席賦贈（一九七二）……九七九
春思二首寄中村文美子（一九七三）……九七九
癸酉上巳華岡雅集（一九七三）……九七九
賀董開忠高華美新婚嵌字詩（一九七四）……九八〇
寄懷宗玲（一九七八）……九八〇
夏夜書懷（一九七九）……九八〇
暮　蟬（一九八〇）……九八〇
初登高雄壽山（一九八〇）……九八一
尋金恩柱不遇（一九八九）……九八一

題贈國立成功大學韓友會二　首（一九九〇）……九八一
贈伏嘉謨教授三　首（一九九一）……九八二
贈張前考試委員定成三　首（二〇〇一）……九八三
贈蔡鼎新先生三　首（二〇〇二）……九八三
贈陳輝光副分局長嵌名詩（二〇〇二）……九八四
贈永和分局朱紫平嵌名詩（二〇〇二）……九八五
贈吳政芳警長嵌名詩（二〇〇二）……九八五
贈劉治慶先生三　首（二〇〇三）……九八六
敬悼蔡秋金先生三　首（二〇〇四）……九八七
敬悼馬鶴凌先生（二〇〇五）……九八七
敬悼龔嘉英先生三　首（二〇〇五）……九八九
丙戌歲暮書懷（二〇〇六）……九九〇

（七）詞

憶江南賀錢靜萍小姐于歸（一九六〇）……九九一
相見歡觀舞（一九六〇）……九九一
唐多令秋思（一九六〇）……九九一
菩薩蠻離情（一九六一）……九九二
唐多令慰韻嫻女史（一九六一）……九九二
臨江仙二十二歲生日抒感（一九六一）……九九二
誤佳期冬夜抒懷（一九六一）……九九二
江城子秋思（一九六二）……九九三
憶江南賀鄭湘靈小姐于歸（一九六四）……九九三
浣溪沙春思（一九六四）……九九三
鷓鴣天賀孫仲筠新婚（一九六五）……九九三
臨江仙憶舊（一九六八）……九九四

摸魚兒詠春・用稼軒韻（一九七八）……九九四

（八）聯語

一楹聯

屏東內埔第十三榮民公墓聯代行政院退輔會作（一九八〇）……九九五
巴拉圭首府亞松森新建中華亭聯代退輔會作（一九八三）……九九五
臺中新社鄉中興嶺軍人公墓聯代退輔會作（一九八四）……九九五
臺北高氏祠堂楹聯四首・嵌字聯（一九八四）……九九六
新竹鄭氏宗祠聯（一九八五）……九九七
世界鄭氏宗祠聯（一九八六）……九九七
臺北許氏祠堂楹聯十二首（一九八八）……九九七
臺北高氏祠堂楹聯三首（一九八八）……一〇〇〇

二賀　聯

臺灣省立蘭陽女中廿八週年校慶（一九六六）……一〇〇六
新營南光中學四十週年校慶（一九八七）……一〇〇六
賀邱燈震學棣陳貞如小姐結婚嵌字聯（一九八九）……一〇〇六
賀國立中山大學教職員健行隊二首（一九九二）……一〇〇七
賀陳輝光警長張自珍女史錫婚嵌名聯（二〇〇二）……一〇〇七

三春　聯

民國七十七年春節國立中山大學正門春聯（一九八八）……一〇〇八
民國七十八年春節國立中山大學正門春聯（一九八九）……一〇〇八
民國七十九年春節國立中山大學正門春聯（一九九〇）……一〇〇八
歷年代作春聯集錦……一〇〇九

四輓　聯

輓陳母吳太夫人（一九六一）……一〇二
代輓陳母吳太夫人（一九六一）……一〇二
輓前中央大學校長郭秉文先生代臺灣師大文學院院長沙學浚作（一九六九）……一〇二
輓台灣師大附中校長黃澂先生代臺灣師大校長孫亢曾作（一九六九）……一〇三
敬輓業師台灣師大李漁叔教授（一九七二）……一〇三
輓李漁叔教授代台灣師大國文研究所作（一九七二）……一〇三
輓李漁叔教授代臺灣師大國文系作（一九七二）……一〇三
輓張母易太夫人（一九七二）……一〇四
輓許世瑛教授二　首（一九七二）……一〇四
輓台灣大學戴銘辰教授代臺大中文系作（一九七五）……一〇四
輓台灣大學戴銘辰教授代臺大校長閻振興作（一九七五）……一〇五
輓中廣董事長梁寒操先生（一九七五）……一〇五

輓袁母張太夫人(一九七五)……………………………………一〇一五
輓王鍵先生(一九七六)……………………………………一〇一六
輓張母王太夫人(一九七七)……………………………………一〇一六
輓陳母黃太夫人(一九七八)……………………………………一〇一六
輓臺灣大學戴君仁教授代台大作(一九七八)……………………………………一〇一六
輓台大戴君仁教授代台大中文系作(一九七八)……………………………………一〇一七
敬輓業師臺灣師大宗孝忱教授(一九七九)……………………………………一〇一七
輓何人豪先生代行政院退輔會作(一九七九)……………………………………一〇一七
輓詹純鑑先生代行政院退輔會作(一九七九)……………………………………一〇一七
輓詹純鑑先生代國防研究院同學會作(一九七九)……………………………………一〇一八
輓前復旦大學校長吳南軒夫人代退輔會作(一九七九)……………………………………一〇一八
輓王雲五博士(一九七九)……………………………………一〇一八
輓王董事長雲五博士代中山基金會作(一九七九)……………………………………一〇一八
輓監察院張維翰院長代監察院作(一九七九)……………………………………一〇一九

輓監察院張維翰院長代退輔會作（一九七九）……一〇一九
輓盛母史太夫人代退輔會作（一九七九）……一〇一九
敬輓師母楊哲仙女史（一九八〇）……一〇一九
輓慈母易太夫人代（一九八〇）……一〇二〇
悼歷年亡故榮民代行政院退輔會作（一九八一）……一〇二〇
輓蔣彥士母徐太夫人三首・代行政院退輔會作（一九八二）……一〇二〇
敬輓業師臺灣師大戴培之教授（一九八二）……一〇二一
輓張大千居士（一九八三）……一〇二一
代輓大千居士（一九八三）……一〇二一
敬輓彭母何太夫人（一九八三）……一〇二二
輓台灣師大林尹教授代臺灣師大作（一九八三）……一〇二二
輓林尹夫君代師母吳英女史作（一九八三）……一〇二二
輓杜負翁老先生代中國文字學會作（一九八三）……一〇二二
輓周母趙太夫人代（一九八五）……一〇二三

輓張金藻將軍代退輔會作（一九八六）……一〇二三
敬輓業師臺灣師大程發軔教授（一九八六）……一〇二三
輓蒙藏會董樹藩委員長二首・代退輔會作（一九八六）……一〇二三
輓張廷能先生自作一首・代作二首（一九八七）……一〇二四
輓惕軒夫君代師母徐文淑女史作（一九八九）……一〇二五
輓嚴父惕軒先生代成中英博士作（一九八九）……一〇二五
輓義父成惕軒先生代蕭金梅女士作（一九八九）……一〇二五
敬輓業師臺灣師大巴壺天教授（一九八九）……一〇二五
輓黃博君女弟（一九八九）……一〇二六
輓陳母羅太夫人（一九九〇）……一〇二六
哭輓慈母何太夫人（一九九二）……一〇二六
敬輓彭春福先生自作一首・代作三首（一九九二）……一〇二七
輓顏天祐先生（一九九二）……一〇二八
輓香港新亞學院趙潛教授（一九九四）……一〇二八

輓易大德中將（一九九六）……一〇二八
輓嚴耕望院士代香港新亞研究所撰（一九九六）……一〇二八
輓嚴耕望院士代香港新亞研究所學聯會撰（一九九六）……一〇二九
敬輓業師前花蓮縣鳳林中學彭凌雲校長（一九九六）……一〇二九
輓豐田夫人（一九九七）……一〇二九
輓香港蘇文擢教授代香港珠海學院作（一九九七）……一〇三〇
輓徐文珊教授自作一首・代作二首（一九九八）……一〇三〇
輓徐承章先生自作一首・代作二首（一九九九）……一〇三一
輓龔丕芳先生自作一首・代作二首（一九九九）……一〇三一
輓孔仲溫博士自作一首・代作十首（二〇〇〇）……一〇三二
輓龔母林太夫人三　首（二〇〇三）……一〇三四

別 錄

贈仁青老弟（一九六〇）……………………………………成惕軒……一〇三七
寄懷仁青詞長七律二首（一九六三）…………………………張夢機……一〇三七
久未得仁青成秋音訊占此寄懷（一九六五）…………………張夢機……一〇三八
再贈仁青老弟嵌字聯（一九六六）……………………………成惕軒……一〇三八
贈仁青賢棣甲骨文聯（一九六八）……………………………魯實先……一〇三八
呈同塵師門（一九六九）…………………………………………閔蜀鵑……一〇三九
秋夜仁青夢機教授見過食湯圓二首（一九六九）……………羅　尚……一〇三九
同塵博士惠贈新撰《楚望樓駢體文詳注》賦此以謝（一九七三）……彭公遠……一〇三九
與林尹同主仁青博士論文考試（一九七八）…………………成惕軒……一〇四〇
蒙惠《佩文韻府》賦此申謝（一九七九）……………………王壽華……一〇四〇
贈張同塵博士二首（一九七九）…………………………………舒憲波……一〇四一
懷張梅山張夢機兩教授二首（一九八三）………………………舒憲波……一〇四一

贈張仁青博士嵌字聯（一九九二）……………………伏嘉謨……………一〇四二
贈張仁青博士五首·嵌字聯（二〇〇六）……………刁抱石……………一〇四二
贈張同塵博士（一九九三）……………………………劉治慶……………一〇四三
大庾縣政府歡宴張仁青教授席上口占（一九九三）……李月啓……………一〇四四
敬和張仁青博士贈伏嘉謨元韻兼簡伏老三首（一九九三）……李月啓……………一〇四四
贈張仁青博士二首（一九九四）………………………余　蓋……………一〇四五
張師仁青教授榮退賀詞（二〇〇二）…………………戴俊芬……………一〇四五
迎春懷友（二〇〇六）…………………………………馬芳耀……………一〇四七
評介青年駢文家張仁青所編著的《歷代駢文選》（一九六三）……謝鴻軒……………一〇四九
歷代駢文選序（一九六三）……………………………林　尹……………一〇五二
將冷板凳當作溫牀（一九六八）
——專訪榮民張仁青碩士……………………………魏光森……………一〇五四
再訪榮民張仁青碩士（一九六九）……………………魏光森……………一〇六〇

清明節談墓誌銘（一九八〇）
——訪中山大學教授張仁青博士……………………鍾麗慧……一〇六四
訪問「菲華文化著作獎」得主張仁青教授（一九八二）……楊振敏……一〇六八
從大兵到博士（一九八三）
——專訪花蓮傑出鄉親張仁青教授……………………汪文濤……一〇七〇
推介張仁青博士編著的《應用文》（一九八四）……………吉　羊……一〇七三
小朋友的國學書籍巡禮
——訪張仁青教授（一九八八）…………………………唐英秀……一〇七五
由牧童躍身為國家文學博士（一九九〇）
——張仁青教授的心路歷程……………………………史希如……一〇八一
臺灣的《應用文》（一九九〇）……………………………于成鯤……一〇八九
訪由牧童到教授的張仁青博士（一九九三）………………黃應貞……一〇九三

（一）學術論著

駢文在中國文學中之地位（一九六八）

駢文爲中國單音節文字所構成之特殊文體，亦中國文化精神所孕育之絕妙文藝，無論任何國家，皆不能產生此種風華絕代之美文，所謂「祇此一家，別無分店」，此非余一人之私言，乃天下之公言也。

吾國自有文章，即有駢體，駢體蓋挾中國文學以俱來，且相終始焉，此種高華優美之文體，厚培深植，極數千年之斟酌損益而成，況其藻采繽紛，神韻綿遠，踵襲雅騷之遺，光昭正始之音，蔚爲此一民族之特有文藝，謂宜光大盛業，綿衍無窮。乃不意自韓柳古文運動倡行以還，歷代文家不慊意於斯體者，蓋不可以僂指計焉。其犖犖較著者，如王應麟《辭學指南》云：

宋神宗初即位，擢司馬光爲翰林學士，光辭以不能爲四六。……不得已乃受之。

又洪邁《容齋三筆》云：

四六駢儷，於文章家爲至淺。

是皆不滿於當時之文體，而發爲是言者。至於清代古文家震於蘇氏稱韓文起八代之衰之語，遂目駢偶爲俳優，橫加掊擊，不遺餘力。此則古文家以散行之文相號召，其與駢文戾若仇讎，亦勢所必然，無足怪者。乃自鼎革以後，一般思想急進之士，更形變本加厲，高呼科學（science）與民主（democracy）之口號，提倡白話以替代通行數千年之文言，而文必廢駢，詩必廢律之謬說，尤其囂然塵上，謂駢文乃專制時代少數高級知識分子之寵物，非盡人所能學，尤不周於世用，及其末也，且以一無價值之死文學目之矣。揆其用心，則無非震於西洋物質文明之高度發展，非中邦之所能逮，遂以爲人無不是，而我莫不非，詆娸中國文化爲不值一錢，必欲一舉而摧陷廓清之而後已，駢文特其目標之尤著者耳。

夫駢文果爲貴族文學乎，果爲死文學乎，果爲不值一錢乎，在中國文學史上果無一席之地乎。若以彼輩之所言爲是，則胡以自東漢以後，詞人雲興，名作間出，雖屢經憂患，飽受摧殘，依然屹立不搖，而與散文迭相雄長，分庭抗禮耶。跡其所以然，是必有其本身之優越條件及種種客觀之因素在也。茲條陳如左：

（一）駢文與中國文學相終始

我國數千年之文章，萬國罕比其美，此舉世所公認之事實。無奈好事之徒，強分文章爲駢散二體，二者遂在中國文壇上分鑣並驅，迭爲盛衰，消長無定。自清汪中倡言打通駢散之藩籬，恢復駢散合一之境界以來，高揭附和之旗幟者，更僕難數，如劉開、曾國藩、黃季剛諸氏，則其中褎然冠首之人物焉。即以白話文風靡全國之今日，駢句儷辭亦未嘗見棄於文壇。如余於民國六十年農曆新春嘗應國立台灣師範大學之邀，撰一聯賀歲云：

四季皆春，人稱蓬島為仙境。
一枝出眾，天以梅花作國魂。

又如朱自清〈怱怱〉云：

燕子去了，有再來的時候，
楊柳枯了，有再青的時候，
桃花謝了，有再開的時候。

皆其例。是知奇偶相間之詞句，爲絕大多數知識分子所愛用，毋乃勢所必然，而稽其所以致此之由，殆即陸象山所謂「此心同，此理同」者歟。近人瞿兌之於此更有精闢之見解，其言曰：

駢文之理，伏於吾華文字語言之形聲組織，假使僅廢文而不廢語，駢文猶無滅理。何則，不觀口語中之民謠俗諺，必兩兩相對乎，所謂文者，本取彣彰之義，非配儷均齊，映發成趣，不足以當文之目。推之於吾華音樂、繪畫、建築、藝術，罔不基於此。則直謂吾人日日孕育熏習於駢偶之環境中，未爲不可也。又不見人家慶弔必用聯語乎，當世之人，痛詆文言，雖作聯語，亦必白話，雖爲白話，仍是駢偶。足知習俗如此，終不易脫駢文之羈絆

也。（劉麟生《中國駢文史》序）

談言微中，理則昭然，無復有討論辯駁之餘地矣。揆諸天下萬物奇偶相參、剛柔相濟之理，衡諸文運剝復相尋之跡，鑒諸社會上廣大群衆之需要，駢文（指廣義之駢文而言）之與中國文學相始相終，共江河而長流者，決非過甚之詞，請以證之來日可也。

（二）駢文易於流傳不朽

我國文章，依其形態，大致可分爲駢文、散文與白話文三大類。三者如尺寸然，各有所長，亦各有所短，誰是誰非，孰優孰劣，言人人殊，實難有一定之標準，若必欲揚彼以抑此，或軒此而輕彼，是徒爭雞蟲之得失於萬一耳，膠柱鼓瑟，其庸有當乎。質實言之，若以空間上通行之廣而論，俚俗淺顯、婦孺皆知之白話文，自較駢散文易於溝通不同地區之現代人之思想，其此所長也。然而語文一致之結果，勢必難於傳諸久遠，蓋語言必隨時代而改變，語言變則文章亦隨之俱變矣。今舉五四主盟諸君所心醉之白話小說《紅樓夢》《水滸傳》《儒林外史》《醒世姻緣》爲例，其中方言死語甚多，有非現代知識分子所能了解者。例如：

㈠賈母笑罵道：小蹄子們，還不攙起來，只站著笑。（《紅樓夢》）

㈡劉老老說道：這笥叉巴子，比我們那裏的鐵掀還沈，那裏拏得動他。（同上）

㈢李俊說宋江是個奢遮的好男子。（《水滸傳》）

㊃小珍哥說，我洵碌他甚麼來。（《醒世姻緣》）

㊄成老爹道，這分田全然是我來說的，我要在中間打五十兩銀子的背公。（《儒林外史》）

又如胡適之名句「匹克里克江邊」（按匹克里克爲英文 picnic 之音譯，意謂野餐。），郭沫若之詩句「幽靈般的心絃，彈出新的煙士皮里純」（按煙士皮里純爲英文 inspletion 之音譯，意謂靈感。），皆歐化句子也，亦非普通知識分子所能解。而《紅樓夢》「女兒悲，嫁箇男人是烏龜」，尤不雅馴，以視李商隱詩「無端嫁得金龜壻，辜負香衾事早朝」，其神韻迴不侔矣。是則白話文之不能傳諸久遠，彰彰明甚，寧待辭費乎。若以時間上流傳之遠而論，則屬辭比事，協音成韻，而易於諷誦之駢文，自較散文、白話文爲長，如江淹之〈別賦〉、王勃之〈滕王閣序〉、駱賓主之〈爲徐敬業以武后臨朝移諸郡縣檄〉、李白之〈春夜宴從弟桃李園序〉，千載以下，傳誦不衰。至以儷辭成篇之《孝經》、《周易》〈文言〉、《周易》〈繫辭〉，更無論矣。惟是用典浩博，每令學子卻步，而侔色揣稱，尤非中材所逮，是不能爲駢文諱也。至於散文，適介於兩者之間，故爲多數知識分子所樂用。吾師李曰剛先生在所著《中國文學流變史》中，嘗就三者之價値，作扼要之批判，不偏不倚，最爲持平。迻錄其言於次：

駢體、散體、語體，爲中國文章之三大形態，前二者屬於文言，後者爲白話，三者各有其得失，不可作片面之指摘。平情而論：白話文之長處，在於直錄說話，淺顯明白，如用作曉諭大眾之工具，啓瀹人民之知識，自較文言文易於理解。但縷述繁複，篇幅冗長，難於傳之久遠，未始非其缺點。反之，駢文之長在辭句工整，聲韻調和，丹采華悅，琅琅成誦，易於流傳不朽。而其典實艱深之處，每使程度較淺之讀者，見而卻步，不易被大衆所接受。至於散文之特點，適介乎兩者之間，其可吸引之讀者，多於駢文，而少於語體文；可能流傳之力量，強於語體文，而弱於駢文，在目前上層知識階級中，仍佔有極大勢力。是誠顛撲不破之論，明達之士，必當首肯也。

(三)駢文最能表現中國文學之藝術美

中國之美文多矣，詩詞曲賦駢文等，無一而非美文，而美文之至者，又莫如駢文、律詩。駢文、律詩既準音署字，修短相侔，兩句之中，又復聲分陰陽，可謂美之極致，此諸夏所獨有，而舉世無與倫匹者也。近人謝无量曰：「中國字皆單音，其美文之至者，莫不準音署字，修短相均，故駢文律詩實世界美文所不能逮。蓋雖有閎文麗藻，音調則前後參差，隸事則上下不切，此未足爲美也。駢文鋪敘議論，語累千萬，比對精深，體裁綺密，句中自協宮商，境界視律詩尤廣。」(《駢文指南》)律詩非本書討論之範圍，姑從闕，今專論駢文之藝術(art 亦稱美術 fine art)美。

夫美術有兼言內容(contents)者，亦有專重形式(form)者。專重形式之美術，在於支配均齊，節奏調適。駢文音調鏗鏘，合於調適之原則，對仗工整，又合乎均齊之原則，在美學(aesthetics)上自有其崇高之價值，其所以被謚爲美文(belles-lettres)者以此，其所以被謚爲「有字之圖畫」者，亦以此也。惟昧者或有以無用之死文學嗤之，是坐不知美術文與實用文之殊耳。抑更進一步言之，駢文予人之美感（sense of beauty），蓋有四焉，今分述之。

㈠講對仗予人在視覺（sense of sight）方面之美感 凡自然界之名物，本多對峙，如天地、男女、動植物等皆是。故文中排偶之辭句，各國皆有之，惟長篇駢文為中國所獨有耳。良以中國文字，本屬孤立與單音，惟其孤立單音，故長短取舍，至能整齊。言乎對仗之用，可謂與文字以俱來者也。苟無對仗，不但文有不美，亦且意有不達。故自聖經賢傳，諸子百家，下逮小說白話，旁及語錄佛書，無論英雄兒女，君子庸人，但欲為文，但欲達意，必求利用對仗。而駢文固以對仗為第一要件，匪惟字字相稱，句句相儷，而意義、詞性、音節、形體等，亦無一不相儷相稱者，將對稱之整齊美發揮至於極峰。此種整齊畫一之文章，有不令人一見傾心者乎。

㈡用典故予人在心靈（spirit）方面之美感 文學乃緣歷史以發生，人不習知歷史，則必不能從事文學，此中國文史之所以恆為一體，不容分割也。夫典，事也，所謂典故，古之事也，亦即歷史之事也。是以典之定義，凡引證歷史中事實或前人言語入文者，皆曰典故。苟不能禁人斷絕歷史知識，則不能禁人不引用典故。古今中外文學作品之用典者，所在多是，以言英文習見之典，報章雜誌中可時時發見之，譬如我國人言「千鈞一髮」，英文則言「the sworb of Domocles」，我國人言「快刀斬亂痲」，英文則言「to cut the Gordian's Knot」，非大用典而特用典乎，亦何傷其為流暢之作品耶。是以典非不可以用，只看各人能不能用，善不善用。文章修辭之法，固不止白描一端，白描特較合乎初學之便而已。至於駢文，固以用典浩博著稱者也，在名篇佳作中，作者融化故事，不著痕跡者，往往能發生新的意趣與新的境界，其予人在心靈方面之美感，蓋有不可以言喻者矣。

㈢調平仄予人在聽覺（sense of heering）方面之美感　中國文字，雖爲衍形，而非衍聲，但有平上去入四聲之分別，故一方面可以取義比對，一方面可以聲分陰陽，駢文之產生，職是故也。駢文有用韻與不用韻之殊，顧雖不用韻，而通篇句必協平仄，聲必調馬蹄，然後有疾徐高下、抑揚抗墜之節。故一篇駢文，正如一首美妙的歌曲，使人聽之，不覺情爲之移，神爲之往，手舞足蹈猶其餘事焉耳。如梁簡文帝〈與蕭臨川書〉：

零雨送秋，輕寒迎節，江楓曉落，林葉初黃。

又如丘遲〈與陳伯之書〉：

暮春三月，江南草長，雜花生樹，群鶯亂飛。

再如江淹〈別賦〉：

又若君居淄右，妾家河陽，同瓊珮之晨照，共金爐之夕香。君結綬兮千里，惜瑤草之徒芳，慚幽閨之琴瑟，晦高臺之流黃。春宮閟此青苔色，秋帳含玆明月光，夏簟清兮晝不暮，冬釭凝兮夜何長。織錦曲兮泣已盡，回文詩兮影獨傷。

平情而論，其聲韻之諧，音調之美，讀之確能令人遶屋唱歎，不能自已。故駢文雖稱之爲文藝而兼音樂之一種特殊文學，其誰曰不宜。雖然，散文亦須講求音節之美，昔曾湘鄉深喜桐城·姚惜抱之文，而思救其懦緩之失，故論文每以音響為主，即此意也。惟是散文有散文對法，則有散文之音節，駢文有駢文對法，故有駢文之音節，二者在本質上判若冰炭，不可強同，而駢文則尤講求音節之美耳。

㈣敷藻采予人在嗅覺（olfactory sensation）方面之美感　駢文抽祕逞妍，儷紅媲白，江花謝草，宋豔班香，璀璨滿紙，使人恍如置身金谷園中，流連忘返，其予人在嗅覺方面之美感，有非楮墨所能形容者矣。

據上所述，足知駢文確已將中國之藝術美發展到極限，是最足以表現中國文學特色之唯一文體。環觀世界各國之美文，若詩歌，若戲劇，若小說，有一能與中國駢文爭一日之長者乎。乃昧者不察，或謂之為無用，或詆之為死文學，遂欲並駢儷之藝術美而去之，是不知美學者也。

（四）駢文可以治空疏

夫人之常情，往往趨易而畏難，避重而就輕，積習既久，驕惰乃生，至於束書不觀，空談心性，此明代士子所以貽譏於後世也。自民初新文化運動倡行以後，趨時之士，類都醉心物欲，醜詆經書，流風所扇，則往日埋首雞窗，兀兀窮年之讀書風氣，已無復可見，而空疏不學之弊，且視明代為尤甚焉。縱觀域內，庠序間罕見眞正學人，街坊中憑添許多閒漢，學術思想，變作眞空，國脈阽危，國魂戕傷，殆未有甚於此者也。惟上述種種弊端，均可以駢文藥之，蓋初學駢文或專門欲以名家者，必先淹貫群經諸子，明習史實典故，精研文字音韻，熟讀名家作品，然後始能著筆，而無向壁虛構、信口胡謅之弊，世謂駢文可以徵學殖者（袁枚序胡稚威駢體文云：「散文可踏空，駢文必徵實。」），其故在此。又駢文用典繁多，裁對精切，一字一句不苟措，脫非學有根柢者，不能爲役焉。而廣己造大，學殖荒陋之徒，乃罵宋玉爲罪人，譏永叔爲不學。其作調停之說者，則曰博學不可以工文，工文不可以博學，儒林文苑，自昔判焉，此則流俗之漫言，固非文章之定論，尤非駢文之正解也。試以有清一代而論，二百餘年間，其工爲駢文者，多爲積學之經學家，撰《述學》之汪中、撰《春秋左傳詁》之洪亮吉、撰《尚書今古文注疏》之孫星衍、纂《皇清經解》之阮元，乃至治《公羊》學之孔廣森、劉逢祿、魏源、龔自珍、王闓運等，無一非駢文高手，蓋爲駢文者必資博學，此殆學問家易工駢文之故歟。故曰駢文可以治空疏不學之弊，其誰敢疑。

（五）駢文可以藥文弊

夫文章之弊病多矣，無人無之，無代無之，累幅所不能盡也。遠者弗論，即以近人之文章而言，其弊有三：曰浮淺，曰膚闊，曰枯淡，無論散文、語體文，皆所不免，而一可以駢文藥之，此瞿兌之論之甚詳，不復贅也。迻錄其言於次：

近人文字之弊，約有三端，皆可以駢文藥之。一曰浮淺。駢文中無淺語，試看陸士衡〈豪士賦序〉及〈弔魏武帝文〉，其推論情理處，眞如游魚之出重淵。又如李蕭遠〈運命論〉及劉孝標〈廣絕交論〉，其反覆申論，面面俱到，名言絡繹，霏玉貫珠，令讀者自得探玩之樂。此駢文之所長一也。一曰膚闊。此是時文大病，而近人每易中其毒。漢魏賦家，從無一語虛構。故太沖之賦，十年而後成。〈文賦〉云：「理扶質以立幹，文垂條而結繁。」駢文雖似繁縟，而必以警切爲主。阮文達嘗曰：「議論空而無意以貫之，《文選》中散文固不爾。」此駢文之所長二也。一曰枯淡。近人文字，每患句調庸熟，用字枯窘，縱有新意，亦無精彩。《文選》諸篇，足供後人纂組之需，其義尤顯，無待推說。此駢文之所長三也。學者能於此中參悟一二，自不覺爲文之苦，而反有優游自得之樂。一言以蔽之，不讀駢文，不知吾國文字領域之廣，法門之多也。（劉麟生《中國駢文史》序）

（六）駢文可以周世用

世之醜詆駢文者，每謂駢文乃貴族文學，文義艱深，雕繢滿眼，非盡人所能學，尤非盡人所宜學，遂鄙夷之，以爲不周於世用。此猶盲人之摸象，一偏之見也。即如彼等所言駢文爲不周世用，仍然有其崇高之藝術價值在，視之爲藝術品可也，況其非爲無用者乎。若唐之魏鄭公、陸宣公，一代駢文作手也，而辭達理舉，精闢無累，卒成貞觀之隆、興元之盛，能說駢文爲無用乎。甚至駢文由美文而變成應用文，亦自宣公開之，宋人及後之長於公牘者，競效其體，故從來詔策表箋之類，例用四六，以其便於宣讀，且使聽者無障耳之感也。陳繹曾《文章歐治》云：

> 四六之興，其來尚矣。自典謨誓命，已加潤色，以便宣讀。四六其語，諧協其聲，偶儷其詞，凡以取便一時，使讀者無聱牙之患，聽者無詰曲之疑耳。

浸淫至於今日，此風猶未盡替也，能說駢文為無用乎。日月麗乎天，天之文也，百穀草木麗乎土，地之文也，化工之所為，有定形乎哉，化工形形，而不形於形，而謂文可有定形乎哉，顧其言之所立者何如耳，烏得以其駢而遂下無稽之斷語耶。吾師成惕軒先生論之尤精。其言曰：

> 今之嗤點駢文者，多以文過其質，義不勝辭。譬之蠟淚成堆，非緣別恨，唐花逞豔，本異春芳，但供廟堂點綴之資，寧適民物敷陳之用。不知鶯飛草長，惓惓增故國之思，鼉鬥榛崩，字字抒蕪城之感。他若子山〈哀江南賦〉、孝穆〈在北齊與楊僕射書〉、賓王〈代李敬業傳檄天下文〉、宣公〈論兩河及淮西利害狀〉，何嘗不言之有物，文以生情，遠溯時會之推遷，上關宗社之休戚乎。
>
> 或又以駢儷之文，辭不達意，縱橫累紙，惟是風雲，堆砌成篇，無殊餖飣。子安之帝車華蓋，事有難稽，文通之危涕墜心，義奚所取。不知曉風零雨，客中之況味曾同，孤鶩落霞，畫裏之風光宛在。試觀齊梁作者諸小簡，下逮清人袁簡齋洪北江輩之所為，何嘗不明白如話，眞樸無華，妙蘊畢宣，老嫗都解耶。是知晦澀之病，不限於美文，纂組之篇，亦周於世用，神而明之，存乎其人。（張仁青《歷代駢文選》序）

觥觥議論，殊足以鍼砭時俗，發人深省，彼信口詆娸駢文爲無用者，允宜三復斯言。近人金秬香亦曰：

> 夫文辭一術，體雖百變，道本同源，尚質尚文，道日衍而日盛，一奇一偶，數相生而相成。蓋琴無取乎偏絃之張，錦非倚乎獨繭之剝，以多爲貴，雙詞非駢拇也，沿飾得奇，偶語非重臺也。若必謂散文多適用，駢文多無用，則何解於高文典冊用相如，飛書羽檄用枚皋，文固各適其用者乎。（《駢文概論》）

是則駢文之周於世用也，厥理昭然，毋待覼縷焉。

（七）駢文可以感人

文生於情，情生於感，人皆有情，人皆有感，故發而爲文，足以感人。文也，情也，感也，蓋息息相生，因因相續者也。中外古今文學作品之美者，無不以至情出之，出之以至情之文學作品，無論其爲若何體製，亦不限於一時代與一民族，均可收到感人之效果。故屈子爲〈離騷〉，賈生感其文，過汨羅，爲賦以弔之。司馬遷則曰：「余讀〈離騷〉〈天問〉〈招魂〉〈哀郢〉，悲其志，未嘗不垂涕，想見其爲人。」（《史記・屈原傳》）揚雄亦曰：「悲其文，讀之未嘗不流涕也。」（《漢書》本傳）西人荷馬（Homeros）所作〈特洛伊〉（Troy）〈奥德賽〉（Odyssey）二詩，則能感動亞歷山大（Alexander）漢尼拔（Hannibal）與凱撒（Caesar）。而溫采士特

（Winchester）亦稱：「荷馬時代之學術，雖爲陳跡，然荷馬在今日，猶未老也，何則，以其訴於古今不滅之人情也。」（《文學評論之原理》）夫駢文亦猶是耳，故讀諸葛亮〈出師表〉，覺其忠義之氣，躍然紙上。讀李密〈陳情表〉，使人孝養之心，油然而生。讀江淹〈別賦〉，則驟然而興別離之恨。讀庾信〈哀江南賦〉，則愴然而動故國之情。駱賓王作〈討武氏檄〉，則天覽之，至「蛾眉不肯讓人，狐媚偏能惑王」，初微笑之，及見「一抔之土未乾，六尺之孤何託」，瞿然曰：「誰爲之。」或以賓王對。乃不悅曰：「有如此之才，而使之淪落不偶，宰相之過也。」蓋有遺才之恨也。唐德宗時，藩鎮跋扈，京師淪陷，帝幸奉天，翰林學士陸贄隨行在，揮翰草檄，所下詔書，雖武夫悍卒讀之，無不揮涕激發。議者以德宗克平寇亂，不惟神武之功，爪牙宣力，蓋亦資文德腹心之助焉。饒漢祥民初爲大總統黎元洪撰寫通電文告，文情斐亹，反覆曲暢，至今猶傳爲美談。昔孔子稱「詩可以興，可以觀，可以群，可以怨。」（《論語・陽貨篇》）駢文之至者，則不僅興觀群怨之謂矣。

（八）駢文可以陶冶性情

蓋嘗論之，文學之與純文學略有差別。文章（文學之一種）原是一種工具，其作用大略可分爲記載事物、發表意志、傳達思想、抒寫情感等。惟純文學則有時專爲作文而作文，其所作之文並未打算與他人讀，乃至不希望有人讀。然則此類文章更有何用處，不幾等於廢物矣乎。是不然，蓋文章工具說，乃知識作用，而人類於求知之外，尚有所謂精神，爲作文而作文之文章，即精神作用也。由是言之，則此類文章，其重要性殊不減於工具之文，或有過之。惟此類文章，多屬於韻文方面，駢文（駢文須調平仄，故爲廣義之韻文。）即其一也。駢文設色穠麗，遣詞斑爛，窈曲往復，蘊涵萬端，無處不見良工心苦，雖不必篇篇盡是經國之鴻文，而其足資陶冶性情、移易氣質，則可斷言。譬之珠玉珍玩，飢不可食，寒不可衣，而人貴之者，以其美觀悅目，可供欣賞也。又如雅曲佳畫，皆非經世牖民之所需，而各級學校責學子以必習者，以音樂可以移情，可以美化人生，丹青可以賞心，可以淨化性靈也。然則駢文之功用，寧有異於是哉。

（九）駢文析理最精

嘗試言之，《老子》、〈繫辭〉（《周易》），皆闡哲理，魏晉雄辯，大率玄旨，胥用駢語，以達幽情，極流暢之能，無難申之意，此駢文之用以析理者也。《大唐創業起居注》用俳文以入史，劉彥和以偶語論文，陸宣公以儷文作奏議，咸達幽隱之情，歐蘇王曾以四六入表啓，大暢欲言之意。是則駢文無施不可，謂其不能達繁密之意者，亦猶謂古文言之無物（胡適語◯見〈文學改良芻議〉）耳。皆誤以作者之工拙，爲文體之利弊也。吾師潘重規先生在〈文學源流〉中，嘗發爲宏論，其詞曰：

六朝人尚有談名理、議禮制之文章，經近世章太炎劉申叔諸先生特別提出，然後世人乃知此類文章，確爲六朝文之精華，非後代古文家所能夢見。曾滌生謂古文之法，無施不可，獨短於說理，即由其忽略談名理、議禮制一派文章。如嵇康之〈聲無哀樂論〉、裴頠之〈崇有論〉、范縝之〈神滅論〉，皆析理精微之作。《通典》中所載束晳袁準等人議禮制之文，亦皆擘肌分理，綿密異常。大抵理有事理名理之不同，事理之文，唐宋人尚能命筆；名理之文，惟晚周及六朝人優爲之。古文家不敢規摹周秦，又不願取法六朝，遂有「古文不能說理」之歎耳。闡幽抉隱，屈曲洞達，彼固執駢文不能析理之成見者，可爲當頭棒喝矣。

（十）駢文摹寫最美

駢文除精於析理而外，摹寫景物，尤所擅場。酈道元之注《水經》，麗句繽紛，釋玄奘之記《西域》，偶語盈卷，而物無隱貌，事盡行間，摹寫之佳，冠絕古今。（唐柳子厚最工寫景，而其胎息於《水經注》者實深。）此駢文之用以摹寫者也。

※　※　※　※

由上舉十事觀之，則駢文在中國文學中所佔之地位，可以思過半矣。昔王靜安嘗以駢文與楚騷、漢賦、唐詩、宋詞、元曲並列，以其皆號稱一代之絕學，所宜等視而齊觀者也。其言曰：

凡一代有一代之文學，楚之騷、漢之賦、六代之駢語、唐之詩、宋之詞、元之曲，皆所謂一代之文學，而後世莫能繼焉者也。（《宋元戲曲史·自序》）

王氏舉六代之駢語，固不足以概中國駢文之全，而謂駢文價值之高，絕不在騷、賦、詩、詞、曲之下，則無疑焉。

美哉中華，吾何幸而生於此最大洲之最大國，生於斯，長於斯，聞道於斯，今且闢文境於斯矣。偉哉中華，吾抑何幸而立於此歷史最悠久，文化最燦爛之古國，得以偃仰嘯歌，揚眉瞬目。泱泱哉我中華，吾更何幸而擁有此世界上最優美之文學，晤言一室之內，神交千載以上。我國家，我文化，我先聖昔哲之惠我者多矣。凡我炎黃之胄裔，當思如何復興我國家，重振我民族，發揚我文化，光大我文學——尤其是最足以傲視全球之駢文與律詩。使彼淺見寡聞之士，舍己從人之徒，不得譁衆取寵，鼓其邪說以誣民也。

近儒劉師培氏嘗慨乎言之曰：「儷文、律詩為諸夏所獨有，今與外域文學競長，惟資斯體。」（《中古文學史》）有靈性、有思想之中華兒女，其諦聽之。

（原載民國五十七年六月台北《學粹雜誌》）

中國語文之特質（一九六九）

中國語文之特質，爲孤立與單音(Monosyllabic-Isolating Language)。惟其爲孤立，故宜於講對偶，惟其爲單音，故宜於務聲律。由對偶與聲律所組成之文學作品若詩也，若詞也，若曲也，若賦也，若駢文也，若聯語也，洋洋巨構，不一而足，遂蔚爲中國文學之特有景觀，遠非彼多音節(Polysyllable)之泰西文字所能絜長較短者。茲就世界語文之種類，中國語文之特質，與夫中西語文與文學之關係，分別一一詳陳之。

（一）世界語言之種類 世界語言，繁複極矣，種與種異，國與國殊，甚至一種之中，而有部有族，一國之中，而有省有縣，細爲分析，累紙所不能盡也。不過就其最大之音系言之，約得四種：

㈠**複音系**(Polysynthetic) 即複綜語(Incorporating Language)也。非洲及美洲土著各族皆屬之。此系幾於字句不分，相同之意義在不同之句法中有不同之詞，變化極其複雜，一般認爲代表人類語言之較原始狀態。

㈡**變音系**(Inflectional) 即曲折語(Inflectional Language)也。埃及及巴比倫印度古希臘歐美各國皆屬之。此系隨其聲之曲折，以適於變，形聲並繁，離之不能悉各成字。其名詞(Noun)、代名詞(Pronoun)、形容詞(Adjective)因格位(Case)、性別(Gender)、數目(Number)而發生語尾之曲折式變形。如『桌子在此』、『木匠做桌子』、『桌子之腳』，桌子一字，形音不同。在各種前置詞(Preposiion)後，如『在桌子之上』、『走向桌子』、『給桌子加上油漆』、『靠著桌子』，桌子之拼法皆須變化。此之謂格位。至其動詞(Verb)亦因主詞(Subject)之人稱(Person)、數目(Number)、時式(Tense)、語態(Voice)、語氣(Mood)而變化。如英文之 to Write，不定動詞(Infinitive)也，其過去式(Past Tense)爲 Wrote，現在分詞(Present Participle)則爲 Writing，而過去分詞(Past Participle)則又變爲 Written 矣。若斯之例，不遑遍舉。

(三)**合體系(Agglutinative)**　即關節語(Agglutinative Language)也，一曰黏著語。我國滿蒙回及日本芬蘭土耳其等族皆屬之。此系以單音字相膠合，形則相綴，音亦隨增，離之仍各自爲字。其名詞、代名詞、形容詞、格位、性別、數目之變化，一與變音系同。動詞之變化亦大體相似，惟更形複雜耳。蒙古文六格，動詞之主變化有二十四種，副變化尚不計算在內。其與曲折語不同者，即關節語不用前置詞，而用後置詞；曲折語之語根不常獨立，因語尾而定其詞品。而關節語之語根與語尾可以分解，語尾可以聯用，且可以與其他詞相連，動詞常加上五六箇附加語，由此附加語以定其詞性，其繁複遠在印歐語之上。如日文『私が字を書く』爲『我寫字』，『私』爲『我』，『が』則爲附加字，以表示『我』爲主格詞也。『を』亦爲附加字、以表示『字』爲賓格詞也。『書く』爲『寫』，動詞，表示述格詞也。

㈣**單音系**(Monosyllabic) 即孤立語(Isolating Language)也。我國及泰國緬甸越南以至苗猓諸族皆屬之。此系就人類原始之音，創立字體，以爲之符，其詞性雖異，而字形不改，亦無附屬語以表示其變化，是語言形式之最古者也。今歐洲文字，莫不有語根(Root)、冠語(Prefix)、綴語(Suffix)之辨，是即當時孳乳轉變之成法，久漸殽亂，不盡可別。然彼土所謂語根之單音，統其字形之最簡者而言，有時合尾音讀之，不僅一音。惟孤立語則一字一音，乃眞可謂單音耳，偶有點畫繁重，合數字而重者，其字仍純乎一，確守世界最古單音之舊系，斯足異矣。

由此可見，世界四種語言系統，可簡分爲二種，即曲折語與孤立語是也。易言之，在目前全世界語言中，除中國仍屬一字一音外，其他各國皆歸入拼音系統矣。

（二）世界文字之種類 就現時所知，概括言之，世界上各式各樣文字，皆不出三大來源，即古代埃及(Egypt)文字、古代美索不達米亞(Mesopotamia)文字與中國文字是也。茲分述如下：

㈠**古代埃及文字** 即埃及象形文字(Egypt hieroglyphic style)也，一名聖書體。約西元前三五〇〇年埃及人所創，西元一七九八年法王拿破崙(Napoleon Bonaparte)遠征埃及時所發現，爲中國文字以外一切文字之鼻祖。其符號頗不一致，或代表一箇字母，或一箇音節，或一個字，然對於專有名詞則用拼音之法，此法日益推廣，即成爲拼音系統。世以埃及象形字與中國象形字混爲一談，因斷言爲象形字之原始。其實埃及象形符號（西方學者稱之爲 pictographs 或 ideographs），即拼音字母。故曰西方文字一開始即走入拼音之路，可斷言也。

㈡古代美索不達米亞文字　即箭頭文字(cuneiform characters or letter)也，昔謂之楔形文字。約西元前三五〇〇年居住在美索不達米亞平原（即位於非洲之尼羅河 Nile 與亞洲之底格里斯河 Tigris 幼發拉底河 Euphrates 間之平原，古史所謂新月形沃地或肥腴月灣 Fertile Grescent 者也。）之蘇美人(Sumer)所創，西元一八四五年英人拉雅(Laryard)於古亞述(Ashur)國都尼尼微(Nineveh)所發現者。大約在西元前一三〇〇年腓尼基人(Phoenician)吸收融會埃及、美索不達米亞之文化，並改良變化象形與楔形兩種文字，西傳之於希臘(Greece)，再傳之於羅馬(Rome)，而爲今日歐洲各國文字之祖。東經亞拉米人(Arameans)之手，傳至波斯(Persia)、印度(India)，而展轉演成西藏、維吾兒、蒙古、滿洲及西南亞洲之各種文字。亦屬拼音文字(alphabetic writing)也。

㈢中國文字　即漢字也，爲大漢民族所創。就最可靠之材料言之，以殷商時代之銅器銘文與龜甲刻辭爲最古，約以西元前一五〇〇年爲始。其後聖賢輩出，代有製作，於是由甲骨文而鐘鼎文（近世多稱鐘鼎文爲金文），由鐘鼎文而大篆，由大篆而小篆，由小篆而隸書，由隸書而草書，而楷書，而行書。考其字體，則汰難而就易，案其字數，則自少而孳多。而北極漁陽，南盡儋耳，東漸於海，西踰流沙，固皆資之以爲用。即日本、交趾、朝鮮等國，凡爲聲教所暨者，亦莫不取則焉。則謂中華爲東方文明之母國，其誰敢復置一喙哉。是以吾國文字，亦同吾國之經書，實爲吾先民集體思想與經驗所創造，故其涵義極豐，爲並世各種文字中最優越最完美者。而其運用，亦以虛靈見勝。故文字雖爲語言之符號，而並不受語言之拘束，語言均可控制文字，文字亦能扭轉語言，可以與語言分，亦可以與語言合，如此語不可通，而文仍可通。吾國方輿廣矣，以有此可通之文，故能於南北東西之域，山川險阻之區，情意暢通無礙。且以字音之關係，率能扭轉各地語言，遂使禹甸神州，能成爲大一統，尤非西方文字僅爲語言之符號，語言變，則文亦隨之俱變，而文爲死文，有如拉丁(Latin)之別於現代，英、法、德、俄、意、西諸國之隨其音以製字，字隨年月以俱增，動輒數十萬文，習甲科者不能通於乙科，生生死死，皓首不窮，以視我國文字以至少之字，馭至繁之事，其難易爲何如乎。瑞典語言學家珂羅珂倫（Bernhard Karlgren 華名高本漢）嘗云：

> 中國文字有豐富悅目的形式，使人發生無窮的想像，不比西洋文字那樣質實無趣。中國文字好像一箇美麗而可愛的貴婦，西洋文字好像一箇有用而不美的賤妾。（《中國語與中國文》）

吾師林尹先生論中國文字之功效亦云：

> 天下文字，皆不出形音義三者，中國文字，獨能備六書之體用，故形符聲符，配合運用，而極其構造之精微，非但能傳語言於久遠，且可一語言之紛歧。
>
> 中國文字，重『目治』之功，而發揮『同文』之效者，蓋以文字附語言而作，故文字所以傳達語言。語言有古今之變，南北之異，偏重音符，依聲音而立字者，雖當時當地語

言相同之人，或以爲便，但語言一有不同，即無由知其音而明其義。此中國文字所以『形音』並用，重『目治』以濟其窮也（歐洲印度幅員渺小之國家，相去不及數百里，其文字即不相同，即因偏重音符，由於「耳治」之故。）。吾國區域廣大，交通阻梗，語言之歧異，不下數千百種。中原語系，吳語系，粵語系，閩語系、藏緬語系等等，既大有分別，每一語系之中，又有若干種不同而不能互相了解之方言（例如吳語系之「蘇州語」與「溫州方言」即無法可通，而溫州方言中之永嘉語、青田語雖縣境毗連，音調亦絕不相同。）。若非文字重『目治』之功，收統一之效，則中國早已分崩離析爲幾千幾百國家，離鄉百里，即須學習他國文字，明其語言；離鄉千里，乃至於須明數十國文字，始足應用（印度即有此弊）。又安能有今日境內同文，萬里一家，雖語言艱阻，而情愫無間之便利乎。

所謂形音並重而能傳世久遠者，中國以『單音節』之語言，『一音』可表名物，『一音』可達意思，故以『形符』象物象事，『聲符』注音定聲。能察其形而知其音者，既可有轉變之用，即聲韻轉變，方言不同者，亦可因形而知意，有注音之便，而無拼音之弊，此其所以在空間能發揮『同文』之效，在時間能補救『音變』之缺點。至音符文字，重在『耳治』，故時代推移，語言變遷，對古代典籍，即須重加翻譯。蓋耳所不常聞之語，即無由知其命意之所在也。吾國數萬里之疆域，同文無阻，數千年之文化，源流可考，此實由於文字之構造，形音並用，含義不變，故不受古今方言聲韻轉變之影響。（〈簡體字與中二公洞微之言，夐乎其不可及，信乎其不可易也。

從是以觀，世界三種文字系統，要而歸之，二種而已，即美索文字與中國文字是也。美索文字經歷數千年之孳乳變化，至今已成為多元性(plurality)之文字，非復舊時面目矣。惟中國文字則不然，在並世各種文字中，乃最富於韌性(tenacity)者，我中華民族使用此種文字數千年，雖古今之語言有變，各地之方言不同，然賴有統一之文字，故能通貫數千年如一日，凝合數億人為一體，其對於文化之發展，民族之團結，居功殊偉。

（三）中國語文之特質 夫文字由語言而來，有語言始有文字，中國語音為單音，一字一音一義，可以單獨存在，聯合即成語句。西方語音單音少複音多，合數音始成一字一義，中西語言不同，所形成之文字自異。中國語文之特質，約略言之，蓋有數事：

㈠中國語文一字一音，在文法上不因格位、數目、人稱、性別、時間等之範疇，而有語尾之變化，而以邏輯次序(logical order)表示格位及詞品，並用副詞、虛字、助詞表示時間、動態與語氣。其純一之特性，與泰西各國語文恰相異趣，故用中國文字組成之文章，自呈簡潔整齊之風格。近人周先庚云：『中國文字，每字有每字的個性，每字的結構組織，都像一箇小小的建築物，有平衡、有對稱、有和諧，字與字的辨識，因此就非常有標準，特別不容易模糊。比較西洋文字，每字是由許多箇大同小異的字母所組成，而又橫排成一平線，字與字間的箇性、完整性，或格式道(gestalt)就少得多。』（見〈美人判斷漢字位置之分析〉，《測驗》二卷一期。）此言可以證也。

㈡中國文法與西洋文法，有顯著之差異，中國文字有詞位而無詞性，任何一字，可用爲名詞，亦可用爲動詞或形容詞等，全視其在語句中之位置及任務而定。如『解衣衣我』、『推食食我』之屬，其詞性靈活，圜轉無端，故構成之文章，自呈生動優美之風格。

㈢單音文字易生混殽，乃以平上去入四聲區別之，今國音分陰平、陽平、上、去爲四聲。自來言四聲音理者，紛紜無定，要之不外以音之高低、強弱、長短而區分之也。有四聲即有平仄，有平仄即有抑揚頓挫，中國文字在讀音上之所以音韻悠揚，不致單調者，職是故也。反觀西方字音之各別性，除元音(vowels)與輔音(consonants)外，至重讀(accented syllable)與輕讀(unaccented syllable)而已窮，無復有抑揚頓挫之節。是故吾國對仗工整，音韻諧美之詩、詞、曲、賦、駢文、聯語等特殊文體，絕非彼西方文字所能夢見者也。

㈣以單音連綴(couplets)製造新詞，有雙聲（如流離、慷慨、高岡之類是也）、疊韻（如芳香、淒迷、慘淡之類是也）、疊字（如蕭蕭、家家、處處之類是也）、重義（如狼狽、貧窮、快樂之類是也）、反義（如冷暖、南北、成敗之類是也）、狹義之複合（如鳳凰、魑魅、蛟龍之類是也）、及廣義之複合（如學校、師範、噴射機、霹靂彈之類是也），此六者相互成文，彼此屬對，頗能增加音韻上之美感，而西洋文字則無能爲役焉。

㈤中國文字同義字極多，僅以『大』字而言，見於《爾雅・釋詁》者，即有三十九字。由於中國文字具備一字一音、詞性無定、一義多字之基本性格，故容易形成對偶之句法。對偶者，上下兩句字數相同，而意義對稱，上一句之第一字與下一句之第一字詞性屬於同類。以此類推，第二字與第二字，第三字與第三字，直至末一字與末一字，詞性亦屬於同類。此駢文、律詩、聯語等特殊文體之所由生也。蓋欲使文辭句度停勻，聲律和諧，必須一字一音而又多同義字之語文始克勝任，而吾國語文最爲具備此種條件，是以中國文辭常有駢偶化之趨勢。日本漢學家鹽谷溫曰：『中國語文單音而孤立之特性，其影響於文學上，使文章簡潔，便於作駢語，使音韻協暢。』（《中國文學概論》，陳彬龢譯）非漫言也。

（四）中西語文與文學之關係　文學作品爲文字所組成，反之，文字即文學之材料。西方文字，類皆由若干個字母拼合而成，以音爲主。獨中國文字，始於象形、指事，以形爲主。由是拼合而得會意與形聲，變化而得轉注與假借，是爲六書。六書既備，於以應萬事、賅萬物而無虞匱乏，非特其形式優美，音節協暢，動人愛悅已也。且因字皆單音，故容易綴成簡潔之辭，整齊之句。駢文與律詩實爲我國特有之文體，即普通韻文與古詩，亦皆能以三、四、五、七言組織而成洋洋大篇，無患其意有不達，情有不盡。今錄詩、詞、曲、駢文、聯語各一首，以爲鼎臠之嘗焉。

(一)律詩

錦瑟

李商隱

錦瑟無端五十絃。一絃一柱思華年。莊生曉夢迷蝴蝶。望帝春心託杜鵑。

滄海月明珠有淚。藍田日暖玉生煙。此情可待成追憶。祇是當時已惘然。

(二)詞

臨江仙

晏幾道

夢後樓臺高鎖。酒醒簾幕低垂。去年春恨卻來時。落花人獨立。微雨燕雙飛。

記得小蘋初見。兩重心字羅衣。琵琶絃上說相思。當時明月在。曾照彩雲歸。

(三)駢文

滕王閣序

王勃

豫章故郡。
洪都新府。
星分翼軫。
地接衡廬。
襟三江而帶五湖。
控蠻荊而引甌越。

物華天寶。龍光射牛斗之墟。
人傑地靈。徐孺下陳蕃之榻。
雄州霧列。
俊彩星馳。
臺隍枕夷夏之交。
賓主盡東南之美。

都督閻公之雅望。棨戟遙臨。
宇文新州之懿範。襜帷暫駐。
十旬休暇。勝友如雲。
千里逢迎。高朋滿座。
騰蛟起鳳。孟學士之詞宗。
紫電青霜。王將軍之武庫。
家君作宰。路出名區。
童子何知。躬逢勝餞。
時維九月。
序屬三秋。
潦水盡而寒潭清。
煙光凝而暮山紫。
儼驂騑於上路。
訪風景於崇阿。
臨帝子之長洲。
得天人之舊館。
層臺聳翠。上出重霄。
飛閣流丹。下臨無地。

鶴汀鳧渚。窮島嶼之縈迴。
桂殿蘭宮。即岡巒之體勢。
披繡闥。
俯雕甍。
山原曠其盈視。
山澤紆其駭矚。
閭閻撲地。鐘鳴鼎食之家。
舸艦迷津。青雀黃龍之軸。
虹銷雨霽。
彩徹區明。
落霞與孤鶩齊飛。
秋水共長天一色。
漁舟唱晚。響窮彭蠡之濱。
雁陣驚寒。聲斷衡陽之浦。
遙襟甫暢。
逸興遄飛。
爽籟發而清風生。
纖歌凝而白雲過。

睢園綠竹。氣凌彭澤之樽。
鄴水朱華。光照臨川之筆。
四美具。
二難并。
窮睇眄於中天。
極娛遊於暇日。
天高地迥。覺宇宙之無窮。
興盡悲來。識盈虛之有數。
望長安於日下。
指吳會於雲間。
地勢極而南溟深。
天柱高而北辰遠。
關山難越。誰悲失路之人。
萍水相逢。盡是他鄉之客。
懷帝閽而不見。
奉宣室以何年。
嗟乎。

時運不齊。
命途多舛。
馮唐易老。
李廣難封。
屈賈誼於長沙。非無聖主。
竄梁鴻於海曲。豈乏明時。
所賴
君子安貧。
達人知命。
老當益壯。寧移白首之心。
窮且益堅。不墜青雲之志。
酌貪泉而覺爽。
處涸轍以猶歡。
北海雖賒。扶搖可接。
東隅已逝。桑榆非晚。
孟嘗高潔。空懷報國之心。
阮籍猖狂。豈效窮途之哭。

勃

三尺微命。
一介書生。
無路請纓。等終軍之弱冠。
有懷投筆。慕宗慤之長風。
舍簪笏於百齡。
奉晨昏於萬里。
非謝家之寶樹。
接孟氏之芳鄰。
他日趨庭。叨陪鯉對。
今晨捧袂。喜託龍門。
楊意不逢。撫凌雲而自惜。
鍾期既遇。奏流水以何慚。
嗚乎。
勝地不常。
盛筵難再。

蘭亭已矣。
梓澤丘墟。
臨別贈言。幸承恩於偉餞。
登高作賦。是所望於群公。
敢竭鄙誠。
恭疏短引。
一言均賦。
四韻俱成。
請灑潘江。
各傾陸海云爾。
滕王高閣臨江渚。
佩玉鳴鸞罷歌舞。
畫棟朝飛南浦雲。
珠簾暮捲西山雨。
閒雲潭影日悠悠。
物換星移幾度秋。
閣中帝子今何在。
檻外長江空自流。

㈣曲

人月圓

張可久

萋萋芳草春雲亂。愁在夕陽中。短亭別酒。平湖畫舫。垂柳驕驄。

一聲啼鳥。一番夜雨。一陣東風。桃花吹盡。佳人何在。門掩殘紅。

㈤聯語

代小鳳仙輓蔡松坡將軍

金筱鳳

萬里南天鵬翼。直上扶搖。那堪憂患餘生。萍水因緣成一夢。

幾年北地燕脂。自傷淪落。贏得英雄知己。桃花顏色亦千秋。

其中對句，不僅意義對稱，而詞性、音節、形體亦無一不對稱，將美學(aesthetics)中所謂整齊美(unity)與對稱美(symmetry)在文學上發揮到極峰。

至於西洋文學作品，尤以佩脫拉克(Francesco Petrarch)、莎士比亞(William Shakespeare)、密爾頓(John Milton)、濟慈(John Keats)諸人之十四行詩(Sonnet)，以及雪萊(Percy Bysshe Shelley)、丹尼生(Alfred Tennyson)、拜倫(Lord George Gorden Byron)、漢利(William Ernest Henley)、魏特曼(Walt Whitman)、卡萊爾(Thomas Carlyle)、頗普(Alexander Pope)、布魯克(Edmund Burke)諸人之作品，皆有若干類似駢偶之平行語氣(Parallel Construction)，然此種語氣，在一篇一節中，往往不數覯。

今不暇博引，姑就其習見者，略舉於左：

(1) Music When soft Voices die,
Vibrate in the memory——
Odours when sweet Violets Sicken,
Live within the sense they quicken.
——**Percy Bysshe Shelley**（雪萊）

(2) The long light shakes across the lakes,
And the wild Cataract leaps in glory.
——**Alfred Tennyson**（丹尼生）

(3) There is a pleasure in the pathless woods,
There is a rapture on the lonely shore.
——**Lord George Gorden Byron**（拜倫）

(4) My boat is on the shore,
And my bark is on the sea.
——**Lord George Gorden Byron**（拜倫）

(5) Some had shoes,

But all had rifles.

——**William Ernest Henley**（漢利）

(6) My Captain does not answer, his lips are pale and still,

My father does not feel my arm, he has no pulse nor will.

——**Walt Whitman**（魏特曼）

(7) Never more shall I escape, never more the reverberations,

Never more the cries of unsatisfied love be absent from me.

Never again leave me to be the peaceful child I was before what there in the night.

——**Walt Whitman**（魏特曼）

(8) I am the last of noble Edward's sons,

Of whom thy father, prince of Wales, was first.

In war, was never lion raged more fierce;

In peace, was never gentle lamb more mild

——**William Shakespeare**（莎士比亞）

(9) See the same man in vigor, in the gout;

Alone, in company; in place, or out;

Early at business, and at hazard late;

Mad at a fox-chase, wise at a dabate.

——**Alexander Pope**（頗普）

(10) The question with me is not whether you have a right to render your people miserable, but whether it is not your interest to make them happy. It is not what a lawyer tells me I may do; but what humanity, reason, and justice tell me I ought to do. Is a politic act the worse for being a generous me? Is no concession proper but that which is made from your want of right to keep what you grant?

——**Edmund Burke**（布魯克）

大抵近似排偶句法。惜西文單音字與複音字相錯雜，意象雖極對稱，而詞句與聲音則不易兩兩對稱。如上舉丹尼生詩中之『光』與『瀑』二字，中文之音義皆相對稱，而在英文中 light 與 Cataract 義雖相對，而音則多寡不同，不能成對，亦猶『長孫無忌』不能對『魏徵』，其理一也。

今再取英國大詩人拜倫之〈哀希臘詩〉(The Isles of Greece)第一首譯為中國之古詩，以見何者始能在形式上表現出整齊美，何者始能在聲韻上表現出音節美。

原詩為：

The isles of Greece, the isles of Greece!

Where burning Sappho lived and sung,

Where grew the arts of war and peace,
  Where Delos rose, and phoeous sprung!
Eternal summer gilds them yet.
  But all, except their sun, is set.

蘇曼殊譯爲：

巍巍希臘都。生長奢浮好。
情文何斐亹。荼輻思靈保。
征伐和親策。陵夷不自葆。
長夏尚滔滔。積陽照空島。

二詩在形式上之整齊畫一，在聲韻上之抑揚抗墜，孰優孰劣，一望可知，無待辭費矣。良以單音節方塊形之漢字，其產生字句相對、音調協暢之文學作品，乃勢所必然。異邦之人，書違頡誦，即有閎文麗藻，而音調參差，隸事亦匪均切，非其至矣。故吾國文學，所長雖非一端，而詩、詞、曲、賦、駢文、聯語則尤爲獨有之美文(belles-lettres)也。

據上所述，足知中國語言文字爲世界上最優美之語言文字，在字形、字音、字義乃至文法各方面皆表現出優美之特質，在形式上即形成爲『整齊美』，在音韻上即形成爲『音節美』，遂使中國文學成爲世界上最優美之文學。善乎高本漢之言曰：『以中國之大，而能如此結合，實由於過去中國文言及文字為一種書寫上世界語，作為維繫之工具。中國有如此精巧之工具，與運用之得法，故歷代以來，咸能保持政治上之統一，亦不得不歸功於此種文言與文字之統一勢力。中國人如不願廢棄此種特別文字，決非笨拙、頑固與保守，中國文字與中國語言情形，非常適合，故中國文字為中國所必不可少者。如中國人必欲毀棄此種文字，此乃自願摧毀中國文化實在之基礎而降服於他人。』（《中國語與中國文》）我八百兆可愛之國民，其有哀國粹之淪亡者乎，庶幾披涕以讀而為之舞。

（原載民國五十八年十二月台北華岡書局《慶祝林尹先生六十誕辰論文集》）

文學與時代環境（一九七〇）

民族、環境（空間）與時代（時間）三者爲文學之背景，此西哲泰納(Taine)氏之名言也。民族性乃是一種超時間之抽象物，能永久存在，而不可以斷代論，與本題無甚關係，請姑置之。環境足以支配文學，盡人皆知，國強則詞壯，世衰則文靡，一時代之思想潮流，政治情勢，與夫民間風尚，作者無形中恆受其薰染，並受其左右。雖或超奇之詞人，發其神祕之玄想，極思有以遏抑時代思潮，正猶蚍蜉之撼大樹，其不心苦力絀者，未之有也。至於時代，其重要性則與環境等，二者皆構成文學家之外在因素，某一時代，某種環境，只能產生某一類文學家。如辭賦家特盛於漢武帝時，其時國家強盛，人民得衣食豐足，而以文學爲娛，故辭賦乃呈現空前絕後之奇觀。迨時過境遷，文學家之類型即隨之而異。故文學家與其所處之時代環境，關係至爲密切。趙翼〈論詩〉有云：

李杜詩篇萬口傳，至今已覺不新鮮。江山代有才人出，各領風騷數百年。

明白指出文學有其時代性，文學家之思想與作品亦代代不同。

文學常爲時代之反影，環境之託形，故亦隨時代環境爲轉移，茲先言時代。《孟子・離婁篇》

云：

王者之跡熄而詩亡，詩亡然後《春秋》作。

《詩經・關雎序》亦云：

治世之音安以樂，其政和。亂世之音怨以怒，其政乖。亡國之音哀以思，其民困。

又云：

至於王道衰，禮義廢，政教失，國異政，家殊俗，而變風變雅作矣。

說明時代之盛衰對於文學作品之影響，語至切要。柳冕申之曰：

文生於情，情生於哀樂，哀樂生於治亂，故君子感哀樂而爲文章，以知治亂之本。（〈與盧大夫書〉）

又曰：

古之作者，因治亂而感哀樂，因哀樂而爲詠歌，因詠歌而成比興，故〈大雅〉作，則王道盛矣，〈小雅〉作，則王道缺矣，雅變風，則王道衰矣，詩不作，則王澤竭矣。（〈謝杜相公論房杜二相書〉）

可謂深得《詩》序之意，而善體作者之情已。至若漢代考經術，而經師輩出，六朝重藻采，而美文爛然，唐以詩取士，故吟詠滋繁，明清崇八股，故制藝全盛。是亦時代之影響於文學也。

時代既足以支配文學，故歷代文學之風貌與內容多不相若，《文心雕龍・時序篇》論之至詳，其結論云：

故知文變染乎世情，興廢繫乎時序，原始以要終，雖百世可知也。

又〈通變篇〉云：

黃唐淳而質，虞夏質而辨，商周麗而雅，楚漢侈而豔，魏晉淺而綺，宋初訛而新。

清儒顧炎武、焦循、王國維三氏皆強調一代有一代之文學，不容有所假借，並推究其所以遞變之原因，語至精賅，分別迻錄如下：

顧炎武《日知錄》：

三百篇之不能不降而楚辭，楚辭之不能不降而漢魏，漢魏之不能不降而六朝，六朝之不能不降而唐也，勢也。用一代之體，則必似一代之文，而後爲合格。（卷十九）

又：

詩文之所以代變，有不得不變者。一代之文，沿襲已久，不容人人皆道此語，今且數千百年矣，而猶取古人之陳言一一而摹倣之，以是爲詩，可乎。故不似則失其所以爲詩，似則失其所以爲我。李杜之詩，所以獨高於唐人者，以其未嘗不似，而未嘗似也。知此者可與言詩也已矣。（卷二十一）

焦循《易餘籥錄》：

一代有一代之所勝，舍其勝，以救其所不勝，是寄人籬下者耳。余嘗欲自楚騷以下至明八股撰為一集，漢則專錄其賦，魏晉六朝至隋則專錄其五言詩，唐則專錄其律詩，宋專錄其詞，元專錄其曲，明專錄其八股，一代還其一代之所勝，然而未暇也。

王國維《人間詞話》：

四言敝而有楚辭，楚辭敝而有五言，五言敝而有七言，古詩敝而有律絕，律絕敝而有詞。蓋文體通行既久，染指遂多，自成習套，豪傑之士亦難於其中自出新意，故遁而作他體，以自解脫，一切文體所以始盛終衰者，皆由於此。故謂文學後不如前，余未敢信，但就一體論，則此說固無以易也。

推勘時代意識之重要，可謂深切著明，文體變遷之總因，實循此公例。而世所謂今不逮古，其理亦明，所謂不逮者，非才力之所限，實不變則無以爭勝前人焉耳。

文學家與文學作品之產生，除有其時代關係外，尚有環境關係，而時代亦是造成環境的原因之一。所謂環境，可分政治環境、經濟環境、社會環境、地理環境等，其說散見於各本《中國文學史》中，茲不贅述。

近代英國文學批評家艾略特(T. S. Eliot)特別重視文學家所需要之環境，以為產生文學家之環境，其重要條件之一，即是一個文學家能信仰、能接受之時代。惟其能接受，故能各盡其才，集中注意於各時代之人所共有之人性上，而不致集中注意於其差別上（即當時的特殊腐敗上），因而創造出具有永恆價值之偉大作品，莎士比亞(W. Shakespeare)、但丁(Dante Alighieri)之環境皆具備此種條件，故能飲譽世界文壇，歷久不衰。艾氏又以為產生一部盡善盡美作品之環境，更須具備三個條件：一曰成熟之文明，二曰成熟之語言，三曰成熟之文學。由艾氏之論述，使吾人更明白文學家之成就與其所處環境關係之密切。（參閱錢學熙〈艾略特批判思想體系的研討〉，見《學原》第二卷第五期。黎正甫〈文學家與其時代環境之關係〉，見《思想與時代》第一二〇期。）

觀之吾國，他勿具論，即以六朝文學而言，無論形式內容，均深受佛教影響，蓋當時佛教已逐漸流行華夏，文學家生活在此充滿禪味之環境中，能不受其感染乎。孫德謙於此有極精闢之言論，其《六朝麗指》云：

六朝好佞佛，見於《文選》者，有王簡棲〈頭陀寺碑〉，實於釋理甚深。彼若邢邵〈景明寺碑〉、陸佐公〈天光寺碑〉，如此類者，無不通於佛典矣。梁元帝〈內典碑銘集林序〉曰：『予幼好雕蟲，長而彌篤，游心釋典，寓目詞林，頃常搜聚，有懷著述。』是知上有好者，下必甚焉。六朝佛學之盛，由於在上者為之提倡，無怪彼時文儒，皆能以華豔之辭，闡空寂之理，特惜元帝此編散佚不傳耳。然學術文章互為表裏，蓋可識矣。

管中窺虎，可概其餘矣。

（原載民國五十九年台北《學粹雜誌》三月號）

高中國文教學改良芻議（一九七一）

（一）前　言

臺灣在近二十年來，以教育方面發展得最快，這是大家有目共睹的事實。教育高度發展的結果，學生的素質自然會跟著普遍的降低，而其中最爲衆所詬病者，莫過於青年學生國文程度的普遍低落。其實青年學生國文程度的普遍低落，並不自今日始，遠在抗戰期間，一般憂時有識之士，便已有此感喟了。但三十年來，儘管此種感喟屢聞於私人談話，迭見於報章雜誌，教育當局曾經做過若干治標方面的補救工作，民間團體亦頗有贊助之者，但是並沒有收到太大的效果，低落的事實依然存在，問題的癥結依然沒有消除。如果長此以往，任他低落下去，不作治本方面的補救，恐怕數十年後，各級學校將很難找到幾個夠水準的國文教師，民族精神教育云乎哉，復興中華文化云乎哉。

青年學生國文程度之普遍低落，泰半是國文教學之不當所引起的，故欲提高青年學生的國文程度，應從國文教學之改良著手。筆者在臺灣受過將近二十年的完整教育，而從事大、中學校國文教學也歷時七年了，在這二十幾年中，其接觸面不可謂不廣，相處的青年朋友不可謂不多，今本此條件以探討此一問題，則扣盤捫燭之見，或許可以避免。

惟是學校種類繁多，欲逐一探討此一問題，雖累數十萬言，亦不能盡。繼思高中學生在各級學生中可塑性(Plasticity)仍然很大，而且問題又最爲嚴重，於是不揣庸愚，姑就二十幾年來親自體驗之所得，草成此論，以與當世之關心青年學生國文程度低落，留意高中國文教學改良者一研究之。

（二）今日高中學生國文程度低落之事實

在沒有探討高中學生國文程度低落之原因以前，筆者不擬發表議論，祇先列舉其低落之事實。蓋單談理論，卻沒有事實作根據，往往會使理論站不住腳，而且也很容易引起學者專家們的見仁見智，有的並且南轅北轍，所持的見解剛好相反，令人噤口結舌，無從談起，則此篇之作爲虛費矣。故欲探討高中學生國文程度低落之原因，必先列舉其低落之事實。今即以本年度（民國五十九年）大學聯考國文試卷爲例，一般考生所犯的毛病是：

㈠**錯別字太多**　寫別字人所難免，但卻有輕重之分，在一本數十萬言的學人著作裏，出現三兩個別字，是極平常的事，這是由於我國的同音字太多，通假字繁富的緣故，但是不能過分離譜，過分離譜，這本書的價值就要打折扣了。既然連學人的著作都難免有別字出現，我們當然不敢奢求高中生絕不寫別字。不過如果在一篇不到一千字的文章裏出現了三兩個別字，那就不可寬恕了。就以筆者所批閱過的一千多份國文試卷而言，竟然沒有一份卷子從頭到尾沒有寫一個別字的，程度好的也有兩三個，程度中等的少說也有五六個，而程度差的甚且在十個以上。受了十二年國語文教育的高中畢業生，在一篇六百字左右的文章裏，居然出現了三個以上的別字，不能不說是我們中小學國語文教學的失敗罷。他們「旣」「即」不分，「己」「已」莫辨，「得」「的」相混。屢見不鮮的還有：「儘管」寫作「僅管」，「家具」寫作「傢俱」，「棘手」寫作「辣手」，「一窩蜂」寫作「一窩風」，「迥然不同」寫作「迴然不同」，「故步自封」寫作「固步自封」，「走投無路」寫作「走頭無路」，「按部就班」寫作「按步就班」，「度過一年」寫作「渡過一年」……諸如此類，不勝枚舉，高中生語文訓練之不夠嚴格，於此可見一斑。

別字太多，猶其小焉者，最不可原諒的厥爲錯字。嚴格的說，錯字應包括誤筆字和俗體字（因爲俗體字違背了造字的原理）。誤筆字乃是由於學生的粗心，以及國文教師的沒有細心糾正，又不講授文字構造的原理，如此日積月累，相沿成習，以至於筆畫錯誤而不自知，這種錯誤的形成，責任泰半在學生。

至於俗體字之充牣滿紙，就不能歸咎於學生了，因爲在目前的高中國文教師中，眞正能分辨正俗字體的，可以說百不得一二。我說這句話決不是信口胡謅，也決沒有唐突高中國文教師的意思，事實擺在眼前，非任何人可得而否認。第一：在我今年所批閱的試卷裏，無論程度好的也好，差的也罷，每一份卷子都可以挑出十個以上的俗體字來。第二：我擔任過兩次大一學生的國文課，他們第一次交來的作文，滿紙都是俗體字，這些學生絕大多數是所謂「明星高中」畢業的，我費了很多精神、時間才把他們一一改正過來。（按誤筆字與俗體字，毫釐有別，爲顧慮排印上的困難，恕不備舉，只率舉十個常見的俗體字——秘、敘、覇、羡、攷、冲、强、却、欵、吊，以當鼎臠。）

㈡筆端枯窘‧詞彙貧乏　現在一般高中學生非常現實，凡是與升學考試無關的書刊一概不願涉獵，教科書以外的學術著作固然敬而遠之，即連足以擴展知識領域的報紙也多不屑一顧。男生頂多祇看體育版的球賽消息；女生頂多祇看婦女家庭版的服裝設計、戀愛指導，或者沈醉在哀感頑豔的灰色小說裏，往往爲小說家所虛構的女主角的不幸遭遇而傷心、而悲歎、而流淚，甚至還以書中的女主角自居而多愁善感起來，在平日的作文裏也盡是一些「少年不識愁滋味，爲賦新詞強說愁」的詞句。這些學生平日既很少閱讀課外書刊，無從採擷他人的詞彙以自營養，作起議論文來，自難得心應手，左右逢源。批閱他們的文章，眞是味同嚼蠟，興致索然。

㈢思路閉塞　高中學生既然不讀課外書刊，當然就無緣揣摩別人的寫作經驗，吸收各方面的知識，思路也就永遠不能開展，作出來的文章，千篇一律，翻來覆去總是那幾句話，那幾個道理，甚難看到一篇議論縱橫，洋洋灑灑的佳作，有的甚至祇寫了兩三行，滿紙胡謅，不知所云。據說考試院所舉辦的各類考試亦復如此。思路閉塞一至於此，良堪浩歎。

㈣徵引錯誤　一般高中學生由於不重視國文，再加上課外知識的極度貧乏，故其所作文章，甚少徵引古書或名家之言論。偶一徵引，則又錯誤百出，張冠李戴者有之，誤引古語者有之，闕脫文字者有之，衍羨字詞者有之，形形色色，不一而足。記得若干年前，某中國小姐在公開演講時說：「孟子說：『四海之內皆兄弟也。』」一時傳為笑談。在我這次所批閱的試卷中，徵引古書或名家之言論而正確無誤者，千難逢一，具見高中生讀書之不够紮實。

以上不過就其犖犖大者舉例而言，好讓社會人士知道今日高中學生國文程度之低落，已經到了相當嚴重的地步。在場一起閱卷的大學教師們都有同感，每一論及，總是搖頭的多，點頭的少，擊節讚歎的更是鳳毛麟角，可見這並不是我一箇人的私言，而是事實的眞象。至於問題較不嚴重的，諸如簡體字迭出，字跡潦草，論述乖謬，誤用成語，思想偏激，理路不清，自相矛盾等，限於篇幅，姑予從略。

（三）今日高中學生國文程度低落之原因

造成今日高中學生國文程度普遍低落之原因甚多，歸納起來，約得五端，分述之如下：

㈠關於教材者　今日高中學生既然沒有閱讀課外書籍的習慣，國文課本自然就成為他們學習國文的惟一範本了，因此教材的適當與否，直接影響到學生的學習效果。今日高中學生國文程度之所以普遍低落，現行標準本《高中國文》教科書與《高職國文》教科書要負很大的責任。

現行《高中國文》課本的編著者皆係當代國學界的鴻儒碩彥，故考訂詳密，行文流暢，宜無間然。但根據本人多年來的實際教學經驗，竊以為仍有三點美中不足的地方。㈠所選的課文文藝性、趣味性的文章偏少，引不起學生的學習興趣，學生頗多以上國文課為苦者，尤以午後的兩節課為然，不是打磕睡就是傳紙條，與上其他課時聚精會神的情形，眞不可同日而語。㈡除了每課後面有簡單的題解、作者、注釋外，祇附了「語辭通釋」（見第二冊）、「文學源流」（見第四冊）、「國學述要」（見第六冊）、及「應用文類纂」（各冊皆有）四項，多半偏重於「縱」的敍述，而忽略了「橫」的聯繫，有點像道學先生板起面孔說教的樣子，未免太嚴肅了。倒不如多穿插一些趣味盎然的「文話」，敍述文詞亦力求其雋永，如同魏晉間一般風流蘊藉的名士，從容揮麈，不矜不躁，態度自然，使學者可以肅然改容，穆然深思。我覺得高明先生所編著的《興中高中國文》教科書（民國四十二年臺北正中書局出版）和標準本《初中國文》教科書就沒有這箇缺憾。㈢選文太少，每冊均為十八篇，使教師沒有自由選擇的餘地，學生也祇有死啃著那幾篇文章，使學習效果為之大減。

至於高職國文，到現在仍然沒有統一的教材，任由各書局自行編纂，因此良莠不齊的現象相當嚴重。編得好的乃理所應爾，姑置不論。編得最差的則非廣興書局發行的《高職國文》教科書莫屬了，該書局為臺北市私立育達商業職業學校的附屬機構，該校擁有學生五六千人，連分部學生計算在內，總數在萬人以上，創辦人既無辦學熱誠，對教育又完全外行，為了利益不使外溢，就隨便請了一箇外行人編著國文教科書，自行出版，通令全校學生一體採用。由於編者毫無國學素養，祇好東拼西湊，飣餖成編，以致紕謬不通之處，觸目可見，誤人子弟，實未有甚於此者。像這樣粗製濫造，一無是處的課本，怎麼不使學生見而生厭呢。

㈡關於師資者 先哲有言：「經師易得，人師難求。」蓋深慨乎高風亮節、足以模範群倫的優良教師之不易延聘也。在今天的高級中學裏，漫說人師，連經師也寥寥可數了，因為二十年前從大陸來臺的一批優良中學國文教師，有的轉業，有的退休，有的凋零，其碩果僅存者，又多半被大專院校延聘去了，祇剩下少數人在苦力支撐而已。後起之秀不是沒有，但為數極少，與日益增加的學生簡直不成比例。於是具有辦學熱忱的校長，知道如何去發掘、去挖角、去禮聘，一流的教師請不到，也能儘量請到大學本科（中文系）畢業的來維持門面。至於那些毫無辦學熱忱，專搞公共關係的校長，為了鞏固自己的地位，竟不惜把國家的名器隨便假人，聘請了一大批以八行書介紹來的專科學校畢業生教授高中國文，此種情形以私立學校和較偏僻的學校最為嚴重。在這裏我要特別聲明一下：我決沒有輕視專科學校畢業生的意思，也沒有懷疑專科學校畢業生在本科方面的學識。我祇是認為教授高中國文並不是人人可得而優為，即使受過大學中國文學系四年正規教育的畢業生都不一定能勝任愉快（按教育部規定非師大畢業生不得擔任高中教師），何況是學非所用的專科學校畢業生呢。據筆者的教學經驗，高中國文漫說教得好，能夠不誤人子弟就已經很不容易，因為它的外延(extension)實在太廣了，所牽涉的知識實在太多了，這箇道理，人人皆知，無須喋喋。但現在事實擺在眼前，專科學校畢業者幾乎布滿了每一箇中學，堂而皇之的教起高中國文來了，我不敢說這是一項危機，但決不是正常現象。今日高中學生國文程度之普遍低落，師資之嚴重缺乏要負最大的責任。

㈢關於教法者 有優良的師資，而沒有良好的教學法，也是枉然。如今高中國文教師既然嚴重的缺乏，再加上教法之不當，必然會減低學生的讀書興趣，其國文程度焉有不低落之理。現在一般高中國文教師都普遍的犯了教法上的兩大錯誤：第一，教師多半處於主動地位，作注入式的講解（即教育學上所謂「注入式教法」framming mode of teaching），很少提示問題作啓發式的詰問（即教育學上所謂「啓發式教法」developing mode of teaching）。第二，教師多半將白話譯文寫在課本上，唸一句就令學生抄一句，考試時學生必須按照教師的翻譯一字不漏的作答，否則即予以扣分，錮蔽學生之性靈，莫此爲甚。以上兩種錯誤的教學法，在北部幾所女子高級中學裏最爲流行，雖然這些學校學生的升學率很高，但卻使箇箇學生都變成木頭人了。我以前在大學所教過的班級裏，凡是思想靈活，才情洋溢而程度（請注意：這裏是指程度而非成績，程度與成績是截然不同的。）又高的學生，多半不是這些學校畢業的。教法之影響於學生國文程度者，實在太大了。

㈣關於學生本身者 古代的讀書人，當其束髮受教時，即有經邦軌物，霖雨蒼生之壯志，將一己的休戚榮枯置之度外。漢范滂青年時代，即有攬轡中原，澄清天下之意，這是何等的志氣。宋范仲淹爲秀才時，即以天下爲己任，這是何等的胸襟。清末革命志士毀家紓難，視死如歸，這是何等的英勇。抗戰期間，在學青年請纓殺敵，喋血沙場者項背相望，這又是可等的壯烈。讀書人之所以可愛，之所以為四民之首，要皆種因於此。反觀時下一般高中學生，都普遍的犯了胸襟狹窄，眼光短淺的毛病。其上焉者，相率攻讀理工，作出國的打算；其中焉者，亦競相報考法商科系，以圖將來生活之舒適；其下焉者，則好勇鬥狠，為非作歹，成為社會的毒瘤，時代的渣滓。而負有扭轉國家命運，復興中華文化之大責重任的文、史、哲諸科系卻乏人問津。據說在所有第一流的高級中學裏，凡是被分到甲組或丙組班級的學生，不論其程度如何，一概被目為英雄，這些學生也箇箇趾高氣揚，躊躇滿志。凡是被分到乙組班級的學生，不論其程度多高，一概被目為狗熊，害得這些學生抬不起頭來，或請求轉組，或消極頹唐，或自暴自棄，如有某人欲將中國文學系列為第一志願，必為衆人所唾棄，被罵為沒出息。往日讀書人那種「守先待後，舍我其誰」的偉抱，「振衣千仞岡，濯足萬里流」的情操，蓋已蕩然無存。所以有人批評我們這一代青年是最自私的一代，也是最頹廢的一代。現在我要補充一句：我們這一代青年是最迷惘的一代，也是最莫名其妙的一代。再看十幾年來大學聯考乙組的榜首，從來就沒有一箇是以中國文學系為第一志願的。而每一個大學中文系的錄取分數，向來都是敬陪末座。國文之為一般高中生所輕視，從這裏又可以得到充分的證明。高中學生這種功利思想與錯誤觀念，至今仍然沒有改變，且有每下愈況之勢，這是我們民族精神教育的失敗，也是復興中華文化的絆腳石。

㈤關於社會風氣者　臺灣近二十年來，已逐漸由農業社會轉型到工商業社會，歐美資本主義思想的浪潮，也隨著大量的湧入，首當其衝的便是對人的價值判斷之改變。在從前農業社會時代，凡屬品行高潔，飽讀詩書之士，率為社會人士所尊崇、所景仰，人的價值之高低，是以他的道德與學問作為衡量的標準。但是在這金錢至上，資本第一的工商業社會裏，道德與學問已悉為財富所取代，一箇人的價值以及他的社會地位之高低，完全與他的財富之多寡成正比，至於他是用甚麼方法、甚麼手段獲得這些財富，就沒有人去注意，也沒有人會去過問。一般人既然以財富之多寡來評定人的價值與社會地位之高低，那麼與「窮」「酸」永遠脫離不了關係的國文界人士，自然而然的就變成了寂寞的一群。因為這一群飽讀聖賢書的人士，幾乎全是天生一身硬骨頭，生財既無道，又不願奔走鑽營，仰人鼻息，落落寡合，自在意中。「獨立市橋人不識，一星如月看多時」，這是他們的遭際；「全家都在風聲裏，九月衣裳未剪裁」，這是他們的困境；「十有九人堪白眼，百無一用是書生」，這是他們的寫照；「冠蓋滿京華，斯人獨憔悴」，這是他們的下場。學國文的人竟然落寞可悲到這種地步，完全是社會上重利輕學的風氣所使然。青年學子受到這種風氣的濡染，誰還願意去重蹈他們國文老師的「覆轍」呢。

（四）高中國文教學改良之道

我們既然知道了今日高中學生國文程度一落千丈的事實，也探討出它的主要原因，則對症下藥，似不算晚，爰抒芻見於後：

一、寄望於教育當局者

教育爲百年樹人之大計，國家之富強，民族品質之提高，各種人才之培養，端賴教育。而在各種教育之中，又以國文教育爲最要，蓋國文教育爲一切教育之基礎，人民愛國心與民族自尊心之培養，都深深的仰賴著它。因此國文教育的成功，也就是整箇教育的成功，國文教育的失敗，也就是整箇教育的失敗。希望教育當軸諸公於致力發展科學教育之餘，分出一點心血來研究高中國文教學之改良。左列八點建議，敬請斟酌採納。

㈠**改編高中國文教科書**　現行標準本《高中國文》教科書不盡適用於今日，已如上述，教育部宜聘請學者專家博採衆議，並參考高明先生編著的《興中高中國文》（正中書局出版），楊家駱先生編著的《新世紀高中國文選》與蔣伯潛先生編著的《蔣氏高中新國文》（以上二書均世界書局出版）予以改編。改編時請注意下列五事：

1. 編輯委員應包括國學權威一人，大學中文系教授二人，教育學家一人，心理學家一人，學驗俱豐的高初中國文教師各一人。
2. 多選知識性、文藝性、趣味性的詩詞文章，以引發學生的學習興趣。
3. 「文話」應力求其多，力求其詳，俾學生於正課之外，可以輕易獲得許多相關知識。
4. 每册至少選文五十篇，使教師能夠視學生的性別，學校的性質，國家社會的需要，隨時作機動性的講授。

5.課文須全部選文言文（包括散文、駢文、詩、詞、曲、賦、小說、戲劇）。根據筆者之教學經驗，白話文學生一看便懂，不必浪費時間講授，謂予不信，請任擇幾所學校作民意調查。又現在高職國文教科書失之過濫，應一律採用新編高中國文教科書，既可以齊一職業學校學生的水準，又可以杜絕若干私立職校乘機向學生斂財。

㈡編印高中白話文模範讀本　現在高中學生百分之九十九以上沒有能力作文言文，率祇作白話文，而高中三年所學的又多半是文言文，於是便發生了所學非所用的現象，今日學生作文能力之所以如此差勁，學用脫節實有以致之。爲了彌補這箇缺點，教育部應聘請學者專家編選《高中白話文模範讀本》，作爲高中國文的補充補材，教師不必講授，祇令學生點讀即可，但學期結束時，必須詳細檢閱，當作平時成績之一。編選此書時請注意下列五事：

1.編輯委員應包括新文藝創作家一人，新文藝理論家或文學批評家一人，大學中文系教授一人，教育學家一人，心理學家一人，學驗俱豐的高初中國文教師各一人。

2.編印六冊，每冊至少選文五十篇，加以簡單的注釋，以與高中國文教科書相輔而行。

3.每冊內容應包括散文（其中議論文佔百分之四十，記敍文、抒情文、描寫文各佔百分之二十。）、新詩、小說、戲劇。

4.選文時應嚴守大公無私的原則，時不分古今，地無間中外，人不拘生熟，凡屬佳構，一律入選。

5. 應逐年修訂或改編，發現新的佳作，隨時選入，既可以收新陳代謝之效，又可以促使台灣文壇呈現一片蓬勃氣象。

㈢改進大學聯考　大學聯考制度雖非盡善盡美，但其絕對公平則是無庸置疑的，照目前的情況看來，這一制度在短期間內是不會取消的。既然大學聯考是通往大學的惟一途徑，則其命題方式就大大的影響了高中的教學方針。易詞言之，現在所有高中的教學方法完全是針對大學聯考的命題而定的，大學聯考考甚麼，他們就教甚麼，不考的乾脆就不教了，政府設計高中的目的，高中本身所應具備的功能，所應肩負的使命，一概置之度外，這是題外話，姑且不談，現在言歸正題。今日高中畢業生既然都必須經大學聯考這一關，那麼在大學聯考的命題與分發技術上略事改進，當可快速的提高高中學生的國文程度。其辦法為：

1. 斷然將文學院各系科列為甲組，而將理、工學院各系科列為乙組，以示尊重國文之意。
2. 凡國文科成績不滿四十分者一概不得錄取。
3. 凡國文科成績不滿五十分者一概不得錄取文、法學院的任何一系。
4. 凡國文科成績不滿六十分者一概不得錄取中國文學系。
5. 國文科命題必須完全超出高中國文教科書範圍以外，如此才能測驗出學生眞正的國文程度。

以上五種辦法，或不無矯枉過正之處，但如能一一見諸施行，必可收立竿見影之效。施行伊始，一定會遭到許多人的反對，希望教育當軸諸公拿出魄力來，貫徹到底，祇要用意至善，目標正確，終必能獲得國人的諒解。

㈣增加國文授課時數　照教育部規定，目前高中國文每週授課時數爲六小時，如要提高學生的國文程度，這六小時是不夠的，鄙意以爲至少必須增加到八小時。港澳地區的中學，多爲七至八小時，所以在回國升學的僑生中，其國文程度有很多是在本地學生之上的，即是明證。

㈤加發作文批改費　在所有高中教師中，最辛苦、最忙碌而又最寒酸的，實非國文教師莫屬。通常一箇國文教師除了授課時數和其他各科教師約略相等外，還得把作文簿帶回家批改，每篇作文都得句斟字酌，細推慢敲，所費時間常十倍於其授課時數。他們既沒有額外補習，工作又那麼辛苦，自無餘力進修或作休閒活動，時日既久，不是彎腰駝背，就是瘦骨嶙峋，所謂「鞠躬盡瘁，死而後已」，正是他們的最佳寫照。現在我要懇切的向教育當局大聲疾呼，無論經費如何短絀，都得籌出一筆錢來，作爲加發中學國文教師的作文批改費。其辦法有二：

1. 批改一篇作文，發給新臺幣二元，一箇月結算一次。按此法在國立臺灣師範大學夜間部及中央警官學校已行之多年，並沒有引起非議。

2. 每教一班國文，加發兩箇鐘點費。按此法在清華大學、交通大學、東吳大學、淡江文理學院已行之多年，也沒有引起非議。

以上兩種辦法皆無窒礙難行之處，請教育部斟酌採納，擇一而行，政府所費不多，卻能使中學國文教師得到公平而合理的待遇。

㈥調訓高中國文教師 國立臺灣師範大學設有中學教師研習中心，每年暑期調訓中學的英文、數學、理化、生物各科教師，予以短期間的再教育，收效甚大。然而卻很少調訓國文科教師，我眞不明白教育當局的用意何在，難道國文教師就不需要經常調訓嗎？我想除了教育當局不重視中學國文外，實在沒有其他令人折服的解釋了。茲建議教育當局，請大量的、經常的調訓中學國文教師，使他們也有吸收新知識的機會，否則日久變成了腐儒，受到損失的是我們民族的下一代。

㈦延長中國文學系修業年限 現行《大學法》是四十年前制定的，規定中國文學系修業年限爲四年，在當時並無不當，因爲從前就讀中文系的學生，在入學以前，即已飽覽詩書，奠下深厚的國學基礎，故畢業以後，無論教書，從政，皆能勝任愉快。然而時移境異，現在就讀中文系的學生在入學以前，絕大多數是沒有一點國學根柢的，甚至有許多聯考國文科成績祇有二三十分也被分發進來，因此造成了「該來的不來，不該來的卻來了」的反常現象，這些學生怎能期望他們在四年以後成爲優秀的高中國文教師呢！希望教育當局正視此一問題，從速修改《大學法》，將中文系的修業年限延長爲五年。據筆者所知，有許多學系的修業年限並不止四年，如醫科之七年，牙科之六年，法律系、建築系之五年，皆因實際上之需要而延長者。故中文系之修業年限延長爲五年，現在正是時候了。

㈧放寬中學國文教師任用資格 近二十年來，軍中的讀書風氣很盛，各類人才輩出，其中不乏博學能文之士，這些人的國學根柢決不弱於一般國文學士，筆者在服兵役期間，認識了不少這一類人才，而無緣識荆者更不知凡幾。這些人退役以後，寶刀未老，頗有志從事教育工作者，惟限於資格，終未能如願。希望教育當局委託國立台灣師範大學立即成立國文專修科，專門招收這類退役軍人，授課三年，畢業後分發各校，既解決退役軍人的職業問題，同時也為各地高中增加一批生力軍，一舉兩得，何樂不為。

二、寄望於高中校長者

現在一般高級中學校長，並非全無辦學熱忱，且有終身以此為職志者，但其辦學方針多偏向於學生升學率之提高，故對於在大學聯考上容易見功夫的英文、數學、物理、化學、生物諸科的教師，向來是優禮有加的，且常有互相挖角的情事發生。而對國文教師則抱著可有可無的態度，極盡冷落之能事。這些校長認為國文一科，盡人能教，在升學考試上亦非決定性的學科，於升學率之提高並無大助，故對於國文教師之遴聘，向極草率，緣是教非所學、誤人子弟之國文教師，幾於無校無之，祇是在人數上有多寡之分，在程度上有輕重之別而已。這個問題如讓它延續下去，不謀改進，決非國家之福，尤非後進青年之幸。茲舉四事以寄望於高級中學的主政者：

㈠從速成立「國文科教師評審委員會」，由校長、教務主任、人事主任及校內優良國文教師三人組成，以校長爲主任委員，對全校國文教師作一番汰蕪存菁的工作，使那些不合格與不能勝任的國文教師不得再繼續誤人子弟。成立這個委員會的好處有三：

1. 對教師的去留可以做到較客觀的決定。

2. 使校長在人事上不必有任何顧慮，可以專心主持校務。

3. 可以免除校長與教師之間的任何恩怨。

(二)今後凡有國文教師出缺，應登報公開徵聘，由「國文科教師評審委員會」負責審查，使那些不善於交際的國文教師能夠有自由選擇的機會，而認眞辦學的學校亦可以聘請到優良的國文教師。

(三)應將國文教師與英、數、理、化及生物教師等視齊觀，同樣的尊重，不可厚彼薄此。

(四)每班學生人數應遵照教育部規定，不得超過五十人，免得使教師超載。

三、寄望於高中國文教師者

無可諱言的，在全國高級中學裏，濫竽充數，不堪任教的國文教師實在太多了，就以筆者所服務過和參觀過的學校而言，幾乎有一半以上的國文教師或素質太差，或教學草率，或教法陳舊，或鄉音太重，或口齒不清，或精神不振，或錯字層出，或別字迭見，如此而欲得到學生的信賴，社會人士的尊重，實在是戛戛乎其難哉。現在高中學生的國文程度已經低落到不堪想像的地步了，那麼和此一問題關係最密切的高中國文教師，如果仍然保持緘默，不加聞問，怎麼對得起求知慾強烈的學生，又怎麼對得起千千萬萬望子成龍、望女成鳳的學生家長。茲列舉數事以寄望於高中國文教師們：

㈠我國自古以來，教師即與天地君親並列，其地位之崇高，從是可見。現在雖然時代改變，人心不古，教師之地位遠非昔比，但眞正能盡忠職守，充滿愛心，本身又具有相當學識的教師，仍然會受到學生的愛戴，社會的尊敬。我們不可一味責備現代人不尊師，而必須先反躬問自己有沒有具備被人尊敬的條件。根據這幾年來的體驗，我覺得做一個教師已經夠難了，而做一個國文教師尤其困難，因爲國文所包括的範圍大廣了，一個標準的國文教師，除了必須具備本科方面的基本知識外，還必須具有「天文地理無一不通，三教九流無一不曉」的本領，教起書來，才能左右逢源，稱心稱職；改起作文來，才能縱橫批示，筆底生花，而使學生心悅誠服。反觀現在一般高中國文教師們，平日既不肯讀書（我到過很多高中國文教師的家裏，在他們的書架上很難看到幾本學術著作，甚至連《辭源》、《辭海》一類的工具書都沒有，讀書風氣竟然如此之差，令人慨歎。），上課前又不肯作充分的準備，祇憑著在大學時代所學到的一點少得可憐的舊知識，到課堂上照本宣科。黃山谷有言：「三日不讀書，便覺面目可憎，言語乏味」，何況是經年累月不摸書本呢。單憑這點舊知識，授業固不足，更將何以引導學生的言行，啓發學生的思想，移易學生的氣質，灌輸學生以新知。國文教師之所以容易被人目爲「冬烘先生」者，其故在此。昔年龔堯有聯云：「不敬先生，天誅地滅，誤人子弟，男盜女娼。」奉勸在職的高中國文教師們，如果認爲自己的學識不足以勝任，應立即改行，免得繼續誤人子弟，而禍延子孫。

㈡我列祖列宗嘔盡心血創造出來的文字，現在正面臨著曠古未有之危機，中共在大陸上任意竄改文字，固爲亙古未有之大厄難，然而在復興基地的臺灣，居然也有許多人在奔走高喊文字改革，殊屬匪夷所思，實令人有「此何時也，此何地也」之感。中國文字應否作合理的改良，非本文討論之範圍，請姑置之。現在所要談的，乃是誤筆字與俗體字問題。按誤筆字與俗體字不但充斥於高中學生的作業簿裏，而且在第一流的報紙雜誌和學人著作裏也隨處可見，長此以往，總有惡紫奪朱，鄭聲亂雅的一天，這是中國文字的一股亂流，也是中國文字的一項危機。爲了阻遏這股亂流，爲了挽救這項危機，根本之計，就是先從中小學校的國文教學著手。因此我殷切的希望高中國文教師們，無論如何忙碌，都請騰出一點時間來，閱讀《說文》、《廣韻》、《文字蒙求》、《俗書刊誤》、《中華大字典》一類的字書，然後以最正確的文字教授學生，使誤筆字與俗體字從此絕跡。

㈢教師翻譯一句就令學生抄一句的落伍教學法應立即根絕，以免錮蔽學生的性靈，阻塞學生的思想，使原本朝氣蓬勃的青年，變成了一群「呆頭鵝」。

四、寄望於大學國文教師者

高中國文教師雖未必皆出身於大學的中國文學系（簡稱中文系），而中文系的畢業生絕大多數去擔任高中國文教師則是事實，因此把中文系的學生全部教好，就是間接的提高高中學生的國文程度。但是令人遺憾得很，我們中文系的教師並沒有把學生全部教好，坐令清者自清，濁者自濁，從不關心，以致四年下來，學生程度相差極爲懸殊，程度好的已經可以獨立研究，著書立說；而程度差的，則平仄之分，聲韻之別，詩之作法，詞之塡法，對聯之寫法、貼法固茫然不知，即如一張便條、一封書信都不會寫的亦比比皆是，等而下之的甚至連一篇簡短的白話文都寫不通呢。這是中文系教學的失敗，也是中文系學生的恥辱。據筆者所知，中文系的教授們，多半宅心寬厚，從不願爲難學生，故分數放盤的情形相當普遍。揆其初衷，大概是要讓這些二十歲上下的大孩子能夠自動自發的用功讀書，其意不可謂不美。卻不料這些大孩子並不領情，反而誤認爲中文系是大學裏最好混的一系，並且還成爲其他各系劣等學生的逋逃藪。於是在宿舍裏聊天打牌的是他們，擔任家教最多的是他們，在舞會裏所見到的也多半是他們。東海大學孫克寬教授曾說：「有一位中文系考前三名的學生，轉到理學院，兩年都考不及格，最後退學了事。」筆者讀大學時，曾經不止一次的聽到北部兩所國立大學中文系的學生說：「要不是那討厭的聲韻學，我即使高臥四年也能畢業。」中文系原本是大學中最難讀的一系，如今卻變成了最好混的一系，則中文系教授們的宅心寬厚、分數放盤實有以促成之。諺云：「嚴師出高徒。」西諺亦云：「愛惜鞭子，縱壞孩子。」(Spare the rod and Spoil the child)希望執教於中文系的先進們，對於那些企圖鬼混的學生，必須施加壓力，嚴格督導，扣緊分數，從實際的考驗中，讓他們發揮個人的最大潛力，凡程度太差或心存僥倖者，一律予以淘汰，無稍寬假。惟有如此，才能使中文系的學生見重於社會；也惟有如此，才能挽救青年學生國文程度日漸低落的危機。從前臺大的數學系，師大的英語系，政大的新聞系、財稅系，東吳的會統系，都是以嚴格出名的，所以從這些學系畢業的學生，便成了各機關學校和工商企業爭相羅致的對象，至今猶傳為美談。別的學系辦得到的，難道中文系就辦不到嗎？

五、寄望於高中學生者

前面說過，現在一般高中學生都普遍的犯了胸襟狹窄、眼光短淺的毛病，愈是資質高的學生，愈是自私、現實，衹知道為自己的利益打算，為將來的出路著想，從來就沒有想到要如何去扭轉國家的命運，如何去喚起民族的靈魂，如何去增加社會的福祉，如何去復興固有的文化，如何去做一個富有民族意識的知識分子。在學校裏不重視國文、歷史、地理諸科，畢業後不願意報考中文、歷史、地理、哲學、教育、政治……諸系，並且看不起就讀中文、歷史、地理、哲學、教育、政治……諸系的同學。須知自然科學固然重要，而人文與社會科學也同樣重要，我們現在所需要的不祇是牛頓、愛迪生、愛因斯坦而已，我們更需要白樂天、陸放翁、顧亭林、黃梨洲、馬志尼、斐希特、白里安、亞當斯密、盧梭、莎士比亞、歌德、但丁、拜倫、康德、叔本華、尼采、杜威。

在學的青年朋友們！希望你們把胸襟擴大，把眼光放遠，用你們的全副精力貢獻給這個美麗而可愛的國家，用你們的血汗灌溉出新的花朵來。

（五）結　論

以上所述，乃筆者多年來研思此一大問題之結果，倉卒草成此論，既沒有廣泛的徵詢高中國文教師的意見，又沒有就國中魁儒長者請益問難，其所主張容有矯枉過正之處，但這些都是高中國文教學上的根本問題，固不可目爲毫無研討商榷之價值也。當此復興中華文化高唱入雲之際，敢竭愚夫之千慮，特獻芻蕘之直言，以爲海內外留心此問題者作一草案，如蒙採納施行，三五年後，高中學生國文程度依然低落如故，則請膏我斧鉞以謝天下。

（原載民國五十九年台北《大學雜誌》十二月號）

六朝文學與佛教的關係（一九七二）

每一個時代的文學，都和當時朝野的風尚，發生極密切的關係。如唐代以詩取士，詩人便盛於唐；明清考八股，制藝便盛於明清；漢代考經，所以經師亦盛於漢。孔子論德教之化民曾說：『君子之德風，小人之德草，草上之風必偃。』（《論語・顏淵篇》）近人孫德謙也說：『文與學相通，我朝乾嘉時，最重考據，故文人集中，多有考據之作；宋明尚理學，作文者則時為性道語；昔賢謂晉人清談，文皆平淡似《道德經》。此可見一時學尚相趨，文亦隨之。』（《六朝麗指》）這眞是一針見血的話。

我們翻開六朝文學，無論在形式方面，抑或在內容方面，都深深的受到印度佛教的影響。孫德謙說：『六朝好佞佛，見於《文選》者，有王簡棲〈頭陀寺碑〉，實於釋理甚深。彼若邢劭〈景明寺碑〉、陸佐公〈天光寺碑〉，如此類者，無不通於佛典矣。梁元帝〈內典碑銘集林序〉曰：「予幼好雕蟲，長而彌篤，游心釋典，寓目詞林，頃常搜聚，有懷著述。」是知上有好者，下必甚焉。六朝佛學之盛，由於在上者為之提倡，無怪彼時文儒，皆能以華艷之辭，闡空寂之理，特惜元帝此編散佚不傳耳。然學術文章互為表裏，蓋可識矣。』（同上）在還沒有探討六朝文學與佛教之關係以前，我們必須知道佛教傳入中國的經過，這樣才能把握它們的來龍去脈。

我國人之知有佛教，遠在漢初，如武帝從匈奴得金人，這個金人大概就是佛像。特見於正史信而可徵者，則為東漢明帝永平十年（西元六七年），天竺（案天竺就是印度的古稱，亦作身毒。）沙門攝摩騰和竺法蘭兩人攜帶經典到京師洛陽，這是佛教東傳的開始。當時翻譯成漢文的經典，不過數種，現在還存在的，祇有《四十二章經》了，它的體例很像老子《道德經》。不過當時一般士大夫信仰的還很少，所以沒有發生重大的影響。到桓帝時，安世高、支婁迦讖聯袂來華，譯出的經典有二百多種，得到桓帝的激賞，民間才逐漸的信仰起來。三國時，康居國沙門康僧會來到建康，吳大帝孫權對他非常尊信，並且還為他建塔立寺，江南佛教，由此而盛。晉時有佛圖澄來自西域，專事譯經，他的弟子道安尤為傑出，道安的弟子慧遠，開道場於廬山，提倡淨土宗，為南方佛教的中心。同時有鳩摩羅什自龜茲到長安，秦帝姚興尊為國師，譯出《一切經論》，有九十餘部，弟子數千人，勢力煊赫，盛極一時，為北地佛教的中心。宋文帝尊信沙門慧琳，使他與顏延之同參朝政，時稱黑衣宰相。齊武帝時，有法獻、法暢二僧，才華卓茂，帝賜肩輿，以示寵異，令參政事，號黑衣二傑。梁武帝尤篤好佛教，曾三次捨身同泰寺，並躬率群臣道俗二萬人發菩提心云。

當時佛教勢力強盛，教義普被於社會，幾乎將中國傳統思想全部征服，舉凡風俗、建築、雕刻、美術各方面，無一不受其影響，固不僅文學一端而已。這時儒家僅有空名，道教雖屢與之抗爭，而舉鼎絕臏，終歸失敗。其聲勢所以能如此強大者，固然是由於帝王之提倡，士大夫之景從；而最主要原因，乃是由於它的教理精深，足以掩蓋儒、道的光芒，這就難怪海內才智之士都紛紛走入佛教的界域了。今就佛教對六朝文學的影響，分形式、內容兩方面，述其大略。

文學的聲韻對偶，似與佛教無關，殊不知這正是由梵語翻譯華文的影響，華文以形為主，諧聲（即形聲）僅為六書之一，初無所謂字母。梵語以三十四聲母，十六韻母，共五十字母，孳生一切文字，其字音又分別陰陽，故印度之雅語必合韻律，其文恆以四字成句，聲韻調和，異常優美，於是切韻之學遂與佛經同入中國，曹魏時孫炎撰《爾雅音義》，因其法而創反切。反切者，緩讀則為兩字，急讀則成一音，這是由於語言自然的伸縮，在古書裏常常可以見到。如《左傳》『著於丁寧』，『丁寧』急讀為『鉦』，『寺人勃鞮』，『勃鞮』急讀為『披』。然古來無反切之名稱，亦無反切之方法，很顯然的是從翻譯佛典而來。梵語的格式，此名與他名之關係，都是以尾聲的變化來表白它，其種類有八，就是一般所說的八囀聲。八囀聲就是：

㈠**體聲** 亦云泛說聲。此表能作者，或一事一物之本體，句中主格，則用此聲。如：

問曰：『何誰無所得。』

答曰：『謂已得般若波羅密多。』

㈡**業聲** 亦云所說聲。此表所作，即動作之所止，句中賓格，則用此聲。如：

問曰：『何所無所得。』

答曰：『謂所取相，能取相。』

㈢**具　聲**　亦云能說聲。此表動作之所由，有『由此』、『以此』之義，屬於具格，則用此聲。如：

問曰：『何用無所得。』

答曰：『謂用般若波羅密多。』

㈣**所爲聲**　亦云與聲。此表動作之所爲，有『爲此』、『於此』之義，屬於與格，則用此聲。如：

問曰：『爲何無所得。』

答曰：『謂爲救脫一切有情云云。』

㈤**所從聲**　乃表動作之所從來，有『從此』、『因此』之義，屬於奪格，則用此聲。如：

問曰：『何由無所得。』

答曰：『謂由遇佛出世云云。』

㈥**屬　聲**　此表能繫屬者，有『繫屬於此』、『此之』之義，屬於物主格，則用此聲。物主格者，乃是舉物主以示所屬之格。如：

問曰：『何之無所得。』

答曰：『謂一切法之無所得。』

㈦**依　聲**　此表動作之所依所對，有『依此』、『於此』之義，屬於於格，則用此聲。如：

問曰：『於何無所得。』

答曰：『謂於勝解行地云云。』

㈧**呼　聲**　此但為呼召某物，獨舉其名，與餘無涉，故在句中為獨立格。如：

問曰：『幾何無所得。』

答曰：『十一種云云。』

以上八囀，各有一言聲、二言聲、多言聲三種之別，是為二十四聲。又有男聲、女聲、中聲三性，則有七十二聲之變化。梵語聲韻之繁複如此，未必一一悉合華文，但是因為參用這種方法，來分別各地方言的聲音，即不能謂為與江左四聲絕無關係，因為某字讀平聲為某義，讀上去入聲則又各變一義，都是用讀音來分別字義的。而且古人聲音重濁，祗有『長言』、『短言』，而沒有四聲，『長言』就是後來的『平聲』，『短言』就是後來的『入聲』。北方的『平聲』又分『陰平』『陽平』，有『去聲』而無『入聲』。自宋齊以後，佛教大行，佛經轉讀之風日盛，切音辨字，也逐漸的趨於精密，蓋讀經不僅誦其字句，必須傳其美妙的音節，因此詠經謂之轉讀，歌讚謂之梵音。然而漢字單奇，梵音重複，為適用於轉讀歌讚，即須參照梵語拼音，以求漢語之轉變，於是二字反切之法因而興起，四聲亦因而成立。近人陳寅恪〈四聲三問〉云：

中國入聲，轉易分別，平上去三聲，乃摹擬當日轉讀佛經之三聲而成。轉讀佛經之三聲，出於印度古時聲明論之三聲也。於是創爲四聲之說，撰作聲譜，借轉讀佛經之聲調，應用於中國之美化文，四聲乃盛行。永明七年二月二十日，竟陵王子良大集沙門於京邸，造經唄新聲，爲當時考文審音一大事，故四聲音之成立，適值永明之世，而周顒、沈約爲此新學說之代表人也。（見《清華學報》）

蓋自竺法護四十一字母之說出，而周顒著《四聲切韻》，沈約著《四聲譜》，王斌著《四聲論》，於是平上去入四聲之名遂正式成立。沈約又據此創「四聲八病」之說，以之應用於文學方面，影響所及，通國上下，凡有製作，莫不字別宮商，音分清濁，絺章繪句，振藻揚葩，四六駢文之鴻軌，近體律詩之先路，遂自此開展。《南史・陸厥傳》云：

永明時盛爲文章，吳興沈約、陳郡謝朓、琅琊王融，以氣類相推轂，汝南周顒善識聲韻，約等文皆用宮商，將平上去入四聲，以此制韻，有平頭、上尾、蜂腰、鶴膝，五字之中，音韻悉異，兩句之內，角徵不同，不可增減。世呼爲永明體。

是則謂六朝文學在形式上受佛教之影響，彰彰明甚，無可致疑。

至於文學思想方面之受佛教影響，則取當時著名學者之文讀之，顯然可見。蓋我國固有思想，先秦時雖有儒、墨、名、法、道德、陰陽六家，然陰陽家無所謂思想，名、法二家皆出於道，故論思想之獨立者，袛有儒、道、墨三家而已。儒家以人合天，側重倫理之實踐，於性與天道，不甚詳談。墨家則刻苦自勵，捨己救人，更重實行。故惟有道家說及宇宙之本源，人生之目的，而有『人法地，地法天，天法道，道法自然』之極高思想。若佛教則剖析色心，會歸眞如，徹三界成立之源，窮衆生生死之本，其陳義之高，絕非他教所可企及。故佛教東來之後，儒家幾無能以抗之者，惟有道家稍能與之爭一日之長，而終不能制勝，於我國思想界乃大放異采，固不僅文學一端受其影響而已。近人梁啟超論中國學術思想變遷之大勢有云：

佛學，外學也，非吾國固有之學也。答之曰：不然，凡學術苟能發揮之、光大之、實行之者，則此學即爲其人之所自有。……如北歐諸國，未嘗有固有之文明，惟取諸希臘、羅馬、猶太。……又如日本，未嘗有固有之文明，惟取諸我國，取諸歐西。……中國，大國也，而有數千年相傳固有之學，壁壘嚴整，故他界之思想，入之不易。……雖然，吾中國不受外學則已，苟既受之，則必能盡吸所長，以自營養，而且變其質，神其用，別造一種之新文明。（見《中國學術思想變遷之大勢》）

梁氏之言，蓋指我國學者吸收佛教，至隋唐時能造成天台、華嚴兩宗之中國佛教而言，其言不專指文學，然則就六朝文學而論，雖謂之受外來影響，而造成新文學，亦未嘗不可。

（原載民國六十一年六月台北《慧炬》月刊一〇二期）

評介陸宣公之駢文（一九七二）

中唐之世，以文章而成相業，以忠懇而導中興，上承張說、蘇頲以散文之氣勢運偶句，下開晚唐、趙宋四六文之先河，義理之精，足以比隆濂洛，氣勢之盛，亦堪方駕韓蘇，接軫典謨，垂範百世者，游目文壇，惟有陸宣公一人而已。

陸宣公名贄，字敬輿，嘉興人。賦性忠藎，雅好儒學。年十八登進士第，中博學宏詞科，授華州・鄭縣尉，非其好也，罷秩東歸。壽州刺史張鎰有重名，贄往見，語三日，鎰奇之，請為忘年交，以書判拔萃，授渭南尉，遷監察御史。德宗在東宮時，素知贄名，登極後即召為翰林學士，甚見親任，雖有宰相，而謀猷參決，多出於贄，時號內相。建中四年，朱泚亂作，從狩奉天，一日之內，詔書數百，贄揮翰起草，思如泉注，初若不經思慮，及成而奏，無不曲盡事情，中於機會，倉卒填委，同職者中心歎服，不能復有所助。時群臣或昧於天下大勢者，猶奏請加尊號以應厄運。陸贄謂『尊號之興，本非古制，行乎安泰之日，已累謙沖，襲乎喪亂之時，尤傷事體。』帝納其言，但改年號，以中書所撰赦文示贄，贄曰：『動人以言，所感已淺，言又不切，人誰肯懷。』又從容奏曰：『此時詔書，陛下宜痛自引過，以感人心，昔禹湯以罪己勃興，楚昭以善言復國，陛下誠能不吝改過，以言謝天下，俾臣草辭無諱，庶幾群盜革心。』帝從之，乃別爲詔，悔過引咎，頒行天下，此即名震中外之〈奉天改元大赦制〉也。自是朝野振奮，敵愾同仇。無何而朔方節度使李懷光率兵救應，敗朱泚兵於澧泉，遂解奉天之圍，興元於以中興。及還京師，李抱眞來朝，奏曰：『陛下在山南時，山東士卒聞書詔之辭，無不感泣，思奮臣節，臣知賊不足平也。』按此制全文二千餘言，一氣呵成，無復斧鑿之跡，所謂卷舒之態自然，襞積之痕盡化者也。篇中所列，如『長於深宮之中，暗於經國之務』；『不知稼穡之艱難，不察征戍之勞苦』；『天譴於上，而朕不悟，人怨於下，而朕不知』；『萬品失序，九廟震驚，上辱於祖宗，下負於黎庶』；『朕實不君，人則何罪』。在在胥從肺腑中流出，眞摯剴切，感人實深，宜當日行在詔書一下，雖驕將悍卒，無不感激涕零，洄洑逶迤之美，至此歎觀止矣。

駢文至陸宣公，可謂極變化之能事。前乎此者，多吟詠哀思，搖蕩性靈之作。自宣公移以入奏議詔書之後，駢文之應用範圍隨之擴大，不但可以抒情，可以敍事，亦且可以議論。故駢文形式雖未嘗變易，而駢文之性質與內容均已改觀。昔王志堅輯《四六法海》，陳均纂《唐駢體文鈔》，均不錄宣公之文，則知選學家固以宣公之文爲駢文中之別裁也。然就文章之實用而言，則別裁文學之價値，有時或將度越乎正宗文學，此吾人讀《翰苑集》所宜深切認明者也。今擇錄前人評語二三則如下，俾知宣公駢文價値之梗概。

㈠**權德輿《翰苑集序》**：

公之秉筆內署也，摧古揚今，雄文藻思，敷之為文誥，伸之為典謨，俾獷狡向風，儒夫增氣，則有《制誥集》一十卷，覽公之作，則知公之為文也。潤色之餘，論思獻納，軍國利害，巨細必陳，則有《奏草》七卷，覽公之奏，則知公之為臣也。其在相位也，推賢與能，舉直錯枉，將斡璿衡而揭日月，清氛沴而平泰階，敷其道也，與伊說爭衡，考其文也，與典謨接軫，則有《中書奏議》七卷，覽公之奏議，則知公之事君也。公之文集有《詩文賦集》《表狀為別集》十五卷。其關於時政，昭昭然與金石不朽者，惟《制誥》、《奏議》乎。

㈡《四庫全書簡明目錄》：

贄文多用駢句，蓋當日之體裁，然眞意篤摯，反覆曲暢，不復見排偶之跡。《新唐書》不收四六，獨錄贄文十餘篇。司馬光《資治通鑑》錄其疏至三十九篇，上下千年，所取無多於是者。經世之文，斯之謂矣。

㈢吳曾祺《涵芬樓文談》：

陸宣公之奏議，間於不駢不散之間，善以偶語寓單行者，實為自闢畦町，而為宋四六之濫觴。

㈣姚永樸《文學研究法》引曾國藩之言：

陸公文無一句不對，無一字不諧平仄，無一聯不調馬蹄。而義理之精，足以比隆濂洛，氣勢之盛，亦堪方駕韓蘇。退之本爲陸公所取士，子瞻奏議，終身效法陸公，而公之剖析事理精當，則非韓蘇所能及。

古今奏議，推賈長沙、陸宣公、蘇文忠三人，爲超前絕後。

中唐時代，因受古文運動之影響，駢文之聲勢，嘗一度中衰，故純粹抒寫性靈之作品，殊不易覯，一般摛文之士，率以箋奏制令表啓見長。前乎陸氏者，有常袞、楊炎、于邵等，後乎陸氏者，有權德輿、元稹、白居易、劉禹錫等，作風與燕、許大手筆相類，皆臺閣體之宗匠也。

（原載民國六十一年九月十二日台北國語日報社《古今文選》）

謝靈運〈擬魏太子鄴中集詩〉（一九七三）

謝靈運小名客兒，陳郡陽夏人，晉大將軍謝玄之孫，襲封康樂公，世稱謝康樂。文章之美，江左莫逮，性好山水，肆意遨遊，所至輒爲吟詠，刻畫大自然之美，與陶潛並號自然派兩大詩人，世稱陶謝。其〈擬魏太子鄴中集詩．自序〉云：

建安末，余時在鄴宮，朝遊夕讌，究歡愉之極，天下良辰美景，賞心樂事，四者難并，今昆弟友朋，二三諸彥，共盡之矣。古來此娛，書籍未見，何者，楚襄王時有宋玉唐景，梁孝王時有鄒枚嚴馬，遊者美矣，而其主不文。漢武帝徐樂諸才，備應對之能，而雄猜多忌，豈獲晤言之適，不誣方將，庶必賢於今日爾。歲月如流，零落將盡，撰文懷人，感往增愴。

其所評詠，計曹丕、王粲、陳琳、徐幹、劉楨、應瑒、阮瑀、曹植，凡八人，除曹丕外，皆先評後詠，於詩家爲創格，於文學批評亦生面別開者也。嘗鼎一臠，繫諸左方。

（一）魏　太　子

百川赴巨海，眾星環北辰。照灼爛霄漢，遙裔起長津。
天地中橫潰，家王拯生民。區宇既蕩滌，群英必來臻。

忝此欽賢性，由來常懷仁。況值眾君子，傾心隆日新。
論物靡浮說，析理實敷陳。羅縷豈闕辭，窈窕究天人。
澄觴滿金罍，連榻設華茵。急絃動飛聽，清歌拂梁塵。
莫言相遇易，此歡信可珍。

（二）王 粲

家本秦川，貴公子孫，遭亂流寓，自傷情多。

幽厲昔崩亂，桓靈今板蕩。伊洛既燎煙，函崤沒無像。
整裝辭秦川，秣馬赴楚壤。沮漳自可美，客心非外獎。
常歎詩人言，式微何由往。上宰奉皇靈，侯伯咸宗長。
雲騎亂漢南，宛郢皆掃盪。排霧屬盛明，披雲對清朗。
慶泰欲重疊，公子特先賞。不謂息肩顧，一旦值明兩。
並載遊鄴京，方舟汎河廣。綢繆清讌娛，寂寥梁棟響。
既作長夜飲，豈顧乘日養。

（三）劉 楨

卓犖偏人，而文最有氣，所得頗經奇。

貧居晏里閈，少小長東平。河兗當衝要，淪飄薄許京。

廣川無逆流，招納廁群英。北渡黎陽津，南登紀郢城。
既覽古今事，頗識治亂情。歡友相解達，敷奏究平生。
矧荷明哲顧，知深覺命輕。朝遊牛羊下，暮坐括揭鳴。
終歲非一日，傳卮弄新聲。辰事既難諧，歡願如今并。
惟羨肅肅翰，繽紛戾高冥。

（四）平原侯植

公子不及世事，但美遨遊，然頗有憂生之嗟。

朝遊登鳳閣，日暮集華沼。傾柯引弱枝，攀條摘蕙草。
徙倚窮騁望，目極盡所討。西顧太行山，北眺邯鄲道。
平衢脩且直，白楊信裊裊。副君命飲宴，歡娛寫抱懷。
良遊匪晝夜，豈云晚與早。眾賓悉精妙，清辭灑蘭藻。
哀音下迴鵠，餘哇徹清昊。中山不知醉，飲德方覺飽。
願以黃髮期，養生念將老。

論文學於個性外，兼及環境與際遇，較之曹丕但以才性為說者，又進一步，其法眼獨具在此，其價值亦在此。後來鍾嶸品詩，多仿其法，如謂李陵不遭名辱身冤之痛，班姬不遭秋扇見捐之悲，其詩未必能躋於上科。

漢都尉李陵，其源出於《楚辭》，文多悽愴，怨者之流。陵名家子，有殊才，生命不諧，聲頹身喪。使陵不遭辛苦，其文亦何能至此。

漢婕妤班姬，其源出於李陵。團扇短章，出旨清捷，怨深文綺，得匹婦之致。侏儒一節，可以知其工矣。（俱見《詩品》）

而評騭建安諸子亦云：

魏文學劉楨，其源出於古詩，仗氣愛奇，動多振絕，貞骨凌霜，高風跨俗，但氣過其文，雕潤恨少。（同上）

魏侍中王粲，其源出於李陵，發愀愴之詞，文秀而質羸。（同上）

魏陳思王植，其源出於《國風》，骨氣奇高，詞采華茂，情兼雅怨，體被文質，粲溢今古，卓爾不群。（同上）

並置三子於上品，具見文學與境遇關係之大。近人陳鍾凡氏頗能暢發康樂之說，其《中國文學批評史》云：

蓋文士藻繪之作，異於常人矢口直陳，故其成就，繫於才性者少，由於風會者多。是故子桓乘尊，則其辭雍容。子建憂生，則出言淒厲。仲宣遭亂流離，自傷情多，則體近陳思。元瑜職掌書記，有優渥之言，則勢同文帝。凡是氣體清濁之殊，皆時會使然，非僅才性有以限之，則謝氏不刊之說也。（第七章）

蓋能深通康樂之旨者也。茲再申而論之：

文學乃環境之託形，際遇之縮影，故恆隨環境際遇而轉變。詩愈窮則愈工，此先儒歐陽修氏之言也。民族、環境、時代爲文學之背景，此西賢泰納（Taine）氏之說也。文藝乃苦悶之象徵，此日哲廚川白村氏之論也。雖立言不同，國情各別，所以強調文學繫於境遇則一。屈原懷瑾握瑜，含忠履潔，而竟遭讒受謗，擯斥當年，憤鬱莫伸，終於自沈。阮籍生丁亂世，軫念蒼生，而綆短汲深，心餘力絀，乃思高翔遠引，避禍全身。庾子山不遭宗社之變，不能有蕭瑟老成之境界，杜少陵不經天寶之亂，亦不能有百代宗師之美譽，李後主若無亡國之痛，尤不能有「雲籠遠岫愁千片」、「恰似一江春水向東流」諸佳句也。歐陽修云：

詩原乎心者也，富貴愁怨，見乎所處。江南李氏鉅富，有詩曰：「簾日已高三丈透，金爐次第添香獸。紅錦地衣隨步皺，佳人舞徹金釵溜。酒渥時拈花蕊臭，別殿微風簫鼓奏。」與「時挑野菜和根煮，旋斫生柴帶葉燒」異矣。（《詩人玉屑》十引《摭遺》）

吳處厚云：

有山林草野之文，有朝廷臺閣之文。山林草野之文，則其氣枯槁憔悴，乃道不得行，著書立言者之所尚也。朝廷臺閣之文，則其氣溫潤豐縟，乃得位於時，演綸視草者之所尚也。（《青箱雜記》）

章學誠云：

夫立言之要，在於有物，古人著爲文章，皆本於中之所見，初非好爲炳炳烺烺，如錦工繡女之矜誇采色已也。富貴公子，雖醉夢中不能作寒酸求乞語；疾痛患難之人，雖置之絲竹華宴之場，不能易其呻吟而作歡笑。此聲之所以肖其心，而文之所以不能彼此相易，各自成家者也。（《文史通義．文理篇》）

溫采士特（Winchester）云：

使莎士比亞（Shakespeare）後百二十五年降生，是否仍不失爲英國偉大文豪，不能令人無疑。莎氏固有戲劇天才，倘當時劇場情狀，一如安娜后（Queen Anna）時代，莎氏恐未必成名，彼不從事於戲劇，又何從發揮其天才耶。（《文學評論之原理》Some Principles of Literary Criticism）

境遇足以影響文學，幾於衆口一談，固無間古今，亦無間中外也。

（原載民國六十二年三月台北《東方雜誌》）

評介羅根澤《中國文學批評史》（一九七四）

文學批評雖發端於古代，而成爲專門學科，則爲近代之事。溯自曹丕首揭裁量文藝之纛以後，繼武者蔚有其人，率能別具隻眼，撥尋指歸，宣發奧蘊。惟多見於詩話、文話、詞話、賦話之中，或爲單篇零簡之作，鮮有鉤勒成書者。雖片羽吉光，彌足珍貴，而連貫會通，則竟付闕如。其以專書辨章文體，評衡才士，條理密察，挺譽千秋者，則爲劉勰之《文心雕龍》與鍾嶸之《詩品》，並稱我國文學批評之雙璧。自此而外，指難再屈，實不能令人無憾焉。

所幸近百年來，中日學者致力於文藝思潮與文學理論之研究者甚衆。藍篳啓疆，首開風氣者，爲鈴木虎雄《支那古代文藝論史》、《支那詩論史》（有洪順隆譯本，台北商務印書館印行。）。師承有自，踵事增華者，爲青木正兒《支那古代文藝思潮》、《支那文學思想史》（有張仁青、鄭樑生合譯本，台北開明書店印行。）。詳於近代，略於遠代者，爲陳鍾凡《中國文學批評史》。專述個人，不論時代者，爲朱東潤《中國文學批評史大綱》。議論縱橫，時標眞諦者，爲傅庚生《中國文學批評通論》。但述重點，簡明扼要者，爲方孝岳《中國文學批評》。波浪重疊，精采時見者，爲朱維之《中國文藝思潮史略》。目光如炬，觀察入微者，爲張世祿《中國文藝變遷論》。上下千載，巨細靡遺者，爲郭紹虞《中國文學批評史》。斷代立論，偏重史實者，爲王瑤《中古文學思想》、張仁青《魏晉南北朝文學思想史》。提綱挈領，深入淺出者，爲山口剛《支那文藝思潮》、高須芳次郎《東洋文藝十六講》。觀念較新，論述較詳者，爲羅根澤《周秦兩漢、魏晉六朝、隋唐、晚唐五代文學批評史》（按台灣商務印書館《人人文庫》曾依上列朝代先後分別出版四冊，只惜羅氏未竟全功即告殂逝。）。無不匠心獨運，各具特色，而羅著則極負時譽，歷久不衰者也。

綜覽羅氏之書，其長有四：

一曰觀念新 古之文學批評家，多隨興所至，縱筆所之，以含糊籠統之詞句，評鑑文藝，令人有霧裏看花，終隔一層之感。而羅氏則以現代最新觀念裁量詞藝，成就往往超軼前人。

二曰論述詳 古之文學批評家，評鑑文藝多以三言兩語，一筆帶過，以爲『讀書千遍，其義自見』，無須多費筆墨。而羅氏則不厭其詳，縷析條分，甚且批隙導窾，無蘊不宣，承學之士，庶知準的，是又前人所不及也。

三曰材料豐 此書引用史籍、詩話、文論、筆記、佚書甚多，使有意專門研究文學批評者，獲得不少方便。其自序云：『北京多公私藏書，余亦量力購求，止詩話一類，已積得四五百種，手稿祕笈，絡繹縹緗，閒窗籀讀，以爲快樂。』又云：『清顧炎武謂著書譬猶鑄幣，宜開採山銅，不宜充鑄舊錢。文學批評史之山銅爲詩話、文論，而文集、筆記則爲沙金，因彼開卷已得，此必排簡始見也。』其蒐羅宏富，可以概見。

四曰祛成見 文學批評之標準，本末易定，蓋人各有好尙，勢難強同，仁智所見，尤相去懸絕。苟挾門戶之成見，入者主之，出者奴之，文壇上將永無是非可言，公正之批評又何得而建立。善乎劉勰《文心雕龍．知音篇》之言曰：『夫篇章雜沓，質文交加，知多偏好，人莫圓該。慷慨者逆聲而擊節，醞藉者見密而高蹈，浮慧者觀綺而躍心，愛奇者聞詭而驚聽。會己則嗟諷，異我則沮棄，各執一隅之解，欲擬萬端之變。所謂東向而望，不見西牆也。』此言因主觀之好尙而累衡鑑之明也。故司文學批評之職者，不可蔽於一隅，更不可掉以輕心，而應祛除成見，以客觀之立場，作公正之評騭。關於此點，羅書最爲得之。其〈自序〉云：『莊周論道，嶄察「古人之全」，荀卿勸學，必解「一曲」之蔽。況乎史之爲書，職司載述，不該不徧，不足語於實錄，予取予奪，何得稱爲直筆。至《春秋》立褒貶之義，《史記》成一家之言，斯則以孔子憫道不行，筆削以垂訓，馬遷受辱發憤，纂著以自明。後人無孔子之聖，馬遷之賢，而妄以支離卑痹之說，謬附筆削一家之言，未有不如王通續經，見詆通人者也。故今茲所作，不敢以一家言自詭，蒐覽務全，銓敍務公，祛陰陽徧私之見，存歷史事實之眞，庶不致厚巇古人，貽誤來者。』其態度何等嚴謹，其立論何等公允。

合茲四美，萃於一編，宜其後出轉精，見重士林也。

（原載民國六十三年十二月台北商務印書館《東方雜誌》復刊十二卷十期）

蕭子顯之文學思想（一九七六）

蕭梁自武帝天監元年開國，至敬帝太平二年覆亡（西元五〇二—五五七），歷時僅五十五年，國祚雖短，而文學理論家則接踵間出，項背相望，撰述宏富，紛然雜陳。《文心雕龍》與《詩品》即其尤著者也。在此偌多名家之中，各種理論，各種主張，亦如百花爭妍，各極其態，要而歸之，略分三派：一曰守舊派，鍾嶸、裴子野、劉之遴等屬之。二曰趨新派，蕭綱、蕭子顯、蕭繹、徐陵等屬之。三曰折衷派，劉勰、蕭統、劉孝綽等屬之。趨新云者，謂文學創作必須變古翻新，不落窠臼，以達於藝術美之最高境界。在此派四大鉅子中，以史學家蕭子顯之理論最稱圓賅，亦最能服人。子顯字景陽，蘭陵人，齊豫章王蕭嶷第八子，中大通時，累官至吏部尚書，著有《後漢書》一百卷，《南齊書》六十卷，《普通北伐記》五卷，《貴儉傳》三十卷，惜多散亡，僅《南齊書》列入正史耳。

蕭氏才華卓茂，獨秀群倫，於殫精惇史外，又時以豔詩與簡文相應和，簡文極敬重之，遂爲其文學集團中之健將。《梁書》本傳云：

子顯性凝簡，頗負其才氣。及掌選，見九流賓客，不與交言，但舉扇一撝而已，衣冠竊恨之。然太宗（按即梁簡文帝蕭綱）素重其爲人，在東宮時，每引與促宴。子顯嘗起更衣，太宗謂坐客曰：『嘗聞異人間出，今日始知是蕭尚書。』其見重如此。

由於氣味相投，二人之文學主張自亦趨於一致，均以『新』『變』爲其最高理想。惟蕭氏所重者史學，於文學不甚詳談，故其文學理論僅見於《南齊書・文學傳論》及〈自序〉（載《梁書》本傳）兩篇。今綜其大凡，條舉而論述之。

（一）文學起源論

六朝人論文學之起源者，約分三派：

㈠**唯　心　派**　謂文學之起源乃緣於人類情感之勃發。持此說者以沈約爲代表。其《宋書・謝靈運傳論》云：『歌詠所興，宜自生民始。』此蓋本於卜商之〈關雎序〉與陸機之『緣情說』而加詳者。

㈡**唯　物　派**　謂文學之起源乃緣於外物之感應。持此說者以鍾嶸爲代表。其〈詩品序〉云：

『若乃春風春鳥，秋月秋蟬，夏雲暑雨，冬月祁寒，斯四候之感諸詩者也。』

㈢**心物二元派**　謂文學之起源乃緣於情感之勃發與外物之感應。持此說者以劉勰爲代表。其《文心雕龍・明詩篇》云：『人稟七情，應物斯感，感物吟志，莫非自然。』又〈情采篇〉云：『五情發而爲辭章，神理之數也。』又〈物色篇〉云：『春秋代序，陰陽慘舒，物色之動，心亦搖焉。』

蕭子顯所論，屬第三派。其《南齊書・文學傳論》云：

> 文章者，蓋情性之風標，神明之律呂也。蘊思含毫，遊心內運，放言落紙，氣韻天成。莫不稟以生靈，遷乎愛嗜，機見殊門，賞悟紛雜。

謂文學之興起，完全在表現性情，與沈約之說相符。惟蕭氏特別強調個人，不含任何美刺功能，亦不帶任何政治色彩，則似與西方浪漫思想相通。〈自序〉云：

> 若乃登高目極，臨水送歸，風動春朝，月明秋夜，早雁初鶯，開花落葉，有來斯應，每不能已也。

謂文辭之產生，恆受四時景物之刺激，復與鍾嶸之說相符。知蕭氏乃主張心物二元說者。簡文與陳叔寶並受其影響，亦暢談感物與緣情之密不可分。簡文〈答張纘謝示集書〉：

> 至如春庭落景，轉蕙承風，秋雨且晴，檐梧初下，浮雲生野，明月入樓。時命親賓，乍動嚴駕，車渠屢酌，鸚鵡驟傾。伊昔三邊，久留四戰，胡霧連天，征旗拂日，時聞塢笛，遙聽塞笳，或鄉思悽然，或雄心憤薄。是以沈吟短翰，補綴庸音，寓目寫心，因事而作。

陳叔寶〈與詹事江總書〉：

> 吾監撫之暇，事隙之辰，頗用譚笑，娛情琴樽，間作雅篇豔什，迭互鋒起。每清風朗月，美景良辰，對群山之參差，望巨波之滉瀁，或翫新花，時觀落葉，既聽春鳥，又聆秋鴈，

未嘗不促膝舉觴，連情發藻，且代琢磨，間以嘲謔，俱怡耳目，並留情致。可見緣景生情，發爲吟詠，實爲六朝作家之普遍看法，而藝術至上之純文學觀念，亦至此而完全奠定。此則蕭氏對中國文學之最大貢獻所在。

（二）文學批評論

蕭氏以爲無論鑑賞文學、批評文學，均須客觀，而忌主觀。其論前代衡文之作云：

若子桓之品藻人才，仲洽之區判文體，陸機辨於〈文賦〉，李充論於〈翰林〉，張眎擿句褒貶，顏延圖寫情興，各任懷抱，共爲權衡。（《南齊書．文學傳論》）

所謂『各任懷抱』，即出諸主觀之批評，未爲得之。所見與劉勰鍾嶸略同，惜其專心致力史傳，未能有類乎《文心》《詩品》之作耳。

（三）文學新變論

文學貴新尚變，爲南朝文士之共同觀念。見之於創作者，有顏延之江淹徐摛等。發之爲理論者，則有劉勰、蕭綱、蕭子顯、蕭繹等。蓋墨守舊規，代代相襲，終非創作正途也。蕭氏《南齊書．文學傳論》云：

屬文之道，事出神思，感召無象，變化不窮。俱五聲之音響，而出言異句，等萬物之情狀，而下筆殊形。吟詠規範，本之雅什，流分條散，各以言區。所謂『出言異句』、『下筆殊形』，意即創作詞藝須力求變化，不可拘泥。屬文之道，思想欲新，詞句亦自須求新，西洋修辭學中有所謂戒套語(Cliche)者，意亦同此。可見陳腔爛調爲人人所厭惡，固無間於中西也。又云：

習玩爲理，事久則瀆，在乎文章，彌患凡舊。若無新變，不能代雄。(同上)

此蕭氏之文學進化論也。意謂專事模擬，徒知因襲者，必不能突破前人之成就，則此等作品，又有何價值可言。是凡第一流作家，皆知變古翻新，不落窠臼。

建安一體，《典論》短長互出，潘陸齊名，機岳之文永異。江左風味，盛道家之言，郭璞舉其靈變，許詢極其名理，仲文玄氣，猶不盡除，謝混情新，得名未盛。顏謝並起，乃各擅奇，休鮑後出，咸亦標世。朱藍共妍，不相祖述。(同上)

惟是變古翻新，非一蹴可幾，更非徒託空言所能奏功。而須先具文才，復以學力濟之，方能有成。

若夫委自天機，參之史傳，應思悱來，勿先構聚。言尚易了，文憎過意，吐石含金，滋潤婉切。雜以風謠，輕脣利吻，不雅不俗，獨中胸懷。輪扁斵輪，言之未盡，文人談士，罕或兼工。非唯識有不周，道實相妨，談家所習，理勝其辭，就此求文，終然翳奪。故兼之者鮮矣。(同上)

惜學者各有所短，鮮能備善，爲可歎耳。此外，蕭氏又以史學家之眼光，列舉各體文之尤工者，以實其說。

若陳思〈代馬〉群章，王粲〈飛鸞〉諸製，四言之美，前超後絕。少卿離辭，五言才骨，難與爭鶩。桂林湘水，平子之華篇，飛館玉池，魏文之麗篆，七言之作，非此誰先。卿雲巨麗，升堂冠冕，張左恢廓，登高不繼，賦貴披陳，未或加矣。顯宗之述傅毅，簡文之摛彥伯，分言制句，多得頌體。裴頠內侍，元規鳳池，子章以來，章表之選。孫綽之碑，嗣伯喈之後，謝莊之誄，起安仁之塵。顏延〈楊瓚〉，自比〈馬督〉，以多稱貴，歸莊為允。王褒〈僮約〉，束皙〈發蒙〉，滑稽之流，亦可奇瑋。五言之製，獨秀眾品。（同上）

各體名作所以能超前絕後者，幾無一而非在新變上用功夫。此說同符簡文，特較具體耳。

（四）南齊作家優劣論

蕭氏以史學家之實證精神與批評家之客觀態度，於暢論前代作家在變古翻新上曾有重大貢獻而外，復將南齊作家區為三派，高下抑揚之間，不難窺其大旨所在。《南齊書・文學傳論》云：

今之文章，作者雖眾，總而為論，略有三體：一則啓心閑繹，託辭華曠，雖存巧綺，終致迂回。宜登公宴，本非準的。而疏慢闡緩，膏肓之病，典正可採，酷不入情。此體之源，出靈運而成也。次則緝事比類，非對不發，博物可嘉，職成拘制。或全借古語，用申今情，崎嶇牽引，直爲偶說。唯睹事例，頓失清采。此則傳咸五經，應璩指事，雖不全似，可以類從。次則發唱驚挺，操調險急，雕藻淫豔，傾炫心魂，亦猶五色之有紅紫，八音之有鄭衛，斯鮑照之遺烈也。

謂規摹謝靈運者爲一體，屬藝術派。追摹傳咸應璩者爲一體，屬數典派。踵襲鮑照者爲一體，屬浪漫派。茲申論之。

藝術派 謝靈運刻畫山水，喜用雙聲疊韻，以增加作品之音響效果。惟雙疊字若使用踰量，則一音拗口，必致展轉不斷，聲韻煩沓，莫此爲甚，此謝詩所以有『疏慢闡緩』之病也。其次，謝客描繪景物，往往寓目輒書，自難免有繁富之累。故鍾嶸《詩品》評之曰：

宋臨川太守謝靈運，其源出於陳思，雜有景陽之體。故尚巧似，而逸蕩過之，頗以繁富爲累。嶸謂若人興多才高，寓目輒書，內無乏思，外無遺物，其繁富宜哉。然名章迥句，處處間起，麗典新聲，絡繹奔會。譬青松之拔灌木，白玉之映塵沙，未足貶其高潔也。

才高如謝客者，猶不免有白璧之玷，況學之者乎，又況不善學之者乎。復次，謝客所傾注者，乃山水之情，而非兒女之情，與宮體詩偏重兒女之情者殊科，故其詩至梁初，已漸趨式微，逮『宮體所傳，且變朝野』（《南史．梁簡文帝紀論》）以後，其『酷不入情』之山水詩更無人問津矣。

數典派 應璩傳咸爲詩，往往牽引古語，借表今情，自是天下嚮風，競相則效，至齊之王儉而臻於全盛。用典太過，則翻成拘制，有傷文之眞美，宜爲蕭氏所譏。

浪漫派 永嘉亂後，吳歌西曲，流行民間，深爲士大夫所喜，追摹之者，相繼不絕，其體遂盛。《晉書・樂志》云：

吳歌雜曲，並出江南，東晉以來，稍有增廣。其始皆徒歌，既而被之管絃。蓋自永嘉渡江之後，下及梁陳，咸都建業，吳聲歌曲，起於此也。

逮鮑照既出，大量製作，影響所及，江左風靡，樂府一體，遂駸駸然有與五言詩同流並泛之勢焉。然其託體既卑，正統派詩人多目爲委巷歌謠，而力加排抑，觀王僧虔表奏宋順帝請正雅樂一事可知也。

今之〈清商〉，實由銅爵，三祖風流，遺音盈耳，京洛相高，江左彌貴。諒以金石干羽，事絕私室，桑、濮、鄭、衛，訓隔紳冕，中庸和雅，莫復於斯。而情變聽移，稍復銷落，十數年間，亡者將半。自頃家競新哇，人尚謠俗，務在噍殺，不顧音紀，流宕無崖，未知所極，排斥正曲，崇長煩淫。士有等差，無故不可去樂，禮有攸序，長幼不可共聞。故喧醜之制，日盛於廛里，風味之響，獨盡於衣冠。宜命有司，務懃功課，緝理遺逸，迭相開曉，所經漏忘，悉加補綴。曲全者祿厚，藝妙者位優。利以動之，則人思刻厲。反本還源，庶可跂踵。（《南齊書・王僧虔傳》）

然潮流所趨，終莫能挽，至梁初遂一變而爲宮體。而蕭氏乃宮體之高手，於鮑詩自不能不略加迴護，所謂『五色之有紅紫，八音之有鄭衛』，並非貶詞，祇是強調文壇上不能缺少浪漫一派而已。

雖然，鮑詩仍不能免於『淫豔』之譏，此蕭氏批評精神之所以為世所重也。

要之，蕭氏雖以史學名，然由於酷愛文藝，乃大張撻伐，徹底破除傳統功利主義、實用主義之陳腐思想，而刻意提倡純文學（按正史中《南齊書》首用『文學傳』之名），且予純文學以最高評價。去其枷鎖，還我自由，詠物抒情，隨心所欲。所謂『文章蓋情性之風標，神明之律呂』，『放言落紙，氣韻天成』云云，非文學之最佳界說耶，非即今人觀念中之文學耶。其生平位置，定之於此，殆無可疑也。

（原載民國六十五年六月台北台灣師大《南廬詩刊》）

聯語概說（一九七六）

吾國文字，由於具有一字一音之特質，故文辭極易構成對偶，駢文、律詩之形成，其故即在於此，世已論之詳矣。俗間有聯語一體，通稱對聯，乃駢文之支流，亦爲吾國文字獨有之體裁。自近古以來，文人才士，刻意經營，自闢蹊徑，逐漸由旁支而匯爲巨流，形成中華文化之一大特色。昔卜商有云：「雖小道，必有可觀者焉。」（《論語・子張篇》）以言對聯，尤爲確切。

對聯之興，相傳起於古代新春之桃符。古人每屆新年，輒以二桃木板懸門旁，上書神荼鬱壘二神名，或畫神荼鬱壘二神像，藉以壓邪，謂之桃符。（詳見《荊楚歲時記》及《六帖》）至五代時，又於桃符上題聯語，謂之題桃符。《宋史・蜀世家》云：

孟昶命學士爲題桃符，以其非工，自命筆題云：「新年納餘慶，嘉節號長春。」

是爲春聯之嚆矢。其後明太祖雅好斯道，相傳於殘臘出巡，偏覽民間春帖，並乘興之所至，御筆留題，千古傳爲佳話。上有好者，下必甚焉，於是演用範圍日廣，舉凡樓臺、殿閣、亭園、寺廟、祠堂、軒齋、別墅、名勝、古蹟、酒肆、茶館、商店、客廳、書房等，多懸掛對聯，既抒發情趣，又增益美觀，一舉兩得。故千餘年來，上自帝王公卿，下至販夫走卒，無不樂於此道，因而成爲古典文學之一大特色。

逮滿清入關，代明而有天下，乃極力提倡文事，以籠絡漢人。風氣所播，雅道大昌，即以對聯而言，上述春聯、楹聯已不能滿足社會之需要，於是壽誕、婚嫁、生育、新居、開業，以至題贈、哀輓等，莫不以對聯為時尚，幾與詩詞鼎足而三，而鑄辭之精警，則對聯容有尚焉。綜上以觀，對聯約可分為五大類：

（一）春　聯　新年專用之門聯。

（二）楹　聯　住宅、機關、廟宇、學校、名勝、古蹟等處所用。

（三）賀　聯　壽誕、婚嫁、升官、登科、生子、開業等喜慶所用。

（四）輓　聯　哀悼死者所用。

（五）贈　聯　頌揚或勸勉他人所用。

對聯既產生在駢文、律詩之後，所受於駢文、律詩之影響者自深，故最初之對聯多為四言、五言、七言三種。其後又受宋詞長短句之啓示，三言、六言、八言、九言，以及九言以上之長聯遂觸目皆是矣。（有多至二百餘言者）茲將對聯構成要件臚列於後：

㈠**對仗工整**　對聯須講究對仗，一若駢文、律詩。一副對聯，上下兩比，不但須字數相同，意義對稱，且詞性亦須相對，即名詞對名詞，動詞對動詞，形容詞對形容詞，副詞對副詞。此外，如雙聲、疊韻、疊字、數字、動物、植物等，皆須相對，始合規格。

(二)平仄協調 駢文、律詩須平仄協調，盡人皆知，而對聯亦然，其法固與駢文、律詩無異。七言律詩之平仄法，以每句之第二字、第四字、第六字爲主幹，其平仄必須絕對遵守。俗間有「一三五不論，二四六分明」之說，未足爲訓，蓋第一字、第三字可以平仄不拘，第五字仍須講求也。對聯既脫胎於駢文、律詩，則調平仄之事，自亦完全相同。雖然，上之所論，係對初學者言之。至文壇巨匠，或閬苑仙才，往往突破藩籬，縱橫馳騁，仍不失爲佳作者，又當別論也。茲舉四言至九言以上對聯平仄格式如次：

❶四　言

千祥○雲集●。
百福●駢臻○。

*

河山○依舊●。
歲月●維新○。

*

友天下●士●。
讀古人○書○。

*

國魂○興振●。
民氣●昭蘇○。

*

謙光○受益●。
和氣●致祥○。

*

雲開○五色●。
戶拱●三星○。

*

鶯遷○喬木●。
燕入●高樓○。

*

名馳○塞北●。
味壓●江南○。

❷五　言

祥光○遍草●木●。
佳氣●滿山○川○。

*

普天○開景●運●。
大地●轉新○機○。

*

爆竹●傳春○訊。
寒梅○孕國●魂○。

*

花開○春富●貴●。
竹報●歲平○安○。

*

❸六言

城收○萬景●近●。
天放●一山○來○。
（宋湘）

＊

春風○榮草●木●。
正氣●耀山○河○。

＊

平心○嘗世●味●。
含笑●看人○生○。

花好●月圓○人壽●。
時和○世泰●年豐○。

＊

好鳥●枝頭○朋友●。
落花○水面●文章○。

＊

梅蕊●樂開○五福●。
竹風○喜報●三多○。

＊

新時光○莫虛度●。
好兒女●當自強○。

＊

駿馬●秋風○薊北。
杏花○春雨●江南○。
（彭玉麟）

＊

歲歲●風調○雨順●。
年年○物阜●民康○。

❹七言

瑞氣●芝蘭○綿世●澤●。
春風○棠棣●振家○聲○。

＊

花迎○喜氣●皆如○笑●。
鳥識●歡聲○亦解●歌○。

＊

春風○閬苑●三千○客●。
明月●揚州○第一●樓○。
（趙孟頫）

＊

❺八言

幾間○東倒●西歪○屋●。
一個●南腔○北調●人○。
（徐渭）

＊

蒼茫○台甸●收詩○卷●。
浩蕩●春風○入酒●杯○。

＊

紫蘭○自得●山川○秀●。
松柏●長留○天地●春○。

不爲○聖賢○，便爲○禽獸●。
莫問●收穫●，但問●耕耘○。
（曾國藩）

*

南嶽●雲興○，出爲○霖雨●。
大江○波靜●，退領●湖山○。
（徐樹銘）

*

身無○半畝○，心繫●天下●。
讀破●萬卷●，神交○古人○。
（左宗棠）

*

禮樂●詩書○，陶成○德性●。
文章○經濟●，潤色●江山○。
（左宗棠）

⑥九言

特立●獨行○，作●一流○人物●。
移風○易俗●，開○萬世●太平○。

*

爆竹●二三○聲○，人間○易歲●。
梅花○四五●點●，天下●皆春○。

*

花甲●慶重○周○，天開○景運●。
卿雲○歌復●旦●，人醉●春風○。

*

宇宙●回春○，海東○欣獻●歲●。
旌旗○耀日●，天下●喜歸○仁○。

⑦十言

一元○復始●爲春○，人爭○擊楫●。
萬世●太平○有象●，海不●揚波○。

*

天地●無私○，爲善●自然○獲福●。
聖賢○有教●，修身○可以●齊家○。

*

象有齒則焚，蚌有珠則剖。
梅以寒而茂，荷以暑而清。

*

根絕亂源，須自謙誠著手。
改良風俗，不忘勤儉持家。

❽十一言

四季如春，人稱蓬島爲仙境。
孤標出眾，天以梅花作國魂。

*

得飽便休，身外黃金無用物。
遇閒且樂，世間白髮不饒人。

*

春到人間，萬里江山迎紫氣。
仁施宇內，千年禮教繫黃魂。

*

國運昌隆，一陽來復開新紀。
民生樂利，四野謳歌頌上邦。

㈢**辭意貼切**　作對聯首須認清對象，對象無論其爲人、爲事、爲物，皆須扣緊題旨，遣辭造句，力求貼切，庶幾以有限之篇幅，發揮無窮之妙用。如彭玉麟〈題泰山聯〉：

我本楚狂人，五嶽尋仙不辭遠。
地猶鄒氏邑，萬方多難此登臨。

此聯乃採集古人詩句而成，上聯見李白〈廬山謠〉，下聯首句見唐玄宗〈經魯祭孔子詩〉，末句見杜甫〈登樓詩〉。而作者之襟袍，登臨之時地，一一表現出來，無不恰到好處，尺幅之中，自具千里之勢。（按「辭」字應作仄聲，惟引用原文，則不在此限，以古人文句不宜擅自更動，以示尊重。茲以「△」符號標之，是爲拗字。）又如某人輓曾國藩聯：

韓歐無武，李郭無文，集數子所長，勛華巍煥。
衡嶽之高，洞庭之大，歎哲人其萎，雲水蒼茫。

所用人、地、事，均恰如其分，不可移易，非泛泛不著邊際者可比。所謂「擬人必於其倫，擬物必得其情」，胥可於此聯見之。再如沈葆楨題延平郡王祠聯：

開萬古得未曾有之奇，洪荒留此山川，作遺民世界。
極一生無可如何之遇，缺憾還諸天地，是創格完人。

此言鄭成功以台灣作爲反清復明之基地，振古以來，得未曾有，只惜英年早逝，功敗垂成，世皆尊其人而悲其遇。侯官沈葆楨爲清代名宦，經略台灣，貢獻至偉，惟以身分特殊，對鄭氏不便多作同情，乃以模糊籠統、漫無邊際之「一生無可如何」、「缺憾還諸天地」爲言，身處滿人威暴之下，不得不隱曲其辭以寄痛。台人見之，無不擊節稱賞，咸譽爲評騭鄭氏壓卷之作。

就大體言之，春聯須帶有新年歡樂氣氛與無窮希望，楹聯須切合人、地、時、物，賀聯須含有祝頌之意，輓聯須富有哀惋之情，而贈聯則以贊揚或勖勉爲主，此其大較也。惟運用之妙，端視各人之匠心耳。

（原載民國六十五年五月台北《學粹雜誌》）

略論中國古典詩歌之用典（一九七七）

吾國詩文之繁用典故，自魏晉以後成爲必要之條件，病之者謂爲戕賊性靈，賞之者謂爲用意深厚。清代桐城派諸子及民初五四運動主盟諸公更集矢於此，以爲雕蟲小技，有傷眞性。此種仁智之所見，原屬歷史公案，殊難遽下斷語，定其是非。惟吾人在此須鄭重聲明者，文學乃緣歷史以發生，人不習知歷史，則不能從事文學之研究，此中國文史所以恆爲一體，不容分割也。夫典，事也，所謂典故，古之事也，亦即歷史之事也。是以典之定義，凡引證歷史中事實及前人言語入於文者，皆曰典故，前者謂之『用事』（亦稱事典），後者謂之『用詞』（亦稱語典）。苟不能禁人斷絕歷史知識，則不能禁人不引用古事，亦即不能禁人不引用典故，矧用典且爲修辭之一法乎。（參用近人吳芳吉氏〈再論吾人眼中之新舊文學觀〉之說）文學作品之用典者，無間中外，所在多是，以言英文習見之典，報章雜誌中可時時發見之，譬如我國人言『千鈞一髮』，英文則言『the sword of Domocles』；我國人言『快刀斬亂麻』，英文則言『to cut the Gordian's Kont』，非大用而特用乎，亦何傷其爲流暢之作品耶。是以典非不可以用，祇看各人能不能用，善不善用，詩文修辭之法，絕不止白描一端，固夫人而知之者也。

抑更進一步言之，詩歌、駢文爲唯美文學之一種，亦即屬於美感之文學，不可不著重詞采，其來源皆取材於典籍故實，讀書稍多，造語自有來歷。用典之主要作用，在於用簡潔之文字，表達繁複之意思，使作品富有濃厚的神祕性、象徵性與趣味性，以增加讀者之美感，從而提高其藝術價值。《文心雕龍．事類篇》曰：

> 事類者，蓋文章之外，據事以類義，援古以證今者也。

所謂『事類』，即引事比類，亦即舊時所謂『用典』，今世所謂『引用』是也。劉永濟釋之曰：

> 文家用古事以達今意，後世謂之用典，實乃修辭之法，所以使言簡而意賅也。故用典所貴，在於切意，切意之典，約有三美：一則意婉而盡，二則藻麗而富，三則氣暢而凝。（《文心雕龍校釋．麗辭篇》）

> 文家用典，亦修辭之一法。用典之要，不出以少字明多意，其大別有二：一用古事，二用成辭。用古事者，援古事以證今情也。用成辭者，引彼語以明此義也。（《文心雕龍校釋．事類篇》）

近儒黃侃氏於文家引言用事，尤多卓見：

> 齊梁而後，聲律對偶之文大興，用事采言，尤關能事。其甚者，捃拾細事，爭疏僻典，以一事不知爲恥，以字有來歷爲高。文勝而質漸以漓，學富而才爲之累，此則末流之弊，故宜去甚去奢，以節止之者也。然質文之變，華實之殊，事有相因，非由人力。故前人之引

言用事，以達意切情爲宗，後有繼作，則轉以去故就新爲主。陸士衡云：『雖杼軸於余懷，怵他人之我先，苟傷廉而愆義，故雖愛而必捐。』豈唯命意謀篇，有斯懷想，即引言用事，亦如斯矣。是以後世之文，轉視古人增其繁縟，非必文士之失，實乃本於自然，今之訾警用事之文者，殆未之思也。（《文心雕龍札記．麗辭篇》）

言徵引故實，比附今事，爲文章修辭之助，非作者之失也。茲將吾國古典詩歌中其所以繁用典故之原因、種類、方法三端，作簡明扼要之探討。

(一) 用典之原因

吾華歷史悠久，文獻完備，先哲殺青所就者，充乎棟宇，文家信手翻檢，極多相同或相似之事蹟，當其握管之頃，自不免斟酌援引，以作比況或影射。並將所引事蹟加以濃縮裁剪，鑄成短句，詩歌則五言或七言，駢文則四言或六言，詞、曲、賦、散文、聯語則長短句不等，既可以美化篇什，亦可以豐富內容，尤可以使作品更爲高華典雅，化腐朽爲神奇，從而提高其藝術價值。例如李商隱〈牡丹詩〉：『我是夢中傳彩筆，欲書花葉寄朝雲。』以梁朝文豪江淹自況，並以巫山女神喻其女友，才子佳人，欲結鴛盟，令人豔羨。又如高啓〈梅花詩〉：『雪滿山中高士臥，月明林下美人來。』將梅花分別比作高士袁安與羅浮女仙，素雅高潔，亭亭物表，令人油然而生崇敬之心，傾慕之意。再如黃景仁〈綺懷詩〉之十六：『茫茫來日愁如海，寄語羲和快著鞭。』

此言未來時日渺茫難料，而我之憂愁又如海洋之深廣，故欲寄語太陽神羲和，快馬加鞭，使時間迅速流逝。按此爲《兩當軒集》中最哀傷、最沈痛之詩句。郭麐《靈芬館詩話》云：『余最愛其「茫茫來日愁如海，寄語羲和快著鞭」，眞古之傷心人語也。』佛眼獨具，要非漫言。

吾師成惕軒氏在〈中國文學裏的用典問題〉（台北商務印書館《東方雜誌》復刊一卷十一期）中有極精闢之論述，迻錄其詞如次：

㈠**用典可以減少文字上的累贅**　因爲用典的目的，即在以極少的字句來表達更多的意思，也就是要以最簡單的字句來說明很複雜和很曲折的意思。譬如『沐猴而冠』，『揠苗助長』，『守株待兔』，『得魚忘筌』，『愛屋及烏』，『投鼠忌器』等等，每一句成語都代表一個典故，也都蘊含著很豐富很複雜的意義，如果我們能把有關的故實，很適當地應用到文章裏去，便可省說許多不必要的話。

㈡**爲議論找根據**　一般人多少帶有一點『信古』心理，我們在文章裏發議論時，拿古人的話或事實來作議論的根據，可以爭取或加強讀者的信心，而使其同意文中的見解。劉彥和在《文心雕龍．事類篇》所說的『據事以類義，援古以證今』，以及他所列舉《書》《易》以次歷代作者『舉人事』、『引成辭』的種種情形，也都不外乎這個道理。

㈢**便於比況和寄託**　有些不易直率表達的意思，或者不願和不可明顯說出的話，祇有用比附、隱喻、暗射、襯托種種方法來委婉代言，而對這些方法在取材上給以便利的，自然要算歷史中『夥頤沈沈』的故事了。像李義山〈錦瑟詩〉裏的『莊生曉夢，望帝春心』，〈重過聖女祠詩〉裏的『萼綠華來，杜蘭香去』，解者無慮千百家，但他究竟所說何事，所指何人，除起義山於九原，別人實在無法知道。此即由於義山的身世和遭遇，頗多難言之隱，祇好借用典故來抒寫其『勞者自歌，非求傾聽』（按此二語出自汪中〈自序〉）的心情，也就管不得別人的懂與不懂了。

(四)用以充足文氣 臨文之際，遇著意盡而文氣不足的時候，可借用典的方法來濟其窮。如孫德謙在《六朝麗指》中所述：『文章運典，於駢體爲尤要。梁簡文敍南康簡王薨上東宮啓：「伏維殿下愛睦恩深，棠棣天篤。北海云亡，騎傳餘稿，東平告盡，驛問留書。嗚呼此恨，復在茲日。」此陳況古今，並以足其文氣也。儻無北海兩人故事，文至愛睦二語，不將窮於辭乎，故古典不可不諳習也。有此古典，藉以收束，而文氣亦充滿矣。』便是一個很好的例子。

說明文學上何以須用典故之理由，闡幽抉隱，屈曲洞達，彼信口詆娸用典將錮蔽性靈者，允宜三復斯言。

(二) 用典之種類

(1)用　事 凡徵引古人古事以比況、影射、隱喻、襯托今人今事者，謂之『用事』，亦謂之『事典』。例如：

㈠對棋陪謝傅。
把劍覓徐君。（杜甫〈別房太尉墓〉）

前句以謝安比房琯，而以謝玄自況，極言二人關係之深，過從之密。後句以徐君比房琯，而以延陵季子自況，極言二人交情之篤，生死如一。

㈡人乞祭餘驕妾婦。
士甘焚死不公侯。（黃庭堅〈清明〉）

前句寫齊人之卑賤，後句寫介之推之高潔，均為清明節故事，緊扣題旨。

(2)用　詞　凡徵引古人之話語、詞語或截取古籍中之成語（未有完整故事）入文者，謂之『用詞』，亦謂之『用語』或『語典』。例如：

㈠富貴不淫貧賤樂。
男兒到此是豪雄。（程顥〈偶成〉）

前句見《孟子．滕文公篇》：『富貴不能淫，貧賤不能移，威武不能屈，此之謂大丈夫。』只是成語，而無故事。後句程子自造。

㈡南國只生紅豆子。
西方空寄美人思。（徐枕亞《玉梨魂》）

前句見王維〈相思〉：『紅豆生南國，春來發幾枝。願君多採擷，此物最相思。』後句見蘇軾〈赤壁賦〉：『渺渺兮予懷，望美人兮天一方。』二句均爲懷人之作，只是詞語，而無故事。

(三)用典之方法

(一)明用

詩中徵引典實，或明言其人，或明引其事者，是爲『明用』，亦謂之『正用』。此法最爲簡單，亦最爲普遍，載筆之倫，類能用之。

(一)
機中錦字論長恨。
樓上花枝笑獨眠。（皇甫冉〈春思〉）

前句用前秦竇滔妻蘇蕙織錦爲迴文詩以寄夫故事，言婦人之思念征夫。後句作者自造。

(二)
謝公最小偏憐女。
自嫁黔婁百事乖。（元稹〈遣悲懷〉）

前句以謝安最憐愛其小姪女道韞，喻其妻韋蕙叢亦最得其父韋夏卿之憐愛。後句以春秋齊國高士黔婁自喻，極言自己只是一個清寒之書生。

(二)暗用

徵引典實，須渾然天成，莫測端倪，有如羚羊掛角，無跡可尋；又如著鹽水中，無跡有味。使博雅者見之，知詩中尙有玄機，而腹儉者讀之，亦能望文而生義，是爲『暗用』。此乃詩人作詩之最高手法，亦爲運典之最高境界，苟非個中老手，實難運用自如。

㈠秋草獨尋人去後。
寒林空見日斜時。（劉長卿〈長沙過賈誼宅〉）

漢賈誼在長沙時，有鵩飛入其居室，以爲不祥，乃作〈鵩鳥賦〉，中有『庚子日斜兮，鵩集予舍。』及『野鳥入室兮，主人將去』語。此言賈誼見鵩鳥飛入其居室，以爲不祥，遂有離開長沙之意，臨走之時，但見景色蕭條，十分落寞。作者暗中用以自比，渾然無跡。

㈡五更鼓角聲悲壯。
三峽星河影動搖。（杜甫〈閣夜〉）

前句見《後漢書・禰衡傳》：『衡方爲〈漁陽〉（鼓曲名）參撾，蹀躍而前，容態有異，聲節悲壯，聽者莫不慷慨。』後句言三峽水中之銀河倒影搖晃不定，雖是寫現實之景，實則暗用《漢書・天文志》：『元光中，天星盡搖，上以問候星者。對曰：「星搖者，民勞也。」』後伐四夷，百姓勞於兵革。』按少陵此詩作於大曆元年冬夔州西閣，於時兵氛未靖，干戈四起，民人勞苦，靡有紀極，少陵哀之，故有此作。若純屬寫景，則其意淺矣。

㈢反用　詩家隸事運典，有直用其事者，有反其意而用之者。前者謂之『正用』，亦曰『明用』。後者謂之『反用』，與『翻案法』略同，最爲奇警。

㈠東風不與周郎便。
銅雀春深鎖二喬。（杜牧〈赤壁〉）

意謂若非東風予周郎以方便，則赤壁戰役之結局必然改觀，孫吳將爲曹操所滅，而二喬亦將被擄去，深鎖在銅雀台中，爲曹操之姬妾矣。

㈡新栽楊柳三千里。
引得春風度玉關。（楊昌濬〈贈左宗棠〉）

按王之渙《出塞》：『黃河遠上白雲間，一片孤城萬仞山。羌笛何須怨〈楊柳〉，春風不度玉門關。』此題一作〈涼州詞〉，〈涼州詞〉係唐代樂府曲名，與北朝樂府〈折楊柳枝〉同爲古代送別之名曲，常以笛吹之。涼州在今甘肅武威縣，玉門關爲其轄區，出此關便是塞外，黃沙廣漠，草木不生。王詩意謂楊柳須得春風吹蕩而生，今春風不過玉門關，則玉門關外安得有任怨之楊柳，塞外既無任怨之楊柳，則羌笛固無須吹奏〈楊柳〉名曲，以免勾起邊兵之別恨也。此言君恩不及邊塞，意在撫慰邊兵必須認命，具有濃厚的反戰思想。而楊詩則反其意而用之，意謂左宗棠收復新疆以後，湖湘子弟遍佈天山南北麓，廣植楊柳，遂使邊塞景色爲之改觀，而春風駘蕩，綠意盎然矣。

㈣活　用　使事運典，貴靈活變化，宜令『事為我使』，而『不為事使』，直將故事之內涵與自己之立意所在，融為一體，了無痕跡。故運典技巧之高者，雖死事死句亦可以靈活運用，極盡出神入化之能事，而達到雅俗共賞之目的。此之謂『活用』。

㈠曾經滄海難為水。
　除卻巫山不是雲。（元稹〈離思〉）

前句見《孟子・盡心篇》：『孔子登東山而小魯，登泰山而小天下。故觀於海者難為水，遊於聖人之門者難為言。』孟子之意，蓋謂聖人之道，博大精深，故未知聖人者，常自命甚大，及所見既大，則其小者不足觀也。亦即以『海』喻儒家，以『水』喻諸子百家。元稹截取其詞而加以活用，將莊重嚴肅之學術問題轉變為纏綿浪漫之男女愛情，意謂天下美女觀賞殆遍，彼俗豔凡花固未嘗縈心也。旨在向其妻韋蕙叢深表懺悔，今後將改邪歸正，推誠相愛，直到永遠。運典如此高明，技巧如此美善，詩法尤見良工心苦，令人拍案叫絕，眞不愧為元和時代之巨擘。

後句用《文選》宋玉〈高唐賦〉所述楚王夢與巫山神女歡合之事，元稹亦截取其詞而加以活用，意在強調愛情之深固，絕不作移情別戀之想也。此為上句之深化，藉以博得其妻之諒解與安慰。

㈡劉郎已恨蓬山遠。
更隔蓬山一萬重。（李商隱〈無題〉）

《紹興府志》：東漢剡人劉晨阮肇於明帝永平元年（西元五八年）相偕至天台山採藥，迷路，遇二仙女，被邀至家中，歷時半年始歸，子孫已七世矣。後重入天台山訪女，而蹤跡渺然，悵恨久之。晉武帝太康八年（二八七）又失二人所在。後代詩文多以此典喻豔遇。蓬山，即蓬萊仙山，此處係活用，指天台山，亦指二仙女所居之處。李詩意謂劉郎以未能重見仙女爲恨，而我之恨又較劉郎加深一萬倍矣。

㈤借用

詩家使事，只用古人詞語，而不用其文意者，謂之『借用』。與修辭學上之『比喻』『影射』，對偶法之『借對』『假對』有異曲同工之妙。

㈠平生幾兩屐。
身後五車書。（黃庭堅〈和答錢穆父詠猩猩毛筆〉）

前句用晉阮孚事。孚性愛屐，常親自製作，嘗嘆曰：『不知一生能著幾兩屐。』（幾兩屐，謂幾雙木屐，感歎壽命之短暫。）見《晉書》本傳。又常璩《華陽國志》載：猩猩好飲酒，又喜著屐，獵人常置酒屐於路中而捕之。後句用戰國惠施事。《莊子．天下篇》：『惠施多方，其書五車。』此言猩猩壽命短暫，一生著屐無多，即爲獵人捕而殺之，而死後其毛可作筆，供人著書，功用無窮。二句借阮孚著屐、惠施多書以詠猩猩毛筆，只用其詞而不用其事，極新穎靈動之致。此爲借用之典型例證。

㈡
寒藤老木被光景。
深山大澤皆龍蛇。
（黃庭堅〈中秋月〉）

按《左傳·襄公四年》：『深山大澤，實生龍蛇。』黃氏亦借用其詞而不用其意。《左傳》之龍蛇係實景，而黃氏借用之，以形容中秋月下蒼勁屈曲之樹木，有如龍蛇之幻象，已非《左傳》原意矣。此亦借用之最佳例證。

按借用之訣竅，在於涉獵群書，涉獵既廣，則腹笥自富，腹笥既富，則材料自多，材料既多，自能俯拾即是，左右逢源。

要而言之，用典之作用有四：①避免平凡單調，②可以美化詩篇，③可以使文意深婉，④可以使詞句言簡意賅。試觀上舉二例，四者皆備，是其最佳左驗。彼信口詆娸用典爲躲懶藏拙、錮蔽性靈者，不亦可以已乎。

（原載民國六十六年九月中華學術院詩學研究所《中華詩學》）

魏晉時代中原士庶之南遷（一九七八）

（一）南遷之情狀

東漢季世，先有黃巾之擾，繼有董卓之亂，末則群雄割據，兵連禍結。自是海宇崩裂，生靈塗炭，其動亂情形，誠如胡綜所謂：

天綱弛絕，四海分崩，群生憔悴，士人播越，兵寇所加，邑無居民，風塵煙火，往往而處，自三代以來，大亂之極，未有若今時者也。（《三國志・吳書・胡綜傳》）

於是中原庶民或自相屯聚，掙扎圖存，或扶老攜幼，展轉流徙。當時政府雖嚴禁逃亡，亦無大效。是時董卓遷天子都長安，卓因留洛陽。或有告朗欲逃亡者，執以詣卓，朗曰：『州郡鼎沸，郊境之內，民不安業，捐棄居產，流亡藏竄，雖四關設禁，重加刑戮，猶不絕息，此朗之所以於邑也。』（《三國志・魏書・司馬朗傳》）

至曹丕篡漢之際，中原人口銳減，比之和帝桓帝時，已『萬不存一』。故曹操破袁紹，領冀州牧，考案戶籍，僅得三十萬衆，而歎爲大州。（事見《三國志・魏書・崔琰傳》）張繡以從破袁紹有功，

增邑二千戶，『是時天下戶口減耗，十裁一在，諸將封未有滿千戶者，而繡特多。』（《三國志·魏書·張繡傳》）

三國鼎峙時期，由於人口稀少，兵源缺乏（漢代兵民合一之制，久已不存，此時皆爲募兵。），故群雄攻伐，多爲較小之爭奪，鮮有大場面之鏖兵，更無大規模之戰鬥。而人民流亡播遷之事，亦漸趨緩和，直至永嘉建興之亂，始復重現高潮。

洛京傾覆，中州士女避亂江左者十六七。（《晉書·王導傳》）

自戎狄內侮，有晉東遷，中土遺氓，播徙江外，幽、并、冀、雍、兗、豫、青、徐之境，幽淪寇逆。自扶莫而裹足奉首，免身於荊、越者，百郡千城，流寓比室。人佇鴻雁之歌，士蓄懷本之念，莫不各樹邦邑，思復舊井。（《宋書·志序》）

其後百年之間，又有數度大遷徙（詳見近人譚其驤〈晉永嘉喪亂後之民族遷徙〉，載《燕京學報》第十五期。），其餘少數流轉則無時無之。當時政府承大亂之後，跼蹐於江左一隅，既無收復之心（見《晉書·元帝紀》及〈祖逖傳〉），又乏北伐之力，時日積久，銳氣盡消，遂長爲江左之民矣。

自喪亂已來，六十餘年，蒼生殄滅，百不遺一，河洛丘墟，函夏蕭條，井堙木刊，阡陌夷滅，生理茫茫，永無依歸。播流江表，已經數世，存者長子老孫，亡者丘隴成行。雖北風之思，感其素心，目前之哀，實爲交切。（《晉書·孫綽傳》）

自永嘉播越，爰託淮海。……今所居累世，墳壟成行，恭敬之誠，豈不與事而至。（晉義熙九年劉裕〈上安帝表〉，見《宋書・武帝紀》。）

晉室既屋，拓跋氏漸次統一北方，人民不復如前此之飽經亂離，而異族統治已逾百年，漸成習慣。加以石勒苻堅輩頗能優禮中州耆宿，稽古右文，亦不後人，民族之仇恨與敵視逐漸泯於無形。於是自宋至陳百七十年間，北人不復如曩日之汲汲南渡，大批移民乃未之再見。

（二）南遷之痛苦

萬里遷徙，間關道路，固人世間極難堪之事，尤其在兵荒馬亂中，烽訊頻驚，旅途困頓，千山萬水，跋涉維艱，其能到達安全區域者甚少，老弱婦孺且多死亡於中途。

世路戎夷，禍亂遂合。……浮涉滄海，南至交州，經歷東甌、閩、越之國，行經萬里，不見漢地，漂薄風波，絕糧茹草，飢殍薦臻，死者大半。……前到此郡（交州），計為兵害及病亡者，十遺一二。生民之艱，辛苦之甚，豈可具陳哉。（許靖〈與曹操書〉，見《三國志・蜀書・許靖傳》。）

更常遭意外之劫掠與殺戮。

與羌胡相攻，無月不戰，青、雍、幽、荊州徙戶及諸氐、羌、胡、蠻數百餘萬，各還本土，道路交錯，互相殺掠，且饑疫死亡，其能達者十有二三。諸夏紛亂，無復農者。（《晉書・石季龍載記》）

至人民流亡之悽慘情景，尤非楮墨所能形容其萬一。文學家觸覺最靈，感情最富，悲憫之心亦最強，目睹流民生離死別之狀，輒憂思難任，時發哀音。

流飄萬里，崎嶇重阻。……眷西路而長懷，望故鄉而延佇。……痛母子之永隔，哀伉儷之生離。……心懷歸而弗果，徒怨毒於一隅。（《文選》禰衡〈鸚鵡賦〉）

西京亂無象，豺虎方遘患。復棄中國去，委身適荊蠻。親戚對我悲，朋友相追攀。出門無所見，白骨蔽平原。路有飢婦人，抱子棄草間。顧聞號泣聲，揮涕獨不還。未知身死處，何能兩相完。驅馬棄之去，不忍聽此言。南登霸陵岸，回首望長安。悟彼下泉人，喟然傷心肝。（《文選》王粲〈七哀詩〉）

此則人間之慘劇，亂世之悲歌也。

（三）南遷之影響

經漢末至宋初二百餘年（西元一九〇年至四二〇年），中原衣冠士庶之大量流亡播越，除使人口直接銳減外，又產生二種現象，皆與經濟有關。茲分述之：

㈠**經濟破產**　由於戰爭、天災、疾疫之重創，人口已減少大半，復經多次流亡，數量更急遽下降，其土地荒蕪，城郭蕭條，自在意中。由左列史實可以知其大凡：

《昌言・理亂篇》：

名都空而不居，百里絕而無民。

《三國志・魏書・武帝紀》注引《魏書》：

民人相食，州里蕭條。

《三國志・吳書・朱治傳》注引《江表傳》：

中國蕭條，或百里無煙，城邑空虛，道殣相望。

《晉書・地理志》：

魏武定霸，三方鼎立，生靈板蕩，關洛荒蕪。

又〈食貨志〉：

建安初，關中百姓流入荊州者十餘萬家，及聞本土安寧，皆企望思歸，而無以自業。

此種現象，至西晉末造，尤爲嚴重，五胡猾夏之結果，土地更加荒蕪，經濟更加破產。

《晉書・苻堅載記》：

慕容沖毒暴關中，人皆流散，道路斷絕，千里無煙。

《宋書・武帝紀》：

晉自中興以來，治綱大弛，權門并兼，強弱相凌，百姓流離，不能保其產業。

由於經濟破產，糧食當然缺乏，供求不能平衡，因此糧價昂貴，人相食啖之悲劇，史不絕書。甚至出現『噉人賊』，往往掠人而食。

《三國志・魏書・閻溫傳》注引《魏略・勇俠傳》：

　　鮑出字文才，京兆新豐人也。少遊俠。興平中，三輔亂，出與老母兄弟五人家居本縣，以飢餓，留其母守舍，相將行採蓬實，合得數升，使其二兄初、雅及其弟成持歸，爲母作食，獨與小弟在後採蓬。初等到家，而噉人賊數十人已略其母，以繩貫其手掌，驅去。

《太平御覽》四二一引崔鴻《十六國春秋》：

　　江都王延年，年十五，喪二親，奉叔父以孝聞。子良孫及弟從子爲噉人賊所掠。

昔江文通有言：『人生到此，天道寧論。』（〈恨賦〉）先民地下有知，豈能恝然長視也乎。

㈡以士爲斷

流人既大批遷徙過江，政府念其操履忠貞，不事二姓，當然不能恝置不問，而必須作妥善安置。惟若輩多係衣冠世族，自視甚高，雖在流離顚沛之狀況下，亦不願自貶身分，播越南來，不過因環境逼迫，暫覓一枝之棲，權作避秦之計而已，對江南新地並無多大興趣。加以江南士族對於若輩仍然長期把持政權，擅作威福，深致不滿，因而造成僑舊之隔閡。太興三年（三二〇），元帝遂下詔頒布僑置州郡縣法（事見《晉書・元帝紀》），以便溝通僑吳二姓感情。詎意中原久劫不復，流人接踵而至，乃又普遍設立僑州郡縣，時日既久，遂成一代制度。（說詳《宋書・律曆志》）此外，若輩又不著戶籍，故稱之爲『浮浪人』（見《隋書・食貨志》），稅負遠輕於土著，而自成一個特殊階級，享有許多特權。其後民怨沸騰，國庫空虛，政府乃斷然於咸和（成帝年號）中實行『土斷』之法（事見《陳書・武帝紀》）。興寧元年（三六三），桓溫斟酌損益，更臻美備，遂成定制。（事見《晉書・哀帝紀》）孝武帝時，范寧論之甚詳，節錄其言如次：

古者分土割境，以益百姓之心，聖王作制，籍無黃白之別。昔中原喪亂，流寓江左，庶有旋反之期，故許其挾注本郡。自爾漸久，人安其業，丘壟墳柏，皆已成行，雖無本邦之名，而有安土之實。今宜正其封疆，以土斷人户，明考課之科，修閭伍之法。（《晉書》本傳）

此法自宋至陳，猶沿用不改（詳見《宋書・武帝紀》及《陳書・世祖紀》），法良意美，於此可見。

（原載民國六十七年三月台北商務印書館《東方雜誌》復刊十二卷二期）

蔡邕父女的文學成就（一九八〇）

在中國文學史上，父子齊名，聲華卓懋者，魏有曹操、曹丕、曹植，梁有蕭衍、蕭統、蕭綱、蕭繹，宋有蘇洵、蘇軾、蘇轍。而父女齊名，飲譽千秋者，則爲班彪、班昭，蔡邕、蔡琰，均屬東漢時代。在古代重男輕女和『女子無才便是德』的陳腐觀念裏，有才華的女子，想要在以男性爲中心的社會中脫穎而出，與男子爭一日之長短，實在不是一件容易的事。因此，蔡氏父女在文學創作方面的卓越成就，是值得大書特書的。

蔡　邕

蔡邕，字伯喈，陳留圉縣（今河南杞縣）人，生於漢順帝陽嘉元年（西元一三二年），卒於漢獻帝初平三年（一九二），年六十一。

邕少博學高才，師事太傅胡廣，精研天文、術數，洞曉音律。桓帝延熹二年（一五九），中常侍徐璜、左悺等召邕入京鼓琴，邕行至偃師，即稱疾而歸。自是閒居玩古，不交當世。靈帝建寧三年（一七〇）司徒橋玄辟入幕府，是爲仕宦之始。熹平元年（一七二），召拜郎中，校書東觀。嗣以經籍去聖久遠，文字多謬，俗儒穿鑿，貽誤後學，因與楊賜、馬日磾等奏定六經文字，親自書丹於碑，使工鐫刻，立於太學門外。碑立，前往觀看或摹寫者，車乘日千餘輛，塡塞街陌。光和元年（一七八），因災異上書得禍，髡鉗徙遠方，凡九月赦歸。後浪跡吳郡、會稽，歷時十二年。至中平六年（一八九），董卓爲司空，久聞邕名，即切勅州郡舉邕入府，甚見敬重，三日之間，周歷三臺。獻帝初平元年（一九〇），邕拜左中郎將，封高陽鄉侯。及董卓被誅，邕在司徒王允座，殊不意言之而歎，有動於色。王允勃然大怒，即令收邕付廷尉治罪。邕乞黥首刖足，續成漢史，不許，士大夫多矜救之，不能得。太尉馬日磾馳往謂王允曰：『伯喈曠世逸才，多識漢事，當續成後史，爲一代大典。且忠孝素著，而所坐無名，誅之無乃失人望乎。』允曰：『昔武帝不殺司馬遷，使作謗書，流於後世。方今國祚中衰，神器不固，不可令佞臣執筆在幼主左右，旣無益聖德，復使吾黨蒙其訕議。』日磾退而告人曰：『王公其不長世乎。善人，國之紀也；制作，國之典也。滅紀廢典，其能久乎。』邕遂死獄中。王允旋悔，欲止而不及，搢紳諸儒莫不流涕。大儒鄭玄聞而歎曰：『漢世之事，誰與正之。』當時兗州、陳留間人士，多圖畫其形像而頌之曰：『文同三閭，孝齊參騫。』其爲人所景仰思慕有如此者。

東漢末葉，政綱解紐，權臣當道，恣睢暴戾，無所不用其極。迫害名士，尤見殘酷。靈帝時，陳蕃、杜密、李膺、范滂之倫，獻帝時，華佗、孔融、禰衡、楊修之屬，均慘遭殺戮，蔡邕不過是其中之一而已。人命之賤，卻連雞犬草芥都不如，知識分子之尊嚴，更是掃地以盡。殊不知善人者，乃民族精神之所託，亦國家元氣之所在；精神委靡則族危，元氣斲傷則國削；精神喪則族亡，元氣盡則國滅；故曾不旋踵，漢祚亦隨以俱亡。泚筆述此，不禁徬徨繞室三歎。

伯喈雖博涉群書，經學、史學，無一不精，具有多方面的才華，然其一生成就最大，喧騰衆口的，卻是音樂和文學。他在音樂方面的造詣，又以琴藝爲最高。《後漢書》本傳云：

初，邕在陳留也，其鄰人有以酒食召邕者，比往而酒以酣焉。客有彈琴於屛，邕至門試潛聽之，曰：『憘，以樂召我而有殺心，何也。』遂反。將命者告主人曰：『蔡君向來，至門而去。』邕素爲邦鄉所宗，主人遽自追而問其故，邕具以告，莫不憮然。彈琴者曰：『我向鼓絃，見螳螂方向鳴蟬，蟬將去而未飛，螳螂爲之一前一卻。吾心聳然，惟恐螳螂之失之也，此豈爲殺心而形於聲者乎。』邕莞然而笑曰：『此足以當之矣。』

按座客所彈之琴曲，必爲伯喈所熟悉者，伯喈聞有殺伐之聲，疑琴心有變，故曰『以樂召我而有殺心。』後來彈琴的人向他解釋說，此曲因看到螳螂捕蟬，而露殺機。足證伯喈對琴曲有敏銳的聽力和高深的修養。本傳又云：

吳人有燒桐以爨者，邕聞火烈之聲，知其良木，因請而裁爲琴，果有美音，而其尾猶焦，故時人名曰『焦尾琴』焉。

按古人喜以梧桐做琴架，蓋取其材輕鬆，色白，老則緻密，尤其滿布薄膜，於琴聲之悠揚，裨益甚大。昔人所謂『餘音繞梁，三日不絕』者，多指琴曲而言。梧桐如未全乾，即予燃燒，必發爆裂之聲，加以滿布薄膜，爆聲愈奇。伯喈音感敏銳，自知其非凡木，尾部雖焦，音聲猶美，而號『焦尾琴』。與齊桓公的『號鍾』，楚莊王的『繞梁』，司馬相如的『綠綺』，並稱古代四大名琴。《賈氏說林》也有一則故事：

蠶最巧，作繭往往遇物成形。有寡女獨宿，倚枕不寐，私於壁孔中視鄰家蠶離箔。明日，繭都類之，雖眉目不甚悉，而望去隱然似愁女。蔡邕見之，厚價市歸，繅絲製琴絃，彈之有憂愁哀怨之音。問其女琰，琰曰：『此寡女絲也。』

此一故事，民間傳說已久，諒非後人所揑造。宋・李石《續博物志》所載伯喈訪鬼谷子故居之事，更是神奇。

蔡邕雅好琴道，熹平初，入清溪，訪鬼谷先生，所居山有五曲，一曲製一弄。山之東曲，嘗有仙人遊，故作〈遊春弄〉。南曲有澗，冬夏常淥，故作〈淥水弄〉。中曲即鬼谷子所居，深邃岑寂，故作〈幽居弄〉。北曲高巖，猿鳥所集，故作〈坐愁弄〉。西曲灌木吟秋，故作〈秋思弄〉。曲成，出示馬融、王子師輩，甚異之。

此事看似怪誕不經，而傳聞甚廣，歷久靡衰，諒非空穴來風。惟以東西南北中五種方位配合陰陽五行的五種琴曲，則不免有穿鑿附會之嫌，吾人姑妄信之可也。此外，伯喈對笛子也十分內行。張騭《文士傳》云：

蔡邕告吳人曰：『吾昔嘗經會稽高遷亭，見屋椽竹，東間第十六可以爲笛。』取用，果有

> 異聲。

又伏滔《長笛賦序》亦云：

> 柯亭之觀，以竹爲椽，邕取爲笛，奇聲獨絕。

看到竹子的形狀，就知道竹質之佳，宜於作笛，並且牢記其排列的位次，苟非素養極高者，殆難臻此。

至於他在音樂方面的著作，最有名的，當推《琴操》，凡二卷，清人孫星衍曾爲之輯校，馬瑞辰《琴操校本序》云：

> 《隋・志》載《琴操》三卷，晉孔衍撰。《崇文總目》、《中興書目》並以屬之孔衍，而傳注所引皆屬蔡邕。惟《初學記》引〈箜篌引〉爲孔衍《琴操》，其文與蔡邕《琴操》不殊，是知《隋・志》言孔衍撰者，謂撰述蔡書，非謂孔衍自著也。《唐・志》亦別載桓譚《琴操》二卷。考桓譚《新論》有〈琴道篇〉，不聞有《琴操》，蔡書言伏羲始作琴與琴道，言神農始作琴不合，則《琴操》決非桓譚所作。蔡邕本傳言邕所著有《敍樂》而無《琴操》，而今本《琴操》及傳注所引皆屬蔡邕，疑《琴操》爲《敍樂》中之一篇，證以《北堂書鈔》所引蔡邕〈琴賦〉諸篇，俱與《琴操》合，則《琴操》爲邕作，信有徵矣。

自來關於《琴操》的著者，言人人殊，爭論不休，馬氏所言，信足以解衆家之惑。其書所錄，計詩歌五，曲十二，操九，雜歌二十一。古誼所存，可以與經傳相表裏，也是研究中國音樂史所不可或缺的書。除《琴操》裒然成帙外，今本《蔡中郎集》中尚有〈琴賦〉三首，〈瞽師賦〉一首，〈琴贊〉一首，惜多零縑斷簡，難窺全豹，無論在音樂上或文學上，都是無可彌補的損失。今迻錄其〈琴贊〉如次，以見一斑。

惟彼雅器，載璞靈山。體其德眞，清和自然。
澡以春雪，澹若洞泉。溫乎其仁，玉潤外鮮。

而《後漢書》本傳載其所著《敍樂》一書，且無片言隻字流傳，更令人惋歎不已。

伯喈不僅是一代音樂大家，也是一代文學大家。他在文學方面的成就，以樂府詩和金石文學爲最出色。樂府之作，雖只有《飲馬長城窟行》一首，但千載以還，傳誦不衰。其詞云：

青青河畔草，緜緜思遠道。遠道不可思，夙昔夢見之。
夢見在我旁，忽覺在他鄉。他鄉各異縣，輾轉不相見。
枯桑知天風，海水知天寒。入門各自媚，誰肯相爲言。
客從遠方來，遺我雙鯉魚。呼兒烹鯉魚，中有尺素書。
長跪讀素書，書中竟何如。上言加餐食，下言長相憶。

此詩最早見於《昭明文選》，題爲『樂府古辭』，不著作者姓名。張銑注云：『長城，秦所築，以備胡者。其下有泉窟，可以飲馬。征人路出於此而傷悲矣。言天下征役，軍戎未止，婦人思夫，故作是行。』蓋秦漢時，征戰頻仍，遠戍長城，征人多苦之，其後遂成爲征戍勞苦的一種代稱。

而以此題爲詩者，亦多富有強烈的反戰思想。故本篇雖無一言涉及飲馬長城之事，但爲婦人思念其夫遠役之苦，當無疑義。至徐陵編《玉臺新詠》時，則直題蔡邕作。考《玉臺新詠》之成書較《昭明文選》約晚四十年，或徐陵另有所據亦未可知。我們相信《玉臺》的理由有四：

㈠五言詩相傳出自蘇武、李陵的贈答，以後漸爲一般詩人所喜愛，作者日多，幾乎有取代四言詩的趨勢。至東漢末葉出現如此成熟的作品，就文學進化之軌跡而言，毋寧是當然之事，不足爲怪。

㈡此詩與同時代之《古詩十九首》（載《昭明文選》）風貌極相似，均爲建安五言詩之先唱。

㈢伯喈夙負盛名，有曠世逸才之目，其女文姬爲不世出之詩人，苟非家學淵源，曷克臻此。

㈣《玉臺新詠》係徐陵奉太子蕭綱之命而編。蕭、徐二君皆飽學之士，其題蔡邕必非率爾爲之，任意張冠李戴。

明乎此，則後人任何懷疑懸揣之辭，都可以不必深究。

至於他的金石文學，不但量多，而且質精，故譽之爲古今第一高手，決非溢美。劉勰對他推崇備至。《文心雕龍·誄碑篇》云：

> 自後漢以來，碑碣雲起，才鋒所斷，莫高蔡邕。觀楊賜之碑，骨鯁訓典，陳郭二文，句無擇言，周胡眾碑，莫非精允。其敘事也該而要，其綴采也雅而澤，清詞轉而不窮，巧義出而卓立，察其爲才，自然而至矣。孔融所創，有慕伯喈，張、陳兩文，辨給足采，亦其亞

也。及孫綽爲文，志在於碑，溫、王、郗、庾，辭多枝雜，〈桓彝〉一篇，最爲辨裁矣。東漢時代，立碑之風甚盛，伯喈適逢其時，又爲一代文宗，自難獨立於流俗之外，故其文今存者凡一百二十七篇，而墓碑幾居其半。其中振鑠文壇、世所習知者，爲〈陳太丘〉、〈郭有道〉二篇。（均見《昭明文選》）

〈郭碑〉氣象高華，神韻緜遠，用字必宗故訓，摛辭迥脫恆蹊，堪稱金石文學之有數瑋篇。伯喈嘗謂盧植云：『吾爲碑銘多矣，皆有慚德，惟〈郭有道〉無愧色耳。』（見《後漢書·郭泰傳》）實非漫言。又若〈太傅胡公碑〉之『總天地之中和，覽生民之上操。』〈太尉楊公碑〉之『公承家崇軌，受天醇素。』〈陳太丘碑〉之『稟嶽瀆之精，苞靈曜之純。』〈胡夫人靈表〉之『體季蘭之姿，蹈思齊之跡。』〈朱公叔墳前石碑〉之『彌綸典術，允迪聖矩。』〈瑯琊王傅蔡公碑〉之『極遺逸於九皐，揚明德於側陋。』〈處士圂叔則碑〉之『夫其生也，天眞淑性，清理條暢，精微周密，包括道要，致思無形，深總曆部，纖入藝文。藻分葩列，如春之榮，守根據窮，不虛其聲，偉德若茲，惟世之英。』凡若此類，不可悉舉，實文章之淵泉，藝苑之崑鄧，卓然稱金石文學之正宗。

綜觀蔡氏的作品，駢音麗句，充牣篇章，其與駢文之發展關係甚大，所貽予後世文學之影響亦至深遠。語其大者，蓋有三事：

㈠具駢四儷六之體貌　漢代詞人，純以偶氣（雙行意念）行文者，蓋自伯喈始。伯喈文章，無論形體像貌，幾與齊梁之作無殊。即以〈郭有道碑〉爲例，除姓名籍貫以及承轉結語仍用單行之文辭敍述以外，句句皆是成排之駢文，以視馬班諸子，更爲進步，惟音調猶未盡諧而已。李兆洛纂輯《駢體文鈔》，錄其文達二十九篇之多，僅次於駢文宗師庾子山，其見重於駢文家者如此。

(二)樹駢體碑銘之宏規　《中郎集》中特多駢體碑銘（李兆洛《駢體文鈔》錄其碑文十五篇爲歷代之冠），任昉《文章緣起》謂碑文始於漢惠帝〈四皓碑〉，今已不傳。摯虞《文章流別論》云：

> 夫古之銘至約，今之銘至煩，亦有由也。質文時異，則既論之矣。且上古之銘，銘於宗廟之碑。蔡邕爲楊公作碑，其文典正，末世之美者也。

近人吳闓生云：

> 兒時讀韓文，喜其鶩創瑰奇，以爲退之偉才，故獨闢蹊徑如是，後來者所當步趨而莫外也。及睹《蔡中郎集》，乃知碑刻之體，創自中郎，退之特踵其法爲之，未嘗立異，顧其才高，遂乃出奇無窮耳。後得洪文惠所輯《漢碑刻》，益詫爲平生所未見，反覆研誦，彌月不能去手。乃知漢人碑頌，其高文至多，崇閎儁偉，非中郎一家所能概，而退之不能出其範圍。中郎雖負盛名，亦因當時風氣而爲之，非其特創者，而金石之文固導源於此也。（陳柱《中國散文史》引）

林紓亦云：

> 劉勰稱蔡邕銘思，獨冠千古，以黃鉞之銘，爲吐納典謨，朱公叔之鼎銘，爲全成碑文。確

矣。黃鉞之箴，爲橋公也。辭曰：『帝命將軍，秉茲黃鉞。威靈振耀，如火之烈。公之在位，群狄斯柔。齊斧罔設，人士斯休。』用字極庸，而神骨極峻，賦色又極古澤。且序末有云：『昕事三年，馬不帶鐵，弓不受弭，是川鏤石，作茲鉦鉞軍鼓，陳之東階，以昭公文武之勳焉。』用字選材，均簡古無尚，雖非典謨，然決非魏晉才人所及。（《春覺齋論文》）

碑銘之作，以伯喈爲古今第一大家，乃世所公認，非任何人所能取代。

㈢**立臺閣文體之典型**　伯喈章表文字，雍容淹雅，喬皇凝重，遂爲千秋典範。臺閣文風，從是遂扇。譚獻嘗評之云：『中郎之文，如平原大河，氣脈綿遠，神理出於詩書經術之士，爲範百世，異時淫麗浸染，我思大雅之卓爾矣。』又云：『純懿閎遠，中郎絕塵，韓曾之流，從何學步。』（見《駢體文鈔》）世之評伯喈作品者甚多，此數語最爲公允。

蔡琰

漢代女作家甚多，著名者有：班姬、班昭、徐淑、蔡琰四人。班昭爲后妃之師，揚名宮庭，福壽全歸，令人敬慕。徐淑，史未立傳，生平已難稽考，姑置勿論。至班姬、蔡琰二人，則均屬悲劇型的人物。其中又以蔡琰身世最爲坎坷，而且也最能賺取後人的同情之淚。

琰字文姬，是蔡邕的獨生女，十六歲嫁給河東衛仲道，不久因夫亡無子，歸寧於家。獻帝興平年間（西元一九四年至一九五年），天下喪亂，被胡兵所擄，身陷南匈奴十二年，生了二子。曹操素與蔡邕友善，痛其無嗣，遣使往匈奴，以金璧贖文姬。文姬歸漢後，再嫁陳留董祀以終。

文姬天資敏慧，妙解音律，得之於其父親遺傳者甚多。由前述『寡女絲』一事，已可知其音樂修養之深。梁·劉昭《幼童傳》記其精辨琴絃，尤足令人讚歎。

邕夜鼓琴，絃絕。琰曰：『第二絃。』邕曰：『偶得之耳。』故斷一絃問之。琰曰：『第四絃。』並不差謬。

少年時代即有此等造詣，恐怕不止是得諸遺傳而已。

她不但繼承了父親的琴藝，而且還替父親保存了百餘篇散亡的作品，甚至還善用自己的辯才爲丈夫脫罪。《後漢書·列女傳》：

董祀爲屯田都尉，犯法當死，文姬詣曹操請之。時公卿名士及遠方使驛坐者滿堂，操謂賓客曰：『蔡伯喈女在外，今爲諸君見之。』及文姬進，蓬首徒行，叩頭請罪，音辭清辯，旨甚酸哀，眾皆爲改容。操曰：『誠實相矜，然文狀已去，奈何。』文姬曰：「明公廄馬萬匹，虎士成林，何惜疾足一騎，而不濟垂死之命乎。」操感其言，乃追原祀罪。時且寒，賜以頭巾履襪。操因問曰：『聞夫人家先多墳籍，猶能憶識之不。』文姬曰：『昔亡父賜書四千許卷，流離塗炭，罔有存者。今所誦憶，裁四百餘篇耳。』操曰：『今當使十吏就夫人寫之。』文姬曰：『妾聞男女之別，禮不親授，乞給紙筆，眞草唯命。』於是繕書送之，文無遺誤。

由此可見她具有多方面的才華，不愧爲建安時代首屈一指的文壇女傑。

至於她的文學作品，今存者有五、七言〈悲憤詩〉各一首及〈胡笳十八拍〉一首，共三首。茲分述之：

㈠五言體悲憤詩 此詩載《後漢書・列女傳》，凡一百零八句，五百四十字，乃文姬自敘在喪亂中之不幸遭遇。與無名氏之《孔雀東南飛》並稱爲建安時代五言體詩的傑作（按〈孔雀東南飛〉凡三百四十九句，一千七百四十五字。），也是我國詩歌史上第一首有作者姓名的長篇敍事詩，在我國文學發展史上佔了很重要的一頁，蔡文姬就憑著這篇鉅製而奠定其文學地位。

本篇是用『賦體』寫的長篇敍事詩。開始寫大漢帝國衰落以後，軍閥董卓大量引進胡人，稱兵作亂，殘殺擄掠，塗炭生靈的情形。自己就在這次大劫難中，被胡人擄入了南匈奴。次寫在胡地的生活，以及被贖歸國、親子分別的複雜心情。末寫回到故鄉，目睹荆艾滿地，白骨縱橫的景象，精神幾乎要爲之崩潰。（詩長不錄）

文學是時代生活的反映，利用文學的形式，很藝術的把一個時代的生活表現出來，往往要比史官所作的實錄容易收到感人效果，而且還具有文學與歷史的雙重價値。庾信的〈哀江南〉、〈小園〉、〈傷心〉諸賦，被稱爲『賦史』；杜甫的〈北征〉、〈三吏〉、〈三別〉諸詩，被目爲『詩史』；其故在此。蔡文姬這首〈悲憤詩〉，雖然是寫她個人的不幸遭遇，卻概括表現了漢末動亂時代一般人民的共同命運；尤其是柔弱無助的婦女，更變成了戰爭下的犧牲品。作者站在被害者的立場，現身說法，利用詩歌向廣大群衆控訴軍閥禍國殃民與外族陵暴漢人之罪行。使人讀了，不僅可以了解作者坎坷的一生，以及在封建社會中的痛苦無告，被視爲戰利品的悲慘命運。而且還可以進一步了解當時政治的腐敗，農村經濟的破產，社會的混亂黑暗，以及統治階層的顢頇無能，遂使美麗的河山變成四分五裂，無辜的百姓遭遇亙古未有之浩劫。今試舉史事數則與此詩相對照：

> 於是盡徙洛陽人數百萬口於長安，步騎驅蹙，更相蹈藉，飢餓寇掠，積尸盈路。卓自屯留畢圭苑中，悉燒宮廟官府居家，二百里內，無復孑遺。（《後漢書．董卓傳》）

此與詩中所言『斬截無孑遺，尸骸相撐拒』相合。

> 嘗遣軍到陽城，時值二月社，民各在其社下，悉就斷其男子頭，駕其車牛，載其婦女、財物，以所斷頭繫車轅軸，連軫而還洛。（《三國志．魏書．董卓傳》）

此亦與詩中所言『馬邊懸男頭，馬後載婦女』相合。

> 天綱弛絕，四海分崩，群生憔悴，士人播越，兵寇所加，邑無居民，風塵煙火，往往而處。自三代以來，大亂之極，未有若今時者也。（《三國志．吳書．胡綜傳》）

此又與詩中所言『既至家人盡，又復無中外。城郭爲山林，庭宇生荆艾。白骨不知誰，縱橫莫覆蓋。出門無人聲，豺狼號且吠……』相合。諸如此類，信手翻檢，隨處可見。而詩中所描述者，卻比史書的記載還要來得眞切動人。其後杜甫的〈北征〉，韋莊的〈秦婦吟〉，其表現手法，悉皆祖此。故嚴格言之，文姬〈悲憤詩〉實爲『詩史』之濫觴。

㈡七言體悲憤詩

此詩亦載《後漢書・列女傳》，凡三十八句，二百六十六字，通篇悉用騷體。今分段錄其全文如下：

嗟薄祜兮遭世患，宗族殄兮門戶單。身執略兮入西關，歷險阻兮之羌蠻。山谷眇兮路曼曼，眷東顧兮但悲歎。冥當寢兮不能安，飢當食兮不能餐。常流涕兮眥不乾，薄志節兮念死難，雖茍活兮無形顏。

惟彼方兮遠陽精，陰氣凝兮雪夏零。沙漠壅兮塵冥冥，有草木兮春不榮。人似禽兮食臭腥，言兜離兮狀窈停。歲聿暮兮時邁征，夜悠長兮禁門扃。不能寐兮起屏營，登胡殿兮臨廣庭。玄雲合兮翳月星，北風厲兮肅泠泠。胡笳動兮邊馬鳴，孤雁歸兮聲嚶嚶。樂人興兮彈琴箏，音相和兮悲且清。心吐思兮胸憤盈，欲舒氣兮恐彼驚，含哀咽兮涕沾頸。家既迎兮當歸寧，臨長路兮捐所生。兒呼母兮號失聲，我掩耳兮不忍聽。追持我兮走煢煢，頓復起兮毀顏形。還顧之兮破人情，心怛絕兮死復生。

此詩分爲三大段：首段自悲門庭衰落，又橫遭世患，遂被擄入羌。次段寫胡地生活之實況與心境之悲苦。末段寫拋別愛子，端歸故國之經過情形。內容大致與前首相同。以意度之，此詩之寫作在先，大概成於歸國途中，故於回家所見，無一句敍及。前詩則爲重嫁董祀後，追懷身世，感憤而作，故於結尾四句深自悲悼，恐劫後之賤軀，或將被丈夫所遺棄。據此，則兩詩產生的時間至少相隔一年以上。

後人對此二詩之眞僞，議論紛紛，是非莫定，成爲文壇上的千古懸案。首先疑其爲贋品者爲蘇軾。其《仇池筆記・擬作條》云：

讀《列女傳》蔡琰二詩，其詞明白感慨，類世所傳〈木蘭詩〉，東京無此格也。建安七子猶含養圭角，不盡發見，況伯喈女乎。又琰之流離，爲在父歿之後，董卓既誅，伯喈乃遇禍。今此詩乃云爲董卓所驅虜入胡，尤知其非眞也。蓋擬作者疏略，而范曄荒淺，遂載之本傳，可發一笑也。

又〈答劉沔書〉：

范曄作〈蔡琰傳〉，載其二詩，亦非是。董卓已死，琰乃流落，方卓之亂，伯喈尚無恙也，而其詩乃云以卓亂故，流入於胡。此豈眞琰語哉。其筆勢乃效建安七子者，非東漢詩也。

蔡启《蔡寬夫詩話》駁之云：

《後漢書・蔡琰傳》載其二詩，或疑董卓死，邕被誅，而詩敘以卓亂流入胡，爲非琰辭。此蓋未嘗詳考於史也。且卓既擅廢立，袁紹輩起兵山東，以誅卓爲名，中原大亂，卓挾獻帝遷長安，是時士大夫豈能皆以家自隨乎。則琰之入胡不必在邕誅之後。其詩首言『逼迫遷舊邦，擁主以自強，海內興義師，共欲誅不祥。』則指紹輩固可見。繼言『中土人脆弱，

> 來兵皆胡羌，縱獵圍城邑，所向悉破亡。』『馬邊懸男頭，馬後載婦女，長驅西入關，迥路險且阻。』則是爲山東兵所掠也。其末乃云『感時念父母，哀歎無窮已。』則邕尚無恙，尤無疑也。

蘇軾以爲文姬之流離，在董卓伏誅、父親被害之後，而詩乃云爲董卓所驅虜入胡，與事實不符。而蔡寬夫則以『琰之入胡不必在邕誅之後』駁之，極有見地。惟認爲文姬爲袁紹諸人之山東兵所掠，則屬臆說，於史無徵，故張玉穀《古詩賞析》云：

> 『長驅西入關』，當即指卓所將羌胡兵，蔡以爲山東兵，亦誤。然其駁蘇處，則具眼也。且琰與建安七子正復同時，何見其必效七子而非琰作。

所言甚是。吳闓生《古今詩範》承之云：

> 蘇東坡不信此詩，疑爲僞造。吾以謂決非僞者，因其爲文姬肺腑中言，非他人之所能代也。……東坡不信此傳者，以爲琰非卓衆所掠，所言失實。後人又疑中幅言已陷胡一段佚去。吾謂此詩以哀痛爲主，記載固不暇求詳，且其情事亦不忍詳言矣。

其言無論於情於理，均甚契合，信足以解諸家之惑矣。近人梁啓超氏對此二詩曾暢加論評，雖意未全愜，然亦不無參考價値，因備錄之：

> 兩詩並見《後漢書》，或疑第二首爲後人擬作，范蔚宗未經別擇，誤行收錄。此說我頗贊同，因爲兩詩所寫，同一事實，同一情緒，絕無作兩首之必要，第二首雖亦不惡，但比起

第一首來卻差得多了。第一首則眞千古絕調，當時作家皆善用比興，獨此詩純爲賦體，將實事實感，赤裸裸鋪敍抒寫，不加一毫藻飾，而纏綿往復，把讀者引到與作者同一情感，我想二千年來的詩除這首和杜工部〈北征〉外，再沒有第三首了。這首詩與《十九首》及建安七子諸作，體勢韻味都不一樣，這是因文姬身世所經歷，特別與人不同，所以能發此異彩，與時代風尚無關。要之，五言詩到蔡氏父女才算完全成熟，後此雖有變化，但大體總不能出其範圍。（《中國之美文及其歷史》）

㈢胡笳十八拍 此詩載於宋人郭茂倩《樂府詩集》，列入〈琴曲歌辭〉，凡一百五十九句，一千二百九十七字，內容與前述二詩相同。前十拍敍述自己入胡的原因及經過，後八拍則爲思子之哀吟，親情超越民族與國家的界限，悉可於此見之。（全詩從略）

此詩體裁類似以音樂爲主的『彈詞』，乃文姬歸漢若干年後對前塵往事的追憶，頗有白頭宮女細說天寶遺事意味。劉商《胡笳曲序》云：

蔡文姬爲胡人所掠，入番爲王后，王甚重之。魏武帝與邕有舊，敕大將軍贖以歸漢。胡人思慕文姬，乃捲蘆葉爲吹笳，奏哀怨之音。後董生以琴寫胡笳聲爲十八拍，今之《胡笳弄》是也。

這是最早有關《胡笳十八拍》的記載。李頎《聽董大彈胡笳聲詩》亦云：『蔡女昔造胡笳聲，一彈一十有八拍。胡人落淚沾邊草，漢使斷腸對歸客。』可見文姬歸漢、胡人思慕的故事，在唐代已經廣泛流傳於民間。從此歷代畫家爭相以此爲題材，而進行創作。如唐代閻立本、楊寧，宋代李公麟、李庚、陳居中，元代趙孟頫、趙雍，明代尤求、仇英，清代蘇六朋等，都有《胡笳十八拍圖卷》或《文姬歸漢圖册》之作，惜率多亡佚。今存於臺北外雙溪故宮博物院者，爲無名氏所畫之《胡笳十八拍手卷》一册，共十八幅，每幅都有彩色，極爲鮮明，據專家鑑定爲明代晚期的精品，很像仇英的風格，也可能是追摹仇英、幾可亂眞的作品。又今國劇（京戲、平劇）中有〈文姬歸漢〉一齣，民初四大名旦（梅蘭芳、程硯秋、荀慧生、尚小雲，均爲男性。）之一的程硯秋，即以演唱此戲而走紅菊壇，且風靡全國。要之，凡是悲劇性的人物及其故事，無論用文學、繪畫、戲劇，以及其他方式表現出來，都能博得人們的同情，而且歷久不衰。蔡文姬如此，西施、虞姬、王昭君、甄皇后、楊貴妃、李香君、陳圓圓、賽金花（傅彩雲）等亦莫不如此。

惟是，後人或有以此詩音節靡弱，意境凡近，與五言體〈悲憤詩〉截然不類，因而疑其爲後人所作，而嫁名於文姬者。此屬作品之眞僞問題，乃考據家之事，非本文所應及，玆姑從略。

（原載民國六十九年八月二日臺北《國語日報》副刊《書和人》第三九五期）

鍾嶸之文學思想（一九八一）

自晉永嘉亂後，中原衣冠，相率南遷，江左一隅，遂逐漸成為文化燦爛之區，文人薈萃之所。迨蕭梁踵興，唯美文學尤蔚然稱盛，作家之多，作品之美，冠絕六代。惟時日積久，自不免朱紫相淆，雅鄭莫別，衡鑑之風遂乘時而瀰漫文壇。近人許文雨氏曾暢論其源起曰：

曹魏以後，典午氏有天下，不久分崩，異族長驅中原，僭竊禹域，舊家世族，羞與為伍，標榜門閥，不通婚媾，終南北朝之世，成為社會特殊之梗焉。各挾一歧視之心理，互相識評，其事雖屬於政治風俗，而影響所至，一時藝林，遂大熾品論之風。此繫乎時代者也。加以荊揚文化，新立基止，文人生息於南方之新地理，模範山水，鑱雕風雲，極情寫物，逞辭追新，或競輕綺之奇，或爭聲律之巧，篇什倍增，既有待於論定，藝術更張，亦足招其物議，發為文論，遂開前古未有之生色。此因乎地理者也。基此二因，劉勰之《文心雕龍》，鍾嶸之《詩品》，乃應運而作矣。（《文論講疏·導言》）

蓋自曹丕首揭裁量詞藝之轟以後，繼武者蔚有其人，率能別具隻眼，獨標眞諦，惟多單篇零簡之作，鮮有鉤勒成書者，雖片羽吉光，彌足珍貴，而連貫會通，則不無闕如之憾焉。其以專書辨章文體，評衡才士，條理密察，卓然名家者，則自劉勰鍾嶸始，實我國文學批評之雙璧也。《四庫提要・集部・詩文評類序》云：

> 文章莫盛於兩漢，渾渾灝灝，文成法立，無格律之可拘。建安黃初，體裁漸備，故論文之說出焉，《典論》其首也。其勒爲一書傳於今者，則斷自劉勰鍾嶸。勰究文體之源流而評其工拙，嶸第作者之甲乙而溯厥師承，爲例各殊。至皎然《詩式》，備陳法律，孟棨《本事詩》，旁採故實，劉攽《中山詩話》，歐陽修《六一詩話》，又體兼說部。後所論者，不出此五例中矣。

論文之著雖別爲五類，然皎然以次各書，或論述簡略，或體例駁雜，衡以時代眼光，要難追劉鍾之逸步也。

鍾嶸字仲偉，梁潁川長社人，天監中，仕至晉安王記室。著《詩品》三卷，取漢魏至梁名家詩一百二十三人，分爲上中下三品，各繫評論，爲我國詩評專著最古而精之作。其所分品第，容有偏失，所述流別，容有乖訛，然大抵當有所依，今特不可考耳。《四庫提要》云：

> 嶸學通《周易》，詞藻兼長，所品古今五言詩，自漢魏以來一百有三人，論其優劣，分爲上中下三品，每品之首，各冠以序，皆妙達文理，可與《文心雕龍》並稱。近時王士禎極論其品第之間，多所違失。然梁代迄今，邈踰千祀，遺篇舊製，什九不存，未可以掇拾殘文，定當日全集之優劣。惟其論某人源出某人，若一一親見其師承者，則不免附會耳。

是其書雖未必盡美，要亦文苑之瓊枝也。（《集部・詩文評類・詩品條》）

至鍾氏著《詩品》，蓋不滿於自晉世以來之創作與批評，茲分論之：

㈠不滿於前世之衡文者

建安以來，衡文之作，代有新篇，然皆泛論文義，未有專論詩什者，實乃批評界之偏枯現象。蓋自東漢以迄齊梁，五言詩與駢體文並爲文學界之二大主流，才士蜂起，名章猥多，苟無品第之作，何有優劣之分。鍾氏有鑒於此，復深受班固九品論人、陳群九品官人之影響，於是一反前修論文方式，於入選作家，悉加品第，使讀者由知其人而誦其詩，由誦其詩而論其世，層層深入，有條不紊。

陸機〈文賦〉，通而無貶，李充〈翰林〉，疏而不切，王微〈鴻寶〉，密而無裁，顏延論文，精而難曉，摯虞〈文志〉，詳而博贍，頗曰知言。觀斯數家，皆就談文體，而不顯優劣。至于謝客集詩，逢詩輒取，張騭〈文士〉，逢文即書。諸英志錄，並義在文，曾無品第。（鍾嶸《詩品》，下同。）

鍾氏以爲前修論文，或著眼於創作，或偏重於體製，或以主觀之愛憎，隨意銓評，或以鄉愿之態度，逢文（或詩）輒取，如此而欲示後學以南針，恐非易易。

昔九品論人，〈七略〉裁士，校以賓實，誠多未值。至若詩之爲技，較爾可知，以類推之，殆同博弈。

蓋既蓄眞知灼見，故敢於裁量前英，品第甲乙，而不恤冒天下之大不韙焉。

(二)不滿於江左之詩篇者　自晉陸機潘岳諸子創作詞藝，務工裁對以後，至於元嘉，益變本加厲，用字則避陳翻新，織詞則彩麗競繁，隸事之富，尤遠邁前代。永明才穎之士，又共同發明聲律論，字必調平仄，句必協宮商。自是摛文賦詩，彌多拘忌，其上焉者，固能馳騁自如，尙無大礙，其下焉者，則專事模擬，興寄都絕。鍾氏以爲長此以往，必將走火入魔，乃思有以繩糾其缺失，庶使庸音雜體，自此絕跡詩壇。

> 故辭人作者，罔不愛好，今之士俗，斯風熾矣。裁能勝衣，甫就小學，必甘心而馳騖焉。於是庸音雜體，人各爲容。至於膏衣子弟，恥文不逮，終朝點綴，分夜呻吟，獨觀謂爲警策，眾睹終淪平鈍。次有輕蕩之徒，笑曹劉爲古拙，謂鮑照羲皇上人，謝朓今古獨步。而師鮑照，終不及『日中市朝滿』；學謝朓，劣得『黃鳥度青枝』。徒自棄於高明，無涉於文流矣。

而其終極目的，則欲作者與讀者重新認識五言詩之藝術價値。

(三)不滿於當代之評詩者　齊梁時代，唯美文學如日中天，尤其五言古詩經過數百年之努力，至此已告定型，其所貽予詩壇之影響，自非淺鮮。而且當時文柄猶操縱在士大夫手中，文人集團林立，文閥與學閥所在多有。故評詩風氣雖與時而俱盛，然大抵頌揚之作多，貶抑之詞少，劉繪有意口陳標榜，而美志不遂，蓋由文閥氣燄高張，乃不敢輕攖其鋒，以自詒伊戚也。

觀王公搢紳之士，每博論之餘，何嘗不以詩為口實，隨其嗜欲，商榷不同，淄澠並汎，朱紫相奪，喧議競起，準的無依。近彭城劉士章俊賞之士，疾其淆亂，欲為當世詩品，口陳標榜，其文未遂，感而作焉。

批評界混亂至此，非大張撻伐，實不足以辨是非，判優劣，否則詩學將永無進步之一日矣。近人許文雨氏持論甚精，其〈評古直鍾記室詩品箋〉云：

鍾嶸《詩品》，裁量八代高下，觀瀾索源，獨抒孤懷，信籠圈條貫之書，足以苞舉藝苑者矣。後世詩話家流，徒以瑣屑之辭，阿所私好，求其能嗣響此書者，乃曠世而未見也。夫藝文鼎盛之世，不施以密察之論，則無所準的，訛濫焉辨。郁郁八代，詩囿大啓，後學為之目炫，矩矱賴有鍾氏，得非論文之幸事歟。（《文論講疏》附錄二）

以上為鍾氏著書之旨趣所在，旨趣既明，乃可進窺其內容。茲略舉二事以申明之。

（二）文學理論

《詩品》一書價值之高者，在於品第詩人，文學理論尚居其次。雖然，欲知其品第詩人之標準，不可不先明其文學理論，蓋品詩標準須以理論作基礎，否則標準架空，將無以觀其用心所在，而滋生誤會，其庸有當乎。

㈠**詩歌起源論**　人類所以為萬物之靈者，以其有七情也。有情而後有感，有感而後有聲，有聲而後有詩。是詩歌之起，乃緣於人類情感之衝動，而人類情感之衝動，又緣於外物之刺激。故鍾氏云：

氣之動物，物之感人，故搖蕩性情，形諸舞詠。照燭三才，輝麗萬有，靈祇待之以致饗，幽微藉之以昭告，動天地，感鬼神，莫近於詩。

氣候之改變，足以影響萬物，萬物之遷化，又足以感動人心，而人心有所感動，則表現於詠歌舞蹈，是上古之世，詩、樂、舞三者固同出一源也。又云：

若乃春風春鳥，秋月秋蟬，夏雲暑雨，冬月祁寒，斯四候之感諸詩者也。嘉會寄詩以親，離群託詩以怨。至於楚臣去境，漢妾辭宮，或骨橫朔野，或魂逐飛蓬，或負戈外戍，或殺氣雄邊，塞客衣單，孀閨淚盡。或士有解珮出朝，一去忘返，女有揚蛾入寵，再盼傾國。凡斯種種，感蕩心靈，非陳詩何以展其義，非長歌何以騁其情。故曰『《詩》可以群，可以怨』。使窮賤易安，幽居靡悶，莫尚於詩矣。

言人類情感之衝動，除緣於氣候與萬物之變化外，舉凡身世之飄搖，遭際之不偶，亦皆足以激之。無論由於自然，或由於人爲，其受外在事物之刺激則一，而詩歌遂緣是而生矣。朱熹《詩集傳・序》亦云：

或有問於予曰：『詩何爲而作也。』予應之曰：『人生而靜，天之性也，感於物而動，性之欲也。夫既有欲矣，則不能無思，既有思矣，則不能無言，既有言矣，則言之所不能盡，

> 而發於咨嗟詠歎之餘者，必有自然之音響節族而不能已焉。此詩之所以作也。』

是故情感實詩歌之源泉，而詩歌又爲文學之先導，皎然可見。

至五言詩之起源是否始於漢之蘇武李陵，世之論者，略分三派：

❶始於蘇李者　此派以任昉（《文章緣起》）、鍾嶸（《詩品・序》）、裴子野（〈雕蟲論〉）、蕭統（《文選》）、葉燮（《原詩》）、沈德潛（《說詩晬語》）、黃侃（《詩品講疏》）爲代表。

❷不始於蘇李者　此派以蘇軾（〈答劉沔書〉）、洪邁（《容齋隨筆》）、翁方綱（梁章鉅《文選旁證》引）、錢大昕（《十駕齋養新錄》）爲代表。

❸疑非始於蘇李者　此派以摯虞（《文章流別論》）、劉勰（《文心雕龍・明詩篇》）爲代表。

聚訟紛紜，不知孰是。以意度之，似以第一說較爲可信，第二第三兩說不過懸揣之辭，羌無實據，要難令人折服。鍾氏之說曰：

> 昔〈南風〉之辭，〈卿雲〉之頌，厥義夐矣。〈夏歌〉曰：『鬱陶乎予心』，楚謠云：『名余曰正則』，雖詩體未全，然是五言之濫觴也。逮漢李陵，始著五言之目矣。古詩眇邈，人世難詳，推其文體，固是炎漢之製，非衰周之倡也。自王揚枚馬之徒，辭賦競爽，而吟詠靡聞。從李都尉迄班婕妤，將百年間，有婦人焉，一人而已。詩人之風，頓已缺喪。東京二百載中，惟有班固〈詠史〉，質木無文。降及建安，曹公父子，篤好斯文，平原兄弟，鬱爲文棟，劉楨王粲，爲其羽翼。次有攀龍託鳳，自致於屬車者，蓋將百計。彬彬之盛，

大備於時矣。爾後陵遲衰微，訖於有晉。太康中，三張二陸，兩潘一左，勃爾復興，踵武前王，風流未沫，亦文章之中興也。

中古時代，言五言詩之起源及其流變者，以此爲最詳，其後無論詩家、文學家、文學批評家，莫不奉爲圭臬，其在文學史上之價值，不難推知。近儒黃侃氏闡發其說云：

五言之作，在兩漢則歌謠樂府爲多，而辭人文士猶未肯相率模效。李都尉從戎之士，班婕妤宮闈之流，當其感物興歌，初不殊於謠諺。然風人之旨，感慨之言，竟能擅美當時，垂範來世，推其原始，故亦閭里之聲也。（《詩品講疏》）

論之至爲深洽，五言詩肇始之說，不煩言而解矣。

㈡反用典　自齊王儉首創隸事競賽，用典遂爲唯美文學不可或缺之要件，以期保持內容與形式之平衡。蓋用典乃文章修辭之一法，適量用典，不但能使文章搖曳生姿，抑且更能增高其藝術價值。惟用之太過，則有傷文之眞美，當唯美思潮泛濫時期，雖上乘詩人亦不能免於斯累。故鍾氏云：

夫屬詞比事，乃爲通談。若乃經國文符，應資博古，撰德駁奏，宜窮往烈，至乎吟詠情性，亦何貴於用事。『思君如流水』，既是即目，『高臺多悲風』，亦惟所見，『清晨登隴首』，羌無故實，『明月照積雪』，詎出經史。觀古今勝語，多非補假，皆由直尋。顏延謝莊尤爲繁密，於時化之，故大明泰始中，文章殆同書抄。近任昉王元長等，詞不貴奇，競須新事，爾來作者，寖以成俗。遂乃句無虛語，語無虛字，拘攣補衲，蠹文已甚。但自然英旨，罕值其人。詞既失高，則宜加事義。雖謝天才，且表學問，亦一理乎。

按鍾氏所舉四首白描詩，乃曹植等四人所作，錄之以便觀覽。

▲曹植〈雜詩〉：

高臺多悲風，朝日照北林。之子在萬里，江湖迥且深。方舟安可極，離思故難任。孤雁飛南遊，過庭常哀吟。翹思慕遠人，願欲託遺音。形影忽不見，翩翩傷我心。

▲徐幹〈室思詩〉：

浮雲何洋洋，願因通我詞。飄搖不可寄，徙倚徒相思。人離皆復會，君獨無返期。自君之出矣，明鏡暗不治。思君如流水，何有窮已時。

▲謝靈運〈歲暮詩〉：

殷憂不能寐，苦此夜難頹。明月照積雪，朔風勁且哀。運往無淹物，年逝覺已催。

▲張華〈失題詩〉：

清晨登隴首，坎壈行山難。嶺阪峻阻曲，羊腸獨盤桓。

又評顏延之詩云：

宋光祿大夫顏延之，其源出於陸機，尚巧似。體裁綺密，情喻淵深，動無虛散，一句一字，皆致意焉。又喜用古事，彌見拘束，雖乖秀逸，是經綸文雅才。雅才減若人，則蹈於困躓矣。湯惠休曰：『謝詩如芙蓉出水，顏如錯采鏤金。』顏終身病之。

又評任昉詩云：

> 梁太常任昉。彥昇少年爲詩不工，故世稱沈詩任筆，昉深恨之。晚節愛好既篤，文亦遒變，善銓事理，拓體淵雅，得國士之風，故擢居中品。但昉既博物，動輒用事，所以詩不得奇。少年士子效其如此，弊矣。

綜覽前文，可知鍾氏乃自然主義(Naturalism)之提倡者，對於詩歌之創作，主張白描的『自然英旨』，而反對過分雕繪與動輒用典的『拘攣補衲』。

自鍾氏反對作詩用典之說出，在詩壇上引起極大震蕩，有表贊成者，有不以爲然者，纏訟千年，至今未已。茲分論之：

(1)主張用典者　持此說者，以王世懋、李沂爲代表。王氏《藝圃擷餘》：

> 今人作詩，必入故事。有持清虛之說者，謂盛唐詩即景造意，何嘗有此。是則然矣，然未盡古人之變也。兩漢以來，曹子建出，而始爲宏肆，多主情態，此一變也。自此作者多入史語。謝靈運出，而易辭莊語無所不爲用矣，又一變也。杜子美出，而百家稗官，都作雅言，馬勃牛溲，咸成鬱致，於是詩之變極矣。子美而後，而欲令人毀靚妝，張空拳，以當市肆萬人之觀，必不能也。然則古詩雖白描，自六朝間已多用典實，至唐而用事之風尤盛。居今日而言詩，專主清空一派，太羹玄酒，鮮不厭其寡味矣。

李氏《秋星閣詩話》：

讀書非爲詩也，而學詩不可不讀書。詩須識高，非讀書則識不高，詩須力厚，非讀書則力不厚，詩須學富，非讀書則學不富。昔人謂子美詩無一字無來處，由讀書多也。苟以精神用之於讀書，則識見日益高，力量日益厚，學問日益富，詩之神理乃日益出，詩之精采乃日益煥，何患不能樹幟於騷壇，蜚聲於後世乎。

王氏言詩由古體降至今體，有不能不以隸事爲修辭之一助者，確是事實。李氏則強調專門欲以詩名家者，須以學富爲佐，杜律隸事甚多，則得力於學富，而仍不愧爲古今第一高手，可見隸事與否，初無關於詩之價值。

(2)反對用典者　持此說者，以黃子雲、王國維爲代表。黃氏《野鴻詩的》：

自漢以迄中唐，詩家引用典故，多本之於經傳《史》、《漢》，事事灼然易曉。下逮溫李，力不能運清眞之氣，又度無以取勝，專搜漢魏諸祕書，括其事之冷寂而罕見者，不論其義之當與否，擒剝塡綴於詩中，以誇耀己之學問淵博，俗眼被其炫惑，皆爲之卷舌申眉，咄咄嗟賞，師承惟恐或後。二人志慮若此，又安用考厥平生，而後知其邪僻哉。

王氏《人間詞話》：

大家之作，其言情也必沁人心脾，其寫景也必豁人耳目，其辭脫口而出，無矯揉妝束之態，以其所見者眞，所知者深也。詩詞皆然。持此以衡古今之作者，可無大誤矣。人能於詩詞中不為美刺投贈之篇，不使隸事之句，不用粉飾之字，則於此道已過半矣。以〈長恨歌〉之壯采，而所隸之事，共小玉雙成四字，才有餘也。梅村歌行，則非隸事不辦。（原注：白居易〈長恨歌〉止有『轉教小玉報雙成』句為隸事，至吳偉業之〈圓圓曲〉則入手即用鼎湖事，以下隸事句不勝指數。）白吳優劣，即於此見。不獨作詩為然，塡詞家亦不可不知也。

黃氏謂故尋僻奧，自炫浩博者，必難免於點鬼簿之譏，是以善使故事，須如大匠斲輪，略無斧鑿痕跡。至王氏則堅決反對用典，乃純然自然主義之崇拜者。

(3)持調和之說者 吳曾祺、孫德謙均主調和二派之說。吳氏《涵芬樓文談》：

是故文之至者，問學不可不勤，見聞不可不廣，而至於字裏行間，卻不專以繁徵博引為此中之長技。自古能文之士，固有力破萬卷，博極群書，而下筆之時，乃不見有一字，此乃融化痕跡，而納之於神味之中，為文家之上乘。昔之論詩者，以羌無故實為貴，即文何獨不然。蓋作文之道，與數典異，數典之長，惟恐其不詳盡，苟一有不及，即不免譾陋之譏。行文者惟有所棄，而後能有所取，所取愈廣，則其所棄亦愈多，故精華既集，則糟粕自除，臭腐能蠲，則神奇益顯。若論諸體之中，惟有考據一門，不得不以援引舊聞為事，然其一篇佳處，亦全在斷制數語，古人所謂讀書得間者，此類是也。若不能尋間而入，則其所讀之書皆死書耳。

孫德謙《六朝麗指》：

《詩品》云：『昉既博物，動輒用事，是以詩不得奇。』然則彥昇之詩，失在貪用事，故不能有奇致。吾謂其文亦然，皆由於隸事太多耳。語曰：『文翻空而易奇』，以此言之，文章之妙，不在事事徵實。若事事徵實，易傷板滯。後之爲駢文者，每喜使事而不能行清空之氣，非善法六朝者也。

二君看法一致，均主張隸事不可太過，蓋深得鍾嶸之旨者也。

㈢斥 聲 病

自王融、謝朓、沈約諸子倡爲聲律之說，一時士流景慕，蔚然成風，而鍾氏則獨持異議，不爲所惑。其力抨永明聲律之非云：

昔曹劉殆文章之聖，陸謝爲體貳之才，銳精研思，千百年中，而不聞宮商之辨，四聲之論。或謂前達偶然不見，豈其然乎。嘗試言之：古曰詩頌，皆被之金竹，故非調五音，無以諧會。若『置酒高堂上』，『明月照高樓』，爲韻之首。故三祖之詞，文或不工，而韻入歌唱，此重音韻之義也，與世之言宮商異矣。今既不被管絃，亦何取於聲律耶。

謂前賢已重音律。蓋古者詩必入樂，故多協律，今既不被管絃，則無取聲韻。若必欲協律，首須去其拘束，返於自然。故又云：

齊有王元長者，嘗謂余云：『宮商與二儀俱生，自古詞人不知之，惟顏憲子乃云「律呂音調」，而其實大謬，惟見范曄謝莊頗識之耳。』嘗欲進〈知音論〉，未就。王元長創其首，謝朓沈約揚其波。三賢或貴公子孫，幼有文辯，於是士流景慕，務爲精密，襞積細微，專相陵架，故使文多拘忌，傷其眞美。余謂文製，本須諷讀，不可蹇礙，但令清濁通流，口吻調利，斯爲足矣。至平上去入，則余病未能，蜂腰鶴膝，閭里已具。

蓋人爲之聲律既行，則襞積細微，斲喪才性，且使文多拘忌，實增疵累。此乃上承范曄之自然聲律說，而非難沈約之人爲聲律說者也。

或曰，鍾氏微時，嘗求譽於沈約，被拒，其後遂挾嫌以報之。《南史・文學傳》云：

鍾嶸嘗求譽於沈約，約拒之。及約卒，嶸品古今詩爲評，言其優劣云：『觀休文衆製，五言最優。齊永明中，相王愛文，王元長等皆宗附約。於時謝朓未遒，江淹才盡，范雲名級又微，故稱獨步。故當辭密於范，意淺於江。』蓋追宿憾，以此報約也。

按《南史》喜採小說家言，所言未可盡信。惟《四庫提要》乃云：

史稱嶸嘗求譽於沈約，約弗爲獎借，故嶸怨之，列約中品。案約詩列之中品，未爲排抑。惟序中深詆聲律之學，謂蜂腰鶴膝，僕病未能，雙聲疊韻，里俗已具。是則攻擊約說，顯然可見，言亦不盡無因也。

則又言之鑿鑿，似眞有其事者，其或然歟。

(四)**薄玄風**　晉自永嘉以降，《莊》、《老》盛行，玄風彌漫，詩歌最受影響，幾成佛經中之偈語，所謂情韻，所謂滋味，皆已蕩然不復存在。鍾氏乃慨乎言之曰：

永嘉時，貴黃老，稍尚虛談。於時篇什，理過其辭，淡乎寡味。爰及江表，微波尚傳，孫綽許詢桓庾諸公，詩皆平典，似〈道德論〉，建安風力盡矣。先是，郭景純用儁上之才，變創其體，劉越石仗清剛之氣，贊成厥美。然彼眾我寡，未能動俗。又曰：

永嘉以來，清虛在俗，王武子輩詩，貴道家之言。爰洎江表，玄風尚備，眞長仲祖桓庾諸公猶相襲，世稱孫許彌善恬淡之詞。

風雅道喪，逌麗無聞，蓋未有甚於東晉者，宜乎鍾氏之薄之也。雖然，黃老乃自然主義者，鍾氏固提倡自然主義，似若自相矛盾，惟哲學上之自然主義，並非文學上之自然主義，二者截然有別。鍾氏菲薄黃老，並非黃老之自然哲學，而是菲薄因『貴黃老，尚虛談』所形成之『理過其辭，淡乎寡味』之玄言詩，此種玄言詩違反自然，非詩之正宗，其尤甚者，則直類野狐禪矣。

㈤重　情　思

前在詩歌起源論中，鍾氏以爲詩歌之產生，乃緣於人類情感遭受外物之刺激，此則其重情之一證。鍾氏鄙薄玄言詩，則以玄言詩無深情以絡之，此亦其重情之一證。鍾氏品詩但限五言，實以五言乃『指事造形，窮情寫物，最爲詳切者』，此又其重情之一證。鍾氏重情而外，又主張以思爲輔，惟情思交融之作，方能滋味醰醰，令人讚歎。評張華詩云：

晉司空張華。其源出於王粲。其體華豔，興託不奇，巧用文字，務爲妍冶。雖名高曩代，而疏亮之士，猶恨其兒女情多，風雲氣少。謝康樂云：『張公雖復千篇，猶一體耳。』今置之甲科疑弱，抑之中品恨少，在季孟之間矣。

所謂『兒女情多，風雲氣少』，嗤其有情無思，流爲姸冶，非上等傑構也。

㈥**貴比興**　詩之作法有三：曰賦，曰比，曰興。鍾氏論詩，輕賦而重比興，乃以比興之味深而賦之義直也。

故《詩》有六義焉，一曰興，二曰比，三曰賦。文已盡而意有餘，興也。因物喻志，比也。直書其事，寓言寫物，賦也。弘斯三義，酌而用之，幹之以風力，潤之以丹采，使味之者無極，聞之者動心，是詩之至也。若專用比興，則患在意深，意深則詞躓。若但用賦體，則患在意浮，意浮則文散。嬉成流移，文無止泊，有蕪漫之累矣。

按鄭衆《周禮・春官・大師》注：『比者，比方於物也。興者，託事於物也。』是知比興乃出於聯想，比者明喻，興者暗喻，皆間接表現情志或描寫事物之修辭法，與吾國重含蓄之民族性正相契合，故爲鍾氏所推重。

(二)品第詩人

《詩品》品第詩人，雖未標明體例，然細繙全書，固隱然可見，歸納之約得五端：

㈠**祇限五言**　《詩經》爲詩之濫觴，其文句二言至八言皆備，而以四言爲獨多，故謂先秦爲四言詩之時代可也。迤及梁代，雖四言、五言、六言、七言、三七雜言、五七雜言、三五七雜言、不定雜言等紛然並陳，語其主流，則非五言體莫屬，蓋四言已告式微，七言猶未成熟，自餘各體不過聊備一格而已。故《詩品》所錄，祇限五言。鍾氏述其理由云：

> 夫四言文約意廣，取效〈風〉〈騷〉，便可多得，每苦文繁而意少，故世罕習焉。五言居文辭之要，是衆作之有滋味者也，故云會於流俗，豈不以指事造形，窮情寫物，最爲詳切者耶。

此處明白指出四言詩之缺點有三：

(1)四言文約意廣，祇須仿效〈國風〉〈離騷〉，便可從事創作。

(2)四言太促，甚難達意，往往不能免於文繁意少之弊。

(3)四言習之者不多，未能形成一派。

而五言詩則自漢魏以來，風行已久，爲衆作之最有滋味者，且其本身所具備之藝術性優於四言，無論鑑賞批評，均極便利。又云：

> 陳思贈弟，仲宣〈七哀〉，公幹思友，阮籍〈詠懷〉，子卿雙鳧，叔夜雙鸞，茂先寒夕，平叔衣單，安仁倦暑，景陽苦雨，靈運〈鄴中〉，士衡〈擬古〉，越石感亂，景純詠仙，王微風月，謝客山泉，叔源離宴，鮑照戍邊，太沖〈詠史〉，顏延入洛，陶公〈詠貧〉之製，惠連〈擣衣〉之作，斯皆五言之警策者也。所以謂篇章之珠澤，文采之鄧林。

此則暗示世之才士，難兼衆美，雖鄧林魁父，亦但工其一體耳。即以曹氏父子而論，曹操以一代霸才，爲詩則但工四言，五言非其所長，故鍾氏置之於下品。曹植負繡虎之譽，亦僅以五言名世，四言如〈責躬〉〈應詔〉等篇，則遠在乃翁之下。此蓋才有所偏，非詩體之不可孳乳也。曹安云：『東坡詞如詩，少游詩如詞。』（《謏言長語》）陳師道云：『詩文各有體，韓以文爲詩，杜以詩爲文，故不工耳。』（《後山詩話》）斯言諒矣。

㈡不錄存者 自今存典籍觀之，不錄存者之例，以評詩言，實昉於鍾氏《詩品》，以選文言，則昉於蕭氏《文選》，後來文家，大都準此。鍾氏云：

其人既往，其文克定，今所寓言，不錄存者。

蓋論人品藝，必俟蓋棺而後能定，亦可免於互相標榜之嫌。

㈢三品升降 班固撰九品論人之表，陳群定九品官人之法，皆不免於機械瑣細之譏。沈約亦有裁量工拙之言，其《宋書・謝靈運傳論》云：

若夫敷衽論心，商榷前藻，工拙之數，如有可言。

惟僅止於筆談而已，並未作高下之品第。其以銳利之眼光，綜覽千載之詩什，嚴分三品，無稍寬假者，鍾氏實爲第一人焉。

嶸今所錄，止乎五言。雖然，網羅今古，詞文殆集，輕欲辨彰清濁，掎摭病利，凡百二十人。預此宗流者，便稱才子。至斯三品升降，差非定制，方申變裁，請寄知者耳。

按鍾氏所品第者，凡一百二十二人（或作一百二十三人，序言『凡百二十人』者，舉其成數也。），計上品十一人，中品三十九人，下品七十二人。今依次將其姓名、淵源、代表作品列表於後：

《詩品》品第詩人總表

品第	時代	作者姓名	字號	淵源	代表作品
上品（11人）	漢	古詩	佚名	國風	古詩十九首・兩漢衆多無名氏所作之五言詩
		李陵	少卿	楚辭	與蘇武三首
		班姬		李陵	怨歌行
	魏	曹植	子建	國風	七哀詩・贈白馬王彪・雜詩
		劉楨	公幹	古詩	公讌・雜詩・贈從弟
	晉	王粲	仲宣	李陵	詠史・七哀詩
		阮籍	嗣宗	小雅	詠懷八十二首
		陸機	士衡	曹植	招隱・擬古・爲顧彥先贈婦
		潘岳	安仁	王粲	悼亡・河陽縣作・在懷縣作
		張協	景陽	王粲	詠史・雜詩
		左思	太沖	劉楨	詠史・招隱
	宋	謝靈運	客兒	曹植	晚出西堂・登池上樓・擬魏太子鄴中集

中品（39人）

漢	秦嘉	士會		留郡贈婦
	徐淑			答秦嘉
魏	曹丕	子桓	李陵	雜詩
	何晏	平叔		擬古
	應璩	休璉	曹丕	百一詩
晉	嵇康	叔夜	曹丕	幽憤・酒會
	張華	茂先	王粲	答何劭・情詩・雜詩
	孫楚	子荆	王粲	征西官屬送於陟陽侯作
	王讚	正長		雜詩
	張翰	季鷹		雜詩
	潘尼	正叔		迎大駕
	陸雲	士龍		爲顧彥先贈婦・答兄機
	石崇	季倫		王明君辭
	曹攄	顏遠		感舊
	何劭	敬祖		贈張華・雜詩・遊仙
	劉琨	越石	王粲	重贈盧諶・扶風歌

	盧諶	子諒	王粲	答魏子悌・詩興・覽古
	郭璞	景純	潘岳	遊仙
	袁宏	彥伯		詠史
	郭泰機			答傅咸・乞食・移居
	顧愷之	長康		拜桓武墓
宋	謝世基			詩佚
	顧邁			詩佚
	戴凱			詩佚
	陶潛	淵明	應璩	歸園田居・飲酒・擬古・雜詩
	顏延之	延年	陸機	五君詠・北使洛・秋胡行
	謝瞻	宣遠	張華	答靈運・九月從宋公戲馬臺集送孔令
	謝混	叔源	張華	遊西池
	袁淑	陽源	張華	傚古
	王微	景玄	張華	雜詩
	王僧達		張華	答顏延年・和琅邪王仿古
	謝惠連			秋懷・擣衣
	鮑照	明遠	張華・張協	詠史・還里道中作

下品（72人）

朝代	姓名	字	附	作品
齊	謝朓	玄暉	謝混	新亭渚別范零陵・晚登三山還望京邑
梁	江淹	文通	王微・謝朓	望荊山・雜體詩
	范雲	彥龍		有所思・別詩・贈張徐州謖
	丘遲	希範		旦發漁浦潭
	任昉	彥昇		出郡傳舍獻范僕射
	沈約	休文		宿東園・早發定山
漢	班固	孟堅		詠史
	酈炎	文勝		見志
	趙壹	元叔		疾邪
魏	曹操	孟德		苦寒行・卻東西門行
	曹叡	元仲		長歌行・種瓜篇
	曹彪	朱虎		詩佚
	徐幹	偉長		室思・雜詩
	阮瑀	元瑜		駕出北郭門行
晉	歐陽建	堅石		臨終
	應璩			
	嵇含	君道		悅晴

	阮侃	德如		答嵇康
	嵇紹	延祖		贈石季倫
	棗據	道彥		雜詩
	張載	孟陽		七哀
	傅玄	休奕		雜詩・明月篇
	傅咸	長虞		贈何劭王濟
	繆襲	熙伯		挽歌
	夏侯湛	孝若		詩佚
	王濟	武子		詩佚
	杜預	元凱		詩佚
	孫綽	興公		秋日
	許詢	玄度		竹扇
	戴逵	安道		詩佚
	殷仲文	仲文		南州桓公九井作
宋	傅亮	季友		奉迎大駕道路賦詩
	何長瑜			詩佚
	羊璿之	季友		詩佚

	范曄	蔚宗		樂遊應詔
	劉駿	休龍		登覆舟山
	劉鑠	休文		白紵曲・擬行行重行行
	劉宏	休度		詩佚
	謝莊	希逸		遊豫章西觀洪崖井・北宅祕圖
	蘇寶生			詩佚
	陵修之			詩佚
	任曇緒			詩佚
	戴法興			詩佚
	區惠恭			雙枕
齊	惠休上人			怨詩行
	道猷上人			陵峰採藥觸興爲詩
	釋寶月			估客樂
	蕭道成	紹伯		群鶴詠
	張永	景雲		詩佚
	王儉	仲寶		春日家園
	謝超宗		顏延之	詩佚

丘靈鞠		顏延之	詩佚
劉祥	顯徵	顏延之	詩佚
檀超	悅祖	顏延之	詩佚
鍾憲		顏延之	詩佚
顏則		顏延之	詩佚
顧則心		顏延之	詩佚
毛伯成			詩佚
吳邁遠			飛來雙白鵠・古意贈今人・長相思
許瑤之			詠楠榴枕
鮑令暉			擬客從遠方來・題書後寄行人
韓蘭英			詩佚
張融	思光		別詩
孔稚珪	德璋		遊太平山・白馬篇
王融	元長		寒晚敬和何徵君點
劉繪	士章		有所思
江祏	弘業		詩佚
王晐	簡棲		詩佚

	卞彬	士蔚		詩佚
	卞錄			詩佚
	袁嘏			詩佚
	張欣泰	義亨		詩佚
梁	范縝	子眞		詩佚
	陸厥	韓卿		奉答內兄希叔
	虞羲	士光		詠霍將軍北伐
	江洪			詠荷
	鮑行卿			詩佚
	孫察			詩佚

鍾氏品詩之標準尺度有三，茲申而明之：

①以五言詩爲限，五言以外各體，縱有名章美製，亦悉加屏除，絕不寬假。故曹操以四言詩高視六代，但仍屈居下科。

②以自然爲原則，以雅正爲極致。李陵班姬慨歎身世，其詩悉以血淚凝成者，合於自然主義之原則，故均置之上品。曹植劉楨陸機左思謝靈運擅源〈國風〉，稟承溫柔敦厚之教，爲

詩之正統，故亦均列於上品。蓋自然爲雅正之原則，雅正乃自然之極致，鍾氏既崇尚自然，故其論詩以雅正爲主，亦勢所必然也。（本段採吾師成惕軒先生之説）

③以文質兼備爲美，以情韻深長爲上。曹植詩『骨氣奇高，詞采華茂，情兼雅怨，體被文質。』張協詩『詞采蔥蒨，音韻鏗鏘，使人味之，亹亹不倦。』二家詩均合於此一標準，故高居上科，餘若王粲阮籍潘岳三賢之作，亦罔不如是。

品詩之尺度既明，然後反觀前表升降詩人之次第，其淵識孤懷，自能全了。否則必致橫生枝節，深滋誤會也。如王世貞《藝苑卮言》云：

吾覽鍾記室《詩品》，折衷情文，裁量事代，可謂允矣，詞亦奕奕發之。第所推源出於何者，恐未盡然。邁凱昉約，濫居中品，至魏文不列乎上，曹公屈第乎下，尤爲不公，少損連城之價。

閔文振《蘭莊詩話》云：

鍾嶸品陶潛詩：『文體省淨，殆無長語，篤意眞古，辭興婉愜，古今隱逸詩人之宗也。』可謂知言矣，而寘之中品。其上品十一人，如王粲阮籍輩，顧右於潛耶。論者謂嶸洞悉元理，曲臻雅致，標揚極界，以示法程，自唐而上莫及也。吾獨惑於處潛焉。

王士禎《漁洋詩話》云：

鍾嶸《詩品》，余少時深喜之，今始知其踳謬不少。嶸以三品銓敍作者，自譬諸九品論人，七略裁士，乃以劉楨與陳思並稱，以爲文章之聖。夫楨之視植，豈但斥鷃之與鯤鵬耶。又置曹孟德下品，而楨與王粲反居上品。他如上品之陸機潘岳，宜在中品。中品之劉琨、郭璞、陶潛、鮑照、謝朓、江淹，下品之魏武，宜在上品。下品之徐幹、謝莊、王融、帛道猷、湯惠休，宜在中品。而位置顚錯，黑白淆譌，千秋定論，謂之何哉。建安諸子，偉長實勝公幹，而嶸譏其『以莛扣鐘』，乖反彌甚。至以陶潛出于應璩，郭璞出于潘岳，鮑照出于二張，尤陋矣，又不足深辨也。

可謂衆口喧騰，群目震駭，必欲翻千古之案而後快者然，此皆不能詳究其品詩尺度有以致之，甚矣哉解人之難索也。夫嚴定等倫，敢於自任，乃負責之表現，遠非彼鄉愿批評家所能及，文學創作所以能日新其業者，非賴此種批評精神之弘揚耶。今特舉爭論最多之陶潛爲例，以進窺鍾氏之用心所在。

鍾氏之於陶潛，景仰備至。其評語云：

宋徵士陶潛。其源出於應璩，又協左思風力。文體省淨，殆無長語，篤意眞古，辭興婉愜，每觀其文，想其人德，世嘆其質直。至如『歡言酌春酒』，『日暮天無雲』，風華清靡，豈直爲田家語耶。古今隱逸詩人之宗也。

推許至此，寧能復加。雖然，景仰爲一事，評詩又爲一事，不宜混爲一談。西諺云：『吾愛吾師，吾更愛眞理。』『吾愛吾師』爲感情之作用，『吾更愛眞理』則爲理智之萌發。鍾氏深知感情背後之理智恆爲最高文學創作之隱括，故評陶詩，完全訴諸理智，而不訴諸感情。中外第一流文學批評家，無不如是，不獨鍾氏也。鍾氏所以置陶詩於中品者，殆有三故，請言其詳：

(1)鍾氏生丁唯美文學全盛之日，耳之所濡，目之所接，無一而非唯美之作，時日既久，遂不免爲之移氣移體。故其品鑑詩藝，雖以自然主義爲核心，畢竟仍受時代限制，不能完全跳出唯美文學之範疇。陶公之作，與唯美條件相去懸絕，自難見重於充滿唯美思想之文學批評家。

(2)鍾氏品鑑標準，固兼重文質，惟當二者均達一定水準時，則以詞華絢爛爲優。（此亦六朝文評家之持論標準）陶詩中風華清靡如『歡言酌春酒』、『日暮天無雲』之句，究居少數，其餘自不免爲田家語，是其關鍵又在質木無文。夫以田家語入詩，在唐宋人眼中，自具甚高價値。（唐詩有『田園』一派與其他各派分庭而抗）第六朝人門閥觀念既重，文柄又操在世族手中，以一曾任短期縣令，旋即歸耕於廬山下之農夫，既無地位，而其作風沖淡閒遠，復與時尙相違，如此而欲邀貴族文人之一盼，確非易易。故北齊陽休之評其『詞采未優』，言外之意，或以素朴太過爲病。而劉勰撰《文心》，抑揚詩人，無慮百數，亦竟無片詞隻字相及。蕭統序其集曰：

其文章不群，詞采精拔，跌蕩昭章，獨起衆類，抑揚爽朗，莫之與京。橫素波而傍流，干青雲而直上。語時事則指而可想，論懷抱則曠而且眞。加以貞志不休，安道苦節，不以躬耕爲恥，不以無財爲病，自非大賢篤志，與道汙隆，孰能如此者乎。余愛嗜其文，不能釋手，尚想其德，恨不同時，故更加搜求，粗爲區目。（〈陶淵明集序〉）

雖備致敬慕之忱，然《文選》所錄陶作，僅及九首，持較王粲之十四首，曹植之三十九首，阮籍之十九首，潘岳之二十二首，陸機之百餘首，左思之十五首，謝靈運之四十三首（以上均《詩品》列於上科者），相去誠不可以道里計矣。駱鴻凱《文選學》云：

《楚辭》別有專集，故《選》僅拔取其尤。鮑謝採錄不遺，淵明猶有未備，此自爾時士論趨嚮如此。所以記室評詩，淵明夷之中品，而隱侯《宋書・謝靈運傳論》暢言文變，亦獨遺淵明而弗及也。（〈義例〉第二）

綜觀衆說，陶公之被列中品，確爲一時風會所限，未爲排抑也。

(3)對南朝詩藝著藍篳啓疆之功，具有極大之影響力者，爲曹植陸機謝靈運三人。陶公於此曾無貢獻，且反其道而行之，其不爲齊梁人所喜也必矣。設鍾氏位陶公於上科，使與曹陸謝三君比肩，則其將何以自解，又將何以杜悠悠之口。

總上所述，陶公以田園爲詩材，去平典之作未遠，律以齊梁人之鑑賞標準，其不降爲下品，與曹操爲伍，已屬幸事。故鍾氏置之中品，且譽爲古今隱逸詩人之宗，誠多之也。後人囿於成見，昧於凡例，而又未能體會鍾氏所處之時代環境，徒爲是丹非素之論，不亦可以已乎。

㈣**追溯源流**　鍾氏品詩，動曰某源出某，某憲章某，某祖襲某，皆揣其聲辭而批判之結論，因歸納爲〈國風〉、〈小雅〉、《楚辭》三派，其振葉尋根、觀海索源之苦心，灼然可見。今總其大較而表列之。

《詩品》五言詩作家源流表

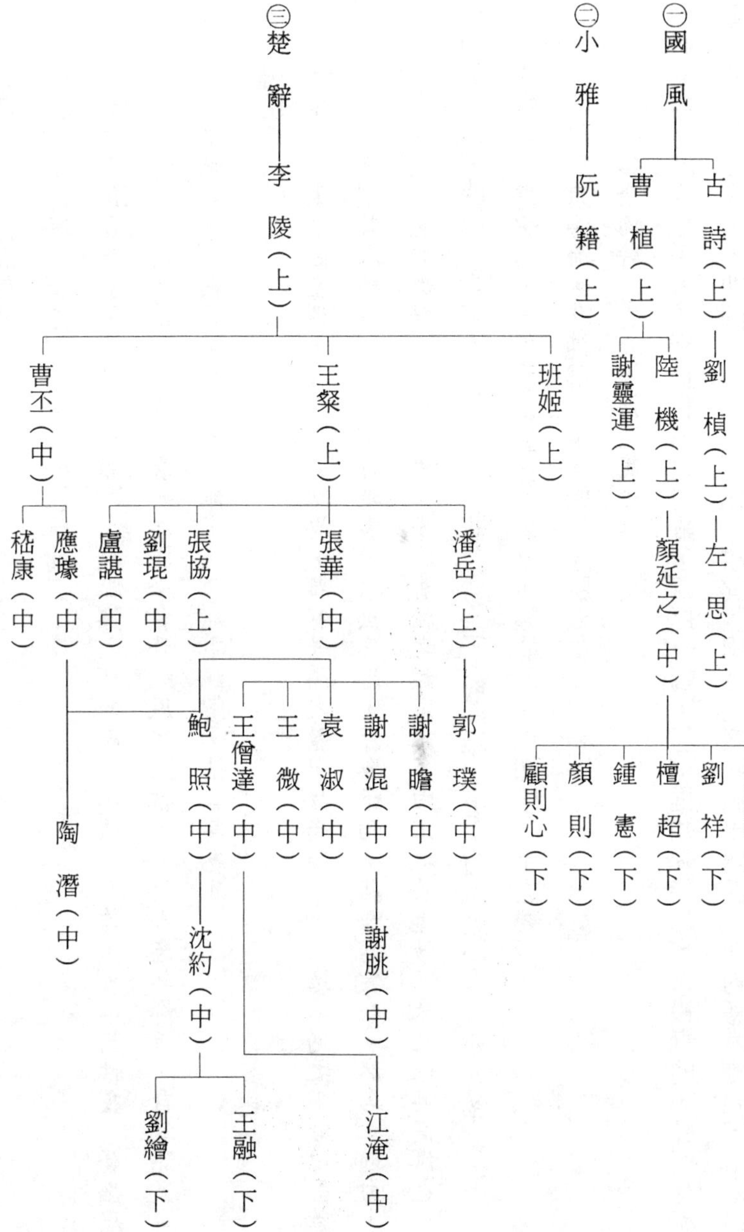
㈠國風
古詩（上）
劉楨（上）
左思（上）
曹植（上）
陸機（上）
顏延之（中）
謝超宗（下）
丘靈鞠（下）
劉祥（下）
檀超（下）
鍾憲（下）
顏則（下）
顧則心（下）
謝靈運（上）
㈡小雅
阮籍（上）
㈢楚辭
李陵（上）
班姬（上）
王粲（上）
潘岳（上）
郭璞（中）
張華（中）
謝瞻（中）
謝混（中）
袁淑（中）
王微（中）
王僧達（中）
謝朓（中）
江淹（中）
張協（上）
鮑照（中）
沈約（中）
王融（下）
劉繪（下）
劉琨（中）
盧諶（中）
曹丕（中）
應璩（中）
嵇康（中）
陶潛（中）

細觀此表，其可得而言者凡三：

(1)強調上品詩人皆淵源有自。如論阮籍云：

晉步兵阮籍，其源出於〈小雅〉，無雕蟲之巧。而〈詠懷〉之作，可以陶性靈，發幽思，言在耳目之內，情寄八荒之表，洋洋乎會於〈風〉〈雅〉，使人忘其鄙近，自致遠大，頗多感慨之詞。厥旨淵放，歸趣難求。顏延年注解，怯言其志。

論謝靈運云：

宋臨川太守謝靈運，其源出於陳思，雜有景陽之體，故尚巧似，而逸蕩過之，頗以繁蕪為累。嶸謂若人興多才高，寓目輒書，內無乏思，外無遺物，其繁富宜哉。然名章迥句，處處間起，麗典新聲，絡繹奔會。譬猶青松之拔灌木，白玉之映塵沙，未足貶其高潔也。

而中品詩人率能取法乎上，下品詩人亦能取法乎中。取法乎上者，得乎其中（但亦有得乎其上者），取法乎中者，得乎其下（但亦有得乎其中者），頗能示人以初學入手之要領。

(2)所論三宗源流，非純為臆說。如品謝朓云：

朓極與余論詩，感激頓挫過其文。

謝朓為當時詩人之秀者，鍾氏嘗與之討論，即此一端，已可推知《詩品》未殺青前，必與時流鄭重商権，然後定案，非師心自用者可比。故其論同時之謝朓源出謝混，沈約憲章鮑照，下彬追慕袁宏，當可採信。又論郭泰機等有云：

晉處士郭泰機，晉常侍顧愷之，宋謝世基，宋參軍顧邁，宋參軍戴凱。泰機寒女之製，孤怨宜恨，長康能以二韻答四首之美，世基橫海，顧邁鴻飛，戴凱人實貧羸，而才章富健。觀此五子，文雖不多，氣調警拔。吾許其進，則鮑照江淹未足逮止。越居中品，僉曰宜哉。

其謹愼將事，廣徵衆議，又可於此見之。一臠既嘗，鼎味立知，特其所根據者吾人不能詳悉耳。

(3)既明白標示五言詩淵源於《詩經》與《楚辭》，又一一敘述其流派，此種先河後海之作法，不啻爲後進指出一條明確的學詩途徑，使人人得以就其性之所近，師其一派，攻讀其詩，終身用之，有不能盡。是則鍾氏所以沾溉文苑藝圃者，又不僅品詩一端而已矣。

※　　※　　※　　※

天下之事，固無絕對之美，亦無絕對之惡，鍾氏綆汲八代，獨抒孤懷，爲吾國文學批評界樹立典範，雖意未全愜，而藍篳維艱，勢難盡善，後人毀譽交加，乃必然之事也。譽之者曰：

㈠古人論詩，研究體源，鍾記室謂李陵出于《楚辭》，陳王出于〈國風〉，劉楨出于古詩，王粲出于李陵，莫不應若宮商，辨同蒼素。（錢謙益〈與遵王書〉）

㈡《詩品》之於論詩，視《文心雕龍》之於論文，皆專門名家勒爲成書之初祖也。《文心》體大而慮周，《詩品》思深而意遠，蓋《文心》籠罩群言，而《詩品》深從六藝溯流別也。（原注：如云某人之詩，其源出於某家之類，最爲有本之學，其法出於劉向父子。）論詩論

文而知溯流別，則可以探源經籍，而進窺天地之純，古人之大體矣。此意非後世詩話家流所能喻也。（《文史通義・詩話篇》）

㈢鍾嶸《詩品》謂淵明詩其源出於應璩，又協左思風力，葉少蘊嘗辨之矣。愚按太沖詩渾樸，與靖節略相類；又太沖常用魚、虞二韻，靖節亦常用之，其聲氣又相類。應璩有〈百一詩〉，亦用此韻，中有云：『前者隳官去，有人適我閭。田家無所有，酌酒焚枯魚。』又〈三叟詩〉簡樸無文，中具問答，亦與靖節口語相近，嶸蓋得之於驪黃間耳。（許學夷《詩源辨體》）

其言皆深有見地，不可誣也。至毀之者則曰：

㈠魏晉間人詩，大抵專工一體，如侍宴、從軍之類。故後來相與祖習者，亦但因其所長取之耳，謝靈運〈擬鄴中七子〉與江淹〈雜擬〉是也。梁鍾嶸作《詩品》，皆云某人詩出於某人，亦以此。然論陶淵明乃以爲出於應璩，此語不知其所據。應璩詩不多見，惟《文選》載其〈百一詩〉一篇，所謂『下流不可處，君子愼厥初』者，與陶詩了不相類。五臣注引〈文章錄〉云：『曹爽用事，多違法度，璩作此詩，以刺在位，意若百分有補於一者。』淵明正以脫略世故，超然物外爲意，顧區區在位者，何足累其心哉。且此老何嘗有意欲以詩自名，而追取一人而模放之，此乃當時文士與世進取競進而爭長者所爲，何期此老之淺，蓋嶸之陋也。（葉夢得《石林詩話》）

㈡茂先詩，《詩品》謂其『兒女情多，風雲氣少』，此亦不盡然。總之筆力不高，少凌空矯捷之致。安仁詩品，又在士衡之下。鍾嶸評左詩，謂『野於陸機，而深於潘岳』，此不知太沖者也。太沖胸次高曠，而筆力又復雄邁，陶冶漢魏，自製偉詞，故是一代作手，豈潘陸輩所能比埒。郭璞〈游仙詩〉本有託而言，坎壈詠懷，其本旨也。鍾嶸貶其少列仙之趣，謬矣。陶淵明以名臣之後，際易代之時，欲言難言，時時寄託，不獨〈詠荊軻〉一章也。六朝第一流人物，其詩有不獨步千古者耶。鍾嶸謂其源出於應璩，成何議論。（沈德潛《古詩源》）

夫詩人身價非一成不變者，往往伴隨時代風尚而升降焉。唐宋以還，自然主義日盛，陶公地位自亦驟高，葉沈二君所抨擊者，大要不出於迴護陶公，使其陵駕六朝之上而已。平情而論，《詩品》一書，究未盡美盡善，其待後世修正改造者尚多。雖然，當鍾氏之時，而有鍾氏之作，終不可謂非卓犖不群之士也。

（原載民國七十年三月台北《中華詩學》）

略論成惕軒先生之駢文（一九八一）

清社既屋，民國肇建，風雅之道，無遜勝朝，七十年來，工為儷體者，蔚有其人。其已殂謝者，有李詳、樊增祥、饒漢祥、黃侃、易順鼎、黃孝紓、陳含光等二十餘人。大陸地區，以海峽阻隔，音訊不通，無得而詳焉。而現猶在臺者，有業師潘重規、高明、成惕軒、謝鴻軒諸先生，及李猷、嚴雲鶴、曾霽虹、張之淦、劉孝推、婁良樂、陳松雄、馬芳耀、黃茂雲、張仁青等十餘人。或希風前修，備具衆善，或擺脫町畦，自名一家。雖殊途揚鑣，風貌各異，要其取材立意，琢句裁章，則皆超軼流俗，富美日新，使駢文一道，不致作〈廣陵〉之絕，亦云幸矣。

惟在此衆多名家中，或以遺文難覓，遂付闕如，或以專集未刊，無從採掇，或以殘簡零篇，難窺全豹，因特取成惕軒先生一人之作品而論述之。且其作品亦有可得而言者：**作品多**（按先生平生所作已逾三百篇）**而且美，一也。備具前賢之所長，二也。自成一家之風貌，三也。富有時代之精神，四也**。擅此四善，集其大成，骳骳六合，自足題名，固無煩余之喋喋也。博雅君子見之，得無哂其阿私所好也乎。

惕軒先生字康廬，號楚望，湖北陽新縣人。天性精敏，才思橫逸，自少於時俗好尚，一不屑意，而刻苦銳進於學，慨然有以文章經國之意。弱冠負笈武昌，從羅田大儒王葆心氏遊，益復肆力群經，殫精百氏。民國二十年，湖南湖北等省洪水泛濫成災，哀鴻遍地，因作〈愁霖賦〉以悲之，儒林老宿，爭相推重，而有後賢之畏焉。抗日軍興，旅居重慶，口誅奸回，筆伐強寇，時論多之。其後歷任總統府參事，正陽法學院、政治大學、臺灣師範大學、中國文化大學、中央大學教授，從游學者極衆，率卓然有所樹立。四十九年就任考試院考試委員，以迄於今。生平著作極多，計有《汲古新議》、《考銓叢論》、《駢文選注》、《楚望樓詩》、《藏山閣詩》、《楚望樓駢體文》等行於世。

先生襟抱恢宏，性情肫摯，提攜後進，不遺餘力，士有一藝可取，一長足采，無不獎飾有加，爲之延譽。嘗撰〈憐才好善篇〉，頗致慨於世風之澆薄，而思有以變易之。錄其詞如下：

僕自趨庭問學。粗聞大義。雅慕前修。輒榜聯語於居室曰。范希文任天下憂樂。馬少游稱鄉里善人。蓋推成己成物之言。用抒獨善兼善之志焉。

洎歷修塗。罕逢樂歲。王仲宣之行役。荊楚風塵。庾子山之生平。江關詩賦。名場涸跡。世網攖懷。借馬無人。禮疏於縞紵。飲羊有術。利競於錙銖。嗟古道之寖亡。問橫流其安居。他勿具論。即如鵷序曾親。雞窗夙契。衣冠之所遊處。壇坫之所唱酬。大抵翻手作雲。轉眼下石。動滋訕謗。橫肆觝排。鮮有以憐才好善爲念者。蛾眉見嫉。比於尹邢。蝸角交鬨。直逾蠻觸。非惟儒效弗彰之害。實亦世風日下之憂。

夫胞與民物。綱紀天人。策名清時。潤色鴻業。上輝趙衰之愛日。下沛傅說之甘霖。廣化育於陶甄。盛招延於吐握。藥籠深貯。藻鑑澄懸。萬流仰若斗山。四海想其風采。是誠丈夫得志之所爲也。

儻驥足靡騁。鵬圖莫伸。則退擁絃歌。隱操風教。峙中流之柱。葆歲寒之姿。坊表群倫。護持善類。友德星於塵外。播書種於焚餘。抑其次焉。

嘗觀往史所載。如退之之在中唐。永叔之在北宋。皆以碩學閎識。度越眾流。景星慶雲。照耀一代。而其愛才若渴。說士能甘。收瑰奇於巖穴之中。振滯屈於繩樞之下。往往吹噓有賴。曲借齒牙。稱薦爲勞。不避寒暑。序貽東野。俾諸子以其善鳴。策射東坡。讓斯人出一頭地。流風所被。遂能陶鑄一時之雄豪。昌明當日之治化。先正遺軌。百世可師。平生瓣香。二公爲最。及覽韓魏公故事。或謂魏公有相業。無文章。公言琦相而用歐陽修爲學士。天下文章。孰大於琦。富哉言乎。至公無我。益使不佞掩卷生敬。慨然想見其爲人。常以斯風。望之今日。幸者賢其一遇。竟寥寂以無聞。

昔胡震亨有云。詩道須前後輩相推引。李杜兩大家。不曾成就一後進。無以稱多士龍門。其說雖稍近偏激。要之才宜互借。學貴相師。莫爲之前。雖美不彰。莫爲之後。雖盛不傳。凡百皆然。又豈僅詩道而已哉。自維樗散。頗識材難。雖輸內翰之能文。竊慕昌黎之薦士。二十年來。身忝試官。分當掄舉。故於憐才好善一事。尤所兢兢。每當闈棘初張。

榜花待放。焚香默告。冀毋負於穹蒼。落卷搜看。懼偶失乎寒素。良以山多玉韞。海易珠遺。葉底啁啾。何處不聞窮鳥。雲端隱現。此中或遘眞龍。但令杞梓呈材。珊瑚入網。不迷五色之目。無積後來之薪。則致用差得其人。成功奚必自我。

至若敬禮髦彥。獎進孤微。發自寸衷。殆緣天性。或聞聲致慕。遠貽雙鯉之書。或傾蓋言歡。便訂隻雞之約。士有一長足采。一藝稱工。未嘗不拂拭蛇珠。摩挲駿骨。託深情於賞析。極片語之抽揚。

蓋嘗思之。白眼看人。終乖雅尚。赤心推我。迺見精誠。溫厚無邪。風詩早炳夫彝訓。涓埃不棄。江海始呈其大觀。果能恢廓襟靈。覃宣雨化。破除畦畛。弘衍薪傳。則邦步雖艱。士心無死。燈燈以之續照。葉葉以之承華。世運資人師爲轉移。典章與道術相融攝。而品物咸亨之理。乾坤不息之機。將於是乎在。伏生篤老。還傳博士之經。亭林遺教。載作匹夫之氣。斯固其明徵已。然則憐才好善之念。發之幾微。形諸踐履。其有裨於人紀國命者。詎不重哉。

區區茲意。時以語人。人或未之省也。今特爲我及門諸子言之。遙矢心期。並資勗勵。嗟夫。世正需才。人須寶善。雞鳴風雨。願君著祖逖之鞭。龍臥塵沙。何地乏豐城之劍。

其愛才若渴之情，恂恂長者之風，一一躍現紙上。庾徐健筆，振麗藻於一朝，李杜鴻篇，揚芳聲於百代，善惟止乎其身，澤靡被乎後進，持較今日，其氣象迥不侔矣。

自中原鼎沸，樞府南遷，吟詠之士，項背相望，擊節唱酬之風，蓋視前此為加盛焉。然求其笙簧六藝，馳騄百家，拳拳忠愛，每飯不忘，喬木故國之思，時時流露於筆硯間者，則非李漁叔先生與成惕軒先生莫屬。先生今古諸體，不下千首，大率緝裁巧密，風調清新，其旨溫以厚，其音和以雅，其辭麗以則，格律本乎四傑，而情韻為深，敍述類乎香山，而風華為勝，是豈僅妙筆之生花，蓋亦其蘊積之獨厚歟。

至駢文風格，則一如其詩，五十年間，所作逾三百首，其文備具衆體，無所不宜，探之而益深，索之而益遠，如三辰五星，森麗天漢，昭昭乎可觀而不可窮。或如泰華喬嶽，蓄泄雲雨，巖巖乎莫測其巔際。又如九江百川，波瀾蕩潏，淵淵乎不見其涯涘。人徒見其英華外發之盛，而不知其本固有在也。所謂蘊之為德行，行之為事業，發之為文章者，殆可於此見之。今略錄一二首，以為鼎臠之嘗焉。

還都頌（一九四六）

倭虜既降之明年。區宇乂寧。眾庶悅豫。上歌下舞。蹈德詠仁。日暖朱旗。拂鳴騶於道左。春融碧野。長芳草於江南。維時國民政府主席蔣公將自巴渝。言旋京闕。於是都人士女。相與摛辭讚事。以虔致其思慕之忱曰。

在昔風塵江左。召五馬以南來。鞞鼓漁陽。動六龍之西幸。患遺赤縣。庇失蒼生。固無論矣。若夫遷都改邑。盤庚以之中興。避狄居邠。太王因而創業。然或詢謀於災祲之後。遵養於屯晦之時。僅致阜康。未張撻伐。雖漢昌火德。北靖匈奴。唐振天聲。西平突厥。要亦力窮邊徼。事局方隅。從未聞盪滌妖氛。奮揚武烈。重光禹甸。盡剪胡雛。有如今日之盛者。此蓋由我主席識洞幾微。憂深宵旰。即戎之教。早漸於七年。軍實之儲。預討於平日。外修信睦。馳九譯之狄鞮。內飭綱維。肅三章於象魏。用是天人合應。遐邇通情。星拱北辰。馬來西極。奮熊羆之多士。殪蛇豕於中原。合彼蒼兕之軍。還我黃龍之府。勝殘去殺。除舊布新。開萬世之太平。爲生民所未有。

夫地靈人傑。美相得而益彰。地利人和。功庶幾其克奏。欲建非常之事業。必資雄秀之山川。故楚以漢水爲池。趙有井陘之隘。丸泥函谷。一夫便足當關。天塹長江。千騎不容飛渡。守國之要。於史可徵。況乃變起強鄰。毒痡上國。遼海迷歸來之鶴。津橋咽淒厲之鵑。鐵鎖已沈。金甌待補。有不建瓴設備。經野制宜。而能茂育群生。恢復疆宇者哉。

方倭虜之犯我燕薊也。户庭洞開。強弱異勢。兇鋒所及。樂土爲焦。北門之鎖鑰既隳。南國亦烽煙告警。於時三光斂曜。八表同昏。龍虎失其踞盤。犬羊據爲窟宅。滄海幻桑生之劫。故墟聞〈麥秀〉之歌。天步方艱。人心滋懼。主席淵謨默運。燭照無遺。知雍梁關繫國族之安危。巴蜀又爲雍梁之根本。乃眷西顧。作我上都。以重慶爲戰時首府。渙汗大號。光照四方。扼重江之上游。控沃野者千里。於是繕城郭。謹關津。廣市廛。闢塗術。

恢其舊制。煥若新邦。百堵具興。四門載穆。篳路藍縷。極締造之艱難。茅茨土階。返華奢爲淳樸。務商君之農戰。作晉國之州兵。所貴惟賢。所寶惟穀。取之以道。用之以時。德音播於管絃。膏澤洽乎黎庶。赫然一怒。張我六師。莅葵丘以主盟。儆棘門之兒戲。旌旗耀日。鼓角鳴秋。重瀛急汗馬之趨。列陣互搏蛇之勢。窮追逋寇。生縛降王。復九世之國仇。高揚漢幟。蘇萬方之民困。再覩堯天。重慶幸列陪都。欣傳凱唱。匪惟普天之同慶。實亦曠代之殊榮。

粵稽陳編。蜀號天府。通夷始於司馬。出師著夫臥龍。秦漢基之以代興。魏吳相與爲鼎足。石室溥絃歌之化。玄亭稱詞賦之雄。蔓子成仁。炳將軍之毅烈。眉山競爽。蔚學士之清華。固已早爲文教之邦。形勝之地矣。至其東鄰郢郡。北接秦關。夔峽谷之幽深。莽郊原其蕃廡。家饒橘柚。地盛桑麻。邛竹杖輕。郫筒酒美。錦濯江頭之水。鹽煎井底之泉。蹲鴟遍伏於岷山。寡鵠致富於丹穴。是又寶藏充牣。土物豐穰。寧彼磽确之區所可同日而語哉。

軍興以來。人懷自效。毀家紓難。爭輸卜式之財。報國請纓。甘化萇弘之血。飛挽芻粟。馳騁沙場。百戰曾經。九死無悔。重慶近瞻樞府於咫尺。迭受寇機之侵凌。毒鷁退飛。哀雁叢集。堅城屹立。眾志不渝。卒能返汶陽之舊田。歸趙庭之完璧。河山無恙。蠶叢自固於巖疆。日月增輝。蜃氣已消於海宇。斯則天開景運。時際昌期。非假神明之奧區。固無由濟茲艱鉅。不有挺生之人傑。更無以光我玄靈也。

惟是建國伊始。百緒紛陳。用兵之餘。千瘡未復。國家期望於重慶者。將與日以俱新。而重慶所仰賴於國家者。正方興而未艾。允宜隆陪京之體制。樹宏業之規模。臥虹影於清波。河梁待建。趨鳧舄於彼岸。舟楫猶勞。所謂兩江鐵橋者。實願假以大力。竟其全功。他如三峽水閘之創修。成渝鐵道之興築。必加督課。始克觀成。爰趁元戎返旆之辰。竊附野人獻曝之義。粗陳涯略。用效涓埃。所冀旌節常臨。襜帷再駐。識舊時之雞犬。定比新豐。數開國之魚鳧。無忘蜀道。萬邦和協。看永平東海之波。百歲康寧。請共上南山之頌。

山房對月記（一九五四）

綿綿遠道。東西南北之人。黯黯流光。離合悲歡之跡。羨閒鷗物外。直忘黍谷暄寒。問皎兔天邊。幾閱蓬瀛清淺。試稽弦望。用志滄桑。

粵當弱冠之年。適遘多艱之會。掠郡而角方倡亂。辭家則粲賦從軍。揚彼秋帆。憩於夏口。爾乃馮夷肆虐。黔首罹災。平陸成江。訝老蛟之未死。層樓獨夜。招黃鶴而不來。溼螢與墜露爭飛。澤雁共寒蘆一色。挽瀾無計。橫槊誰歌。極人事之蕭條。嗟江山之搖落。此漢皋之月也。

嗣旅上京。欣瞻弘業。龍蟠虎踞。盛開一代風雲。草長鶯飛。消盡六朝金粉。眷懷名蹟。刻意清游。嘗坐花以攬澄輝。或瀹茗而消永夕焉。天不祐漢。海忽揚波。見迫強鄰。遂興義戰。時則驚鳥繞樹。突騎窺江。傍桃渡以星稀。望蘆溝而雲暗。磨牙鯨鱷。自矜海國之雄。赬尾魴魚。眞痛王城之燬。拜手向紫金陵墓。敢告在天。舉頭指白玉樓臺。誓當還我。相看寥廓。無限低徊。此南都之月也。

樓船西邁。蜀道天高。憑萬夫莫開之關。當半壁方張之寇。修其器甲。固我山川。雖胡馬之牧臨洮。難踰跬步。而火牛之扞即墨。罔及層空。警訊頻傳。良宵每負。穴中人靜。惟鬥蟻之堪聞。竿上燈青。知毒鳶之已遁。星河依舊。歲籥載更。俄而港陷珍珠。島焚玉石。強弩朝挫。降幡夕張。迴日馭於瀛邊。扶桑半萎。湧冰輪於劍外。爆竹齊喧。戲語素娥。行辭白帝。此巴山之月也。

薊北新收。江南亟返。錦帆去也。三聲啼巫峽之猿。玉宇紛然。萬貫舞揚州之鶴。舊巷偶尋馬糞。文物都非。疏簾重認蛾眉。嬋娟未減。朱絃翠袖。歌「垂楊曉岸」之詞。綠醑華燈。度〈玉樹後庭〉之曲。無何而烽傳青犢。劫墮紅羊。彌天騰鼓角之聲。大地碎山河之影。銅仙淚滴。寶鏡光沈。賸堤柳以棲鴉。淒其隋苑。撫煙蘿而駐馬。別矣吳山。此滬杭之月也。

金甌再缺。鐵幕四垂。轉徙羊城。朅來鯤嶠。故園歸夢。託河葦以徒勞。倦客羈愁。隨階蓂而共長。杜鵑枝外。咽笳吹於三更。銅馬聲中。莽關河其萬里。鄉心五處。思白傅之弟兄。皓魄連宵。憶鄜州之兒女。誰遺晶盤出海。盛淚逢年。但期銀漢分潮。洗兵來日。此蓬壺之月也。

行役四方。閱時卅稔。蟾圓天上。纔得三百六十回。蟲劫人間。何啻百千萬億數。月猶是也。而陵谷推遷。波雲詭譎。覩崇臺之鹿走。聽荒埭之雞鳴。蓋有不勝其駭愕悵惋者焉。所願氛埃掃卻。桂魄增瑩。笑語迎來。柳梢無恙。清樽對飲。長娛伉健之身。虛幌同看。更接光華之旦。

觀其劖刻淬鍊，老勁尖新，六朝渾厚之氣，三唐蘊藉之風，兩宋淡雅之致，均於是乎在，可謂有體皆備，無美不臻，卓然爲民國以來一大家焉。無徵不信，特再舉五首代表作，以觀其體。

美槎探月記

儒者於一物不知。引以爲恥。聖人則六合之外。存而弗論。二者攝境有判。持義攸殊。一謂熙熙相屬之人寰。一謂浩浩無垠之域表也。

吾華夙進文明。代興材雋。莫不傾其術智。究極天人。璿璣窮微。土圭立準。紀虞〈書〉之星鳥。早授人時。占羲〈易〉之田龍。遠徵天象。下逮鄧平定太初之曆。張衡作渾天之儀。舉蠡測與管窺。胥日精而月密。顧穹廬如蓋。雲路難隮。翹首層霄。但遙見其蒼蒼之色而已。於是窮諸想像。託以神奇。市號華鬘。宮名兜率。幽黃姑於銀漢。豢青鳥於瑤池。蟠桃若木之華。〈霓裳羽衣〉之曲。紛傳故老。雜見陳篇。縱涉稗官怪誕之言。仍供茗座談諧之樂。而一輪皎月。千里嬋娟。其所沾溉於騷壇藝苑。以爲謳吟摹繪之資者。蓋尤更僕難盡焉。振古以來。從未聞有星槎直上。月窟親探。一明其究竟者。有之。則自美利堅人阿姆斯壯始。

西元一九六九年（中華民國五十八年）七月十七日上午。阿姆斯壯與其同僚艾德林、柯林斯二君。自佛羅里達州甘迺迪角。乘阿波羅十一號太空船。假農神五號火箭升空。歷航程二十五萬英里。於二十一日下午四時十七分。阿姆斯壯步下登月小艇。遂以人類第一人踏入月球表面之寧靜海。繼之者艾德林。因共掇取其中岩石泥土。並留置美國國旗、科學儀器等物。移時離去。復與操御太空船之柯林斯會合。剋期回駛。凡閱三晝夜。降於中太平洋。由直昇機舁寘大黃蜂號海艦上。自啓行至此。歷時八日有奇。休士敦太空中心曾逐日紀程。分告寰宇。斯役也。前後預之者四十萬人。計耗美元二百四十億。集無數科學家、企業家之智慧經驗。九更寒燠。方底於成。此其大較也。

當其迅御長風。上窮碧落。健並行空之馬。神疑噓氣之龍。邁九萬里之鵬摶。睨百二城如蟻聚。張騫鑿空。昔讓雄姿。郭璞游仙。今非幻境。已而影移仙舸。光漾晶盤。夔足一投。鴻爪初印。如哥倫布之登新陸。如武陵人之履仙源。如七寶樓臺。彈指而即現。如九天閶闔。因風而洞開。萬靈效其馳驅。群動爲之竦息。空空玉斧。伐丹桂以何從。穆穆金波。問素娥其安在。攜將片石。儻容天補媧皇。拾得丸泥。豈但關封函谷。壯哉斯舉。前無古人。可謂瀛表希聞。天荒獨破者矣。

或言登月一舉。奮精神之大無畏。開歷史之新紀元。固已。惟是地屬不毛。事經徵實。則玉宇瓊樓之詠。青天碧海之吟。疇昔中土詞人。所以寄其遐思。抒其玄感者。不幾頓爲減色耶。不知求眞求美。用原不侔。尚理尚情。義各有適。制天之說。既靡損乎教侶之禱祈。探月之行。又奚礙於文流之怡玩也。

至其梯雲上界。捫月寥空。挈南箕使簸揚。與帝座通呼吸。和平廣宣於萬族。闕陷待補夫兩間。則更於往哲天人合一之旨。獲一新解焉。默禱諸天。永銷庶劫。銀蟾無恙。定溥清暉於億萬斯年。綠螘堪邀。且尋舊約於三五之夜。

西元一九六九年七月十七日，美國阿波羅十一號太空船由農神五號火箭發射升空，三太空人阿姆斯壯、艾德林與柯林斯展開登月旅程。二十一日阿氏首先踏上月球表面，圓滿完成登月歷史任務。二十五日三名太空人復駕太空船重返地球，安全降落太平洋海面。此舉不但爲人類歷史首開新紀元，並且爲人類征服太空之起步，所宜大筆特書者也。成氏得訊，爲之狂喜，爰揮椽筆，以紀其盛，以古典駢四儷六之文，紀述現代尖端科技之事，亙古以來，一人而已，而舉目斯世，亦一人而已。吾常謂成氏之文富有時代精神，即將現代事物名詞融入作品之中，或以雅麗之辭藻稱述現代之事物。例如：

①美槎——稱美國太空船。
②仙舸——同右。
③蘆溝鶴唳——謂民國二十六年日本軍閥發動侵華戰爭。
④櫻海鯨翻——同右。
⑤磨牙鯨鱷——形容侵華日軍之兇殘。
⑥三島鯨氛——同右。
⑦毒鳶——指抗戰時轟炸中國之日本飛機。
⑧扶桑半萎——謂西元一九四五年日本戰敗後，其國中瘡痍滿目也。
⑨鐵幕四垂——謂民國三十八年中共統治大陸。
⑩重譯通好——與世界各國互相交往，維護良好關係。

此類文詞，在《楚望樓駢體文》中，觸目皆是，新穎雋爽，生面別開，故能方駕乾嘉諸老，推倒一時豪傑，卓然稱民國以來駢林第一高手。

蕭寺秋游記

鶗終蟀繼。日月跳其雙丸。虎攫龍拏。乾坤賭其一擲。歲華默逝。世局滋艱。哀周子於燼餘。勵越薪於瀛表。豈人生逸豫時耶。然而明月飛烏之夜。魏武則對酒興歌。清秋戲馬之臺。謝瞻則賦詩述美。偶因佳日。略暢幽懷。固有識之恆情。亦前修所不禁也。

今歲秋日。余與絜生、理珂、乾一諸子。集於竹南靈隱精舍。湖鄰青草，圃接黃花。式煎竹院之茶。兼飽桑門之饌。逃虛自憙。逮暝方歸，有棲林之心。適野之樂焉。

慨自九域塵昏。四維道墜。變神京爲虎穴。輕人命若鴻毛。夢裏金焦。橫青峰之兩點。樽前溟渤。湧碧浪以千層。賸擕陶柳遺編。南遷作友。爲問〈陽關〉疊唱。西去何年。佳人不來。望樓船於汾水。窮士靡託。感茅屋於秋風。渺渺關河，悠悠天地。謂之何哉。

於是暫尋蕭寺。同禮空王。乘暇日以銷憂。俯晴皋而舒嘯。貯源頭之活水。方寸皆春。過眼底之浮雲。纖微不滓，絳霄寥廓。送無盡之鐘聲。嘉樹扶疏。添有情之畫本。而天人交契。物我兩忘之境。乃獲於此一刹那中遇之。化宇非遙。煩襟盡滌。譬彼漁父。身履仙源。幾不知魏晉之爲何世矣。

夫六合猶堂廡也。百年猶旦暮也。治忽相形。仁必勝暴，剝復相倚。貞斯啓元。故達人不以夷險攖其心。志士不以菀枯易其操。湛軀楚澤。寧紓屈子之離憂。收淚新亭。端賴晉賢之戮力。然則逢辰作健。登山臨水。正足以開拓心胸，濯磨氛垢。又奚損於澤物之弘願。經世之遠圖乎。

駒隙俄遷。鴻泥宛在。平生三徑之約。幸無愧於羊求。他年五嶽之游。還共期於禽尚。

此爲先生退食餘暇，自抒襟抱之作也。觀其遊思綿邈，興會飆舉，當與王羲之〈蘭亭集序〉、王闓運〈秋醒詞序〉鼎足而三，並屬中年傷於哀樂之有數瑋篇，足以振鑠文壇，傳誦千載而無疑也。

高闈四十年唱酬集序

紬書石室。雅慕前修。射策金門。差償夙願。自民國三十三年蜀闈襄校。三十七年南都典試。綿亙迄於今日。凡四十年。忝任試官。不可謂不久矣。張其珊網。爲建國期得人。貢之玉堂。勗乘時以宣力。式彰弘效。良慰平生。然而驥蹶脩途。佳士或遺於羅隱。鴉塗累紙。蕪辭未革於劉幾。靜言思之。不又慊然若失乎。數十年來。鎖院餘閒。迭有酬唱。中經播越。稿多散亡。頃於叢殘中粗加董理。得詩一百八十餘首。分列上下兩卷。上卷爲愓軒自撰。下卷則時彥所貽。彙爲一編。顏曰《高闈四十年唱酬集》。蓋紀實也。

螢橋納涼記

序屆朱明。炎蒸日厲。納涼勝處。迺有螢橋。其地漸離囂市。遙帶澄川。得茶寮近十家。去臺陽不數里。余與意翁乾叟嘗過而小憩焉。飛橋綴岸。則虹腰宛在中央。畫舫搖波。則鷁首紛其上下。纖雲乍捲。一點兩點之螢。清風徐來。千竿萬竿之竹。每值晶蟾皎吐。玉麈輕揮。或談海客之瀛。或話坡仙之鬼。雜陳煙水。旁涉藝文。分苦茗之一甌。滌煩襟於四座。以視盲翁負鼓。說中郎身後是非。宮女白頭。述天寶年間遺事。今昔之感或同。

而雅俗之情迥判矣。

嗟夫。沙劫頻經。夢華空憶。閬風懸圃。渺哉無何有之鄉。玉宇銀潢。美此大自然之夜。滄海無恙。莫教再現紅桑。小山在前。且爲一歌叢桂。

哭李漁叔教授文

民國六十一年八月十一日。湘潭李君以疾卒於石牌榮民總醫院。享壽六十有八。絳帳低垂。泣聞弟子。黃壚獨對。望邈山河。爰濡淚綴辭以哭之曰。

浩浩鄴侯之架。已蜕仙蟬。迢迢衡嶽之雲。不迴征雁。嗟我漁叔。其竟中壽而摧。一瞑不視耶。自來蓬嶠。頻接蘭言。佳節佳辰。或飛觴而共飲。某山某水。時蠟屐以偕游。閒話平生。亦商舊學。檻外之蕉陰未改。甌邊之茶味猶甘。固知歷塊過都。驊騮曾躍於千里。豈謂生天成佛。鸞鶴遽翔於九霄。

空谷重來。逝川莫挽。嚮時鄰笛。都成慷慨之聲。落月屋梁。但見淒涼之色。斯人不作。有恨如何。

右舉五首爲先生短篇小品之作，按短篇小品六朝人最優爲之，其後踵而效之者雖多，而朗麗可誦者殊少。若韓愈〈雜說〉、王安石〈讀孟嘗君傳〉、袁宏道〈西湖雜記〉之以短小精悍見長者，可謂代不數覯，而先生此類作品則多風骨翹秀，情韻欲流，蓋能以少許勝人多許者。

其他作品，雄渾者有〈重印五種遺規序〉，別致者有〈孟都中山學院記〉，精拔者有〈履端三願記〉，清圓者有〈告皇考皇妣文〉，妍潤者有〈荔莊吟稿序〉，輕倩者有〈遊指南宮記〉。哀婉者有〈呂姑祠記〉。

若乃氣體清華，使事貼切者，則有〈南雍今昔記〉。芊綿其語，摧惻其懷者，則有〈棲霞集序〉。夭矯騰驤，負聲結響者，則有〈迴波閣曲稿序〉。詞釆蔥蒨，神情宕逸者，則有〈壺樓記〉。游思綿邈，興會飆舉者，則有〈廣台灣詩乘序〉。清詞戛玉，高響入雲者，則有〈花延年室詩序〉。摛藻瑰麗，吐屬典雅者，則有〈魚千里齋隨筆序〉。工力深重，風調諧美者，則有〈現職銓定人員資格考試及格人員名錄題記〉。裔皇典重，汪濊博富者，則有〈台中圖書館落成紀念碑〉。詞勻色稱，氣靜機圓者，則有〈李義山詩評論序〉。文霞淪漪，緒飆搖曳者，則有〈韜園續集序〉。峭拔古腴，姿致蔚然者，則有〈楚望樓詩自序〉。宏裁高論，卓爍異釆者，則有〈歷代駢文選序〉。瑰辭博練，奧義環深者，則有〈宋詩通論序〉。

此外，如〈晚悔樓詞序〉之骨氣端翔，音情頓挫。〈中華大辭典序〉之清約謹嚴，鉛華弗御。〈薪夢盧詩文稿序〉之詞意蒼涼，聲調激楚。〈瀛洲校士記〉之嘉詞絡繹，裁對精工。〈跋張文襄治鄂記〉之憑弔往哲，一往情深。〈藏山閣詩自序〉之風韻跌宕，筆力靖凝。〈吳忠信先生七十壽序〉之麗詞雲簇，縟旨星羅。〈來鳳簃記〉之氣息淵醰，風神散朗。〈纕蘅詩鈔序〉之哀思無限，淒韻欲流。〈與日本木下彪教授書〉之古質璘彬，符釆相勝。〈玄盧賸稿序〉之敍次明晰，鍛練精純。〈曲學例釋序〉之律呂諧和，宮商輯洽。〈南都典試與人書〉之情文相生，華實並茂。〈張羣先生壽序〉之擺脫町畦，高朗秀出。〈金門頌〉之瑰異崇閎，凌厲駿邁。〈于右任先生壽序〉之格老氣蒼，筆力健舉。〈薛玉松女史遺詩序〉之餘音悽惻，不絕如縷。凡此皆嘔心瀝血，鏤肝鉥腎之作，足以藏之名山，傳諸其人者也。

總之，成氏之文，雖係綆汲千載，皐牢百家，不宗一體，不法一派，但講求寫作之技巧，重視時代之精神，無論形式內容，並皆美備充實。緣是六朝渾厚之氣，三唐蘊藉之風，兩宋淡雅之致，均於是乎在。加以舊學湛深，海涵地負，所作多清新純懿，而有儒者風。故能於新潮陵蕩之時，文苑壓霾之會，潤色鴻業，振藻揚葩，使此最足以表現中國文字優美之駢文，復以清新面貌呈現於世人之前，不致作〈廣陵〉之絕，厥功殊偉。趙甌北〈論詩〉云：「江山代有才人出，各領風騷數百年。」眞不啻爲成氏詠也。

（原載民國七十年台北《學粹雜誌》元月號。並收入民國七十年元月台北文史哲出版社印行之《陽新成楚望先生七十華誕紀念論文集》）

唯美文學產生於六朝之背景分析（一九八二）

「唯美文學」這一名詞是從西洋傳入，中國原本沒有。在西洋，這名詞只包括詩歌、散文、小說及戲劇。在中國則還包括詞、賦、曲、對聯及駢體文，範圍較廣。

唯美文學之所以產生於六朝，今特就其背景簡單分析其原因：

（一）儒學衰微・道德淪喪

自漢武帝以後，我國社會民情風俗均爲儒家學說思想所左右，而儒家最重視道德，吾人披讀《論語》，隨處可見。子路問：「有一言可以終身行之者乎。」孔子曰：「其恕乎。」孔子一再強調道德比學問重要，他說：「弟子入則孝，出則弟，謹而信，汎愛衆，而親仁，行有餘力，則以學文。」入則孝，出則弟，謹而信，汎愛衆及親仁都是道德規範，做到這些而還有餘力，再去讀書。到東漢初，光武帝將儒家學說發揚光大，不但重道德，而且重名節，所以當時的風俗是五千年中最好的。和帝以後，國勢漸衰，原因是和帝時有外戚宦官互相傾軋，加以昇平日久，財富集中在少數富人手中，所謂「飽暖思淫欲」，因而造成道德敗壞，不過還沒有到完全淪喪的地步。

從曹操開始，他「挾天子以令諸侯」，強調才學和本事最重要，道德則不被重視，導致社會風氣爲之丕變。曹丕篡位，已違背儒家規範，又積極推行老莊學說，所謂「上有好者，下必又甚焉」，至此儒家道德觀念才眞正被摧毀。曹操以前，文學爲儒家學說的附庸，著重載道致用，而非抒情，曹操父子改變道德觀念，使一般人開始覺醒，知道文學可做爲抒情的工具，造成以後文學的獨立自由發展。

除此之外，儒家也須負責，東漢儒者大多迂闊而不切實際，只重章句訓詁，而忽略微言大義，殊不知微言大義才是儒家的瑰寶。因此許多學者產生反抗心理，眞正有見解者看不起他們這套，從此文學便眞正脫離儒家學說而獨立發展，於是唯美文學、浪漫文學遂乘時而產生。

（二）政局動盪．人命危淺

在六朝的三百六十九年間，一直處於動盪不安，人權無保障，生命沒價值，文人名士被殺害者空前之多。尤其是漢末黨錮大屠殺帶來大震撼，造成讀書人不關心國家政事，這是國家淪亡之前兆。其後董卓和曹操當政都嗜殺如命，排除異己。到司馬氏，比董曹二人更有過之，高級知識分子爲明哲保身，躲避禍亂及政治迫害，外表裝瘋賣傻，而內心卻極痛苦，只好紛紛躲入文苑藝圃，從事文學創作，如竹林七賢和正始名士便是。

（三）愛美心理

雖說愛美之心，人皆有之，但六朝人特別顯著。如曹丕在兵荒馬亂中仍不忘大美人甄氏，曹植喜歡搽粉薰香，何晏好穿著婦女服裝，荀粲強調婦女重貌而不重德，連婦女也欣賞男人的體態美。由欣賞人體之美轉而欣賞大自然之美，南朝宮體詩、謝靈運山水詩、陶潛田園詩便因此而產生。

（四）競尚奢侈

漢和帝以後，商人抬頭，資本家壟斷經濟，過著豪奢的生活，加上承平日久，自然而然趨向奢靡，這種豪侈生活一直持續到陳朝之覆亡。唯美文學特重辭藻華麗，文章極盡粉飾雕琢，與六朝人競尚奢侈有極密切的關連。

（五）地理環境

中國以長江爲南北之分。北方平原廣袤，西北則黃沙滾滾，所以民族性強悍直爽，心胸開闊，產生不了唯美文學。南方氣候溫和，謀生容易，加以風景優美，民性活潑，所以唯美文學產生在南方。唯美文學作家百分之九十五以上爲貴族和士大夫，他們眼睛看到的是美景，耳朵聽到的是美樂，又不必操心民間實際生活，所以有足夠能力創作文學，有充分時間雕琢文學。

以上只是對背景的分析，此外另有經濟及其他各種條件，限於時間，無法一一說明。但由以上五點，便可以知道唯美文學不可能產生在其他地方、其他朝代，因爲其他朝代首都多在北方，北方比較不適合從事唯美文學創作，這與地理環境有相當大的關係。

（民國七十一年六月在國立高雄師範大學演講・由吳碧惠記錄・並刊載於高雄師大《洙泗流風》四期）

六朝人之愛美心理（一九八二）

愛美乃人類之天性，自生民以來，未有不愛美者。以言男子之美，則曰魁梧奇偉，以言女子之美，則曰風華絕代。易詞言之，男子須具有陽剛之美，亦即今世所謂壯美，女子須具有陰柔之美，亦即今世所謂優美。無論其為壯美優美，皆足以引發世人之豔羨，文士之歌頌，而形成一個美的世界。我國人愛美之情見之於典籍者，莫早於《論語》，〈八佾篇〉云：「子謂韶，盡美矣，又盡善也。謂武，盡美矣，未盡善也。」此為孔子讚歎虞舜周武音樂之美。又云：「子夏問曰：『巧笑倩兮，美目盼兮，素以為絢兮，何謂也。』子曰：『繪事後素。』曰：『禮後乎。』子曰：『起予者商也，始可與言詩已矣。』」此為子夏言人體及繪畫之美。可見愛美固無間於凡聖，乃人情之常。

漢張敞為婦畫眉（事見《漢書》本傳），至今仍騰播衆口。李固以胡粉飾貌（事見《後漢書》本傳），亦為世所津津樂道。至魏晉之際，風氣驟然加盛，愛美之情特著，開其先鋒者，厥為曹操。《世說新語．容止篇》：「魏武將見匈奴使，自以形陋，不足雄遠國，使崔季珪代，帝自捉刀立牀頭。既畢，令間諜問曰：『魏王何如。』匈奴使答曰：『魏王雅望非常，然牀頭捉刀人，此乃英雄也。』魏武聞之，追殺此使。」按崔季珪聲姿高暢，眉目疏朗，甚有威重（見《三國志・魏書・崔琰傳》），故操舉以自代，此乃一種愛美心理之表現。其子丕承襲父風，且猶過之。《世說・惑溺篇》注引《世語》：「魏太祖下鄴，文帝先入袁尚府，見婦人披髮垢面垂涕，立紹妻劉後，文帝聞知是熙妻，使令攬髮，以袖拭面，姿貌絕倫。既過，劉謂甄曰：『不復死矣。』遂納之，有寵。」

言尚玄遠，主張六經皆聖人糟粕之荀粲則大膽指出婦女當以色貌為主，才德不足論。《世說・惑溺篇》：「荀奉倩與婦至篤，冬月婦病熱，乃出中庭自取冷還，以身熨之。婦亡，奉倩後少時亦卒。以是獲譏於世。奉倩曰：『婦人德不足稱，當以色為主。』」又同篇注引〈荀粲別傳〉：「荀粲常以婦人才智不足論，自宜以色為主。驃騎將軍曹洪女有色，粲於是聘焉。容服帷帳甚麗，專房燕婉。歷年後，婦病亡。未殯，傅嘏往唁粲，粲不哭而神傷。嘏問曰：『婦人才色，並茂為難。子之聘也，遺才存色，非難遇也，何哀之甚。』粲曰：『佳人難再得，顧逝者不能有傾城之異，然未可易遇也。』痛悼不能已已，歲餘亦亡，時年二十九。」

許允娶醜婦，交禮完畢，竟不肯入洞房，卒見譏於新婦。《世說・賢媛篇》：「許允婦，是阮衛尉女，德如妹，奇醜，交禮竟，允無復入理，家人深以為憂。會允有客至，婦令婢視之，還答曰：『是桓郎。』桓郎者，桓範也。婦云：『無憂，桓必勸入。』桓果語許云：『阮家既嫁醜女與卿，故當有意，卿宜察之。』許便回入內。既見婦，即欲出。婦料其此出，無復入理，便捉裾停之。許因謂曰：『婦有四德，卿有其幾。』婦曰：『新婦所乏惟容爾。然士有百行，君有幾。』許云：『皆備。』婦曰：『夫百行以德為首，君好色不好德，何謂皆備。』允有慚色，遂相敬重。」雖以玄學家之曠達，亦不能戡破此關，多情之文學家又豈能獨免，故阮籍對美女特深致傾慕，幾於見輒愛之，恆流露於不自覺。《晉書・阮籍傳》：「鄰家少婦有美色，當壚沽酒。籍常詣飲，醉，便臥其側。籍既不自嫌，其夫察之，亦不疑也。兵家女有才色，未嫁而死，籍不識其父兄，徑往哭之，盡哀而還。其外坦蕩而內淳至，皆此類也。」蓋在文學家眼中，美為一種不可分析之絕對境界，在欣賞此種境界時，其外在環境皆已隔離。故崇高的欣賞，必屏除佔有之觀念，阮氏蓋眞能以此種態度欣賞當壚婦與兵家女者，史家但以「坦蕩」「淳至」贊之，或緣於不知美學之故。蓋作家必具率眞之性，以充於內，具愛美之心，以發於外，斯能有超越尋常之成就，此乃古今偉大文學家所必具之共性。阮氏作品之獨有千古，其故在此。（參用近人沈祖棻氏之說，見《國文月刊》第六十五期。）

政治家、玄學家、文學家對美的追求既如此其迫切，其所貽予社會之影響亦至為深遠。即以婦女而論，當時婦女已不復如前此之長處深閨，矜持含蓄，甚且公然主動的欣賞男子之美。《世說新語・容止篇》：「潘岳妙有姿容，好神情，少時挾彈出洛陽道，婦人遇者，莫不連手共縈之。左太沖絕醜，亦復效岳遊遨，於是群嫗齊共亂唾之，委頓而返。」是則愛美之情固無間於古今，更無間於男女。

六朝人愛美心理特別發達，已如上述，其流露於日常言行之間者，累紙難盡，今特舉三事說明如次：

（一）刻意美化形體

㈠**服　飾**　六朝人不分男女，均極講究服飾之奢麗，尤以貴族世家爲甚。《三國志・魏書・崔琰傳》注引《世語》：「曹植妻衣繡，太祖登臺見之，以違制命，還家賜死。」雖賜死或別有由，植妻衣服侈麗則固無疑。《晉書・五行志》：「魏尚書何晏好服婦人之服。」男著女裝，實千古奇聞，除心理變態以外，實別無合理之解釋。晉世一統，四海乂寧，俗尚奢靡，衣競華麗，司馬攸奏議極言其弊云：「都邑之內，遊食滋多，巧伎末業，服飾奢麗，富人兼美，猶有魏之遺弊。」（《晉書・文六王傳》）流風所扇，天下披靡。下逮江左，偏安既久，其弊彌甚。《宋書・謝靈運傳》：「靈運性奢豪，車服鮮麗，衣裳器物多改舊制，世共宗之。」俗尚如此，則雖曠代詩人亦不能獨立，其他可知。

㈡**傅　粉**　傅粉本係婦女專利，而六朝名士則深好此道，蔚爲風尚，導其先路者，亦爲魏之曹植何晏。《三國志・魏書・王粲傳》注引《魏略》：「曹植初得邯鄲淳甚喜，延入坐，不先與談。時天暑熱，植因呼常從取水自澡訖，傅粉。遂科頭拍袒，胡舞五椎鍛，跳丸擊劍，誦俳優小說數千言。」又〈何晏傳〉注引《魏略》：「晏尚主，又好色。……性自喜，動靜粉白不去手，行步顧影。」此種風氣一直延續到齊梁，且有變本加厲之勢。《顏氏家訓・勉學篇》：「梁朝全盛之時，貴遊子弟無不燻衣剃面，傅粉施朱，從容出入，望若神仙。」昂藏七尺之軀，竟競效婦女之塗脂抹粉，崇拜女性化的男性美，直是一種病態的愛美癖。究其原因，無非在企求增加外形姿容之美，以便成爲一個十足的小白臉而已。

㈢薰　香　漢末胡香初入中國，男子薰香之習，日漸普遍。如尚書令荀彧乃清修醇雅之士，而好修飾容儀，相傳其詣親友家，坐處常三日香。（事見習鑿齒《襄陽記》）曹操爲相時，曾頒禁香之令（見《太平御覽》九百八十一引），然風氣已成，終無大效。其子丕且酷愛此道，至馬聞衣香而驚嚙其膝。（事見《三國志・魏書・朱建平傳》）沿及兩晉而益加甚。《晉書・賈充傳》：「韓壽美姿貌，善容止，賈充辟爲司空掾。充每讌賓僚，其女輒於青瑣中窺之，見壽而悅焉。時西域有貢奇香，一著人則經月不歇，帝甚貴之，惟以賜充及大司馬陳騫。其女密盜以遺壽，充僚屬與壽燕處，聞其芬馥，稱之於充。自是充意知女與壽通，而其門閤嚴峻，不知所由得入。乃夜中陽驚，託言有盜，因使循牆以觀其變。左右白曰：『無餘異，唯東北角如狐狸行處。』充乃考問女之左右，具以狀對。充祕之，遂以女妻壽。」又《世說新語・假譎篇》：「謝遏（遏，謝玄小字。）年少時，好著紫羅香囊，垂覆手。太傅（謝安卒後贈太傅，世稱謝太傅。）患之，而不欲傷其意，乃譎與賭，得即燒之。」是中國士大夫之雅好胡風蓋非一日，其所由來者漸矣。

（二）欣賞人體之美

六朝人除利用美服、脂粉、胡香修飾外形姿容之美外，進一步又發現人體美，甚而透視到人格美。舉凡一舉手，一凝眸，一輕顰，一淺笑，皆恣意欣賞，不肯放過，尤其酷愛人體所呈現的線條光彩之美。《晉書・賈充傳》：「韓壽美姿貌，善容止，賈充女見而悅焉。」《晉書・潘岳傳》：「岳美姿儀，才名冠世，少時常挾彈出洛陽道，婦人遇之者，皆連手縈繞，投之以果，遂滿車而歸。時張載甚醜，每行，小兒以瓦石擲之，委頓而返。」《世說・容止篇》：「衛玠從豫章下都，人久聞其名，觀者如堵牆。玠先有羸疾，體不堪勞，遂成病而死，時人謂『看殺衛玠』。」又同篇注引〈嵇康別傳〉：「康長七尺八寸，偉容色，土木形骸，不加飾厲，而龍章鳳姿，天質自然，正爾在群形之中，便自知非常之器。」魏晉之際，美男子甚多，超過任何時代，至今猶令人懷念不已。

（三）欣賞自然之美

六朝人既向內發現人體之美，其後又向外發現自然之美，而且以天眞的眼光觀察萬物，化無情為有情，山川草木，飛禽走獸，以至五穀六材，無不生意勃發，欣欣向榮，而達到「天地與我並生，萬物與我為一」（《莊子・齊物論》）的最高境界，而與自然同在。《世說・言語篇》云：

「簡文入華林園，顧謂左右曰：『會心處不必在遠，翳然林木，便自有濠濮間想也。不覺鳥獸禽魚，時來親人。』」又云：「顧長康從會稽還，人問山川之美。顧云：『千巖競秀，萬壑爭流，草木蒙籠其上，若雲興霞蔚。』」又云：「王子敬云：『從山陰道上行，山川自相映發，使人應接不暇，若秋冬之際，尤難爲懷。』」此即外在的自然美與內在的深情之交融，柳宗元所謂「心凝神釋，與萬化冥合」（〈始得西山宴遊記〉），即是此種境界。

又如王羲之之〈蘭亭詩〉：「仰視碧天際，俯瞰淥水濱。寥闃無涯觀，寓目理自陳。大矣造化工，萬殊莫不均。群籟雖參差，適我無非親。」蓋活的自然必須活的心靈方能體會。六朝人既玩味大千世界之形相聲色，又觀賞剔透玲瓏的天光雲影，情趣洋溢，生機盎然。加以愛美性之強烈，故其對於天地萬物，無往而不發生美感，因美感之發達，又無往而不起快感。六朝人在藝術世界中能有獨特之造詣者以此，而陶淵明之田園詩，謝靈運之山水詩所以分鑣競爽、流譽千載者亦以此也。

愛美之情固與生俱來，然猶未若六朝人之強烈。六朝人無論帝王將相，走卒販夫，以至名門閨秀，小家碧玉，甚至逸民高士，衲子羽流，無往而非美之崇拜者，其影響於美術、文學創作、文學思想者最爲深鉅。以諸葛亮之經綸槃才，人或怪其「文采不豔」（陳壽上〈諸葛氏集表〉語）。以王充之縱橫博辯，人則病其「屬辭比義不盡美」（見《抱朴子・喻蔽篇》）。尤有進者，經稟聖裁，垂型萬世，而屢爲葛洪所少。《抱朴子・鈞世篇》：

《尚書》者，政事之集也，然未若近代之優文詔策軍書奏議之清富贍麗也。《毛詩》者，華彩之辭也，然不及〈上林〉〈羽獵〉〈二京〉〈三都〉之汪濊博富也。……若夫俱論宮室，而奚斯「路寢」之頌，何如王生之賦〈靈光〉乎。同說遊獵，而〈叔畋〉〈盧鈴〉之詩，何如相如之言〈上林〉乎。並美祭祀，而〈清廟〉〈雲漢〉之辭，何如郭氏〈南郊〉之豔乎。等稱征伐，而〈出車〉〈六月〉之作，何如陳琳〈武軍〉之壯乎。則舉條可以覺焉。近者夏侯湛、潘安仁並作補亡詩〈白華〉、〈由庚〉、〈南陔〉、〈華黍〉之屬，諸碩儒高才之賞文者，咸以古詩三百，未有足以偶二賢之所作也。

雖意未全愜，或別有所指（「今必勝古」之進化觀念），然葛洪以方外之士而病經之醇素，貴後之雕飾，亦是此種愛美心理之流露。道人如此，文士更無須深論。據此，則唯美文學、宮體文學、山水文學、田園文學、文學批評之所以寂寞於周漢，而熾盛於六朝，可以思過半矣。

（原載民國七十一年七月台北商務印書館《東方雜誌》十七卷一期）

徐陵與《玉臺新詠》（一九八四）

梁代文壇，約分三派：一曰守舊派，二曰趨新派，三曰折衷派。代表其文學見解之著作，守舊派有裴子野之〈雕蟲論〉、鍾嶸之《詩品》，折衷派有劉勰之《文心》、蕭統之《文選》，趨新派則有徐陵之《玉臺新詠》、蕭繹之《金樓子》。莫不獨標眞諦，高張奇彩，遂使當時文學界充滿蓬勃之朝氣，呈現曠古未有之壯觀，其衣被詞人，沾溉來葉者，至今猶未有已焉，嗚乎盛矣。

《玉臺新詠》編纂之動機，據劉肅《大唐新語》所載，趨新派之主盟者蕭綱爲太子時，好作豔詩，境內化之，晚年欲改作，追之不及，乃令徐陵撰是書，以大其體。果如所言，則是書乃就歷代香豔詩中刪汰繁蕪，使莠稗咸除，菁華畢出者也。今觀其入選之作，幾無一而非麗製綺篇，持較《文選》，雖旨趣不同，取捨各別，而其爲唯美文學全盛時代之代表作則一。《四庫總目・總集類・玉臺新詠提要》云：

是書作於梁時，故簡文稱皇太子，元帝稱湘東王，今本題陳尚書左僕射太子少傅東海徐陵撰，殆後人之所追改。如劉勰《文心雕龍》，本作於齊，而題梁通事舍人耳。其梁武帝書諡書國號，邵陵王等並書名，亦出於追改也。其書前八卷爲自漢至梁五言詩，第九卷爲歌行，第十卷爲五言二韻之詩，雖皆取綺羅脂粉之詞，而去古未遠，猶有講於溫柔敦厚之遺，未可概以淫豔斥之。

謂是書成於梁代，所取詩大抵豔而不淫，極爲有見，足以解後人之紛爭矣。

至是書甄錄標準，集中雖未明言，然細加推究，可歸納之爲四端：

㈠體製以五言爲主 五言詩爲六朝詩之骨幹，亦與駢文、俳賦並稱六朝唯美文學之三大主流，故《玉臺》所錄，五言體居十之八九，三言、四言、七言、雜言各體僅居十之一二，而六言體則獨付闕如。不寧惟是，其第十卷且專錄五言二韻之詩，率舉三首爲證。

> 竹葉響南窗，月光照東壁。誰知夜獨覺，枕前雙淚滴。（何遜〈秋閨怨〉）
>
> 北斗闌干去，夜夜心獨傷。月輝橫射枕，燈光半隱牀。（蕭統〈夜夜曲〉）
>
> 斂容送君別，一斂無開時。只應待相見，還將笑解眉。（王臺卿〈南浦別佳人〉）

無論體貌風格，幾與唐人五絕無異。是知唐人五絕實脫胎於此，惟聲調稍作調整，使之趨於格律化，則更爲諧美耳。

㈡內容以綺豔爲宗 《玉臺》選詩，與《文選》異趣，《文選》重雅正，貴文質彬彬，而《玉臺》則重綺豔，貴搖蕩性靈。故《文選》所不錄者，《玉臺》則多錄之。徐陵《玉臺新詠序》云：

> 往世名篇，當今巧製，分諸麟閣，散在鴻都，不藉篇章，無由披覽。於是然脂暝寫，弄墨晨書，撰錄豔歌，凡爲十卷，曾無參於雅頌，亦靡濫於風人，涇渭之間，若斯而已。

二書宗尚不同，於斯概見。度徐陵之意，或有意爲宮體張目歟。蓋自晉宋以來，吳歌西曲，風行江左，才穎之士，好其聲辭，競效其體，孫綽作〈碧玉歌〉，王獻之作〈桃葉歌〉，至鮑照湯惠休而臻極盛，迤及梁代，綺豔尤甚，遂成宮體。劉師培《中古文學史・宋齊梁陳文學概略》云：

宮體之名，雖始于梁，然側豔之詞，起源自昔。晉宋樂府，如〈桃葉歌〉、〈碧玉歌〉、〈白紵詞〉、〈白銅鞮歌〉，均以淫豔哀音，被于江左，迄于蕭齊，流風益盛。其以此體施于五言詩者，亦始晉宋之間，後有鮑照，前則惠休。特至于梁代，其體尤昌。《南史・簡文紀》謂：『帝辭藻豔發，然傷于輕靡，時號宮體。』《徐摛傳》亦謂：『屬文好爲新變，文體既別，春坊盡學之，宮體之號，自斯而始。』蓋當此之時，文士所作雖多豔詞，然尤以豔麗著者，實惟摛及庾肩吾，嗣則庾信徐陵承其遺緒，而文體特爲南北所崇，此則大同以後文體之一變也。

則宮體本非始於簡文，簡文不過力揚其波而已。按簡文所以鼓扇豔詩者，蓋欲寄託其精神生活於文苑藝圃之中，初無傷倫敗德之意。其《誡子書》有云：『立身之道，與文章異，立身先須謹重，文章且須放蕩。』意謂立身之道與文學創作有別，創作放蕩之文學，固無損於人品，鼓扇豔麗之詩歌，亦無傷於風教，以視彼耽情聲色、追逐貨利者，其境界高尚多矣。於是遂敕令徐陵甄選歷代詩歌之尤綺豔者，以供諷誦，亦所以爲提高精神生活之一助焉耳。徐陵少染父風，特好豔辭，時方供職東宮，奉命撰斯一集，故所錄多爲綺豔之詩歌，以擴大宮體之內容。

㈢**存沒兼收** 古來司衡文、選文之政者，率不評錄生存之作，《文心》如此，《詩品》如此，《文選》亦復如此，蓋『其人既往，其文克定』，已成文壇通例。而《玉臺集》則不然，當時文人如梁武帝、簡文帝、邵陵王蕭綸、湘東王蕭繹、武陵王蕭紀、庾肩吾、王筠、劉孝綽、劉孝儀、劉孝威、庾信、鮑泉、何思澄、何遜、王僧孺、徐勉、徐悱、王訓、劉遵、劉邈、劉令嫺、張率、徐君倩等之作，均加采錄，甚至編者自作，亦收四首，此固難免標榜之嫌。然從另一角度觀之，徐氏或受葛洪『今必勝古』思想之影響，遂以為時人所作，未必遜於古人，此種文學進化之觀念，亦不無可取也。茲就集中率舉四首纏綿婉媚之作，以資比觀。而古樸今華、質文代變之軌跡，亦昭然可尋。

㈠晉楊方〈合歡詩〉

獨坐空室中，愁有數千端。悲響荅愁歎，哀涕應苦言。
彷徨四顧望，白日入西山。不睹佳人來，但見飛鳥還。
飛鳥亦何樂，夕宿自作群。

㈡晉曹毗〈夜聽擣衣〉

寒興御紈素，佳人理衣襟。冬夜清且永，皓月照堂陰。
纖手疊輕素，朗杵叩鳴砧。清風流繁節，回飆灑微吟。
嗟此往運速，悼彼幽滯心。二物感余懷，豈但聲與音。

㈢梁蕭綱〈美人晨妝〉

北窗向朝鏡，錦帳復斜縈。嬌羞不肯出，猶言妝未成。散黛隨眉廣，胭脂逐臉生。試將持出眾，定得可憐名。

㈣梁徐陵〈奉和詠舞〉

十五屬平陽，因來入建章。主家能教舞，城中巧畫妝。低鬟向綺席，舉袖拂花黃。燭送窗邊影，衫傳篋裏香。當關好留客，故作舞衣長。

綜觀上舉四詩，無論鑄句、練字、選聲、配色，以至描寫心理之微妙，刻畫景物之巧似，梁人均遠在晉人之上，固無怪其篤於自信，不避嫌疑也。

㈣雅俗並列　《文選》選詩，以沈思翰藻為主，故非典贍高華之作，實難見收。而《玉臺》選詩，則以流連綺思為主，故雖通俗平易之什，亦不避忌。蓋《玉臺》為供一般宮女諷誦而作，初無特定之使命。其序云：

至如青牛帳裏，餘曲未終，朱鳥窗前，新妝已竟。方當開茲縹帙，散此縚繩，永對玩於書帷，長循環於纖手。豈如鄧學《春秋》，儒者之功難習，竇傳黃老，金丹之術不成。固勝西蜀豪家，託情窮於〈魯殿〉，東儲甲觀，流詠止於〈洞簫〉。孌彼諸姬，聊同棄日，猗與彤管，麗矣香奩。

故高篇雅製，采錄固多。

張衡〈同聲歌〉：

邂逅承際會，得充君後房。情好新交接，恐慄若探湯。
不才勉自竭，賤妾職所當。綢繆主中饋，奉禮助烝嘗。
思爲莞蒻席，在下蔽匡牀。願爲羅衾幬，在上衛風霜。
灑掃清枕席，鞮芬以狄香。重户結金扃，高下華鐙光。
衣解巾粉御，列圖陳枕張。素女爲我師，儀態盈萬方。
眾夫所稀見，天老教軒皇。樂莫斯夜樂，沒齒焉可忘。

陶潛〈擬古〉：

日暮天無雲，春風扇微和。佳人美清夜，達曙酣且歌。
歌竟長歎息，持此感人多。明明雲間月，灼灼葉中華。
豈無一時好，不久當如何。

而俗什俚章，亦收入不少。

漢時〈童謠歌〉：

城中好高髻，四方高一尺。城中好大眉，四方眉半額。
城中好廣袖，四方用匹帛。

晉惠帝時〈童謠歌〉：

鄴中女子莫千妖，前至三月抱胡腰。

古絕句四首：

藁砧今何在，山上復有山。何當大刀頭，破鏡飛上天。

日暮秋雲陰，江水清且深。何用通音信，蓮花玳瑁簪。

菟絲從長風，根莖無斷絕。無情尚不離，有情安可別。

南山一樹桂，上有雙鴛鴦。千年長交頸，歡慶不相忘。

按徐陵與庾信並稱駢體文之二大宗師，竟能分其餘力，關注民間歌謠，爲中國通俗文學開創新紀元，從而促使一般文士對於通俗文學之新認識，其見解新穎，觀念進步，良可佩也。吾人於此可得一簡單結論曰：《昭明文選》乃代表貴族階級之廟堂文學，而《玉臺新詠》則代表平民階級之普羅文學(proletarian literature)或黃封面文學(yellow-covered literature)。

㈤**須富有音樂性**　徐氏極重視詩歌之音樂性，在自序中嘗數數言之，蓋其本意在強調協律度曲故也。如云：

弟兄協律，自小學歌，少長河陽，由來能舞。琵琶新曲，無待石崇，箜篌雜引，非因曹植。

又云：

傳鼓瑟於楊家，得吹簫於秦女。

陪游馺娑，騁纖腰於結風，長樂鴛鴦，奏新聲於度曲。

又云：

三星未夕，不事懷衾，五日猶賒，誰能理曲。

其於歷代樂府與民歌采錄特多者，亦無非欲促使詩歌與音樂之合一，以二者原係同出一源也。

以上所論，雖爲《玉臺》甄詩之標準，實則徐陵之文學觀念亦可於此覘之。其文學觀念可以一言蔽之曰，提倡緣情的、綺麗的香奩文學。使人類永遠生活在綺麗的有情世界之中，其意至美，其心至善也。惟後人以其悉取綺羅脂粉之詞，有害於風教，遂競相譏呵。劉克莊《後村詩話》云：『如沈休文〈六憶〉之類，其褻慢有甚於《香奩》、《花間》者。』（〈論《玉臺新詠》〉）按《玉臺》載沈約〈六憶詩〉四首，遂錄於下：

憶來時，灼灼上階墀。勤勤敍別離，慊慊道相思。相看常不足，相見乃忘飢。

憶坐時，點點羅帳前。或歌四五曲，或弄兩三絃。笑時應無比，嗔時更可憐。

憶食時，臨盤動容色。欲坐復羞坐，欲食復羞食。含哺如不飢，擎甌似無力。

憶眠時，人眠強未眠。解羅猶待勸，就枕更須牽。復恐旁人見，嬌羞在燭前。

第四首確是蕩檢之作，有失敦厚，劉氏所云，誠非厚誣。惟集中類此者並不多見，未可毛舉碎篇，以偏概全也。

要之，《玉臺》一書，乃純文學之總集，亦梁代趨新派之代表作，趨新派作家之共同特徵有二：一曰感情熱烈，二曰風格浪漫。明乎此，則於是書微末之瑕，可以無譏矣，況其價值猶有可說者乎。綜其價值之大者，約有四端：

㈠**作風雅之羽翼** 是書所錄，俱爲婉麗風流之辭，其未涉及男女之事或全篇不寫佳人者，百不一二見。然類能發乎情，止乎禮義，無悖於溫柔敦厚之旨，非後世樂府所能及。徐氏自序云：

撰錄豔歌，凡爲十卷，曾無參於雅頌，亦靡濫於風人，涇渭之間，若斯而已。

諷玩全集，信乎不謬。故陳玉父氏極稱之曰：

夫詩者情之發也，征戍之勞苦，室家之怨思，動於中而形於言，先王不能禁也。豈惟不能禁，且逆探其情而著之，〈東山〉、〈杕杜〉之詩是矣。若其他變風化雅，謂『豈無膏沐，誰適爲容』，『終朝采綠，不盈一掬』之類，以此集揆之，語意未大異也。……其措辭託興高古，要非後世樂府所能及，自唐《花間集》已不足道，而況近代狹邪之說，號爲以筆墨動淫者乎。（《玉臺新詠．後序》）

㈡**補篇章之闕佚** 六朝戰亂相尋，歷時長達三百餘年，篇章亡佚者，未易悉數。篇章具在，而作者姓名無從稽考者，更不知凡幾。雖以文選樓諸君之淹雅，亦未能一一恢復其眞貌。《玉臺》於此，則有蒐補闕佚之功焉。陳玉父氏云：

自漢魏以來，作者皆在焉，多蕭統《文選》所不載，覽者可以睹歷世文章盛衰之變云。（同上）

《四庫提要》亦云：

其中如曹植〈棄婦篇〉、庾信〈七夕詩〉，今本集皆失載，據此可補闕佚。又如馮惟訥《詩紀》載蘇伯玉妻〈盤中詩〉作漢人，據此知爲晉代。梅鼎祚《詩乘》載蘇武妻〈答外詩〉，據此知爲魏文帝作。古詩〈西北有高樓〉等九首，《文選》無名氏，據此知爲枚乘作。〈飲馬長城窟行〉，《文選》亦無名氏，據此知爲蔡邕作。

其在輯佚學、目錄學上之價值，均可於此徵之。

㈢為五言詩總集之權輿 五言歌詩，自建安而盛，行於六代，自唐以後，體製益繁，選錄益衆，而溯源星宿，當以《玉臺》爲最古，七代名家麗製，多賴以保存，是固五言之衡鑑，著作之淵藪矣。

㈣尊重婦女文學 自漢班姬徐淑以還，閨秀詞人，往往間出，第其作品多未能受到應有之尊重，以致千百年來，文壇上陽盛陰衰之偏枯現象歷久不變，憾孰甚焉。逮鍾嶸品第前代詩人，位班姬於上科，與曹劉潘陸諸大家並列，世人觀念始驟然大改，而閨閣詩人之地位亦隨之而提高。雖然，徐陵猶不以此爲已足，用特精選自漢至梁描述婦女精神生活與感情生活之詩篇，以及江南地方男女互相悅慕之歌謠，都爲一集，庶使深宮美人，民間匹婦，能有一分不帶任何政治色彩，不含任何教化功能，眞正爲自己所喜愛之精神食糧。且於集中廣錄歷代才媛之作，瑤章麗曲，網羅殆盡，使世人重新認識婦女對文學之貢獻，其用心誠有足多者。茲將其閨閣詩人表列如下：

《玉臺新詠》閨閣詩人及其作品一覽表

朝代	姓名	篇名
漢	烏孫公主	歌詩一首
漢	班婕妤	怨詩一首
漢	徐淑	答夫秦嘉詩一首
魏	甄皇后	塘上行一首
魏	劉勳妻王氏	雜詩二首
晉	周夫人	贈車騎一首
晉	李夫人	與夫賈充聯句三首
晉	桃葉	答玉團扇歌三首
	蘇伯玉妻	盤中詩一首
宋	鮑令暉	雜詩六首・寄行人一首
宋	孟珠	丹陽孟珠歌一首
齊	蘇小小	錢塘蘇小小歌一首
齊	范靖婦	詠步搖花等四首
梁	劉令嫻	答外二首・雜詩一首・光宅寺等三首
梁	范靜婦	王昭君歎二首・映水曲一首
梁	王淑英妻劉氏	雜詩一首・贈答一首・暮寒絕句一首

此外，徐氏又於自序中極力稱揚女子之優點。其列敘歷代之佳麗云：

凌雲概日，由余之所未窺，萬户千門，張衡之所曾賦。周王璧臺之上，漢帝金屋之中，玉樹以珊瑚作枝，珠簾以玳瑁爲柙，其中有麗人焉。其人也，五陵豪族，充選掖庭，四姓良家，馳名永巷。亦有潁川新市，河間觀津，本號嬌娥，曾名巧笑。楚王宮内，無不推其細腰，魏國佳人，俱言訝其纖手。閱詩敦禮，非直東鄰之自媒，婉約風流，無異西施之被教。

讚女子歌舞之美云：

弟兄協律，自小學歌，少長河陽，由來能舞。琵琶新曲，無待石崇，箜篌雜引，非因曹植。傳鼓瑟於楊家，得吹簫於秦女。至若寵聞長樂，陳后知而不平，畫出天仙，閼氏覽而遙妒。且如東鄰巧笑，來侍寢於更衣，西子微顰，將橫陳於甲帳。陪游馺娑，騁纖腰於結風，長樂鴛鴦，奏新聲於度曲。

讚女子裝飾之美云：

妝鳴蟬之薄鬢，照墮馬之垂鬟。反插金鈿，橫抽寶樹。南都石黛，最發雙蛾，北地燕脂，偏開兩靨。

讚女子體貌之美云：

亦有嶺上僊童，分丸魏帝，腰中寶鳳，授曆軒轅。金星與婺女爭華，麝月共嫦娥競爽。驚鸞冶袖，時飄韓掾之香，飛燕長裾，宜結陳王之佩。雖非圖畫，入甘泉而不分，言異神僊，戲陽臺而無別。眞可謂傾國傾城，無對無雙者也。

讚女子才情之美云：

加以天情開朗，逸思雕華，妙解文章，尤工詩賦。琉璃硯匣，終日隨身，翡翠筆牀，無時離手。清文滿篋，非惟芍藥之花，新製連篇，寧止蒲萄之樹。九日登高，時有緣情之作，萬年公主，非無誄德之辭。其佳麗也如彼，其才情也如此。

刻畫女子之心思則云：

既而椒房窕轉，柘館陰岑，絳鶴晨嚴，銅蠡晝靜。三星未夕，不事懷衾，五日猶賒，誰能理曲。優游少託，寂寞多閒。厭長樂之疏鐘，勞中宮之緩箭。輕身無力，怯南陽之擣衣，生長深宮，笑扶風之織錦。雖復投壺玉女，爲歡盡於百驍，爭博齊姬，心賞窮於六箸。無怡神於暇景，惟屬意於新詩。可得代彼萱蘇，微蠲愁疾。

其刻意發掘婦女之才華，提高婦女之地位，尊重婦女之人權(woman's rights)，均已灼然具見於此。故曰，徐陵與鍾嶸實吾國女權運動之先驅者也。

（原載民國七十三年五月台北商務印書館《東方雜誌》）

儒家文學理論與駢體文（一九八五）

（一）前　言

世界各國之文學，依其體式，祇能畫爲散文(prose)與韻文(verse)兩大類。惟有中國文學，除此二者之外，別有一特種文藝焉，則駢文是已。斯文也，既非純粹之散文，亦非純粹之韻文。蓋謂之爲散文，則彼既著重聲調之諧婉鏗鏘，同時亦考究字句之整齊勻稱，非若散文之字句參差，聲調錯落也。謂之爲韻文，則彼祇著重句中平仄之相間，而不必押句末之韻腳，非若韻文之通體用韻也。由是觀之，斯文實爲一非散非韻、亦散亦韻之特殊文體，乃舉世所未有，中邦所僅見者。日人兒島獻吉郎曰：『四六文既非純粹之散文，又非完全之韻文，乃似文非文，似詩非詩，介於韻文散文之間，有不離不即之關係者，故稱之爲律語或駢文。』（《中國文學概論》）誠深造有得之言也。茲試製二表以明之。（見下頁）

至於駢體文之得名，蓋始於清代，曾燠輯有《國朝駢體正宗》十二卷，以此類文章通體多作偶句，如二馬之並馳也。《說文》：『駢，駕二馬也，從馬，幷聲。』段玉裁注：『併馬謂之儷

(一)韻文駢文散文相互關係表

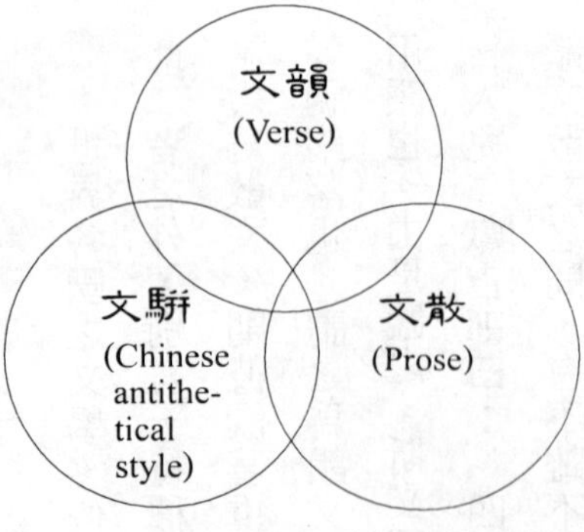

(二)韻文駢文散文涵蓋文體一覽表

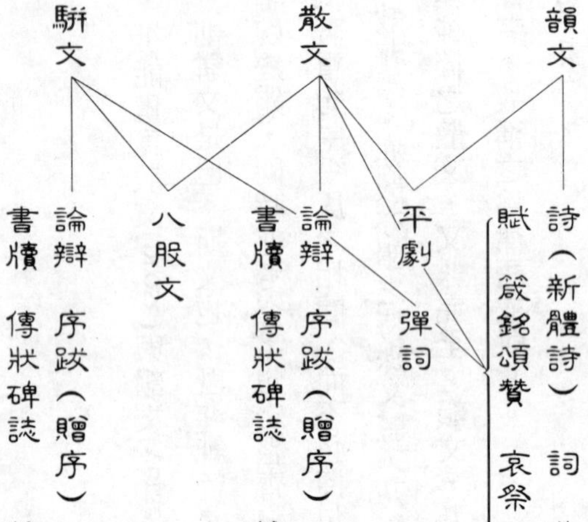

駕，亦謂之駢。』以駢體命名，即取義於此，俾與散文有所區別。自茲厥後，其名遂盛，至今弗衰。惟世所習稱者，尚有四六文、儷體文、麗體文、美術文、貴族文學等二十餘種，茲不一一列舉。此次演講仍以駢體文名之者，蓋從人所習知也。

（二）儒家論文極重辭華

揚搉言之，駢文一體，大概產生於二千年前之東漢和帝時代（八九——一〇五），經歷五百年之增益發皇，至六朝末葉始告定型，衍變而爲世所習稱之四六文。惟是，任何一種文體，决非劈空自天而降，必有其種種之時代背景與社會環境，細爲探究，恐非累紙所能盡述。今扼要說明之。

自漢武帝採董仲舒之議，罷黜百家，獨尊儒術以後，儒家學說遂如日月經天，江河行地，無所容其疵議，天下學士，靡然從風，影響所及，則無論政治、社會、學術……各方面，儒家思想均居於惟我獨尊之領導地位，歷時達兩千餘年，文學思想不過爲其中之一端而已。

孔子論文有曰：『言之無文，行而不遠。』（《左傳．襄公二十五年》）又曰：『文質彬彬，然後君子。』（《論語．雍也篇》）稱讚鄭國之辭命曰：『爲命，裨諶草創之，世叔討論之，行人子羽修飾之，東里子產潤色之。』（《論語．憲問篇》）又曰：『情欲信，辭欲巧。』（《禮記．表記》）聖人所以反覆言之者，蓋欲人之不可輕忽文采，而應重視修辭也。孔穎達詮釋其說曰：

> 言君子情貌欲得信實，而辭欲得和順美巧，不違逆於理，與巧言令色者異。（《禮記正義》）

朱熹集注曰：

> 潤色，謂加以文采也。（《四書集注》）

袁枚復再三申之曰：

聖人修辭，尚且不避巧字，而況今之爲文章者乎。是以春秋時鄭國辭命，先草創，後討論，再修飾而潤色之，亦不過求巧求人愛而已。（〈與祝芷塘太史書〉）

《六經》以道傳，實以文傳。《易》稱修辭，《詩》稱辭輯，《論語》稱爲命，至於討論修飾而未有已，是豈聖人之溺於詞章哉，蓋以爲無形者，道也，形於言謂之文。既已謂之文矣，必使天下人矜尚悅繹，而道始大明。若言之不工，使人聽而思臥，則文不足以明道，而適足以蔽道。（〈虞東先生文集序〉）

古聖人以文明道，而不諱修辭，駢體者，修辭之尤工者也。（〈胡稚威駢體文序〉）

唐人修辭與立誠並用，而宋人或能立誠，不甚修辭。聖人論爲命，尚且重修飾潤色，所謂言之不文，行之不遠也。（〈與孫俌之秀才書〉）

故古來載筆之倫，莫不重文采而尚色澤，其尤慧敏者，甚且鏤肝鉥膽，織錦成文，務使作品之外形臻於藝術美之極峰，期予讀者以視覺(sense of sight)與嗅覺(olfactory sensation)之雙重美感(sense of beauty)，良工心苦，允宜斂衽。善乎劉彥和之言曰：

聖賢書辭，總稱文章，非采而何。……若乃綜述性靈，敷寫器象，鏤心鳥跡之中，織辭魚網之上，其爲彪炳，縟采名矣。故立文之道，其理有三：一曰形文，五色是也。二曰聲文，五音是也。三曰情文，五性是也。五色雜而成黼黻，五音比而成韶夏，五情發而爲辭章，神理之數也。（《文心雕龍・情采篇》）

又曰：

> 莊周云辯雕萬物，謂藻飾也。韓非云豔乎辯說，謂綺麗也。綺麗以豔說，藻飾以辯雕，文辭之變，於斯極矣。（同上）

均強調辭華爲文章之要素，亦修辭之一法，其與西洋修辭學之目的論，必要論，功能說若合符節，可謂中西一揆，遙相輝映。

（三）儒家著作奇偶迭運

清代經學家阮元嘗撰〈文言說〉、〈文韻說〉、〈書梁昭明太子文選序後〉、〈與友人論古文書〉、〈四六叢話後敘〉及〈學海堂文筆策問〉等，反覆申論聖人作文，吐語必雙，遣詞皆偶，使人易於記誦，無能增改，故能行之遐荒，傳諸久遠。甚至謂經典之文，類都奇偶相生，音韻相協，藻繪成章，如治絲之經緯然，故得名之爲『經』。易詞言之，經典之文章，大抵是廣義之駢文，亦即阮氏之所謂『文』（詳見《研經室集》）也。至清季民國之交，其儀徵後進劉師培復張其軍，撰〈廣文言說〉、〈文筆詩筆詞筆考〉、〈文說〉、〈文章原始〉、〈論文雜記〉、《中古文學史》、《經學教科書》等，除立論大抵宗阮氏外，更提出較有系統之主張（詳見《劉申叔先生遺書》），其〈文說·耀采篇〉云：

> 《易》以六位而成章，《書》爲四言之嚆矢，太師采詩，咸屬韻語，宣尼贊《易》，首肇

〈文言〉，遐稽六藝之書，半屬偶文之體。是猶工繪事者，必待五采之彰施，聆樂音者，必取八音之迭奏。惟對待之法未嚴，平側之音未判，乃偶寓於奇，非奇別於偶。雖句法奇變，長短參差（如《書經》、《易經》之文是也，然對偶排列者甚多。），然音律克諧，低昂應節，故訓辭爾雅，抽句匪單，或運用疊詞，或整列排語（如《書經》及《禮記》、《易．繫辭》是。），三代文體，即此可窺。

又〈文章原始〉云：

吾觀三代之書，諺語箴銘，實多韻語。若六藝之中，詩篇三百，固皆有韻之詞；即《易》《書》二經，亦大抵奇偶相生，聲韻相叶；而《爾雅．釋訓》，用韻者亦三十條（子子孫孫以下）。惟《戴禮》《周官經》言詞簡質，不雜偶語韻文，則以昭書簡冊，懸布國門，猶後世律例公文，特設專門之文體也，故與〈文言〉不同。

經典幾儼然為駢文之鼻祖矣。平情論之，阮劉二氏因鑒於桐城派古文之空疏弇陋，而發為是言以匡正之，雖意未全愜，但經典中有許多偶氣頗重之篇章，則是灼然可見之事實，不容否定者也。夫文之初創，駢散並不分塗，亦猶數之初創，奇偶不立義界。厥後文法日密，駢文與散文乃自為家數，此經典之文所以駢散兼該也。矧吾民族之個性，夙以儒雅好文著稱於世，泰古時代之修辭，以及先聖往哲之裁經，已有此觀念，原出於無意識之運用者乎。

要而言之，儒家著作，惟求達意，當駢則駢，當散則散，並不拘泥於駢散之門戶。蓋文章用駢用散，各有便利，互見短長。在《十三經》中，偶氣較重者，如《尚書．禹貢》，多用「厥」字為排句；《周禮．職方氏》則專用「其」字為排句；《周易．文言》更是纂組輝華，音韻協暢，實千古宮商翰藻奇偶之祖。是皆由於行文之方便，無勞乎經營者也。再推而論之，〈文言〉、《春秋》，同出孔子，〈文言〉多偶，而《春秋》多單，良由陰陽剛柔，非偶不行，年經月緯，非單莫屬。《周禮》、《儀禮》，同出周代，《周禮》多偶，而《儀禮》多單，則以設官分職，種別類殊，不用偶筆，則頭緒不能分明；《儀禮》記賓主禮節，入門上階，揖讓進退，如用偶筆，則不免失於繁複。《孝經》、《論語》，同出春秋，《孝經》多偶，而《論語》多單，則以陳述孝道，非反覆訓迪，不克竟其功；《論語》記孔子之言行，祗須平鋪直敍，即能蕆其事。知劉師培所謂「遐稽六藝之書，半屬偶文之體」者，要非漫言。善乎劉開之論駢文與經典之淵源也，曰：

夫駢散之分，非理有參差，實言殊濃淡。或為繪繡之飾，或為布帛之溫。究其要歸，終無異致，推厥所自，俱出聖經。夫經語皆樸，惟《詩》、《易》獨華，《詩》之比物也雜，故辭婉而妍，《易》之造象也幽，故辭驚而創，駢語之采色於是乎出。《尚書》嚴重，而體勢本方，《周官》整齊，而文法多比，《戴記》工累疊之語，《繫辭》開屬對之門，《爾雅》釋天以下，句皆珠連，《左氏》敍事之中，言多綺合，駢語之體製於是乎生。（〈與王子卿太守論駢體書〉）

足見駢詞麗句，殆挾文字以俱來，而聖人裁經，尤多協音以成韻，修辭以達遠，炳炳烺烺，洋洋灑灑，遂能共江河而不廢，懸日月而不刊者也。茲率舉經典中偶意濃重之文字為例，以見先聖述作奇偶相參，整散並運之軌跡。

㈠《周易・坤卦・文言》

坤至柔而動也剛。至靜而德方。後得主而有常。含萬物而化光。坤道其順乎。承天而時行。積善之家。必有餘慶。積不善之家。必有餘殃。臣弒其君。子弒其父。非一朝一夕之故。其所由來者漸矣。由辯之不早辯也。《易》曰。履霜堅冰至。蓋言順也。直其正也。方其義也。君子敬以直內。義以方外。敬義立而德不孤。直方大。不習旡不利。則不疑其所行也。陰雖有美。含之以從王事。弗敢成也。地道也。妻道也。臣道也。地道旡成。而代有終也。天地變化。草木蕃。天地閉。賢人隱。《易》曰。括囊旡咎旡譽。蓋言謹也。君子黃中通理。正位居體。美在其中。而暢於四支。發於事業。美之至也。陰疑於陽必戰。為其嫌於旡陽也。故稱龍焉。猶未離其類也。故稱血焉。夫玄黃者。天地之雜也。天玄而地黃。

此文時用韻語，且多偶句，阮元據之作〈文韻說〉及〈文言說〉，大旨謂須用韻用偶，而後可以謂之文。其說頗能明言文之原，惟泥於晉宋以下文筆之分，故僅以有韻（包括句中之韻與句末之韻）者為文。且因後世古文家屏棄駢儷之文為不足以語於古文，故務為力反其說也。至於標孔子〈文言〉為千古文章之祖，則自劉勰發之，其說具見《文心雕龍・原道篇》。其〈麗辭篇〉又曰：

『《易》之〈文〉、〈繫〉，聖人之妙思也，序乾四德，則句句相銜，龍虎類感，則字字相儷，乾坤易簡，則宛轉相承，日月往來，則隔行懸合，雖句字或殊，而偶意一也。』則直認駢文之規模，實孕育於〈文言〉矣。合以阮元〈文言說〉、〈文韻說〉暨〈書梁昭明太子文選序後〉所稱『孔子〈文言〉，實爲萬世文章之祖，此篇奇偶相生，音韻相和，如青白之成文，如咸韶之合節，非清言質說者比也，非振筆縱書者比也，非詰屈澀語者比也。是故昭明以爲經也史也子也，非可專名之爲文也，專名爲文，必沈思翰藻而後可也。』則〈文言〉具備美文之特質有二：一即多用偶句，一即多用韻是也。用韻用偶，咸爲古今美文所不能外者矣。

(二)《周易．繫辭》(節錄)

天尊地卑。乾坤定矣。卑高以陳。貴賤位矣。動靜有常。剛柔斷矣。方以類聚。物以群分。吉凶生矣。在天成象。在地成形。變化見矣。是故剛柔相摩。八卦相盪。鼓之以雷霆。潤之以風雨。日月運行。一寒一暑。乾道成男。坤道成女。乾知大始。坤作成物。乾以易知。坤以簡能。易則易知。簡則易從。易知則有親。易從則有功。有親則可久。有功則可大。可久則賢人之德。可大則賢人之業。易簡而天下之理得矣。天下之理得。而成位乎其中矣。聖人設卦觀象。〈繫辭〉焉而明吉凶。剛柔相推而生變化。是故吉凶者。失得之象也。悔吝者。憂虞之象也。變化者。進退之象也。剛柔者。晝夜之象也。六爻之動。三極之道也。是故君子所居而安者。易之序也。所樂而玩者。爻之辭也。是故君子居則觀其象而玩其辭。

動則觀其變而玩其占。是以自天祐之。吉无不利。

按〈文言〉以外，如〈彖〉、〈象〉、〈繫辭傳〉亦多綺縠紛披，宮徵靡曼，而以〈繫辭〉爲尤甚焉。尋〈繫辭〉上下篇，偶句凡三百三十六見，韻語凡一百一十見。（據阮福〈文筆考〉及〈學海堂文筆策問〉）觀其屬對精整，音韻曼妙，讀之津津有味，如天籟之動人。而辭無晦僻，意少奧澀，猶其餘事焉耳。由斯以談，《周易》一書，不獨爲吾國學術之濫觴，哲理之淵海，亦秉文之金科，匯藝之玄圃也。後代駢儷文章，聲調諧美，配對工麗，其〈文〉、〈繫〉使之然歟。而〈文〉、〈繫〉之作，孔子實經營之，則謚孔子爲駢文之初祖，亦庶乎其有當夫。

(三)《毛詩・周南・關雎》

關關雎鳩，在河之洲。窈窕淑女，君子好逑。
參差荇菜，左右流之。窈窕淑女，寤寐求之。
求之不得，寤寐思服。悠哉悠哉，輾轉反側。
參差荇菜，左右采之。窈窕淑女，琴瑟友之。
參差荇菜，左右芼之。窈窕淑女，鍾鼓樂之。

按『關關雎鳩』四句，以雎鳩雄雌相應和，興君子之必得淑女爲好逑，意似偶而句法不偶。『參差荇菜』四句偶，而承之曰：『求之不得，寤寐思服，悠哉悠哉，輾轉反側』，則又奇矣。首尾偶而中間以奇，散文絡乎駢文之間，猶之奇數絡乎偶數之間也。又按卜商所作之〈關雎序〉，駢

音麗字，洋溢篇中，阮元以爲即千古聲韻排偶之祖。（見〈文韻說〉）

據上以觀，則駢散二體，同出一源，事實具在，無煩覶縷。先賢如阮元之〈文言說〉、〈文韻說〉，李兆洛之〈駢體文鈔序〉，劉開之〈與王子卿太守論駢體書〉，曾國藩之〈送周荇農南歸序〉，劉師培之〈文說·耀采篇〉等，論之綦詳，請參閱。

（四）駢體文與唯美文學

在美學(aesthetics)上有所謂形式(form)美與內容(contents)美者。如建築物形體之比例，色彩之配合如何美觀，則屬於形式美。其所表現莊嚴偉大，或小巧玲瓏之精神，則屬於內容美。一件藝術品必須兼具內容與形式之長，始能予人有悅目賞心之美感(sense of beauty)。夫文學亦然，文學之功用，原爲表現作者之情感，傳達作者之思想，或記述客觀之事物者，然人類皆有愛美之天性，欲使他人接受作者之情意，感發其情緒，必須具有動人之美感，在文學之廣大領域中，其所以有唯美文學之產生，實即種因於此。而駢文則唯美文學之尤焉者也。

駢文既爲唯美文學之一種，自然特重辭華，亦猶器物之有刻鏤繪畫，衣服之有錦繡色彩也。故辭藻華麗亦是駢文構成之重要條件，蓋去此則不足以言唯美，而與散文等視齊觀矣。按駢文構成之要件有五：①對偶精工，②用典繁富，③辭藻華麗，④聲律諧美，⑤句法靈動。（詳見拙著《駢文學》第四章，民國七十三年三月由台北文史哲出版社印行。）惟是，在駢文所必備之五種要件中，最爲人所詬病者，厥爲『辭藻華麗』一項，以爲此類作品徒見形式之華麗，而內容則空洞無物。實則內容形式兼備之唯美文學作品，車載斗量，所在多是。質言之，作品之優劣，乃作者表現手法之高低問題，固無與於文體之本身也。抑再進一步言之，辭藻華麗之唯美文學，並非憑空而來，亦非有人蓄意提倡，乃係文學進化之自然結果，請得縷而述之。

自先聖孔子論文重視藻采（已見前述）以後，其所貽予文壇之影響，至爲深鉅，摛辭之士，無不奉行唯謹，黽勉從事。故四部之中，以集部最多，而文辭亦最華麗，足以雄視萬國，永放光芒。考詩賦文章之日趨華麗，蓋始於東漢，觀《文選》所錄傅毅、班固、張衡、蔡邕之作，面目迥異西京，可以知也。王符《潛夫論・務本篇》云：

東漢學問之士，好語虛無之事，爭著雕龍之文。

然多半純任自然，未作人工之刻意塗澤。建安以下，文士有一種新的覺醒，文學亦擺脫儒學之羈勒，而飛速邁向唯美之途前進。當時作者一致主張追逐綺縟、纂組藻采爲文學之第一條件，茲掇錄一二，以見大凡。

㈠魏曹丕《典論・論文》：

詩賦欲麗。

㈡晉陸機〈文賦〉：

詩緣情而綺靡，賦體物而瀏亮。

其會意也尚巧，其遺言也貴妍。曁音聲之迭代，若五色之相宣。藻思綺合，清麗芊眠。炳若縟繡，悽若繁絃。

㈢梁蕭統《文選・序》：

若夫椎輪爲大輅之始，大輅寧有椎輪之質；增冰爲積水所成，積水曾微增冰之凜。何哉，蓋踵其事而增華，變其本而加厲。物既有之，文亦宜然。

若其讚論之綜緝辭采，序述之錯比文華，事出於沈思，義歸乎翰藻，故與夫篇什，雜而集之。

㈣梁蕭繹《金樓子・立言篇》：

至如文者，惟須綺縠紛披，宮徵靡曼，脣吻遒會，情靈搖蕩。

夫文學之由樸而華，由平淡而絢爛，亦猶人事之由簡而繁，物質之由粗而精，爲自然之趨勢，進化之公例，蕭統所論，是其明證已。而蕭繹更具體指出惟有色、音、情三者俱全，始能稱爲文學。所謂『綺縠紛披』，即色彩之美。所謂『宮徵靡曼』，即聲調之美。所謂『脣吻遒會』，即韻律之美。所謂『情靈搖蕩』，即情致之美。易詞言之，文學不僅以表達意思爲已足，尚須有藻采，協聲律，而富感情，始克畢其能事，亦即今日所稱之純文學也。

六朝文士在思想上既普遍重視文學之藝術美，在行動上亦多能劍及履及，於是刻意逞才，鏤心敷藻，逐景承流，蔚爲風尚。試舉數例，以窺豹斑。

(1)鮑照〈蕪城賦〉

若夫藻扃黼帳，歌堂舞閣之基，璇淵碧樹，弋林釣渚之館，吳蔡齊秦之聲，魚龍爵馬之玩，皆薰歇燼滅，光沈影絕。東都妙姬，南國麗人，蕙心紈質，玉貌絳脣，莫不埋魂幽石，委骨窮塵，豈憶同輿之愉樂，離宮之苦辛哉。

此賦可得而言者凡二：㈠詞句鑄鍊之痕跡愈益彰顯，尤其是『比喻格』之大量運用，使作品彌增姿采，例如『璇淵碧樹』、『蕙心紈質』、『玉貌絳脣』之類，斯乃鮑氏之匠心巧思，故能有此傑構，突過前人多矣。㈡著重聲色臭味之渲染，如『藻』、『黼』、『歌』、『聲』、『璇』、『碧』、『薰』、『燼』、『光』、『影』、『麗』、『玉』、『絳』之類，俳賦之趨於富麗，此其先唱焉。（參用近人朱光潛氏之說，見《詩論》第十一章）

(2)孔稚珪〈北山移文〉

於是南岳獻嘲，北隴騰笑，列壑爭譏，攢峰竦誚。

言山則峰、岳、隴、壑，既自不同；言笑則嘲、笑、譏、誚，更善變換。蓋同字相犯，詞章家視為大忌，故予變換字面，以免犯重。但亦有故意犯重者，蓋欲增加文章之意趣也。如庾信〈小園賦〉：『一寸二寸之魚，三竿兩竿之竹。』許槤評曰：『二句乃疊股法，讀之騷逸欲絕。』（《六朝文絜》）不但可以加深讀者之印象，亦且可以使口吻調利，提高其可讀性。

(3)蕭繹〈采蓮賦〉

紫莖兮文波，紅蓮兮芰荷，綠房兮翠蓋，素實兮黃螺。於時妖童媛女，蕩舟心許，鷁首徐迴，兼傳羽杯。棹將移而藻挂，船欲動而萍開。爾其纖腰束素，遷延顧步，夏始春餘，葉嫩花初。恐沾裳而淺笑，畏傾船而斂裾。故以水濺蘭橈，蘆侵羅薦，菊澤未反，梧臺迥見。荇溼霑衫，菱長繞釧。泛柏舟而容與，歌采蓮於江渚。歌曰：

碧玉小家女，來嫁汝南王。蓮花亂臉色，荷葉雜衣香。因持薦君子，願襲芙蓉裳。

此賦上承鮑照遺風，選擇富有采色之詞彙，推敲諧美動聽之聲調。惟結構之謹嚴，形式之錯綜，則非鮑氏所能望其項背。前四句詠蓮，觀察入微，刻畫巧似。中間一段，點染成趣，以江南地方特有之旖旎風光作背景，襯出舟棹之輕搖慢盪，又能注意採蓮者之心理活動，期使情景相互協調，內質與外形歸於統一。故寥寥數語，即將舟船之動勢，小兒女之嬌態，依稀呈現眼前，而構成非常柔和美好的畫面。末復以五言民歌作結，錯落多致，尤饒有革新精神，與庾信之〈春賦〉並稱俳賦雙絕。許槤評曰：『體物瀏亮，斯爲不負。』（《六朝文絜》）又曰：『生撰語卻佳，以有藻飾，所以讀之不厭。』（同上）據此，則是篇又爲六朝詠物賦之雋品，堪與謝莊〈月賦〉、庾信〈鏡賦〉鼎峙而三。

(4)蕭繹〈蕩婦秋思賦〉

於時露萎庭蕙，霜封階砌。坐視帶長，轉看腰細。

只寫『帶長』、『腰細』，而空房難以獨守之情態歷歷如繪，堪稱神來之筆。故許槤評曰：『逼眞蕩婦情景，琢磨入細。』眞行家語也。

(5)江淹〈恨賦〉

孤臣危涕，孽子墜心。

按《文選》李善注：『心當云危，涕當云墜，江氏愛奇，故互文以見義。』其實好奇尙異，翻新求變，乃六朝文士之共同心理，不獨江氏一人而已。

(6)劉令嫺〈祭夫徐敬業文〉

雹碎春紅，霜凋夏綠。

按『紅』當作『花』，『綠』當作『草』，六朝人愛奇之習，波及才媛，固不限於男士也。

(7)庾信〈春賦〉

月入歌扇，花承節鼓。

按此用班婕好〈怨歌行〉：『裁爲合歡扇，團團似明月。』用『似』則熟，用『入』則奇。

(8)庾信〈梁東宮行雨山銘〉

草綠衫同，花紅面似。

按句法當云『衫同草綠，面似花紅。』庾氏顚倒之如此，蓋在追求新變以爭勝古人也。揚搉言之，六朝文士率以艱深爲矜貴，以平易爲凡庸，殆即劉勰所謂『意翻空而易奇，文徵實而難工』歟。《文心雕龍・通變篇》曰：『宋初訛而新。』《定勢篇》又詳言之曰：『自近代辭人，率好詭巧，原其爲體，訛勢所變，厭黷舊式。故穿鑿取新，察其訛意，似難而實無他術也，反正而已。故文反正爲乏，辭反正爲奇，效奇之法，必顚倒文句，上字而抑下，中辭而出外，回互不常，則新色耳。』觀此，則訛之爲用，在取新奇，而奇之爲用，在取新色也。六朝文中類此者，觸處皆是，蓋追求文學之形式美乃當時之巨大潮流也。

(9)**曹植〈與吳季重書〉**

當斯之時，願舉泰山以爲肉，傾東海以爲酒，伐雲夢之竹以爲笛，斬泗濱之梓以爲箏，食若塡巨壑，飲若灌漏卮，其樂固難量。

寫往日縱情歡樂之情景，若不加誇飾，則意不暢而情不顯。

(10)**陳琳〈檄吳將校部曲文〉**

元戎啓行，未鼓而破，伏尸千萬，流血漂櫓。

若不如此形容，何以見軍威之盛，軍容之壯。按此在修辭學上謂之「誇大格」。

(11)**祖君彥〈爲李密數隋煬帝罪檄文〉**

罄南山之竹，書罪無窮；決東海之波，流惡難盡。

質實言之，隋煬帝並非十惡不赦之暴君，功過相抵，諒無間言。但若不如此誇張其罪愆滔天，如何能傳檄千里，聳動海內耶。此殆即端木賜所謂『紂之不善，不如是之甚也，是以君子惡居下流，天下之惡皆歸焉』（《論語・子張篇》）之意也。

按修辭學中有『誇飾格』（亦云『誇大格』），誇飾為唯美文學之主要原素之一，藉鋪張揚厲之文辭，以豁顯難傳之情狀，目的在聳動視聽，引人入勝，使讀者可味其言外之意，絃外之音。如柳宗元〈別弟宗一詩〉：『一身去國六千里，萬死投荒十二年』，觀者自能領悟其逐臣孤憤之意，跋涉艱難之狀矣。『六千里』不必其以里計程而適為六千之整數，不過表示修途異地已耳。然在文學家則為雋句，在科學家則為僞說矣。又如李白〈秋浦歌〉：『白髮三千丈，緣愁似個長』，不問而知其出語之無稽，後世不聞有譏之者，則以美術之文不求徵實也。

(12)蕭綱〈與蕭臨川書〉

零雨送秋，輕寒迎節，江楓曉落，林葉初黃。

(13)丘遲〈與陳伯之書〉

暮春三月，江南草長，雜花生樹，群鶯亂飛。

(14)周弘讓〈與王少保書〉

江南燠熱，橘柚冬青，渭北沍寒，楊榆晚葉。

(15)何遜〈為衡山侯與婦書〉

心如膏火，獨夜自煎，思等流波，終朝不息。

按六朝文士率皆絞盡腦汁，追求『新』『變』，故文章風貌，迥異兩京，上舉諸文，無論寫景抒情，皆非漢人所能想像。王國維《人間詞話》云：『文體通行既久，染指遂多，自成習套，豪傑之士亦難於其中自出新意，故遁而作他體，以自解脫。』蓋文學隨時代而轉移，至六朝有不得不變之勢。況尚新求變，乃人之常情，兩漢樸質之風，相沿既久，令人昏睡耳目，六朝群彥霞蔚雲蒸，忽焉丕變，亦文學進化之自然趨勢也。

（五）結　論

蓋嘗論之，文學之與純文學略有差別，文章原是一種工具，其作用大略可分爲記載事物，發表意志，傳達思想，抒寫情感等。惟純文學則有時專爲作文而作文，其所作之文並未打算與他人讀，乃至不希望有人讀，然則此類文章更有何用處，不幾等於廢物矣乎。是不然，蓋文章工具說，乃知識作用，而人類於求知之外，尙有所謂精神，爲作文而作文之文章，即精神作用也。由是言之，則此類文章，其重要性決不減於工具之文，或有過之。惟此類文章，多屬於韻文方面，駢文即其一也。駢文設色穠麗，遣詞斑斕，音節鏗鏘，抑揚往復，無處不見良工心苦，雖不必篇篇盡是經國之鴻文，而其足資陶冶性情，移易氣質，則可斷言。譬之珠玉珍玩，飢不可食，寒不可衣，而人貴之者，以其美觀悅目，可供欣賞也。又如雅曲佳畫，皆非經世牖民之所急需，而各級學校責學子以必習者，以音樂可以移情，可以美化人生，丹青可以賞心，可以淨化性靈也。然則駢文之功用，寧有異於是哉。

要之，駢文辭藻華麗，被稱爲『有字之圖畫』。聲律諧美，又被稱爲『有字之樂曲』，或『音樂的文學』。故駢文乃是文藝、音樂、美術三者相互融合之一種特殊的文學，此種風華絕代之美文，在使用複音字之國家永遠無法產生，所謂『只此一家，別無分店』，移以語此，尤為確切。因此只有我國始能在韻文與散文之外，產生此種文體。此實我炎黃子孫智慧之結晶，亦我列祖列宗所遺留之寶貴文化資產，吾人當如何加以珍惜寶愛，延續發皇，毋令其重罹〈廣陵散〉之厄運，則幸矣。吾其斂衽以祝之，吾其馨香以禱之。

（民國七十四年三月在台北中華民國孔孟學會之演講辭。

並刊載於台北《孔孟月刊》二十三卷六期）

略論宋代四六文之特色（一九八五）

自唐·令狐楚傳章表箋奏之法於李商隱，而商隱遂有四六之集，宋之作者，尤別為一體，故有『宋四六』之稱。昔崑山顧氏有云：『《三百篇》之不能不降而《楚辭》，《楚辭》之不能不降而漢、魏，漢、魏之不能不降而六朝，六朝之不能不降而唐也，勢也。』（《日知錄·詩體代降》）此雖非專指駢文而言，而駢文蛻變之軌跡，固歷歷不爽。余以為唐之不能不降而宋也，亦勢也。蓋自魏、晉以迄南北朝，中國文學經過長期之自由與解放，逐漸脫離教化與實用之立場，超脫現實社會與民衆生活之基礎，而勇向高蹈的浪漫主義與純藝術的唯美主義之路邁進，無論發之於詩，形之於文，皆不出聲律與對偶二大端，終於造成純文學之黃金時代。此種風氣綿衍至於初唐，猶未盡替。其後雖經燕、許二公之稍加變革，韓、柳諸子之無情打擊，亦終無損其顛末。故降至晚唐、五代，唯美主義之狂飆又復籠蓋整個文壇，俳辭豔曲，斑斕輝煌，駢文發展至此，已臻絕詣，無復有後人措手足之餘地矣。王靜安所謂『文體通行既久，染指遂多，自成習套，豪傑之士亦難於其中自出新意，故遁而作他體，以自解脫』（《人間詞話》）者，豈不然歟。

一時代之文學，恆有其所偏主之端，大勢所趨，萬矢一的，雖自謂與衆立異者，亦恆受其陰趨潛率而不自知。宋代爲散文盛行之世，斯時之駢文，名爲與古文對立，而實不免於古文化。以宋代之駢文與宋代之古文較，則爲駢文。以宋代之駢文與唐代之駢文較，則唐代之駢文，可謂駢文中之駢文，而宋代之駢文，可謂駢文中之散文矣。此等風氣，蓋變自歐陽修，而王安石、蘇軾實爲之羽翼。良以宋初爲駢文者，無不恪守唐人矩矱，雍穆者遠師燕、許，繁縟者近法樊南。自歐陽修出，始以古文之氣勢運駢文之詞句，而其體乃一變。王安石文能標精理於簡嚴之內，蘇軾文能藏曲折於排蕩之中。宣和以後，且多用全文長句爲對。此則宋四六之自成一格者也。王應麟撰《辭學指南》，體崇四六，宗法歐陽、王、蘇，儻亦宋代駢體文格俱不能逾越此三家之範疇歟。曹學佺序《宋詩》曰：『取材廣而命意新，不勦襲前人一字。』吳之振序《宋詩鈔》亦曰：『宋人之詩，變化於唐，而出其所自得，皮毛盡落，精神獨存。』此雖就詩立言，而駢文風貌頗亦近似。此種劃時代之變遷，有得亦復有失。氣之生動，詞之清新，雖極剪裁雕琢之功，仍有漸近自然之妙，宋人之所長也。造句過長，漸失和諧之美，措語務巧，更無樸茂之風，馴至力求清新，流爲纖仄，取徑既下，氣體彌卑，則其所短也。要之，宋代之四六文與六朝末期以來之駢文較，可謂駢文中之散文。所長在此，所短亦在此也。（參用近儒呂思勉氏之說○見《宋代文學》）

（原載民國七十四年十一月台北國語日報社《古今文選》六一六期）

應用文淺說（一九八六）

應用文雖然是我們日常交際應酬時所使用的文字，但是社會上卻有許多人只知其然，而不知其所以然，正如孟子所說的「行之而不著焉，習矣而不察焉，終身由之而不知其道者衆也。」（《孟子・盡心篇》）不過這只是美中不足，還不至於出紕漏。另外有些人把它使用錯誤，輕則貽笑大方，有損自己的形象，重則損害他人，引起誤會，所謂「言者無心，而聽者有意」，假如因此而破壞彼此的交情，那就很划不來。現在我想就這個問題，舉出一些實例，加以說明，提供社會大衆參考。

㈠**弄璋・弄瓦**　祝賀他人生男謂之「弄璋之慶」，祝賀他人生女謂之「弄瓦之喜」，這是出自《詩經・小雅・斯干》：「乃生男子，載弄之璋；乃生女子，載弄之瓦。」璋是美玉，蓋祝其成長後德美如玉，且爲王侯執圭璧。唐玄宗時代的宰相李林甫祝賀姜度妻生子，竟寫作「聞有弄麞之慶」，因而騰笑朝野，被譏爲「弄麞宰相」，他把美玉誤作野獸，致有此失。瓦是紡磚，古時婦女紡織所用，蓋祝其成長後喜愛織布工作。時下有些新女性誤解作蓋房子所用的磚頭，因而認爲有侮辱女性之嫌，實在是會錯了古人的意思。

(二)享　壽　訃聞中常見到「享壽〇〇歲」，嚴格說來，壽字不能亂用，古人認為必須六十歲以上才有資格稱壽。依照《淮南子．原道訓》的說法，六十到六十九歲稱為下壽，七十到七十九歲稱為中壽，八十歲以上稱為上壽。後人從之，在訃聞中六十歲以上才用「享壽」，三十到五十九歲則稱「享年」，而三十歲以下則稱「得年」或「存年」，這種用法一直沿襲至今，不可隨便更改。又古人平均壽命較短，長壽之人不多，故杜甫〈曲江詩〉云：「人生七十古來稀」，後人遂以「古稀」作為七十歲之代稱。古人能活到七十歲已經相當稀少，那麼活到八十歲更是千難逢一。所以替八十歲以上的壽星辦喪事，不但沒有哀傷的氣氛，甚至還把它當喜事辦呢。譬如訃聞不用白色而用粉紅色，桌布蠟燭等都不用白色而用紅色。這種習俗也沿用至今，沒有改變。

(三)先生．太太　現在一般人向他人提到自己的配偶時喜歡說「我先生如何如何」，或「我太太如何如何」，這是不夠謙虛的，也不像禮義之邦的國民所說的。應該說成「外子如何如何」，或「內人（或內子）如何如何」，我發覺這樣說的人數和知識水準的高低成正比。但是最近有許多台籍朋友寫信或當面向我訴苦說，「外子」和「內人」用台語發音很拗口，不易為閩南語系的人士所接受。這個問題很有意義，我認為台閩地區人士既然習稱丈夫為「頭家」，妻子為「牽手」，那麼何不順水推舟，提到丈夫時用「阮頭家」或「阮頭仔」，提到妻子時用「阮牽手」或「阮牽仔」呢。既與事實相符，又含有謙遜的意味，兩全其美，何樂不為。我認為這種「因地制宜」而又帶著草根性的稱呼應予推廣。

人」。按「敝」是破敗的意思，所以謙稱自己的家叫「敝廬」，謙稱自己的家鄉叫「敝鄉」，謙稱自己的祖國叫「敝國」，謙稱自己的學校叫「敝校」，謙稱自己的公司叫「敝公司」，……總之，除了自謙時用「鄙」外，其餘一律用「敝」，絕對不可混用。

㈣鄙人·敝國　「鄙」是粗野不文，所以作爲提到自己的謙詞，但是許多人卻誤寫作「敝

㈤文　定　文是聘金，定是訂婚，娶妻要花一筆錢是天經地義的，不花錢就想得到一個美嬌娘，天底下那裏有這種美事。所以周公當年制定婚禮時，就爲女方家長著想，以免女家「人」「財」兩失，那誰還願意生女兒呢。

㈥個·名·位　「個」、「名」、「位」都是人或物的量詞，亦稱單位詞。但「個」本作「箇」，亦作「个」，係泛稱，沒有敬意；「名」亦然；而「位」則是尊稱，稱呼他人時用之。所以警察逮捕犯人，只能用「一個嫌犯」或「一名嫌犯」，絕不能用「一位嫌犯」。又如吾人進餐廳時，服務生往往會問「有幾位」？客人常順口回答「有三位」。服務生問「有幾位」？是敬詞，是對的。而客人回答「有三位」，也是敬詞，是錯的，應該說「有三個」，難道對自己也要心存敬意嗎。媒體主播、記者和一般人常犯此錯誤，應予改正。

（民國七十五年五月六日在台北扶輪社之演講辭）

清代駢文家之地域分布（一九八七）

——兼論歷代駢文家之地域分布

（一）引論

駢文至南宋末造，血肉已枯，菁華已竭。蒙古以異族入主中夏，稽古右文，幾成絕響，除戲曲小說稍有可觀外，其餘則一無是處。元鼎既革，朱氏基命，遠承南宋空疏弇陋之習，近聞時賢格致性理之說，多高談闊論，束書不觀，於是樂散文之簡易，而憚駢文之繁複，即大才槃槃如前後七子之徒，竟陵公安之輩，率祗作散文，在應用方面，亦以散文爲多，駢文祗限於一部分用處（如箋啓章表之屬）。雖間有揚棄秦漢，瓣香齊梁者，究多粗製濫造，庸廓膚淺，無復作家風韻，難登大雅門堂。而此時律賦與八股又如日方中，爲全國舉子之所必習，錮蔽文士之性靈，麻醉學者之思想，阻礙文學之進步，流毒華夏，亙三百年，謚之爲駢文之黑暗時代(Dark ages)可也。然而天道周星，物極必反，思潮激盪，終令文學上有撥濃霧見青天之一日，故不旋踵間而中國文藝復興(Renaissance)運動之序幕揭開矣。在滿清立國二百六十八年中，學術文化方面之成就，爲過去任何時代所不及，事實具在，無待辭費。其中作者衆多，作品美富，風流標映，蔚爲國光者，殆非駢儷之文莫屬。

清代駢文既儼然復興氣象，最早露頭角者，爲尤侗、吳綺、毛奇齡、陳維崧、吳兆騫諸人，而陸繁弨、黃之雋、章藻功則其繼焉者也。吳兆騫承漢魏之遺，吳綺摹晚唐之作。陸繁弨豪華精整，振藻耀采。尤侗熟精〈騷〉《選》，間作儷辭，雜以諧謔，遂爲四六別調。陳維崧、章藻功雖云導源徐庾，而體格實近初唐，綺而能密，麗而有則。毛奇齡才力富健，雖不以駢文名，而所作多合齊梁矩矱，元明鴞音，從是遂革。黃之雋豔藻獨構，生面別開，唐人精髓，淪浥殆盡，當時有曠世逸才之目。自茲厥後，駢儷大行，人握隋珠，家抱荊玉，乾嘉年間，雲蒸霞蔚，富有日新，胡天游、袁枚、邵齊燾、王太岳、汪中、吳錫麒、洪亮吉、劉星煒、孫星衍、孔廣森、曾燠、阮元諸人其最也。胡天游思緒雲騫，詞鋒景煥。王太岳藻暢襟靈，飆發氣逸。邵齊燾於豐縟之中，具秀潤之致。吳錫麒於風華之外，饒音調之美。劉星煒清轉華妙，孔廣森凝重典雅，曾燠味雋聲永。袁枚文筆縱橫，間雜議論之詞。阮元寶光古色，特多金石之氣。皆卓爾名家，藝林仰鏡。而洪、孫、汪三家爲尤高。洪亮吉質樸若中郎，驚挺若明遠，肅穆若燕公。孫星衍思至理合，秀逸有餘。洪惟倜儻，孫則淵懿。而汪中以雅淡之才，獨步昭代，上窺屈宋，下揖任沈，旨高喻遠，不貌閒心戚。而王闓運論文乃謂「汪中、袁枚之徒，體格無存，何論氣韻。其餘如洪吳之駢儷，不如其律賦。」王氏刻意摹《選》，妙解詞條，甘苦之言，寧同誣罔，然其持論，未免過苛。夫作爲駢文，非沈博之難，而雄奇爲難；非綺麗之難，而秀潤爲難；非鋪張之難，而狷潔爲難。雄奇如洪亮吉，秀潤如孫星衍，狷潔如汪中，求之近世，指難再屈矣。中葉以還，作者彌衆，王先謙選十家四六文，一劉開，二董基誠，三董祐誠，四方履籛，五梅曾亮，六傅桐，七周壽昌，八王闓運，九趙銘，十李慈銘，均不愧一代作手。他如陳壽、樂鈞、譚瑩、譚獻、王詒壽，以至治《公羊》學之劉逢祿、魏源、龔自珍，一代名臣曾國藩、張之洞等，或規摩漢魏，或心儀齊梁，或模範三唐，或追蹤兩宋，雖軌躅異趨，派別滋繁，而其骨格韻調，則皆超軼流俗，挺秀鄧林。至湘潭王氏則其殿焉者也。

（二）文學與地理環境之關係

我國第一大河流，厥爲長江，發源於青海省唐古拉山之沱沱河，流經青海、西藏、四川、雲南、湖北、湖南、江西、安徽、江蘇九省，至上海附近之吳淞口注入東海，全長六千三百公里，爲中國第一大河，世界第三大河。

長江既流經華中地區，自古以來即成爲天然之坑塹，而限隔南北，時日積久，無論民情風俗，以至文化色彩，均有顯著之差異，於是形成南方北方兩種截然不同之面貌。其中所受影響最爲深鉅者，首推文學，而駢文則其尤著者也。

地理環境足以支配文學，人皆知之。蓋人爲地面產物，既受地面養育，亦受地面限制。故任何地區之作家，或有形，或無形，必受地理環境之薰染。即或超奇之詞人，發其神祕之玄思，鑄成畫時代之作品，亦不能自外於地緣而獨立。希哲亞里士多德(Aristotle)在其《政治學》(Politics)中，以地理風土解釋人民之偏於勇敢或智慧，甚至人類之個性、脾氣等亦恆受地形氣候之影響。法儒孟德斯鳩(Montesquieu)《法意》(Esprit des Lois)亦謂寒冷之國度注重道德，溫暖之國度放縱情欲。日本文學家廚川白村《近代文學十講》〈第四講〉言之尤悉，迻譯其詞如次：

> 南方諸國，環聚地中海沿岸，景色優美，氣候暖和，天空晴朗，山野青綠，民生其間，舒暢極矣。而北方諸國若瑞典、挪威、蘇俄等，終年或雲霧彌漫，或冰雪載途，氣候寒冷，原野寥寂，其人富理智而重冥想。或云：「冥想之結果，往往產生悲觀與厭世。」某社會學家亦云：「南歐多他殺者，北歐多自殺者。」前者動輒專向情而行，後者表示沈鬱憂思。假定南方宜於產生理想的抒情詩，北方則宜於產生現實的哲學。

由此觀之，南方言情，宜乎弱於理智，北方說理，宜乎薄於情感。此外，文學之形質，又往往依習染爲轉移，而文學之精神，則非外物輕易所能改變。廚川氏云：

> 各國文學，不盡相同，受同樣的思潮，依國民之素質，其結果常相異趣。譬如以同一顏料染木綿與綢緞，所得顏色必然不同，非謂紅色紫色之不同，乃亮光與濃淡之各異耳。（《近代文學十講》〈序論〉）

是故習染者，無論其爲直接或間接，皆文學之染色也，其精神上之區別，乃爲亮光耳。（參用李笠

《中國文學述評》之說）

又日儒鶴見祐輔氏嘗撰〈古典文明與近代文明〉，以爲南方文化爲古典文化，北方文化爲近代文化，多言前人之所未言，發前人之所未發，特節譯以備參較。

古典文明多發生於溫暖地帶，沿尼羅河之埃及，臨愛琴海之希臘，以至幼發拉底河畔之巴比倫，恆河畔之印度，長江畔之中國等，指不勝屈。其地物產豐饒，民生富裕，乃有餘晷致力於文藝、音樂、繪畫、雕刻、宗教、哲學之研究；而對美的鑑賞，善的追求，眞的理解等亦最爲熾熱。北方民族則因土地貧瘠，風雪肆虐，此惟求生而恐不贍，奚暇治文藝哉。故南方遂多以眞善美爲理想之藝術文明，而北方則多以衣食住爲中心之經濟文明。南方人可以説是「藝術的人」，反之，北方則爲「經濟的人」。（《歐美大陸遊記》）

是則地理環境與文學藝術關係之密切，非余一人之私言，乃天下之公論也。

（三）歷代駢文家之地域分布

駢文爲唯美文學之一種，亦爲唯美文學之極品，自東漢以來，高踞中國文壇，歷時近兩千年之久，其間雖飽經非難，備蒙訾議，依然如日月經天，江河行地，而能與散文迭相雄長，無稍多讓。揆其致此之由，殆與文風之鼎盛，以及地理環境之優美有密切關聯。

駢文盛行於世，蓋肇始於東漢，自東漢以迄西晉，我國文化重心在黃河流域，洛陽長安乃京師所在地，自然成爲風流澤藪，故當時駢文作家多產生於河南、河北、陝西、山西、山東各省。逮永嘉亂後，南北分疆，中原士族，大量南徙，文化重心遂亦隨之轉向長江流域，其受益最大者，殆非江蘇浙江兩省莫屬，而安徽江西湖北湖南四省則其次也。質實言之，江浙地區，山水奇麗，風光旖旎，民生其間，往往清慧而文，愛美之情特著。加以土地肥美，物產豐饒，人間實際生活，非所顧慮。故或聽鶯載酒，漱石枕流，或抹日批風，雕雲鏤月，而纂組輝華，宮商協暢之作品遂源源產生矣。劉勰《文心雕龍》〈物色篇〉云：「山林皋壤，實文思之奧府。屈平所以能洞監風騷之情者，抑亦江山之助乎。」蓋青山可以移氣，綠水可以移情，山水秀麗之區，所以文風特盛者，或以此乎。茲將古今駢文家，按其籍貫，分別排列，以覘地理環境與文風盛衰之關係。

歷代駢文名家總表

(一)江蘇省

姓名	字號	時代	郡縣	歲數	著作	備考
1. 陳琳	孔璋	東漢	廣陵	六二	陳記室集	
2. 陸機	士衡	西晉	吳郡	四三	陸平原集	
3. 陸雲	士龍	西晉	吳郡	四二	陸清河集	陸機之弟
4. 葛洪	稚川	東晉	句容	八一	抱朴子	
5. 鮑照	明遠	劉宋	東海	六二	鮑參軍集	
6. 蕭子良	雲英	南齊	蘭陵	三五	蕭竟陵集	齊武帝次子
7. 張融	思光	南齊	吳郡	五四	張長史集	
8. 蕭衍	叔達	梁	蘭陵	八六	梁武帝集	即梁武帝
9. 蕭統	德施	梁	蘭陵	三一	梁昭明太子集	蕭衍之子
10. 蕭綱	世纘	梁	蘭陵	四九	梁簡文帝集	蕭衍之子
11. 蕭繹	世誠	梁	蘭陵	四七	梁元帝集	蕭衍之子

12.陶弘景	通明	梁	秣陵	八五	陶隱居集	
13.王僧孺		梁	東海	五八	王左丞集	藏書家
14.陸　倕	佐公	梁	吳郡	五七	陸太常集	
15.劉孝綽	阿士	梁	彭城	五九	劉祕書集	
16.劉孝儀		梁	彭城	六七	劉孝儀集	
17.劉孝威		梁	彭城	五四	劉孝威集	
18.劉令嫺		梁	彭城			劉孝綽之妹
19.劉　勰	彥和	梁	東莞	六九	文心雕龍	
20.何　遜	仲言	梁	東海	六一	何記室集	
21.蕭子雲	景喬	梁	蘭陵	六四	晉　書	
22.蕭子顯	景陽	梁	蘭陵	四九	南齊書	
23.徐　陵	孝穆	陳	東海	七七	徐孝穆集	其駢文與庾信齊名，世稱徐庾。
24.李　善		唐	江都	六〇	文選注	
25.劉知幾	子玄	唐	彭城	六一	史　通	
26.李　邕	泰和	唐	江都	七〇	李北海集	李善之子
27.顧　況	逋翁	唐	蘇州	九〇	華陽集	
28.劉禹錫	夢得	唐	彭城	七一	劉賓客文集	
29.陸龜蒙	魯望	唐	蘇州		笠澤叢書	江湖散人
30.徐　鉉	鼎臣	北宋	廣陵	七六	騎省集	
31.胡　宿	武平	北宋	武進	七二	文恭集	
32.范仲淹	希文	北宋	吳縣	六四	范仲淹全集	
33.秦　觀	少游	北宋	高郵	五二	淮海居士文集	蘇門四學士之一
34.張　耒	文潛	北宋	淮陰	六一	宛邱集	
35.陳師道	無己	北宋	彭城	四九	後山集	
36.鄒　浩	志完	北宋	武進	五二	道鄉集	
37.孫　覿	仲益	南宋	武進	八九	鴻慶居士集	
38.葉夢得	少蘊	南宋	吳縣	七二	石林居士集	
39.范成大	致能	南宋	吳縣	六六	石湖集	
40.高　啓	季迪	明	吳縣	三九	大全集・鳧藻集	
41.王　鏊	濟之	明	吳縣	七五	震澤集	
42.吳　綺	園次	清	江都	七六	林蕙堂集	
43.尤　侗	同人	清	吳縣	八七	鶴棲堂集	
44.陳維崧	其年	清	宜興	五八	迦陵文集	
45.吳兆騫	漢槎	清	吳江	五四	秋笳集	
46.黃之雋	石牧	清	華亭	八一	香屑集	
47.劉星煒	映榆	清	武進	五五	思補堂集	
48.邵齊燾	荀慈	清	常熟	五二	玉芝堂詩文集	
49.汪　中	容甫	清	江都	五一	汪中集	
50.洪亮吉	稚存	清	陽湖	六四	洪北江詩文集	

51.	趙懷玉	億孫	清	武進	七七	亦有生齋文集	
52.	沈清瑞	吉人	清	吳縣		沈氏群峰集	
53.	楊芳燦	才叔	清	金匱	六三	芙蓉山館集	少與顧敏恆齊名，時比之顏謝。
54.	楊揆	同叔	清	金匱	四五	藤花吟館詩文集	
55.	顧敏恆	立方	清	無錫	四五	辟疆園集	少與楊芳燦齊名，時比之顏謝。
56.	孫星衍	淵如	清	陽湖	六六	問字堂詩文集	
57.	王芑孫	念豐	清	吳縣	六三	淵雅堂集	
58.	惲敬	子居	清	陽湖	六三	大雲山房文稿	
59.	孫原湘	子瀟	清	昭文	七〇	天眞閣集	
60.	劉嗣綰	醇甫	清	陽湖	五九	尙絅堂集	
61.	阮元	伯元	清	儀徵	八六	研經室集	
62.	陳黃中	和叔	清	吳縣	五九	東莊遺集	
63.	張惠言	皋文	清	武進	四二	茗柯文集	編有《七十家賦鈔》
64.	顧廣圻	千里	清	元和	七〇	思適齋文集	
65.	郭麐	祥伯	清	吳江	六五	靈芬館集	
66.	彭兆蓀	湘涵	清	鎮洋	五四	小謨觴館集	編有《南北朝文鈔》
67.	李兆洛	申耆	清	陽湖	七三	養一齋文集	編有《駢體文鈔》
68.	吳慈鶴	韻皋	清	吳縣	四九	岑華居士外集	
69.	江全德	修甫	清	儀徵		崇睦山房詞	
70.	梅曾亮	伯言	清	上元	七一	柏梘山房文集	
71.	袁翼	穀廉	清	寶山	七五	邃懷堂集	
72.	董基誠	子詵	清	陽湖	五四	移華館駢體文	
73.	董祐誠	方立	清	陽湖	三三	梅花館駢體文	董基誠之弟
74.	汪士鐸	梅村	清	江寧	八八	悔翁詩鈔	
75.	洪符孫	幼懷	清	陽湖		齊雲山人詩文集	洪亮吉之子
76.	洪齮孫	子齡	清	陽湖	五六	淳則齋駢體文	洪符孫之弟
77.	蔡召棠	聽香	清	震澤			
78.	董兆熊	夢蘭	清	吳江		味無味齋集	
79.	吳存義	和甫	清	泰興		榴實山莊詩文集	
80.	何栻	廉昉	清	江陰	五七	悔餘庵全集	
81.	馮桂芬	林一	清	吳縣	六六	顯志堂集	
82.	曹堉	稼山	清	吳縣		儀鄭堂殘稿	
83.	繆德棻	馨吾	清	溧陽		怡雲山館駢體文	
84.	朱銘盤	曼君	清	泰興	四二	桂之華軒遺集	

姓名	字號	時代	郡縣	歲數	著作	備考
85.劉師培	申叔	清	儀徵	三六	劉申叔先生遺書	北大教授
86.繆荃孫	炎之	民國	江陰	七六	藝風堂文集	
87.屠寄	靜山	民國	武進	六六	結一宦駢體文	
88.馮煦	夢華	民國	金壇	八五	蒿庵類稿	
89.徐枕亞	東海三郎	民國	常熟	四九	玉梨魂・雪鴻淚史・雙鬢記・余之妻	鴛鴦蝴蝶派巨擘，駢文小說家。
90.沙元炳	健庵	民國	如皋		志頤堂文集	
91.李詳	審言	民國	興化	七三	學製齋集	
92.孫德謙	受之	民國	元和	六七	六朝麗指	
93.孫雄	師鄭	民國	昭文	七三	師鄭堂駢體文存	

94.謝覲虞	玉岑	民國	武進	三七		
95.葉楚傖	卓書	民國	吳縣	六八	葉楚傖詩文集	南社巨子
96.丁傳靖	秀甫	民國	鎮江	六一	闇公詩存	
97.胡常德		民國	華亭			
98.陳含光	移孫	民國	江都	七九	含光儷體文稿	
99.錢倬	逸塵	民國	武進	八〇		一說五九歲
100.戴培之	本	民國	阜寧	八〇		台師大教授
101.嚴雲鶴	逸翰	民國	武進			淡大教授
102.高明	仲華	民國	高郵	八五	高明文輯	政大教授
103.李猷	嘉有	民國	常熟		紅並樓詩話	淡大教授

(二)浙江省

姓名	字號	時代	郡縣	歲數	著作	備考
1.范曄	蔚宗	劉宋	山陰	四八	後漢書	
2.孔稚珪	德璋	南齊	山陰	五五	孔詹事集	
3.沈約	休文	梁	吳興	七三	沈隱侯集	
4.丘遲	希範	梁	吳興	四五	丘中郎集	
5.吳均	叔庠	梁	吳興	五二	吳朝請集	
6.陳叔寶	元秀	陳	吳興	五二	陳後主集	即陳後主
7.沈炯	初明	陳	吳興	五九	沈侍中集	

8.許敬宗	延族	唐	杭州	八一		
9.駱賓王	觀光	唐	義烏	五八	駱丞集	唐四傑之一
10.陸贄	敬輿	唐	嘉興	五二	翰苑集	
11.馮宿	拱之	唐	東陽	七〇		
12.皇甫湜	持正	唐	睦州	五九	皇甫持正集	
13.沈亞之	下賢	唐	吳興		沈下賢集	
14.杜光庭	聖賓	唐	縉雲	八四	廣成集	
15.錢惟演	希聖	北宋	錢塘	七三	擁旄集	

16.	元絳	厚之	北宋	錢塘	七六		
17.	陸游	務觀	南宋	山陰	八六	渭南文集	
18.	樓鑰	大防	南宋	鄞縣	七七	攻媿集	
19.	陳耆卿	壽老	南宋	臨海	五六	篔窗集	
20.	李廷忠	居厚	南宋	於潛		橘山四六	
21.	王應麟	伯厚	南宋	慶元	七四	四明文獻集	
22.	袁桷	伯長	元	慶元	六二	清容居士集	
23.	宋濂	景濂	明	浦江	七二	宋學士全集	
24.	王禕	子充	明	義烏	五二	王忠文公集	
25.	蘇伯衡	平仲	明	金華		蘇平仲集	宋蘇軾之裔
26.	方孝孺	希直	明	寧海	四六	遜志齋集	
27.	陸圻	麗京	清	錢塘	五五	從同集	
28.	毛先舒	稚黃	清	仁和	六九	思古堂集	
29.	毛奇齡	大可	清	蕭山	九一	西河文集	
30.	吳農祥	慶百	清	錢塘	七七	蕭臺集	
31.	章藻功	豈績	清	錢塘		思綺堂集	
32.	胡浚	希張	清	會稽		綠蘿山房文集	
33.	胡天游	稚威	清	山陰	六三	石笥山房文集	
34.	杭世駿	大宗	清	仁和	七八	道古堂集	
35.	陸繁弨	拒石	清	錢塘	五〇	善卷堂詩文集	
36.	袁枚	子才	清	錢塘	八二	小倉山房文集	

37.	吳錫麒	聖徵	清	錢塘	七三	有正味齋集	
38.	孫梅	松友	清	烏程		四六叢話	
39.	楊夢符	西躔	清	山陰			
40.	王曇	仲瞿	清	秀水	五八	煙霞萬古樓集	
41.	陳球	蘊齋	清	秀水		燕山外史	駢文小說家
42.	胡敬	以莊	清	仁和		崇雅堂詩文集	
43.	查初揆	伯揆	清	海寧	六五	菽原堂集	
44.	陳文述	退庵	清	錢塘	七三	頤道堂集	
45.	王衍梅	律芳	清	會稽	五五	綠雪堂遺稿	
46.	黃安濤	凝輿	清	嘉善	七一	真有益文編	
47.	龔自珍	定庵	清	仁和	五〇	定庵文集	
48.	姚燮	梅伯	清	鎮海	六〇	大梅山館集	
49.	黃金臺	鶴樓	清	平湖		大雞書屋集	
50.	宋世犖	确山	清	臨海		确山駢體文	
51.	楊峴	見山	清	歸安	七八	庸齋文集	
52.	陳均	受笙	清	海寧	五〇	松籟閣詩集	編有《唐駢體文鈔》
53.	吳清皋	鳴九	清	錢塘	六四	壺庵駢體文	吳錫麒之子
54.	沈濤	西雝	清	嘉興		瓠廬十經齋集	
55.	徐士芬	誦清	清	平湖		漱芳閣集	
56.	俞樾	蔭甫	清	德清	八六	春在堂全集	

姓名	字號	時代	郡縣	歲數	著作	備考
57. 劉履芬	彥清	清	江山	五三	古紅梅閣集	
58. 金應麟	亞伯	清	錢塘		豸華堂集	
59. 徐錦	蘭史	清	嘉興		靈素堂集	
60. 郭傳璞	晚香	清	鄞縣		金峨山館集	
61. 趙銘	桐孫	清	秀水	六二	琴鶴山房集	
62. 李慈銘	蓴客	清	紹興	六六	越縵堂駢體文鈔	
63. 王詒壽	眉叔	清	山陰	五二	縵雅堂集	
64. 譚獻	仲修	清	仁和	七〇	復堂類集	
65. 顧壽楨	祖香	清	山陰	二九	孟晉齋文集	
66. 張預	子虞	清	錢塘			
67. 黃紹箕	仲弢	清	瑞安	五四	鮮庵遺稿	
68. 陶方琦	子珍	清	會稽	四〇	選廬駢文選	
69. 張鳴珂	玉珊	清	嘉興	八〇	寒松閣詞	編有《國朝駢體正宗續編》

(三)河南省

姓名	字號	時代	郡縣	歲數	著作	備考
1. 張衡	平子	東漢	南陽	六二	張河間集	
2. 蔡邕	伯喈	東漢	陳留	六〇	蔡中郎集	
3. 阮瑀	元瑜	東漢	陳留		阮元瑜集	
4. 潘勖	元茂	東漢	陳留	五六	存文四篇	
5. 阮籍	嗣宗	西晉	陳留	五四	阮步兵集	
6. 潘岳	安仁	西晉	中牟	五四	潘黃門集	
7. 干寶	令升	東晉	新蔡		晉紀・搜神記	
8. 謝靈運		劉宋	陽夏	四九	謝康樂集	小名客兒
9. 謝惠連		劉宋	陽夏	三七	謝法曹集	謝靈運之從弟
10. 袁淑	陽源	劉宋	陽夏	四六	袁忠憲集	
11. 謝莊	希逸	劉宋	陽夏	四六	謝光祿集	
12. 謝朓	玄暉	南齊	陽夏	三六	謝宣城集	
13. 江淹	文通	梁	考城	六二	江醴陵集	
14. 庾肩吾	子慎	梁	新野	六五	庾度支集	
15. 江總	總持	陳	考城	六七	江令君集	
16. 周弘讓		陳	汝南		存文四篇	書法家
17. 庾信	子山	北周	新野	六九	庾子山集	庾肩吾之子
18. 岑文本	景仁	唐	棘陽	五一	存文二十一篇	
19. 朱敬則	少連	唐	永城	七五	十代興亡論	

姓名	字號	時代	郡縣	歲數	著作	備考
20. 宋之問	延清	唐	弘農		宋之問集	
21. 上官儀	游韶	唐	陝州	五六		
22. 張說	道濟	唐	洛陽	六四	張燕公集	與蘇頲齊名，時稱燕許大手筆。
23. 姚崇	元之	唐	硤石	七一		
24. 賈至	幼鄰	唐	洛陽	五五		
25. 張謂	正言	唐	河內		存文二篇	
26. 元結	次山	唐	魯縣	五〇	次山集	
27. 獨孤及	至之	唐	洛陽	五三	毘陵集	
28. 元稹	微之	唐	洛陽	五三	元氏長慶集	
29. 李商隱	義山	唐	沁陽	四六	玉谿生詩集・樊南四六甲乙集	其駢文與溫庭筠、段成式齊名，世稱三十六體
30. 呂誨	獻可	北宋	開封	五八	呂獻可章奏	
31. 韓忠彥	師朴	北宋	安陽	七二		
32. 王惲	仲謀	元	汲縣	七八	秋澗集	
33. 姚燧	端甫	元	柳城	七六	牧庵文集	
34. 蕭湘南	子瀟	清	固始		七經樓文鈔	
35. 秦樹聲	幼衡	民國	固始			

㈣江西省

姓名	字號	時代	郡縣	歲數	著作	備考
1. 陶潛	淵明	東晉	柴桑	六三	陶淵明集	
2. 夏竦	子喬	北宋	九江	六七	文莊集	
3. 晏殊	同叔	北宋	臨川	六五	晏元獻遺文	
4. 歐陽修	永叔	北宋	廬陵	六六	文忠集	
5. 王安石	介甫	北宋	臨川	六六	臨川集	
6. 劉敞	原父	北宋	新喻	五〇	公是集	
7. 劉攽	貢父	北宋	新喻	六七	彭城集・公非集	劉敞之弟
8. 曾鞏	子固	北宋	南豐	六五	元豐類稿	
9. 曾肇	子開	北宋	南豐	六一	曲阜集	曾鞏之弟
10. 黃庭堅	魯直	北宋	分寧	六一	山谷內外集	蘇門四學士之一
11. 鄧潤甫	溫伯	北宋	建昌	六八		
12. 汪藻	彥章	南宋	德興	七七	浮溪集	
13. 洪皓	光弼	南宋	鄱陽	六八	鄱陽集	
14. 洪适	景伯	南宋	鄱陽	六八	盤洲集	洪皓之長子

15.洪　遵	景嚴	南宋	鄱陽	五五	小隱集	洪皓之次子
16.洪　邁	景盧	南宋	鄱陽	八〇	野處類稿	洪皓之幼子
17.汪應辰	聖錫	南宋	玉山	五九	文定集	
18.周必大	子充	南宋	廬陵	七九	文忠集	
19.楊萬里	廷秀	南宋	吉水	八〇	誠齋集	
20.李　劉	公甫	南宋	崇仁	七一	梅亭四六標準	
21.王子俊	才臣	南宋	吉水		格齋四六	
22.文天祥	履善	南宋	廬陵	四七	文山集	
23.劉　壎	起潛	元	南豐	八〇	水雲村稿	
24.解　縉	大紳	明	吉水	四七	文毅集	
25.楊士奇	東里	明	泰和	八〇	東里全集	其詩文爲明代臺閣體之祖

26.彭元瑞	輯五	清	南昌	七三	經進稿	編有《宋四六選》
27.曾　燠	庶蕃	清	南城	七二	賞雨茅屋集	編有《國朝駢體正宗》
28.樂　鈞	元淑	清	臨川		青芝山館詩文集	
29.謝階樹	子玉	清	宜黃		守約堂文集	
30.謝質卿	蔚青	清	南康		轉蕙軒集	
31.文廷式	芸閣	清	萍鄉	四九	文廷式集	
32.彭醇士	素庵	民國	高安			靜大教授
33.楊向時	雪齋	民國	豐城	七〇		淡大教授

(五)山東省

姓名	字號	時代	郡縣	歲數	著作	備考
1.孔　融	文舉	東漢	曲阜	五六	孔北海集	孔子二十世孫
2.諸葛亮	孔明	東漢	陽都	五四	諸葛忠武集	
3.王　粲	仲宣	東漢	高平	四一	王侍中集	建安七子之一
4.徐　幹	偉長	東漢	北海	四七	中論・今存賦文十篇	建安七子之一
5.禰　衡	正平	東漢	平原	二六		
6.左　思	太沖	西晉	臨淄	五六	左太沖集	
7.王羲之	逸少	東晉	臨沂	五九	王右軍集	書聖

姓名	字號	時代	郡縣	歲數	著作	備考
8. 顏延之	延年	劉宋	臨沂	七三	顏光祿集	其文與謝靈運齊名，時稱顏謝。
9. 王儉	仲寶	南齊	臨沂	三八	王文憲集	
10. 王融	元長	南齊	臨沂	二七	王寧朔集	
11. 任昉	彥昇	梁	博昌	四九	任彥昇集	
12. 劉峻	孝標	梁	平原	六〇	劉戶曹集	
13. 王筠	元禮	梁	臨沂	六九	王詹事集	
14. 溫子昇	鵬舉	北魏	濟陰	五三	溫侍讀集	
15. 王褒	子淵	北周	臨沂	六四	王司空集	
16. 顏之推	介	北周	臨沂		顏氏家訓	
17. 房玄齡	喬	唐	臨淄	七一	晉書	
18. 崔融	安成	唐	全節	五四		
19. 孫逖		唐	武水	六六	存文六卷	
20. 蕭穎士	茂挺	唐	蘭陵	五二	蕭茂挺文集	
21. 王禹偁	元之	北宋	鉅野	四八	小畜集	
22. 張詠无	復之	北宋	鄄城	七〇	乖崖集	
23. 晁補之	无咎	北宋	鉅野	五八	雞肋集	蘇門四學士之一
24. 晁詠之	之道	北宋	鉅野	五二	崇福集	晁補之從弟
25. 李之儀	端叔	北宋	無棣	八一	姑溪居士集	
26. 李昭	成季	北宋	濟南		樂靜集	
27. 李邴	漢老	南宋	任城	六二	草堂集	
28. 綦崇禮	叔厚	南宋	高密	六〇	北海集	
29. 閻復	子靜	元	高唐	七七	靜軒集	
30. 蒲松齡	留仙	清	淄川	八六	聊齋志異	
31. 孔廣森	衆仲	清	曲阜	三五	儀鄭堂駢體文	孔子六十六代孫
32. 劉孝推		民國	沂水	六七	軒鶴軒詩	行政院祕書

㈥河北省

姓名	字號	時代	郡縣	歲數	著作	備考
1. 崔駰	亭伯	東漢	安平		崔亭伯集	
2. 李康	蕭遠	魏	中山			
3. 張載	孟陽	西晉	安平		張孟陽景陽集	
4. 張協	景陽	西晉	安平		張孟陽景陽集	張載之弟
5. 劉琨	越石	東晉	中山	四八	劉中山集	
6. 酈道元	善長		北魏	范陽	水經注	
7. 邢劭	子才		北齊	河間	邢特進集	

8.魏收	伯起	北齊	鉅鹿	五七	魏特進集・魏書	
9.盧思道	子行	隋	范陽	五二	盧武陽集	
10.李德林	公輔	隋	安平	六一	李懷州集	
11.魏徵	玄成	唐	曲城	六四	梁書・隋書・陳書	
12.盧照鄰	昇之	唐	范陽	四〇	盧昇之集	初唐四傑之一
13.張鷟	文成	唐	陸澤		遊仙窟・朝野僉載・龍筋鳳髓判	遊仙窟係以駢文體撰寫之傳奇小說
14.李嶠	巨山	唐	贊皇	七〇	李嶠集	
15.李百藥	重規	唐	安平	八四	北齊書	
16.盧藏用	子潛	唐	范陽		存文一卷	
17.李華	遐叔	唐	贊皇	五二	李遐叔文集	
18.劉長卿	文房	唐	河間		劉隨州文集	
19.李德裕	文饒	唐	贊皇	六三	會昌一品集	
20.劉筠	子儀	北宋	大名		中山刀筆集	其文與楊億齊名，號爲楊劉。
21.李清臣	邦直	北宋	魏縣	七一	淇水集	
22.王太岳	基平	清	定興	六四	清虛山房集	
23.朱珪	石君	清	大興	七六	知足齋集	
24.紀昀	曉嵐	清	獻縣	八二	紀文達公文集	
25.朱筠	美叔	清	大興	五三	笥河集	
26.方履籛	彥聞	清	大興	四二	萬善花室文集	
27.張之洞	香濤	清	南皮	七三	廣雅堂集	
28.王樹枏	晉卿	清	新城	八六	陶廬文集	
29.吳廷錫	敬之	民國				
30.溥儒	心畬	民國	北平	六八	寒玉堂集	台師大教授
31.馮承基		民國	宛平	八〇	六朝文論	台大教授

(七)湖南省

姓名	字號	時代	郡縣	歲數	著作	備考
1.周南	南仲	南宋	平江	五五	山房集	
2.廖行之	天民	南宋	衡州		省齋集	
3.李東陽	賓之	明	茶陵	七〇	懷麓堂集	
4.魏源	默深	清	邵陽	六五	魏源集	別著《海國圖志》

5. 曾國藩	滌生	清	湘鄉	六二	曾文正公全集	編有《經史百家雜鈔》
6. 周壽昌	荇農	清	長沙	七一	思益堂文集	
7. 鄧輔綸	彌之	清	武岡	六六	白香亭詩文集	
8. 皮錫瑞	鹿門	清	長沙	五九	經學歷史	
9. 王闓運	壬秋	民國	湘潭	八六	湘綺樓文集	
10. 王先謙	益吾	民國	長沙	七六	虛受堂詩文集	
11. 易順鼎	實甫	民國	龍陽	六三	宣南集	
12. 吳應雲	士萱	民國	長沙		吳士萱先生駢文	
13. 黃光熹		民國	長沙			
14. 饒世忠	默全	民國	長沙	二六	饒編審遺集	
15. 駱鴻凱		民國	長沙		文選學	
16. 譚元徵	東煙	民國	衡陽			
17. 李漁叔	以字行	民國	湘潭	六八	花延年室詩・魚千里齋隨筆	台師大教授
18. 張齡	劍芬	民國	湘潭	七〇	微芬簃叢稿	
19. 許君武	筠廬	民國	湘潭	八〇		東吳教授
20. 張之淦	眉叔	民國	長沙	八〇		淡江教授
21. 蕭繼宗	幹侯	民國	長沙			東海教授
22. 曾霽虹		民國	長沙	六八	五朝湘詩家史詠	考試委員
23. 伏嘉謨	壯猷	民國	湘陰	八二	神鼎山房聯語	世有「聯聖」之目

(八)安徽省

姓名	字號	時代	郡縣	歲數	著作	備考
1. 曹操	孟德	東漢	沛郡	六六	魏武帝集	即魏武帝
2. 曹丕	子桓	魏	沛郡	四〇	魏文帝集	即魏文帝
3. 曹植	子建	魏	沛郡	四一	曹子建集	曹丕之弟
4. 嵇康	叔夜	魏	譙郡	四〇	嵇中散集	
5. 顧雲	垂象	唐	池州		顧氏遺編	
6. 呂公著	晦叔	北宋	壽州	七二	正獻公集	
7. 方丘	巨山	南宋	祁門	六四	秋崖集	
8. 陶安	主敬	明	當塗	五七	陶學士集	
9. 吳鼒	山尊	清	全椒	六七	夕葵書屋集	編有《八家四六文》
10. 淩廷堪	仲次	清	歙縣	五五	校禮堂文集	
11. 朱文翰	滄湄	清	歙縣		退思堂初稿	
12. 金式玉	朗甫	清	歙縣	二八	竹鄰遺稿	
13. 朱爲弼	右甫	清	休寧	七〇	蕉聲館詩文集	一說浙江平湖人

姓名	字號	時代	郡縣	歲數	著作	備考
14.劉開	明東	清	桐城	四一	孟塗詩文集	
15.胡貞幹	時棟	清	涇縣		杏軒集・儷選	
16.傅桐	味琴	清	泗州		梧生駢體文鈔	
17.許麗京	綺漢	清	桐城		蘭園駢體文	
18.齊彥槐	夢樹	清	婺源		梅麓詩文集	
19.李鴻章	少荃	清	合肥	七九	李文忠公全集	
20.江絜生	意雲	民國	合肥	八〇		
21.孫克寬		民國	舒城		詩文述評	東海教授
22.潘重規	石禪	民國	婺源	九六	中國文字學・樂府詩粹箋	中國文化大學教授
23.謝鴻軒		民國	繁昌		駢文衡論	台師大教授
24.婁良樂		民國	合肥	五七	管子評議	台師大教授

(九)福建省

姓名	字號	時代	郡縣	歲數	著作	備考
1.楊億	大年	北宋	浦城	四七	武夷新集	其文與劉筠齊名，號爲楊劉。
2.林希	子中	北宋	福州	六七		
3.呂惠卿	吉甫	北宋	晉江	八〇	呂吉甫集	
4.李綱	伯紀	南宋	邵武	五八	梁谿集	
5.眞德秀	景元	南宋	浦城	五八	西山文集	
6.王邁	貫之	南宋	仙遊	六五	臞軒集	
7.劉克莊	潛夫	南宋	莆田	八三	後村集	
8.楊榮	勉仁	明	建安	七〇	楊文敏集	其文與楊士奇、楊溥齊名，時稱三楊。
9.陳壽祺	恭甫	清	侯官	六四	左海文集	
10.林則徐	少穆	清	侯官	六六	雲石山房詩集	
11.黃濬	秋岳	民國	福州	四八	花隨人聖庵摭憶	
12.黃孝紓	公渚	民國	閩縣	六五	左海黃氏儷體文	
13.黃君坦		民國	閩縣		左海黃氏儷體文	
14.黃公孟	寬齋	民國	閩縣		左海黃氏三先生儷體文	

(十)山西省

姓名	字號	時代	郡縣	歲數	著作	備考
1.孫綽	興公	東晉	太原	五八	孫廷尉集	
2.薛道衡	玄卿	隋	汾陰	七〇	薛司隸集	
3.王績	無功	唐	龍門	六〇	東皋子集	
4.王勃	子安	唐	龍門	二八	王子安集	初唐四傑之一
5.王維	摩詰	唐	太原	六一	王右丞集	
6.白居易	樂天	唐	太原	七五	白氏長慶集	
7.呂溫	和叔	唐	河中	四〇	呂衡州集	
8.溫庭筠	飛卿	唐	太原	五九	溫飛卿集	其駢文與李商隱、段成式齊名，世稱三十六體
9.薛逢	陶臣	唐	河東		存賦文十六篇	
10.司空圖	表聖	唐	河中	七五	司空表聖文集	
11.司馬光	君實	北宋	夏縣	六八	傳家集	
12.文彥博	寬夫	北宋	介休	九二	文潞公集	
13.王安中	履道	南宋	陽曲	五九	初寮集	
14.王式通	書衡	民國	汾陽	七三	志庵遺稿	

(十一)陝西省

姓名	字號	時代	郡縣	歲數	著作	備考
1.馮衍	敬通	東漢	長安		馮曲陽集	
2.班固	孟堅	東漢	安陵	六一	班蘭臺集・漢書	
3.楊炯		唐	華陰	四四	盈川集	初唐四傑之一
4.姚思廉	簡之	唐	萬年	八一	梁書・陳書	
5.蘇頲	廷碩	唐	武功	五八	《全唐文》存其文九卷，《全唐詩》存其詩二卷	與張說齊名，時稱燕許大手筆。
6.于邵	相門	唐	萬年	八一	存文七卷	
7.常袞		唐	長安	五五	存文十一卷	
8.楊炎	公南	唐	鳳翔	五五	存文二卷	
9.令狐楚	愨士	唐	華原	七二	表奏集・漆奩集	
10.杜牧	牧之	唐	萬年	五〇	樊川文集	
11.韋莊	端己	唐	杜陵	七五	浣花集	
12.韓偓	致堯	唐	萬年	八〇	韓內翰別集	
13.張舜民	芸叟	北宋	邠州	七六	畫墁集	

(十一)湖北省

姓名	字號	時代	郡縣	歲數	著作	備考
1.段文昌	墨卿	唐	荊州	六三		
2.段成式	柯古	唐	荊州		酉陽雜俎・存文二十三篇・詩一卷	其駢文與李商隱、溫庭筠齊名，世稱三十六體
3.宋庠	公序	北宋	安陸	七一	宋元憲集	文字學家
4.宋祁	子京	北宋	安陸	六四	宋景文集	宋庠之弟
5.楊溥	弘濟	明	石首	七五	存文百餘篇	其文與楊士奇、楊榮齊名，時稱三楊。
6.楊守敬	惺吾	民國	宜都	七七	晦明軒稿	
7.樊增祥	嘉父	民國	恩施	八六	樊山全集	存詩萬首，與陳三立、易順鼎、鄭孝胥並稱四大詩人。
8.饒漢祥	宓僧	民國	廣濟	四五	存文百餘篇	曾任黎元洪總統之祕書長
9.黃侃	季剛	民國	蘄春	五〇	文心雕龍札記	中央教授
10.徐英	澄宇	民國	漢川		天風閣文集	安大教授
11.李晉芳	伯華	民國				著名律師
12.成惕軒	楚望	民國	陽新	八〇	楚望樓駢體文內篇・外篇・續編	考試委員兼台師大教授

(十二)四川省

姓名	字號	時代	郡縣	歲數	著作	備考
1.符載	厚之	唐	蜀郡		有文集十四卷	一作岐襄人
2.歐陽炯		唐	華陽	七六	編有《花間集》	存詞四十八篇
3.王珪	禹玉	北宋	華陽	六七	華陽集	
4.蘇軾	子瞻	北宋	眉山	六六	東坡全集	
5.蘇轍	子由	北宋	眉山	七四	欒城集	蘇軾之弟
6.唐庚	子西	北宋	丹稜	五一	唐子西集	
7.魏了翁	華父	南宋	蒲江	六〇	鶴山集	
8.虞集	伯生	元	仁壽	七七	道園學古錄	
9.汪維恕	心如	清	定遠	三二	楠園文集	

姓名	字號	時代	郡縣	歲數	著作	備考
10. 謝无量		民國	梓潼	八〇	駢文指南	川大教授
11. 宋育仁		民國	富順			

(十四)廣東省

姓名	字號	時代	郡縣	歲數	著作	備考
1. 張九齡	子壽	唐	曲江	六八	曲江集	
2. 陳獻章	公甫	明	新會	七三	白沙集	
3. 譚　瑩	兆仁	清	南海	七二	樂志堂集	
4. 馮譽驥	展雲	清	高要			
5. 譚宗浚	叔裕	清	南海	四三	希古堂詩文集	譚瑩之子
6. 鄧　方	方君	清	順德	二一	小雅樓詩文集	
7. 張其淦	豫荃	民國	東莞			淡江教授
8. 蘇文擢	邃加	民國	順德	七七	邃加室詩文集	香港教授

(十五)甘肅省

姓名	字號	時代	郡縣	歲數	著作	備考
1. 牛　弘	里仁	隋	安定	六六	牛奇章集	
2. 李　白	太白	唐	成紀	六二	李太白集	世稱詩仙
3. 權德輿	載之	唐	天水	六〇	權文公集	
4. 譚詠昭	仲回	清	武威		看雲書屋詩文集	

(十六)廣西省

姓名	字號	時代	郡縣	歲數	著作	備考
1. 鄭獻甫	小谷	清	象州		有駢文二卷	
2. 張其鍠	子武	民國				
3. 莫道才		民國	恭城		駢文通論·駢文觀止	現任廣西師範大學中文系教授

(十七)寧夏省

姓名	字號	時代	郡縣	歲數	著作	備考
1. 傅　亮	季友	清	靈州	五三	傅光祿集	

㈥中華民國（台灣）

姓名	字號	時代郡縣	歲數	著作	備考
1.張仁青	同塵	民國花蓮		揚芬樓文集‧中國駢文發展史‧駢文學‧駢文導讀‧魏晉南北朝文學思想史	現任國立中山大學中國文學系教授兼中國文化大學教授
2.陳松雄		民國彰化		齊梁麗辭衡論‧陸宣公之政事與文學	現任東吳大學教授兼中文系主任
3.黃茂雲		民國台南		黃茂雲駢體文稿	
4.馬芳耀		民國桃園		馬芳耀駢體文稿	

綜觀上表，可資注意者蓋有數事：

㈠吾國現行行政區域爲三十五行省，只有十七省與中華民國（台灣）產生駢文作家，適達全數之半，此種現象，殊堪玩味。

㈡清代爲中國之文藝復興時代，故駢文作家爲歷代之冠，不但元明二代瞠乎其後，即金粉六朝亦難望其項背，嗚乎盛已。

㈢清代駢文作家，多爲科第中人，且集中在蘇浙二省。據近人商衍鎏之統計，自順治三年（西元一六四六年）開科取士至光緒三十一年（西元一九〇五年）廢科舉，一百十二科中，一甲三名，以至會元籍貫，江蘇一五七人，浙江一〇八人，最稱冠冕，皖、贛、直、魯次之。（詳見《清代考試述錄》）至於二甲及三甲所錄取之進士，其人數亦以江蘇最多，浙江次之，江西、安徽又次之。

（詳見《明清進士題名碑錄索引》‧台北文史哲出版社印行）

(四)清曾燠輯《國朝駢體正宗》，著錄四十三人，江蘇佔二十二人，浙江佔十三人。又張鳴珂輯《國朝駢體正宗續編》，著錄六十人，江蘇十九人，浙江三十一人。其他各家選本，江浙作手，觸目多是，風雅獨盛，即此可窺。

(五)在江浙兩省之駢文作家中，以常州（包括武進、陽湖、無錫、金匱、宜興、荊溪、江陰、靖江八縣）人數最多，蘇州（包括元和、震澤、長洲、吳江、吳縣、崑山、新陽、常熟、昭文九縣）次之，杭州（包括錢塘、仁和兩縣）又次之，紹興（包括山陰、會稽、蕭山、諸暨、餘姚、上虞、嵊、新昌八縣）又次之。要而言之，常州一府實駢家之王國，文苑之崑鄧也。

(六)自晉永嘉亂後，南北分疆，中原衣冠世族大舉南遷。此輩多自視甚高，播越南來，不過暫覓一枝之棲，權作避秦之計而已，對江南新地並無多大興趣。加以江南士族對於若輩仍然長期把持政權，壟斷學術，深致不滿，因而造成僑舊之隔閡。其彰明較著之事例，厥爲籍貫問題。如傅亮、謝靈運、江淹、庾信等，其族人定居江南已逾百年，而籍貫則始終未予更改，仍然保持其原籍，此種現象，極不合理。故表中所列東晉及南朝之駢文作家，悉著其祖籍，而非現籍。若以現籍爲斷，則蘇浙兩省必將增加數十百人而無疑也。（又南宋亦有此種現象）

（四）清代駢文家之地域分布

文學之事，每隨時代之升降而變易，代有新趣，成其主流，然當革故創新之際，輒有尋墜緒而復往古者，若急湍之有迴瀾，殘陽之有返照。宋西崑諸子之期復於藻繪，明前後七子之期復於漢唐，皆欲逆流而追源，變今而崇古。駢文自蒙元衰歇以後，窒息於散文空氣之下，直至清世，乃又活躍，三百年間，作家輩出，其蓄意打通駢散之藩籬，恢復駢散合一之漢魏六朝體製，而卓著成績者，早期有尤侗、毛奇齡，中期有邵齊燾、汪中、洪亮吉、孔廣森、彭兆蓀、李兆洛，晚期則有譚獻、王闓運等，是為六朝派。此派人數最多，勢力最大，卓然稱清代駢文之主流。其餘則有陳維崧、吳綺、黃之雋之三唐派，章藻功、袁枚、曾國藩、李慈銘、張之洞之宋四六派。

若以地區而言，則以常州一府為最盛，其餘依次為蘇州、杭州、紹興、儀徵。常州府轄武進、陽湖、無錫、金匱、宜興、荊溪、江陰、靖江八縣，人才之美，優冠全國，如洪亮吉（陽湖）、孫星衍（陽湖）、劉星煒（武進）、楊芳燦（金匱）、楊揆（金匱）、惲敬（武進）、張惠言（武進）、李兆洛（陽湖）、趙懷玉（武進）、顧敏恆（無錫）、劉嗣綰（陽湖）之流，以至稍後之董基誠（陽湖）、董祐誠（陽湖）、洪符孫（陽湖）、洪齮孫（陽湖）、何栻（江陰）之輩，或泛濫六朝，或馳騁三唐，或頡頏兩宋。或擘秀群芳，兼容並蓄，或一空依傍，自鑄偉辭。可謂雲英宣耀，珠璧燦明，彬蔚之美，競爽當年矣。

茲將吾人所見清代駢文名家及其作品作一統計，俾知一代之菁華，猶能供吾人之探討，至於作家籍貫、文集名稱亦附見焉。

清代駢文名家簡表

作者	籍貫	著作名稱
1. 陸圻	錢塘（浙）	從同集
2. 尤侗	長洲（蘇）	鶴棲堂集
3. 吳綺	江都（蘇）	林蕙堂集
4. 毛先舒	仁和（浙）	思古堂集
5. 毛奇齡	蕭山（浙）	西河文集
6. 陳維崧	宜興（蘇）	迦陵文集
7. 吳兆騫	吳江（蘇）	秋笳集
8. 陸繁弨	錢塘（浙）	善卷堂詩文集
9. 黃之雋	華亭（蘇）	唐堂集
10. 章藻功	錢塘（浙）	思綺堂集
11. 胡浚	會稽（浙）	綠蘿山房文集
12. 杭世駿	仁和（浙）	道古堂集
13. 胡天游	山陰（浙）	石笥山房文集
14. 袁枚	錢塘（浙）	小倉山房詩文集
15. 邵齊燾	常熟（蘇）	玉芝堂詩文集
16. 王太岳	定興（冀）	清虛山房集
17. 劉星煒	武進（蘇）	思補堂文集
18. 紀昀	獻縣（冀）	紀文達公文集
19. 朱珪	大興（冀）	知足齋集
20. 彭元瑞	南昌（贛）	經進稿
21. 汪中	江都（蘇）	述學
22. 吳錫麒	錢塘（浙）	有正味齋集
23. 洪亮吉	陽湖（蘇）	卷施閣集
24. 孔廣森	曲阜（魯）	儀鄭堂駢體文
25. 孫星衍	陽湖（蘇）	問字堂駢文
26. 楊芳燦	金匱（蘇）	芙蓉山館集
27. 張惠言	武進（蘇）	茗柯文集

28.吳　鼒	全椒（皖）	夕葵書屋集
29.王芑孫	長洲（蘇）	淵雅堂集
30.凌廷堪	歙縣（皖）	校禮堂文集
31.王　曇	秀水（浙）	煙霞萬古樓集
32.曾　燠	南城（贛）	賞雨茅屋集
33.劉嗣綰	陽湖（蘇）	尙絅堂集
34.阮　元	儀徵（蘇）	研經室集
35.顧廣圻	元和（蘇）	思適齋文集
36.郭　麐	吳江（蘇）	靈芬館集
37.彭兆蓀	鎭洋（蘇）	小謨觴館集
38.陳　球	秀水（浙）	燕山外史（駢體小說）
39.查初揆	海寧（浙）	菽原堂集
40.李兆洛	陽湖（蘇）	養一齋集
41.樂　鈞	臨川（贛）	青芝山館詩文集
42.吳慈鶴	長洲（蘇）	岑華居士外集
43.劉　開	桐城（皖）	孟塗詩文集
44.梅曾亮	上元（蘇）	柏梘山房文集
45.方履籛	大興（蘇）	萬善花室文集
46.董基誠	陽湖（蘇）	移華館集
47.董祐誠	陽湖（蘇）	移華館集
48.陳壽祺	侯官（閩）	左海文集
49.魏　源	邵陽（湘）	古微堂集
50.龔自珍	仁和（浙）	定庵集
51.譚　瑩	南海（粵）	樂志堂集
52.姚　燮	鎭海（浙）	大梅山館集
53.洪齮孫	陽湖（蘇）	淳則齋集
54.曾國藩	湘鄉（湘）	求闕齋集
55.周壽昌	長沙（湘）	思益堂文集
56.趙　銘	秀水（浙）	琴鶴山房集
57.劉履芬	江山（浙）	古紅梅閣集
58.董兆熊	吳江（蘇）	味無味齋集
59.王詒壽	山陰（浙）	縵雅堂集

60. 李慈銘	紹興（浙）	越縵堂駢體文鈔
61. 譚　獻	仁和（浙）	復堂類集
62. 張之洞	南皮（冀）	廣雅堂集
63. 王闓運	湘潭（湘）	湘綺樓文集

附載　南北文化比較觀

中國學術文化，向有南北之分，而文學亦然。春秋戰國之時，北方以齊魯爲中心，代表北方思潮者爲孔孟之儒學，南方以宋楚爲中心，代表南方思潮者爲老莊之道學。以言文學，則《詩經》與《楚辭》平分南北之秋色，均爲百代詞藝之祖。其後代代相因，未嘗稍易，此蓋根於民情風土，非人力所能逮也。茲摭拾前賢之說，並竊附己意，以各種角度看南北文化之差異。

(一)自然環境

▲曹操〈苦寒行〉：

北上太行山，艱哉何巍巍。羊腸坂詰屈，車輪爲之摧。
樹木何蕭瑟，北風聲正悲。熊羆對我蹲，虎豹夾路啼。
谿谷少人民，雪落何霏霏。延頸長太息，遠行多所懷。

按此雖僅寫太行一地之苦寒，其他北方各地當可推而知之。

▲曹植〈贈白馬王彪詩〉：

太谷何寥廓，山樹鬱蒼蒼。霖雨泥我塗，流潦浩縱橫。

中逵絕無軌，改轍登高岡。修坂造雲日，我馬玄以黃。

按此亦是寫北地跋涉之苦，藉以抒其憤懣之思。

又按我先民大都居於黃河附近地帶，其地氣候嚴寒，生物缺乏，關河黯淡，景色悽慘，民生其間，必須常年與環境搏鬥，我大漢民族堅忍不拔之習性，實即孕育於此。

▲謝靈運〈過始寧墅詩〉：

山行窮登頓，水陟盡洄沿。巖峭嶺稠疊，洲縈緒連綿。

白雲抱幽石，綠篠媚清漣。

按此寫南方深山大澤，相互環複之狀，非北方之平原遼闊，一望無垠者可比。

▲丘遲〈與陳伯之書〉：

暮春三月，江南草長，雜花生樹，群鶯亂飛。

按江南地方，鶯飛草長，彌望皆是，不若北方之黃塵滾滾，白沙漫漫也。

▲康有爲〈中國歌〉：

以花爲國，燦爛天府，橫覽大地，莫我能與。鳥獸昆蟲，果蓏草木，億品萬彙，物產繁毓。

羽毛齒革，錦繡珠玉，衣食器用，內求自足。五色六章，紘綖爲服，飲饌百品，美備水陸。冠絕萬國，猶受多福。

按我國東南地區——長江三角洲與珠江三角洲，土地肥沃，農產豐饒，民生其間，往往清慧而文，稍事勞作，便可優游自適。康氏所歌頌者當指此一地區。

▲柳永〈望海潮詞〉：

東南形勝，三吳都會，錢塘自古繁華。煙柳畫橋，風簾翠幕，參差十萬人家。雲樹繞堤沙。怒濤卷霜雪，天塹無涯。市列珠璣，户盈羅綺競豪奢。　重湖疊巘清嘉。有三秋桂子，十里荷花。羌管弄晴，菱歌泛夜，嬉嬉釣叟蓮娃。千騎擁高牙。乘醉聽簫鼓，吟賞煙霞。異日圖將好景，歸去鳳池誇。

按羅大經《鶴林玉露》云：『孫何帥錢塘，柳耆卿作〈望海潮詞〉贈之。此詞傳播，金主亮聞之，忻然有慕於三秋桂子，十里荷花，遂起投鞭斷流之志。』又《粵雅堂叢書》載無名氏《中興禦侮錄》云：『金主亮一日登揚州望江亭，指顧江山之勝，謂其下曰：「朕不入浙，誓不返國。」因改其亭曰不歸亭。仍賦詩於壁曰：「萬國車書久混同，江南何尚隔華封。提兵百萬西湖上，駐馬吳山第一峰。」』不謂江浙地方之山溫水暖，荷豔桂香，竟邀韃虜之慕如此，則其他自然環境之優美，寧尚待辭費耶。

㈡人民氣質

▲《中庸》載孔子答子路問強：

寬柔以教，不報無道，南方之強也，君子居之。衽金革，死而不厭，北方之強也，而強者居之。

按氣質既截然不同，在文學思想上自易於形成兩種各異之傾向。

㈢風化之失

▲顧炎武《日知錄》〈南北風化之失〉：

江南之士，輕薄奢淫，梁陳諸帝之遺風也。河北之人，鬥狠劫殺，安史諸凶之餘化也。

㈣學者之病

▲《日知錄》〈南北學者之病〉：

『飽食終日，無所用心，難矣哉。』今日北方之學者是也。『群居終日，言不及義，好行小慧，難矣哉。』今日南方之學者是也。

㈤士大夫之宗教信仰

▲《日知錄》〈士大夫晚年之學〉：

南方士大夫晚年多好學佛，北方士大夫晚年多好學仙。夫一生仕宦，投老得閒，正宜進德修業，以補從前之闕。而知不能及，流於異端，其與求田問舍之輩行事雖殊，而孳孳爲利之心則一而已矣。

㈥儒　學

▲《北史》〈儒林傳序〉：

大抵南北所爲章句，好尚互有不同。江左，《周易》則王輔嗣，《尚書》則孔安國，《左傳》則杜元凱。河洛，《左傳》則服子慎，《尚書》、《周易》則鄭康成，《詩》則並主於毛公，《禮》則同遵於鄭氏。南人約簡，得其英華，北學深蕪，窮其枝葉。考其終始，要其會歸，其立身成名，殊方同致矣。

按此雖指六朝學術界之風氣，而當時之文學思想亦復如此。南人率能深得文學之眞髓，北人則不免泥於文學之面貌。南士擷其英華，北士不過拾其枝葉而已。

㈦一般學術

▲傅庚生《中國文學批評通論》第九章引黃汝成之說：

疆域既殊，材質斯異，自非魁瑰，多囿士俗。秦晉僿魯，吳越剽詭，凡有撰述，視彼情性。南北異學，自古然矣。

㈧音　辭

▲顏之推《顏氏家訓》〈音辭篇〉：

夫九州之人，言語不同，生民已來，固常然矣。……南方水土和柔，其音清舉而切詣，失在浮淺，其辭多鄙俗。北方山川深厚，其音沈濁而鈋鈍，得其質直，其辭多古語。然冠冕君子，南方爲優，閭里小人，北方爲愈。易服而與之談，南方士庶，數言可辯。隔垣而聽其語，北方朝野，終日難分。而南染吳越，北雜夷虜，皆有深弊，不可具論。

按自五馬南渡，胡塵蔽天，虜漢相雜之區，其語言辭令，固難逮以漢族爲中心之江左。良以南方君子，多過江士族之後裔，優於戎狄，自屬當然。惟北方小人，猶是中朝之遺氓，自非吳越細民所及。顏氏雖就音辭爲說，一般風習亦殆庶焉。

又聲律之說，萌生於江左，而不萌生於河朔，與南士之普遍重視音辭，關係至爲密切。

(九)口音

▲陸法言《切韻序》：

吳楚則時傷輕淺，燕趙則多涉重濁，秦隴則去聲爲入，梁益則平聲似去。

▲劉師培《南北文學不同論》：

陸法言有言：吳楚之音，時傷輕淺；燕趙之音，多涉重濁。此則言分南北之確證也。聲能成章者謂之言，言之成章者謂之文。古代音分南北，河濟之間，古稱中夏，故北音謂之夏聲，又謂之雅言。江漢之間，古稱荊楚，故南音謂之楚聲，或斥爲南蠻鴃舌。荀子有言：『君子居楚而楚，居夏而夏。』夏爲北音，楚爲南音，音分南北，此爲明徵。

按語言歧分南北，乃聲韻學產生之最大關鍵所在。

㈩文　化

▲劉師培《南北學派不同論》〈總論〉：

三代之時，學術興於北方，而大江以南無學。魏晉以後，南方之地，學術日昌，致北方學者，反瞠乎其後。其故何哉。蓋并青雍豫古稱中原，文物聲明，洋溢蠻貊。而江淮以南，則爲苗蠻之窟宅。及五胡搆亂，元魏憑陵，虜馬南來，胡氛暗天，河北關中，淪爲左衽，積時既久，民習於夷。而中原甲姓，避亂南遷，冠帶之民，萃居江表，流風所被，文化日滋，其故一也。又古代之時，北方之地，水利普興，殷富之區，多沿河水，故交通日啓，文學易輸。後世以降，北方水道，淤爲民田，而荊吳楚蜀之間，得長江之灌輸，人文蔚起，迄於南海不衰，其故二也。故就近代之學術觀之，則北遜於南，而就古代之學術觀之，則南遜於北，蓋北方之地，乃學術發源之區也。

按此言文化之分南北，乃地理作用，語至精該。

㈩一學術思想

▲梁啓超《中國學術思想變遷之大勢》：

我中國有黃河揚子江兩大流，其位置性質各殊，故各自有其本來之文明，爲獨立發達之觀，雖屢相調和混合，而其差別自有不可掩者。凡百皆然，而學術思想其一端也。北地苦寒磽瘠，謀生不易，其民族銷磨精神日力，以奔走衣食，維持社會，猶恐不給，無餘裕以馳騖於玄妙之哲理，故其學術思想，常務實際，切人事，貴力行，重經驗，而修身齊家治國利群之道術最發達焉。惟然，故重家族，以族長制度爲政治之本（封建與宗法皆族長政治之圓滿者也）。敬老年，尊先祖，隨而崇古之念重，保守之情深，排外之力強，則古昔，稱先王，内其國，外夷狄，重禮文，繫親愛，守法律，畏天命，此北學之精神也。南地則反是，其氣候和，其土地饒，其謀生易，其民族不必惟一身一家之飽煖是憂，故常達觀於世界以外，初而輕世，既而玩世，既而厭世。不屑屑於實際，故不重禮法，不拘拘於經驗，故不崇先王。又其發達較遲，中原之人常鄙夷之，謂爲野蠻。故其對於北方學派，有吐棄之意，有破壞之心，探玄理，出世界，齊物我，平階級，輕私愛，厭繁文，明自然，順本性，此南學之精神也。今請兩兩對照比較，以明其大體之差別，列表如下：

北派崇實際	南派崇虛想
北派主力行（主動）	南派主無爲（主靜）
北派貴人事	南派貴出世
北派明正法	南派明哲理
北派重階級（《中庸》曰：『親親之殺，尊賢之等，禮所生也。』）	南派重平等（如莊子齊物，許行並耕之論。）
北派重經驗	南派重創造

北派喜保守（孔子曰：『非先王法服不敢服，非先王德行不敢行。』）	南派喜破壞（老子曰：『絕聖棄智，民利百倍，絕仁棄義，民復孝慈。』）
北派主勉強（勉強者，節性也。《書》曰：『節性惟日其邁。』董子曰：『勉強學問，勉強行道。』孔子曰：『克己復禮為仁。』）	南派明自然（自然者，順性也，莊子山木之喻，渾沌竅之喻，皆其義也。）
北派畏天（孔子曰：『畏天命。』）	南派任天（老子曰：『天地不仁，以萬物為芻狗。』）
北派言排外	南派言無我
北派貴自強	南派貴謙弱

㈦文藝思潮

▲青木正兒《中國古代文藝思潮》第一章〈文藝思潮概觀〉：

南方氣候溫暖，土地低溼，草木繁茂，山水明媚，物產豐富。北方則與此相反，氣候寒冷，土地高燥，草木稀少，風景既不美，天然物亦不多。南北互相比較：南方人民生活安逸，有空閒時間可以遠思冥索，耽於玄想，偏於情感，容易傾向於逸樂、華美、遊蕩的生活，其文藝思潮是浪漫的。而北方人民，每日必須爲生活努力，重在力行，偏於理智，其文藝

思潮則是趨於現實的、質樸的一面。（參用王俊瑜之譯文）

㈩文學氣象

▲《隋書》〈文學傳序〉：

江左宮商發越，貴於清綺，河朔詞義貞剛，重乎氣質。氣質則理勝其詞，清綺則文過其意，理深者便於時用，文華者宜於詠歌。此其南北詞人得失之大較也。

按今人劉永濟《中國文學史綱要》云：『《隋書》此說，於南北文學風尙，得其長短矣。蓋文學之事，固關乎時序，亦繫於方土。北方凝重，南方輕浮，影響所被，遂有此異。核而論之，北主於志，南主於文，北近建安之風，南承太康之習，雖各有工拙，而大體固莫能外於此矣。此又詩變之因乎方土者也。』牟潤孫〈唐初南北學人論學之異趣及其影響〉亦云：『魏徵雖於南北文學有持平之論，而抑揚之間，於河朔猶有偏袒。』二氏所論，各有精義。

又按：我國幅員廣大，地方風氣，多有差別。自永嘉遘難，南北分疆以後，差別愈益顯著。燕趙朔漠之間，地貧瘠而險峻，其人多剛實而質樸。吳楚雲水之鄉，地富饒而綺麗，其人易趨於輕逸與虛幻。氣質既判，發而爲文，遂各具異采，其文氣亦有剛柔之別，一則麗藻繽紛，一則邊聲豪壯。然則文學之興，氣質是繫，氣質之成，土宜攸關，不其信歟。即以詩歌而論，宋齊則有山水派，梁陳則有宮體，摹景狀物，惟麗是崇。而北國則有〈木蘭辭〉，乃長篇紀事之體，庾信〈詠懷〉二十七首，亦感時傷世之篇，是固江左所未有也。至民間歌謠，如〈折楊柳歌辭〉、〈琅琊王歌辭〉，其豪邁雄放之概，與江南〈子夜歌〉、〈讀曲歌〉之纏綿悱惻者，迥不相侔矣。故凡文化不同之民族，一經融合之後，文學必呈現新面貌、新精神，李唐文物之特起，蒙元戲劇之獨盛，以至明清小說之發達，皆可作一例觀也。

㈥文學內容

▲王葆心《古文辭通義》：

大河流域，土風膇重，大江流域，土風輕英。輕英秉江海之靈，其人深思而美潔，故南派善言情。膇重含河海之質，其人負才而敦厚，故北派善說理與記事。

▲劉師培《南北文學不同論》：

大抵北方之地，土厚水深，民生其間，多尚實際。南方之地，水勢浩洋，民生其際，多尚虛無。民崇實際，故所著之文，不外記事析理二端。民尚虛無，故所作之文，或為言志抒情之體。

▲金秬香〈漢代辭賦之發達〉：

自來人傑，端資地靈，尚論古音，地分南北。……聲音既殊，詞章因之。大抵南方之地水多，故其文多抒情尚志之作，北方之地土厚，故其文止記事析理二端。

按北人長於說理，南人善於言情，已為古今文家所公認。此文筆論與唯美文學之所以產生於南服也。

㈤文學特色

▲王世貞《藝苑卮言》：

北主剛勁，南主柔媚。

▲胡適《白話文學史》第七章〈南北新民族的文學〉：

南方民族的文學特別色彩是戀愛，是纏綿宛轉的戀愛。北方的新民族多帶著尚武好勇的性質，故北方的民間文學自然也帶著這種氣概。

▲李笠《中國文學述評》：

昔人謂：『文有陰陽剛柔』，以地域區之，則北剛而南柔，北方為男性文學，南方為女性文學，此由比較上所生之大別也。

▲劉永濟《文心雕龍校釋》〈定勢篇〉：

文章體態雖多，大別之，富才氣者，其勢卓犖而奔縱，陽剛之美也。崇情韻者，其勢舒徐而妍婉，陰柔之美也。漢魏之作，陽美為多，晉宋以後，陰柔漸勝。陰柔之極，至於闡緩，既病闡緩，遂務新詭，而色媚聲柔，對工典切之文作矣。此固風土時尚使然，而國處偏安，人多偷墮，實足以影響斯文。

㈥文　章

▲梁啓超《中國地理大勢論》〈詞章〉：

燕趙多慷慨悲歌之士，吳楚多放誕纖麗之文，自古然矣。自唐以前，於詩、於文、於賦，皆南北各為家數。長城飲馬，河梁攜手，北人之氣概也。江南草長，洞庭始波，南人之情懷也。散文之長江大河，一瀉千里者，北人為優。駢文之鏤雲刻月，善移我情者，南人為優。蓋文章根於性靈，其受四圍社會之影響特甚焉。

㈦駢　文

▲孫德謙《六朝麗指》：

或謂駢文之取法，六朝尚矣，然李延壽作南北史，則以文而論，亦當有南北之分。答之曰：何謂其無也，北人學問，淵綜廣博，南人學問，清通簡要，此《世說》載之，顧彼論學問耳。若就文言，北人如魏伯起溫鵬舉輩，未嘗不華貴，然不免猶傷於質重，不及南人之簡鍊而輕清也。故六朝文體雖同，而自南自北則區以別矣。

▲郭象升《文學研究法》〈文派篇〉：

大較北方多壯美，南方多優美。……駢文家如蔡伯喈、孔文舉、張道濟、李文饒，北產也（蔡中州人，孔魯人，張李皆燕人。），其文亦具北體。徐孝穆、庾子山，南產也（徐庾皆吳人），其文亦具南體。文章之限於方域，不於此可窺耶。

㈧詩　歌

▲郭象升《文學研究法》〈文派篇〉：

漢魏之詩壯美，皆北人所作也。六代偏安江左，家工吟詠，北風頗爲不競。所言甚是，可謂佛眼獨具，世多然之。今率舉三例，以資比觀。

(1)〈捉搦歌〉二首（北方文學）：

黄桑柘屐蒲子履，中央有系兩頭繫。小時憐母大憐壻，何不早嫁論家計。

誰家女子能行步，反著裌禪後裙露。天生男女共一處，願得兩個成翁嫗。

〈讀曲歌〉二首（南方文學）：

打壞木棲牀，誰能坐相思。三更書石闕，憶子夜題碑。

奈何不可言，朝看莫牛跡，知是宿跡痕。

按徐嘉瑞《中古文學概論》第二編〈六朝平民文學〉云：『前曲是北方女子信口將心事說出，爽快已極。後曲是舊家庭裏的閨秀，有無限心事，不能說出，只好用隱語半吞半吐的透露出一點來，完全是女性美，並且是南方民族性的表現。』

(2)〈馳驅樂歌〉（北方文學）：

明月光光星欲墮，欲來不來早語我。

〈華山畿〉（南方文學）：

一坐復一起，黄昏人定後，許時不來已。

按徐嘉瑞云：『前曲是直截了當，決無迴旋餘地。後曲是委婉纏綿，坐立不安。這是南北民族的大差點。』

(3)

〈折楊柳歌辭〉（北方文學）：

腹中愁不樂，願作郎馬鞭。出入擐郎臂，蹀坐郎膝邊。

〈讀曲歌〉（南方文學）：

白門前，烏帽白帽來。白帽郎，是儂良，不知烏帽郎是誰。

《子夜夏歌》（南方文學）：

反覆華簟上，屏帳了不施。郎君未可前，待我整容儀。

按徐嘉瑞云：『前曲很相近西洋式的婦人，後曲純粹是中國式。』

(九)音　樂

▲梁啓超《中國地理大勢論》：

《通典》云：『祖孝孫以梁陳舊樂，雜用吳楚之音，周隋舊樂，多涉胡戎之技，於是斟酌南北，考以古音，而作大唐雅樂。』直至今日，而西梆子腔與南崑曲，一則悲壯，一則靡曼，猶截然分南北兩流。

按梁氏在《中國地理大勢論》中將哲理、經學、佛學、詞章、書法、雕刻、圖畫、音樂等涵蓋於文學之內，均受地理環境之影響，而所謂『文學地理』上之差別，又常隨『政治地理』上之差別而轉移。

㈹繪　畫

我國山水畫向分南北二宗，肇始於盛唐。王維重渲染，少鉤勒，以秀麗稱，世推南宗之祖，傳荊浩、關仝、董源、巨然、米芾、米友仁、元代四家等。李思訓則山石峭拔，設色濃重，以剛勁勝，世推北宗之祖，傳趙幹、趙伯駒、夏圭、馬遠等。

㈺書　法

清阮元分書法爲南北兩派，東晉、宋、齊、梁、陳爲南派，趙、燕、魏、齊、周、隋爲北派。南派書法疏放妍妙，多變篆隸遺意。北派書法拘謹拙陋，爲篆隸草書遺法。見《研經室集》。

（民國七十六年在國立中山大學主辦「清代國際學術研討會」宣讀之論文）

六朝人之文學觀（一九八七）

魏、晉、六朝，文學自覺之時代，亦文學獨立之時代也。前乎此者為周秦兩漢，文學依附儒學，作宣揚教化之利器，固無獨立生命可言。逮漢獻帝建安以後，儒學陵替，老莊代興，文學潮流遂亦與之俱進，逐漸由附庸蔚為大國，形成曠古未有之壯觀，先哲殺青所就者，殆非更僕所能盡數。而其內容之富，形式之美，以至創作技巧之高妙，實已臻於登峰造極，爐火純青，出神入化之絕詣，後人讀之，未有不歎為觀止者。

惟是，文學為思想之反映，文體自亦隨思想之轉變而殊異，故六朝既不能為漢，亦不能為唐，蓋一代有一代之所勝，乃由時代之不同，非必有何長短之可論。王國維《宋元戲曲史》〈自序〉云：「凡一代有一代之文學，楚之騷，漢之賦，六代之駢語，唐之詩，宋之詞，元之曲，皆所謂一代之文學，而後世莫能繼焉者也。」語極精賅，宜無間然。茲就管見所及，將六朝人之文學觀念作扼要之論述，以就正於高明。

㈠魏曹丕之文學不朽論

曹魏以前，文學附麗於學術之中，固無獨立之可言，迨曹丕以帝王之尊，登高一呼，謂文學有獨立之生命，與永恆之價值，純文學之觀念，自此逐漸確立，觀其《典論》〈論文〉可以知也。

> 蓋文章，經國之大業，不朽之盛事。年壽有時而盡，榮樂止乎其身，二者必至之常期，未若文章之無窮。是以古之作者，寄身於翰墨，見意於篇籍，不假良史之辭，不託飛馳之勢，而聲名自傳於後。故西伯幽而演《易》，周旦顯而制禮，不以隱約而弗務，不以康樂而加思。夫然，則古人賤尺璧而重寸陰，懼乎時之過已。而人多不強力，貧賤則懾於飢寒，富貴則流於逸樂，遂營目前之務，而遺千載之功。日月逝於上，體貌衰於下，忽然與萬物遷化，斯志士之大痛也。

《三國志・魏文帝紀》裴注引《魏書》云：

> 帝初在東宮，疫癘大起，與素所敬者大理王朗書曰：「生有七尺之形，死惟一棺之土，惟立德揚名，可以不朽，其次莫如著篇籍。疫癘數起，士人彫落，余獨何人，能全其壽。」故論撰所著《典論》詩賦，蓋百餘篇，集諸儒於肅城門內，講論大義，侃侃無倦。

觀曹氏之意，蓋欲著書立說，庶垂休名於後世，而不虛度此生。此乃受叔孫豹言論之影響者（詳見《左傳・襄公二十四年》）。王國維推闡其說曰：

> 生百政治家，不如生一大文學家，何則，政治家與國民以物質上之利益，而文學家則與以精神上之利益。夫精神之與物質，二者孰重，且物質上之利益，一時的也，精神上之利益，永久的也。前人政治上所經營者，後人得一旦而壞之。至古今之大著述，苟其著述一日存，

則其遺澤且及於千百世而未沫。故希臘之有荷馬也，意大利之有但丁也，英吉利之有莎士比亞也，德意志之有歌德也，皆其國人人之所尸而祝之、社而稷之者，而政治家無與焉。何則，彼等誠與國民以精神上之慰藉，而國民之所恃以爲生命者，若政治家之遺澤，決不能如此廣且遠也。（《靜庵文集・文學與教育》）

又曰：

世人喜言功用，吾姑以其功用言之。夫人之所以異於禽獸者，豈不以其有純粹之知識與微妙之感情哉。至於生活之欲，人與禽獸無以或異。後者政治家及實業家之所供給，前者之慰藉滿足，非求諸哲學及美術不可。就其所貢獻於人之事業言之，其性質之貴賤，固以殊矣。至就其功效之所及言之，則哲學家與美術家之事業，雖千載以下，四海以外，苟其所發明之眞理，與其所表之之記號之尚存，則人類之知識感情由此而得其滿足慰藉者，曾無以異於昔。而政治家及實業家之事業，其及於五世十世者希矣。此又久暫之別也。（《靜庵文集・論哲學家與美術家之天職》）

王氏以爲文學上可華國，下可榮身，極具崇高之價值。又以爲文學家、哲學家、美術家皆優於政治家，若律以叔孫豹之三不朽，則立言遠在立功之上。其重視文學，可以概見，溯厥淵源，則猶曹氏之遺意也。

(二)魏曹丕之文學唯美論

曹丕既強調文學之不朽，可以傳之無窮，完全否定儒家之「德本文末」說，大大提高文學之地位。繼又提出文學唯美論，亦見於《典論》〈論文〉。

夫文本同而末異，蓋奏議宜雅，書論宜理，銘誄尚實，詩賦欲麗。此四科不同，故能之者偏也，唯通才能備其體。

謂詩賦以辭藻華麗爲貴，影響後世，至爲深遠，故尊之爲六朝唯美文學之祖師，應不爲過。

㈢魏曹植之文學批評家須具有創作經驗論

曹丕之弟曹植，才高八斗，著述宏富，對文學則別有精闢獨到之創見，其說載諸〈與楊德祖書〉：

蓋有南威之容，乃可以論於淑媛，有龍泉之利，乃可以議於斷割。劉季緒才不能逮於作者，而好詆訶文章，掎摭利病。昔田巴毀五帝，罪三王，訾五霸於稷下，一旦而服千人，魯連一說，使終身杜口。劉生之辯，未若田氏，今之仲連，求之不難，可無息乎。

旨在強調批評文學必具著作之才者始能優爲之，以其深知個中甘苦也。此說雖不無陳義過高之處，但南朝及以後之文學批評家多奉爲圭臬。如《文心》〈知音篇〉云：

凡操千曲而後曉聲，觀千劍而後識器，故圓照之象，務先博觀。閱喬岳以形培塿，酌滄波以喻畎澮，無私於輕重，不偏於憎愛，然後能平理若衡，照辭如鏡矣。

㈣晉陸機之文學唯美論

陸機之唯美文學觀，具見於其所作之〈文賦〉。其最爲心醉者，在於「麗藻彬彬」之作。

播芳蕤之馥馥，發青條之森森。

「芳蕤」謂「香」，「馥馥」謂「味」，「青條森森」謂「色」。言一篇美文之構成，須「色」、「香」、「味」三者俱備。此陸氏獨得之祕，而能發前人所未發者。

藻思綺合，清麗千眠。

言文情與詞采互爲表裏，訢合無間，藻思內流，英華外發。

炳若縟繡，悽若繁絃。

言文章炳烺有若五彩之錦繡，文章音節又若繁絃之淒切。重視詩文韻律之美，實始於陸氏。

其爲物也多姿，其爲體也屢遷。其會意也尚巧，其遣言也貴妍。暨音聲之迭代，若五色之相宣。

此陸氏文學唯美論之最精要部分。言文學作品須如花草之搖曳多姿，嫣然可愛。文章之體貌風格亦須追逐時代，不斷翻新。意尚靈巧，詞貴妍麗，尤爲詩文不可或缺之要素。再配以抑揚頓挫之聲調，鮮明相映之色澤。此種作品始可言文，始可言美。其後元嘉文學之尚新變，永明文學之重聲律，以至江左唯美主義文學之全盛，皆由陸氏啓之也。

㈤晉葛洪之文學進化論

儒家自來有一根深蒂固觀念，即今不如古，古必勝今，故人必稱堯舜，言必尊先王，似後人之智慧、努力一無可取者。不知人文發展，恆循螺旋而轉動，遞革而遞進，此社會之所以繁複而日新也。葛洪有鑒於此，於是力倡「今必勝古」之說。《抱朴子》〈鈞世篇〉曰：

且夫《尚書》者，政事之集也，然未若近代之優文詔策、軍書奏議之清富贍麗也。《毛詩》者，華彩之辭也，然不及〈上林〉、〈羽獵〉、〈二京〉、〈三都〉之汪濊博富也。然則古之子書，能勝今之作者，何也。然守株之徒，嘍嘍所翫，有耳無目，何肯謂爾。其於古人所作爲神，今世所著爲淺，貴遠賤近，有自來矣。故新劍以詐刻加價，弊方以僞題見寶也。是以古書雖質樸，而俗儒謂之墮於天也，今文雖金玉，而常人同之於瓦礫也。若夫俱論宮室，而奚斯「路寢」之頌，何如王生之賦〈靈光〉乎。同說遊獵，而〈叔畋〉〈盧鈴〉之詩，何如相如之言〈上林〉乎。並美祭祀，而〈清廟〉〈雲漢〉之辭，何如郭氏〈南郊〉之艷乎。等稱征伐，而〈出車〉〈六月〉之作，何如陳琳〈武軍〉之壯乎。則舉條可以覺焉。近者夏侯湛、潘安仁並作〈補亡詩〉，〈白華〉、〈由庚〉、〈南陔〉、〈華黍〉之屬，諸碩儒高才之賞文者，咸以古詩三百未有足以偶二賢之所作也。且夫古者事事醇素，今則莫不彫飾，時移世改，理自然也。至於罽錦麗而且堅，未可謂之減於蓑衣，輜軿妍而又牢，未可謂之不及椎車也。……若言以易曉爲辨，則書何故以難知爲好哉。若舟車之代步涉，文墨之改結繩，諸後作而善於前事，其功業相次千萬者，不可復縷舉也。世人皆知之快於曩矣，何以獨文章不及古邪。

梁蕭統〈文選序〉中之曰：

> 若夫椎輪爲大輅之始，大輅寧有椎輪之質，增冰爲積水所成，積水曾微增冰之凜。何哉，蓋踵其事而增華，變其本而加厲，物既有之，文亦宜然。

二氏均以物質文明印證後世之雕飾，不遜於古昔之淳素，甚具卓見。質文既有代變，人事日益繁雜，則文章之富美日新，內容之翻空詭譎，乃是進步之徵象。若曰凡百事物均日趨進化，惟獨文學一道反日趨退化，是乃不通之論也。於是高唱文學脫離迂儒之牢籠而趨於純淨，獲得獨立。其思想可謂新矣，其立論可謂勇矣。

青謹按：揚榷言之，今人所作文章，的確不如古人，然此與葛氏『文學進化論』無關，而是教育普及之必然現象。況今之語體文與古之駢散文體製迥殊，風貌各異，孰優孰劣，甚難裁定，亦猶『春花』『秋月』，難作比較也。待他日乞休多暇，當賈餘勇，另行撰文以詳之，其庶幾乎。

(六)梁劉勰之重情論

文學者，至美之藝術也，尤以唯美文學爲然。六朝唯美文學詞藻麗澤，有類於美術品，故西人恆以「美文」稱之。通常一篇美文必兼具內美與外美二者，始足以當之。所謂內美，即內情之美，所謂外美，即外采之美。內美必藉外美而彰，外美必資內美而成，兩者不容偏廢，亦不能偏廢。是故徒工對仗、聲調、藻采三者，俱屬外美，固不足以言美文；徒有思想、情感、想像三者，俱屬內美，亦不足以言美文。所謂美文，內外同符，表裏相發者也。劉勰在《文心雕龍》〈情采篇〉中中論此理最爲獨到。彼所謂情，即屬於內美；彼所謂采，即屬於外美。自古言作品內外之美者，未有逾乎此者矣。

> 夫鉛黛所以飾容，而盼倩生於淑姿；文采所以飾言，而辯麗本於情性。故情者文之經，辭者理之緯，經正而後緯成，理定而後辭暢。此立文之本源也。

言婦女適度的敷施鉛華粉黛，有助於盼倩辯麗之美。若用之過量，則有害於淑姿情性，欲益反損，不爲美矣。蓋盼倩之美，生於淑姿，再施以鉛黛，不過益增其美焉耳。譬彼西施，乃一風華絕代之美人，嚴妝固佳，淡妝亦佳，粗服亂頭，不掩國色，由其氣質美也。東施無其美而效其顰，雖衣以錦繡，塗以鉛黛，飾以珠玉，亦不能減其醜陋，見之而不掩耳疾走者，未之有也。是故情者性之動，文者情之飾，美的文學，必皆發自性情，未有捨性情之外別有可爲文學者。

> 夫桃李不言而成蹊，有實存也；男子樹蘭而不芳，無其情也。夫以草木之微，依情待實，況乎文章，述志爲本，言與志反，文豈足徵。

桃李不言，下自成蹊，以其有甜美之果實。男子樹蘭，秀而不芳，以其無少女之柔情。草木之微，尚且如此，況含識之倫乎。故劉勰反覆強調文章不宜專騖形式之美，宜有深情以絡之，始可與言佳作。

> 昔詩人什篇，爲情而造文，辭人賦頌，爲文而造情。何以明其然，蓋風雅之興，志思蓄憤，而吟詠情性，以諷其上，此爲情而造文也。諸子之徒，心非鬱陶，苟馳夸飾，鬻聲釣世，

此爲文而造情也。故爲情者要約而寫眞，爲文者淫麗而煩濫。而後之作者，採濫忽眞，遠棄風雅，近師辭賦，故體情之製日疏，逐文之篇愈盛。故有志深軒冕，而汎詠皐壤，心纏幾務，而虛述人外。眞宰弗存，翩其反矣。

劉氏更進一步說明造文之要，須先有情，無情之文，必不能感人，自亦不能見重於世。清末民初之際，許多上海富商滿身銅臭，卻喜附庸風雅，常會於豪華別墅之庭園中，飲醇酒，饌珍饈，面對叢菊而詩興大發，往往有〈秋日賞菊步陶彭澤原韻〉之作，翌日刊諸報端，而爲方家所譏，以其腦滿腸肥，略無陶公之高致也。故凡有志從事詞藝之創作者，劉氏此段理論允宜奉爲科律。

(七)梁蕭統之文學封域論

文學有廣狹二義：舉凡經史子集，以至語錄小說，而具有文學之形式者，皆是文學，此文學之廣義者也。惟巧思內運，詞華外現，而具有藝術美之作品，始可稱爲文學，此文學之狹義者也。蕭統論文學之封域，取其狹義。其〈文選序〉云：

若夫姬公之籍，孔父之書，與日月俱懸，鬼神爭奥，孝敬之准式，人倫之師友，豈可重以芟夷，加之剪截。老莊之作，管孟之流，蓋以立意爲宗，不以能文爲本，今之所撰，又以略諸。若賢人之美辭，忠臣之抗直，謀夫之話，辯士之端，冰釋泉涌，金相玉振。所謂坐狙丘，議稷下，仲連之卻秦軍，食其之下齊國，留侯之發八難，曲逆之吐六奇，蓋乃事美一時，語流千載，概見墳籍，旁出子史。若斯之流，又亦繁博，雖傳之簡牘，而事異篇章，今之所集，亦所不取。至於記事之史，繫年之書，所以褒貶是非，紀別同異，方之篇翰，亦已不同。若其讚論之綜緝辭采，序述之錯比文華，事出於沈思，義歸乎翰藻，故與夫篇什雜而集之。

此則以純藝術性之觀點，嚴定文學之封域。蓋自建安以前，文學寄居儒家之籬下，固無獨立可言。建安以後，雖已逐漸蔚爲大國，而世人觀念，多取廣義，內涵無所不包，實屬大而無當。蕭統有鑒於此，以爲非嚴定其封域，不足以順應洶湧而至之唯美思潮，亦即非嚴律其繩尺，不足以饜當世重文相感之心。其封域爲何，即作品須具備「綜緝辭采，錯比文華，事出沈思，義歸翰藻」諸條件者，始可稱之爲文學。故經子史應屛除文學範疇之外，以其不合於上述條件也。蓋周孔之經，所以明道；老莊百家，重在立意；馬班諸史，偏於記事。皆利用文字作表達工具，故此等文字，祇能視爲經史百家之文，而非詞章家之文。詞章家之文，以文爲主，匠心默運，機杼別出，專意經營，並無外在之束縛，尤無任何附帶之功能，即今人所謂純粹爲文學而文學者也。

(八)梁蕭綱之文學至上論

文學在建安以前，爲載道與實用之工具，初無獨立生命可言，前已數加論述。建安以後，經歷曹丕、曹植、陸機、葛洪諸子之大聲疾呼，刻意提倡，始逐漸增高其地位。至於南朝，宋文帝雅好藝文，且以政治力量，使之與儒學、玄學、史學平列，是爲四學，其地位始正式獲得肯定。

梁之蕭綱猶不以爲足，仍在繼續鼓吹，必使其陵駕學術之上而後已。其〈答張纘謝士集書〉云：

綱好文章，於今二十五載矣。竊嘗論之，日月參辰，火龍黼黻，尚且著於玄象，章乎人事，而況文辭可止，詠歌可輟乎。不爲壯夫，揚雄實小言破道；非謂君子，曹植亦小辯破言，論之科刑，罪在不赦。

又〈昭明太子集序〉云：

竊以文之爲義，大矣遠矣。故孔稱性道，堯曰欽明，武有來商之功，虞有格苗之德。故《易》曰：『觀乎天文，以察時變，觀乎人文，以化成天下。』是以含精吐景，六衛九光之庭；方珠喻龍，南樞北陵之采，此之謂天文。文籍生，書契作，詠歌起，賦頌興，成孝敬於人倫，移風俗於王政，道綿乎八極，理浹乎九垓，贊動神明，雍熙鍾石，此之謂人文。若夫體天經而總文緯，揭日月而諧律呂者，其在茲乎。

自是文學遂高於一切，而惟我獨尊矣。蕭綱居儲君之位長達二十年，此論既發，幾同功令，一般才穎之士，未有不競相附和，作桴鼓之應者。唯美文學至梁代達於極峰，此實其最大關鍵所在。

(九) 梁蕭綱之文學放蕩論

儒家一向主張文學爲道德之附庸，有餘力始可爲之，此一觀念深中人心，牢不可破。葛洪則不以爲然，謂儒家此種重德輕文之錯誤觀念應加修正，二者猶是兄弟關係，初無優劣之分。其《抱朴子》〈尙博篇〉云：

文章之與德行，猶十尺之與一丈，謂之餘事，未之前聞。……文章雖爲德行之弟，未可呼爲餘事也。

六朝儒學幽淪，故葛氏敢言如此，可謂勇矣。蕭綱承席其說而愈加尖銳，根本否定此一傳統觀念，直謂二者了不相涉。其《誡當陽公大心書》云：

汝年時尚幼，所闕者學，可久可大，其惟學歟。所以孔丘言：『吾嘗終日不食，終夜不寢，以思，無益，不如學也。』若使面牆而立，沐猴而冠，吾所不取。立身之道，與文章異，立身先須謹重，文章且須放蕩。

所謂「文章須放蕩」者，言文章所以吟詠情意，抒寫性靈，不必有載道與教化之功能，更不必受陳規舊矩之束縛，縱橫馳騁，變古翻新，而勇向唯美與浪漫之路邁進。故蕭綱實爲六朝唯美文學之浪漫派。雖然，無論中外古今，文學宗派甚多，祇有作品工拙之分，絕無宗派優劣之別，吾人固不可以蕭氏提倡浪漫文學與宮體詩歌，遂集矢而攻之也。

㈩梁蕭繹之文筆論

文筆之說，溯源至遠，而著文討論之者，則始於宋之顏延之、范曄二人。其後劉勰於《文心》〈總術篇〉中續作修正，至蕭繹始集其大成。其《金樓子》〈立言篇〉云：

古人之學者有二，今人之學者有四。夫子門徒，轉相師受，通聖人之經者謂之儒。屈原、宋玉、枚乘、長卿之徒，止於辭賦，則謂之文。今之儒博窮子史，但能識其事，不能通其理者，謂之學。至如不便爲詩如閻纂，善爲章奏如伯松，若此之流，汎謂之筆。吟詠風謠，流連哀思者，謂之文。

蕭繹將古之學者分爲「儒」「文」兩類，未予置評。而將今之學者分爲四類，即將古代之「儒」「文」又各分爲兩類，合之爲「儒」「學」「文」「筆」四類。自來言文筆之分者，莫詳於此，亦莫嚴於此。又評四者之得失云：

而學者（按此「學者」當作「儒者」）率多不便屬辭，守其章句，遲於通變，質於心用。學者不能定禮樂之是非，辨經教之宗旨，徒能揚榷前言，抵掌多識，然而挹源知流，亦足可貴。筆，退則非謂成篇，進則不云取義，神其巧惠，筆端而已。至如文者，惟須綺縠紛披，宮徵靡曼，脣吻遒會，情靈搖蕩。而古之文筆，今之文筆，其源又異。

言儒者拙於屬辭，學者昧於經義，筆則以單篇達意而已，屬應用範圍，不得謂之文；而文則不僅以達意爲能事，亦不在應用範圍之內。且具體指出惟有「色」「音」「情」「韻」四者俱全，始能稱爲文學。所謂「綺縠紛披」，即色彩之美。所謂「宮徵靡曼」，即聲調之美。所謂「脣吻遒會」，即韻律之美。所謂「情靈搖蕩」，即情致之美。易詞言之，文學不僅以表達意思爲已足，尚須著藻采、重聲調、協韻律，而富感情，始克畢其能事，亦即今日所稱之「純文學」也。

（民國七十六年五月在國立中山大學中國文學系學術研討會宣讀之論文）

唐代詩壇兩女傑（一九八八）

——薛濤與魚玄機

唐代是我國歷史上自秦漢以後最強大的帝國，在強大的政治力量與雄厚的經濟力量支持下，東晉以來漢胡血統結合而成的新民族發揮其高度之創造力，無論在文學、音樂、工藝、繪畫、雕刻、建築各方面，均呈現蓬勃之氣象，詩歌在此洶湧澎湃之藝術潮流中，尤有極耀煌之成就。清康熙四十六年所編纂之《全唐詩》，凡九百卷，收詩四萬八千九百餘首，作者二千二百餘人。上自帝王將相，下至衲子羽流，旁及閨閣名媛，凡有文采可觀者，均予收錄。可見詩歌至唐代已成爲大衆化之文學體裁，非復少數貴族文人之專利品矣。

在此幾近五萬首的名篇佳作中，最值得一提的，除了李、杜、王、孟、元、白……諸大家以外，應是萬綠叢中一點紅的閨閣詩人。因爲在往昔的封建社會裏，男尊女卑的傳統觀念根深柢固，婦女的社會地位極爲低微，縱然具有抱玉握蛇的才華，也往往會被埋沒掉，永遠無法與男子站在平等的地位，爭一日之長短。職是之故，女性作家想在文壇上吐放異采，的確要比男性作家難上千百倍。所幸在《全唐詩》裏，我們看到了許多閨閣詩人的巧製鴻篇，清辭麗句，她們在列星燦爛，百卉競芳的詩壇上，縱橫馳騁，角戰群雄，終於爭得了一席之地，實屬難能可貴。這些女作家包括初唐的徐惠、楊容華（楊炯姪女）、武則天、上官婉兒，盛唐的江采蘋、李冶、鮑君徽、牛應貞、宋若昭五姊妹（均為宋之問裔孫），以及晚唐的薛濤、魚玄機、關盼盼、步非煙、盧眉娘、杜秋娘、元淳諸人。而其中聲光煒然，歷久不衰者，又非薛濤、魚玄機莫屬。

薛濤

薛濤字洪度，長安人。生於唐代宗大曆三年，卒於唐文宗大和五年（西元七六八—八三一年），年六十四歲。（按薛濤的年歲，或云四十七，或云六十四，或云七十二，或云七十三，或云七十八，或云八十，眾說紛紜，頗不一致，此從《古今圖書集成》傅潤華《薛濤年譜》。）

薛濤本來出身良家，其父名鄖，流寓在四川成都作個小官。她從小就是一個聰明絕頂的女孩子，八、九歲時便會作詩。有一天，她父親指著井邊的一棵梧桐樹吟道：『庭除一古桐，聳幹入雲中。』叫她承接下去，她不假思索，立即應聲云：『枝迎南北鳥，葉送往來風。』她父親聽後臉色大變，認為一個小女孩出語如此放蕩，乃是不祥之兆，將來必定淪落風塵。於是內心悶悶不樂，吁歎許久。後來薛鄖病死，而她年已及笄，由於流落異鄉，家無產業，在現實生活的逼迫下，遂墮入樂籍，從此便過著生張熟魏、送往迎來的神女生涯。不意幼年輕率一語，果然成讖。語云：『自古紅顏多薄命』，其實薄命又豈止是紅顏而已，即使才女亦鮮有例外者。

唐朝是詩歌的黃金時代，文風鼎盛，亙古無儔，一般騷人墨客的雅集，固然要賦詩作對，就連社會上極普通的交際應酬，宴飲小聚，也往往以角藝論詩作爲餘興節目。試看開元年間王之渙與王昌齡、高適諸人在旗亭畫壁的故事（詳見薛用弱《集異記》），便可知其梗概。薛濤才華旣高，詩藝日進，加以風姿嫺雅，兼擅美容，於是很快的就壓倒群芳，豔名四播。當時西川節度使是一代名臣韋皋，乃召令她侍酒賦詩，甚見激賞。從此出入幕府，酬唱頻繁。一年以後，韋皋想要提高她的身分，擬奏請朝廷任命她作校書郎的官職，惟護軍認爲向無婦女任校書之例而作罷。可是如此一來，薛濤的『女校書』之名竟然不脛而走，喧騰衆口，遠達京師。舊時上海、蘇州、揚州、北京的妓院雅稱『書寓』、『書院』，對高級交際花雅稱『女校書』，都是這樣沿用下來的。

由於韋皋的力捧，薛濤的詩名越來越大。繼韋皋出任西川節度使的封疆大吏有袁滋、劉闢、高崇文、武元衡、李夷簡、王播、段文昌、杜元穎、郭釗、李德裕等十人，也都頻頻召她侑酒，並與之唱和。慕其芳名而與之談詩論藝的名流尙有元稹、白居易、牛僧孺、令狐楚、裴度、嚴綬、張籍、杜牧、劉禹錫、吳武陵、張祜等。這些高官顯宦之所以情願折節與之訂交，完全是出於憐才惜玉之一念，而不是惑於其姿色之美，故《全唐詩》言其『出入幕府，歷事十一鎭，皆以詩受知。』可見她不同於一般以聲色事人的樂妓，充其量只能稱爲帶有濃厚書卷氣的高級交際花罷了。《宣和書譜》亦云：『以詩名當時，雖失身卑下，而有林下風致。』說她閒雅超逸，有若東晉才女謝道韞，絕非溢美。進士胡曾（一作王建）更賦〈寄蜀中薛濤校書詩〉以贈之云：

萬里橋邊女校書，枇杷花下閉門居。

掃眉才子知多少，管領春風總不如。

推崇她是當代的首席女詩人，但云『掃眉才子』（有才學的婦女），『管領春風』，並未提及她的風流韻事。今觀《薛濤詩集》以應酬之什爲多，可以得到印證。

不過，人畢竟是感情的動物，何況是才情軼蕩的女詩人呢。在此偌多與薛濤相酬唱的名士中，第一個進入薛濤的感情世界的人當是韋皋。只惜韋皋是一個節度使，鎮蜀時間長達二十一年，卓著政聲，於風雅一道，或稍遜色，其與薛濤未能靈犀相通，橫卷擊節，自在意中。所以眞正獲得這位女詩人之青睞，共同譜出一段戀曲的，恐怕要數大才子元稹了。

唐憲宗元和初年，元稹拜監察御史，奉使入川，因而得識薛濤，才子才女相互傾慕，頗有恨晚之概。薛濤嘗賦〈池上雙鳧〉紀其事云：

雙棲綠池上，朝暮共飛還。

更憶將雛日，同心蓮葉間。

表面上是詠物，實際上是物我雙寫，深情款款，柔媚動人。後來因小事發生誤會，薛濤被流放松州（今四川松潘縣）邊城，乃作〈罰赴邊有懷上元相公〉（按一本作韋相公，指韋皋。）云：

聞道邊城苦，而今到始知。

羞將門下曲，唱與隴頭兒。（其一）

黠虜猶違命，烽煙直北愁。
卻教嚴譴妾，不敢向松州。（其　二）

二詩如邊城畫角，別有一番哀鳴。楊慎《升庵詩話》評云：『有諷諭而不露，深得詩人之旨，使李白見之，亦當叩首，元、白流紛紛停筆，不亦宜乎。』可謂推挹備至。既而又作《十離詩》云：

犬離主

馴擾朱門四五年，毛香足淨主人憐。
無端咬著親情客，不得紅絲毯上眠。

筆離手

越管宣毫始稱情，紅牋紙上撒花瓊。
都緣用久鋒頭盡，不得羲之手裏擎。

馬離廄

雪耳紅毛淺碧蹄，追風曾到日東西。
爲驚玉貌郎君墜，不得華軒更一嘶。

鸚鵡離籠

隴西獨自一孤身，飛去飛來上錦茵。
都緣出語無方便，不得籠中再喚人。

燕離巢

出入朱門未忍抛，主人常愛語交交。
銜泥穢污珊瑚枕，不得梁間更壘巢。

珠離掌

皎潔圓明內外通，清光似照水晶宮。
只緣一點瑕相穢，不得終宵在掌中。

魚離池

戲躍蓮池四五秋，常搖朱尾弄綸鈎。
無端擺斷芙蓉朵，不得清波更一游。

鷹離韝

爪利如鋒眼似鈴，平原捉兔稱高情。
無端竄向青雲外，不得君王臂上擎。

竹離亭

蓊鬱新栽四五行，常將勁節負秋霜。
爲緣春筍鑽牆破，不得垂陰覆玉堂。

鏡離臺

鑄瀉黃金鏡始開，初生三五月徘徊。
為遭無限塵蒙蔽，不得華堂上玉臺。

《全唐詩》注云：『元微之使蜀，嚴司空遣濤往事，後因事獲怒，遠之。濤作〈十離詩〉以獻，遂復善焉。』此詩心裁別出，格法古未曾有，蓋薛濤所創，靈筆慧心，於斯概見。鍾惺《名媛詩歸》評云：『〈十離詩〉有引躬自責者，有歸咎他人者，有擬議情好者，有直陳過端者，有微寄諷刺者，皆情到至處，一往而就，非才人女人不能。蓋女人善想，才人善達故也。』言簡意賅，屈曲洞達，頗能通其微旨。

一年以後，元稹回京，曾作七律一首寄贈薛濤，備加讚譽。范攄《雲谿友議》詳述其始末云：

安人元相國，應制科之選，歷天祿、畿尉，則聞西蜀樂籍有薛濤者，能篇詠，饒詞辯，常悄悒於懷抱也。及為監察，求使劍門，以御史推鞫，難得見焉。及就除拾遺，府公嚴司空綬，知微之之欲，每遣薛氏往焉。臨途訣別，不敢挈行。洎登翰林，以詩寄曰：『錦江滑膩峨眉秀，化出文君及薛濤。言語巧偷鸚鵡舌，文章分得鳳凰毛。紛紛詞客皆停筆，箇箇君侯欲夢刀。別後相思隔煙水，菖蒲花發五雲高。』

昔人謂『得一知己，可以無恨』，若薛濤者，又奚止無恨而已，雖銜感終身亦不為過。只惜元稹仕途蹭蹬，遷調頻繁，越十年，由宰相出為同州刺史，再徙浙東觀察使，對這位紅粉知己似已逐漸遺忘。《雲谿友議》又云：

元公既在中書，論與裴晉公度子弟譔及第，議出同州。乃廉問浙東，別濤已逾十載。方擬馳使往蜀取濤，乃有俳優周季南、季崇及妻劉採春，自淮甸而來，善弄陸參軍，歌聲徹雲，篇韻雖不及濤，容華莫之比也。元公似忘薛濤，而贈採春詩曰：『新妝巧樣畫雙蛾，慢裹恆州透額羅。正面偷輪光滑笏，緩行輕踏皺文靴。言詞雅措風流足，舉止低徊秀媚多。更有惱人腸斷處，選詞能唱〈望夫歌〉。』

薛濤是一個多情的才女，與元稹繾綣期年，何能恝然相忘，故自元稹離去後，千里懷思，時縈夢寐。嘗作〈牡丹詩〉云：

去春零落暮春時，淚溼紅箋怨別離。常恐便同巫峽散，因何重有武陵期。
傳情每向馨香得，不語還應彼此知。只欲欄邊安枕席，夜深閒共說相思。

從首聯可以推知大概是她與元稹分手一年後所作，意婉情癡，爲怨難勝，置諸《玉谿集》中，恐亦難辨楮葉。又〈元微之贈濤詩因寄舊詩與之詩〉云：

詩篇調態人皆有，細膩風光我獨知。月下詠花憐暗澹，雨朝題柳爲欹垂。
長教碧玉藏深處，總向紅箋寫自隨。老大不能收拾得，與君開似教男兒。

歎老之情，流注紙上，雖間有婉媚處，然皆以樸靜裹之，實爲全集中有數瑋篇。而〈春望詞〉五絕四首尤爲一往情深，不能自已，幽恨悵歎，充牣字裏行間，讀之令人酸鼻，亦集中錚錚之作也。錄其詞如下：

其一

花開不同賞，花落不同悲。
欲問相思處，花開花落時。

其二

攬草結同心，將以遺知音。
春愁正斷絕，春鳥復哀吟。

其三

風花日將老，佳期猶渺渺。
不結同心人，空結同心草。

其四

那堪花滿枝，翻作兩相思。
玉筯垂朝鏡，春風知不知。

綜觀薛濤現存的八十九首詩中，以七言絕句爲多，亦最擅勝場，這或許和她縱放飄逸而不受拘勒的天性有關。至於內容方面，大致分爲兩大類。由於她是當時最出色的詩妓，長期周旋於達官巨宦、名士騷人之間，所以應酬唱和之作特多，幾佔全集之半。這一類作品，雖意在頌揚，卻不帶媚氣，保持著傳統詩人應有的風骨，故彌足珍貴。另一類作品則是抒情、詠物、寫景之什，率皆語淺而情深，調婉而神秀，別具一種風格。在唐代閨閣詩人中，與魚玄機並稱雙傑。率錄數首，以見鼎臠。

送　友　人

水國蒹葭夜有霜，月寒山色共蒼蒼。
誰言千里自今夕，離夢杳如關路長。

題竹郎廟

竹郎廟前多古木，夕陽沈沈山更綠。
何處江村有笛聲，聲聲盡是迎郎曲。

鄉　思

峨嵋山下水如油，憐我心同不繫舟。
何日片帆離錦浦，櫂聲齊唱發中流。

酬人雨後玩竹

南天春雨時，那鑒雪霜姿。眾類亦云茂，虛心寧自持。
多留晉賢醉，早伴舜妃悲。晚歲君能賞，蒼蒼勁節奇。

紀昀《四庫提要・薛濤詩集》云：

濤〈送友人〉及〈題竹郎廟〉詩爲向來傳誦。然如〈籌邊樓詩〉曰：『平臨雲鳥八窗秋，壯壓西川四十州。諸將莫貪羌族馬，最高層處見邊頭。』其託意深遠，有『魯嫠不恤緯，漆室女坐嘯』之思，非尋常裙屐（婦女）所及，宜其名重一時。

按紀昀對唐人詩多不輕許可，賢如李杜，猶每遭貶損，評騭李商隱詩尤爲嚴苛，幾近吹毛求疵。而對薛濤推重若此，持較元稹，高下難分，也許正可以彌補一代才女淪落風塵的缺憾。

才清似水，恨重如山的薛濤，除了在詩歌創作方面有卓越的成就外，書法一藝亦名滿蜀都，《宣和書譜》對她有極高的評價。今迻錄於次：

婦人薛濤，成都倡婦也，以詩名當時，雖失身卑下，而有林下風致，故詞翰一出，則人爭傳以爲玩。作字無女子氣，筆力峻激，其行書妙處，頗得王羲之法。少加以學，亦衞夫人之流也。每喜寫己所作詩，語亦工，思致俊逸，法書警句，因而得名。非若公孫大娘舞劍器、黃四娘家花，託於杜甫而後有傳也。今御府所藏行書、萱草等書。

有好詩，有好字，而沒有好紙，也是枉然。薛濤極具巧思，她嫌市面上所出售的松花箋紙不夠美觀，而且紙幅太大，不欲長而有賸，正好她的寓所在成都錦江南的百花潭畔，百花潭一名濯錦江，又名浣花溪，溪水澄澈見底。附近有一口美井，俗名玉女津（後來川人懷念她，改名爲薛濤井。），水極清冽，乃命匠人利用溪水和井水造彩色花紙，比松花箋狹小，非常高雅實用，時人名爲『薛濤箋』，又名『浣花箋』，與謝師厚所造的『十樣蠻箋』齊名。（詳見貴著《蜀牋譜》）李商隱〈送崔珏往西川詩〉：『浣花箋紙桃花色，好好題詩詠玉鉤。』即詠此。

薛濤歿後，所遺留下來的古蹟甚多，最著名者爲坐落在成都碧雞坊裏的望江樓，一稱崇麗閣，又稱吟詩樓，乃蜀人爲了紀念她而構建者。其東即萬里橋，傍錦江而築，凝立其間，隱約可以聽到華西大學的鐘聲。其餘則爲五雲仙館、濯錦樓、浣箋亭、枇杷巷等。距望江樓側不足二里，是她玉骨長埋的地方，墓碑高大，碑文是『西川女校書薛洪度之墓』，爲宰相段文昌所題。其鄰近有杜甫故居浣花草堂。江山有幸，留此勝蹟，足供後人之憑弔。

魚玄機

魚玄機字幼微，一字蕙蘭，長安人。約生於唐武宗會昌四年，卒於唐懿宗咸通九年（西元八四四—八六八年），得年約二十五歲。

玄機明慧早達，才情洋溢，雅好讀書吟詠，尤工韻調。只惜生於長安娼家，受制於人，大約在十五歲時，便被迫嫁給補闕李億作侍妾，大婦性妒不能容，乃出家入咸宜觀爲女道士。從此無羈無絆，縱情風月，詩作漸漸傳播士林，於是風雅之士爭相訂交，而有一代才女的美譽（今人多戲稱爲『唐朝豪放女』）。皇甫枚《三水小牘》云：

西京咸宜觀女道士魚玄機，字幼微，長安里家（即妓院）女也。色既傾國，思乃入神，喜讀書屬文，尤致意於一吟一詠。破瓜之歲（即十六歲），志慕清虛。咸通初，遂從冠帔於咸宜，而風月賞翫之佳句，往往播於士林。然蕙蘭弱質，不能自持，復爲豪俠所調，乃從遊處焉。於是風流之士，爭修飾以求狎，或載酒詣之者，必鳴琴賦詩，間以謔浪，懵學輩自視缺然。其詩有『綺陌春望遠，瑤徽秋興多。』又『殷勤不得語，紅淚一雙流。』又『焚香登玉壇，端簡禮金闕。』又『雲情自鬱爭同夢，仙貌長芳又勝花。』此數聯為絕矣。

皇甫枚是玄機同時人，於玄機行誼知之甚詳，《三水小牘》雖為傳奇小說集，所記大致可信。惟玄機與李億之婚事，則缺而未言，不免疏忽，所幸孫光憲、辛文房二氏均有補充記載。

唐女道士魚玄機，字蕙蘭，甚有才思。咸通中，為李億補闕執箕帚。後愛衰下山，隸咸宜觀為女道士。有怨李公詩曰：『易求無價寶，難得有心郎。』又云：『蕙蘭銷歇歸春浦，楊柳東西伴客舟。』自是縱懷，乃倡婦也。（孫光憲《北夢瑣言》）

玄機，長安人，女道士也。性聰慧，好讀書，尤工韻調，情致繁縟。咸通中及笄，為李億補闕侍寵。夫人妒不能容，億遣隸咸宜觀披戴。有怨李詩云：『易求無價寶，難得有心郎。』（辛文房《唐才子傳》）

一個青樓出身的弱女子，竟然饒有此等才思，造出如此雋句，非惟難能，抑且可貴。

在專制時代，婦女的地位甚低，其人權更橫遭剝奪，最嚴重的是『求知權』與『應試權』。例如東晉上虞女子祝英臺，欲往宜興遊學，必須喬裝男子才能如願。前蜀臨邛女子黃崇嘏，亦須著男裝才能作宰相周庠的祕書。應試之事則未之前聞，不知埋沒掉多少才氣縱橫的傑出婦女。玄機嘗登上長安崇眞觀南樓進士放榜處，目睹新科進士題名，棖觸百端，因賦詩云：

雲峰滿目放春晴，歷歷銀鉤指下生。自恨羅衣掩詩句，舉頭空羨榜中名。

頗自傷爲女兒身，不能與男子一起角戰場屋，光耀門楣。如果易身而處，說不定她也能題名雁塔，成爲一代賢臣呢。

玄機雖然出身低微，卻頗重情義，與一般風塵女子迥異。自被李億遣往咸宜觀修道後，她並沒有十分怨恨，對這個有懼內癖的前夫仍然魂夢牽縈，念念不忘，乃作〈寄李億員外詩〉云：

羞日遮羅袖，愁春懶起妝。易求無價寶，難得有心郎。

枕上潛垂淚，花間暗斷腸。自能窺宋玉，何必恨王昌。

這是她被休掉以後寄給李億的第一首詩，說情處字字使人心宕。楊肇祉評其『字字傷神』（《唐詩豔逸品》），實非虛言。而『易求無價寶，難得有心郎』二句更是雋永可愛，傳誦千古。其後玄機仍然不斷的寄詩致意。

情書寄李子安補闕

飲冰食蘗志無功，晉水壺關在夢中。秦鏡欲分愁墮鵲，舜琴將弄怨飛鴻。

井邊桐葉鳴秋雨，窗下銀燈暗曉風。書信茫茫何處問，持竿盡日碧江空。

李子安即李億，子安是他的字，生平事蹟不見史傳，惟從《魚玄機詩集》中可知其曾任補闕之職。此詩軟語溫存，柔情綺膩，寥寥數十字，而懷思無限，韻味曲包，才氣奔放，令人擊節。趙世杰評云：『詞氣清新俊逸，女中庾鮑。』（《歷代女子詩集》）鍾惺亦云：『緣情綺靡，使事偏能豔動。此李義山能爲之，而玄機可與之匹。』（《名媛詩歸》）可謂揄揚之至。

春情寄子安

山路欹斜石磴危，不愁行苦苦相思。
冰銷遠磵憐清韻，雪遠寒峰想玉姿。
莫聽凡歌春病酒，休招閒客夜貪棋。
如松匪石盟長在，比翼連襟會肯遲。
雖恨獨行冬盡日，終期相見月圓時。
別君何物堪持贈，淚落晴光一首詩。

這首迴腸盪氣的七言排律，依其內容一共分成六大部分：首聯極力形容自己相思之苦，次聯曲譬李億的情韻風度，三聯宛轉致意，四聯以堅貞自矢，五聯期待來日團圓，末聯則以淚水攻勢來感動情郎。鍾惺評云：『如此持贈，恐不堪人領取也。』（《名媛詩歸》）胡應麟亦云：『余考宋七言排律遂亡一佳，唐惟女子魚玄機酬唱二篇可選，諸亦不及云。施肩吾百韻在二作下。』（《詩藪》）

寄子安

醉別千卮不浣愁，離腸百結解無由。
蕙蘭銷歇歸春圃，楊柳東西絆客舟。
聚散已悲雲不定，恩情須學水長流。

有花時節知難遇，未肯厭厭醉玉樓。

自言在春暖花開時節，無心赴宴賞花，只惦念著李億，心頭全是無計排遣的愁悶。語云：『癡心女子負心漢』，正是玄機此時的寫照。其後漫遊江漢，仍不能恝然忘情，又作了兩首詩深致懷念。

隔漢江寄子安

江南江北愁望，相思相憶空吟。
鴛鴦暖臥沙浦，㶉鶒閒飛橘林。
煙裏歌聲隱隱，渡頭月色沈沈。
含情咫尺千里，況聽家家遠砧。

江陵愁望寄子安

楓葉千枝復萬枝，江橋掩映暮帆遲。
憶君心似西江水，日夜東流無歇時。

其思幽以沈，其言超以雋，揚激楚之清音，役精空之妙手。『憶君心似西江（按即長江）水，日夜東流無歇時』，有女情癡若此，李補闕亦可以無憾矣。

第二個和魚玄機交往密切的才士是溫庭筠。庭筠字飛卿，太原人，少敏悟，才思豔麗，詩與李商隱齊名，並稱溫李。曾在科場中，八叉手而八韻詩成，時號『溫八叉』。可是他容貌醜陋，不修邊幅，穿著又邋遢，時人遂在背後叫他『溫鍾馗』。這樣一個文壇怪傑，自然很容易博得魚玄機的傾心相慕。不過庭筠比玄機大了三十餘歲（按溫庭筠生於唐憲宗元和七年，約卒於唐懿宗咸通十一年，即西元八一二—八七〇年。），乃逐漸由兒女之情轉變成師友之情。不久庭筠離開長安，遠赴襄陽擔任刺史徐商的幕僚，玄機思念不已，屢有詩函問候。遂錄二首如次：

寄飛卿

階砌亂蛩鳴，庭柯煙露清。月中鄰樂響，樓上遠山明。
珍簟涼風著，瑤琴寄恨生。嵇君懶書札，底物慰秋情。

冬夜寄溫飛卿

苦思搜詩燈下吟，不眠長夜怕寒衾。
滿庭木葉愁風起，透幌紗窗惜月沈。
疏散未閒終遂願，盛衰空見本來心。
幽棲莫定梧桐處，暮雀啾啾空遶林。

關愛之情，洋溢紙上，兩人此時確是亦師亦友的關係。鍾惺評其後首七律云：『如此反非怨恨之情矣，幽意自閒，深情既冷，可使歡怨兩忘。』（《名媛詩歸》）可謂佛眼獨具，彈無虛發。

第三個與魚玄機有深交的才士是李郢。李郢字楚望，長安人，唐宣宗大中十年（西元八五六年）進士，官至侍御史（俗稱『端公』）。當他們兩情繾綣之時，玄機曾寄贈一首七絕云：

聞李端公垂釣回寄贈

無限荷香染暑衣，阮郎何處弄船歸。
自慚不及鴛鴦侶，猶得雙雙近釣磯。

暱稱李郢爲『阮郎』（按即東漢阮肇），關係之親密，即此可窺。其後不知何故，竟然情海生波，李郢斷然與之決裂，但癡心的玄機仍然對他情意綿綿，觀下列一首五律可知落花雖有意，其奈流水無情何。

酬李郢夏日釣魚回見示

住處雖同巷，經年不一過。清詞勸舊女，香桂折新柯。
道性欺冰雪，禪心笑綺羅。跡登霄漢上，無路接煙波。

玄機自從被李億遺棄，和溫庭筠相別，遭李郢斷交以後，滿懷的幽怨無處傾訴，乃轉而放浪形骸，縱情聲色，變成十足的『唐朝豪放女』了。這一個時期的創作甚多，有些作品固然是發乎情而止乎禮義，但有些作品卻純粹是桑間濮上的香豔歌詩。率舉數首，以窺管豹。

寓　言

紅桃處處春色，碧柳家家月明。
樓上新妝待夜，閨中獨坐含情。
芙蓉月下魚戲，蝃蝀天邊雀聲。
人世悲歡一夢，如何得作雙成。

迎李近仁員外

今日喜時聞喜鵲，昨宵燈下拜燈花。
焚香出户迎潘岳，不羨牽牛織女家。

左名揚自澤州至京使人傳語

閒居作賦幾年愁，王屋山前是舊遊。
詩詠東西千嶂亂，馬隨南北一泉流。
曾陪雨夜同歡席，別後花時獨上樓。
勿喜扣門傳語至，爲憐鄰巷小房幽。
相如琴罷朱絃斷，雙燕巢分白露秋。
莫倦蓬門時一訪，每春忙在曲江頭。

送別二首

秦樓幾夜愜心期，不料仙郎有別離。
睡覺莫言雲去處，殘燈一盞野蛾飛。（其一）
水柔逐器知難定，雲出無心肯再歸。
惆悵春風楚江暮，鴛鴦一隻失群飛。（其二）

感懷寄人

恨寄朱絃上，含情意不任。早知雲雨會，未起蕙蘭心。
灼灼桃兼李，無妨國士尋。蒼蒼松與桂，仍羨世人欽。
月色苔階淨，歌聲竹院深。門前紅葉地，不掃待知音。

這些纏綿悱惻的詩句，雖然描述的是青樓蕩婦送往迎來，投懷送抱的浪漫生涯，但也顯露了玄機情致婉轉的詩才，給晚唐詩壇又增添了一名不櫛的進士。

歡場生活雖然多采多姿，但日久也會有厭倦的時候，玄機爲了調劑身心，經常利用閒暇時間暢遊名山勝水。她去過三晉（即今山西省），對當地的景物極爲欣賞，在詩中屢屢提起。諸如『王屋山前是舊遊』、『晉水壺關在夢中』、『汾川三月雨，晉水百花春』之類，十分清新可喜。下列一首《遣懷詩》便是描述這段逍遙自在的道姑生活。

閒散身無事，風光獨自遊。斷雲江上月，解纜海中舟。
琴弄蕭梁寺，詩吟庾亮樓。叢篁堪作伴，片石好爲儔。
燕雀徒爲貴，金銀志不求。滿杯春酒綠，對月夜窗幽。
遶砌澄清沼，抽簪映細流。臥牀書冊遍，半醉起梳頭。

其後遊興未減，繼續暢遊南國，沿著漢水，經鍾祥、江陵南下，在武昌作短暫停留，最後順著長江抵達金陵（今南京市）。每到一處，都有詩篇加以歌頌，這類詩率多洗盡鉛華，自然流暢，絕無放佚之語，更無雕琢之跡，風格迥異前作。

玄機雖然有『唐朝豪放女』的雅號，卻妒忌心很重，居然和自己的貼身丫環爭風吃醋，狠心加以笞殺，而爲京兆尹溫璋逮捕治罪，不但結束了自己美麗多姿的道姑生活，同時也結束了自己寶貴的生命。泚筆至此，不禁扼腕三嘆。《三水小牘》對這段情節有極詳盡的記載，茲備錄之。

一女僮曰綠翹，亦明慧有色。忽一日，機爲鄰院所邀，將行，誡翹曰：『無出，若有客，但云在某處。』機爲女伴所留，迨暮方歸院。綠翹迎門，曰：『適某客來，知鍊師不在，不舍轡而去矣。』客乃機素相暱者，意翹與之私。及夜，張燈扃戶，乃命翹入臥內訊之。翹曰：『自執巾盥數年，實自檢御，不令有似是之過，致忤尊意。且某客至，款扉，翹隔闔報云：「鍊師不在。」客無言，策馬而去。若云情愛，不蓄於胸襟有年矣，幸鍊師無疑。』機愈怒，裸而笞百數，但言無之。既委頓，請盃水酹地曰：『鍊師欲求三清長生之道，而未能忘解珮薦枕之歡，反以沈猜，厚誣貞正。翹今必斃於毒手矣。無天則無所訴，若有，誰能抑我彊魂，誓不蠢蠢於冥冥之中，縱爾淫佚。』言訖，絕于地。機恐，乃坎後庭瘞之，自謂人無知者。時咸通戊子（按即咸通九年，西元八六八年。）春正月也。有問翹者，則曰：『春雨霽，逃矣。』客有宴于機室者，因溲於後庭，當瘞上見青蠅數十集于地，驅去復來，詳視之，如有血痕且腥。客既出，竊語其僕。僕歸復語其兄，其兄爲府街卒，嘗求金於機，機不顧，卒深銜之，聞此，遽至觀門覘伺，見偶語者，乃訝不睹綠翹之出入。街卒復呼數卒，攜鍤具，突入玄機院，發之，而綠翹貌如生平。遂錄玄機京兆府，吏詰之辭伏，而朝士多爲言者。府乃表列上，至秋，竟戮之。

黃周星編《唐詩快》，於玄機之詩讚歎不置，於玄機之死尤深致哀悼，錄之以爲本文之殿。

幼微初爲補闕李億妾，既乃入咸宜觀爲女道士。後以笞殺女童綠翹事下獄，亦爲京兆溫璋笞殺。嗟乎，世間至難得者佳人也，若佳人而才，豈非難中之難。乃往往怫鬱流離，多愁尠歡，甚至橫被刑戮，不得其死。如張麗華、上官昭容，皆斬于軍前；王韞秀、魚幼微，俱斃於杖下。白刃血蝤蠐之領，赤棒肉凝脂之膚，人生慘辱，至此已極。夫造物之待才人固極刻毒矣，何其待才媛亦復爾爾耶。

（原載民國七十七年三月臺北《國文天地》第三十四期）

孔孟學說之永恆價值（一九八八）

在距今四、五千年以前，世界上先後出現了四大文明古國，並且分別產生了高等學術文化，她們是埃及、巴比倫、印度和中國。經過長時間的浮沈衍變，埃及和巴比倫陸續被波斯帝國所吞滅，其學術文化乃逐漸瓦解而消失。所謂四大文明古國，實際上碩果僅存者，只有印度和中國而已。然而古印度之基本學術文化實爲宗教，舉凡哲學、倫理、科學、文藝，以至政法制度、社會組織，幾無一不胎源於其宗教。惟獨中國學術文化經歷了堯、舜、禹、湯、文、武、周公的列聖相傳，一脈相承，至孔子而集其大成，復經孟、荀二子之闡述發揚，而於漢武帝之時定爲一尊。從此儒家學說便成爲吾國學術文化之主流，在政治、經濟、社會、倫理各方面更居於惟我獨尊之領導地位，並且深入全體國民之心中，牢不可破。兩千多年來，雖憂患尋侵，而國本益固，苟非博大精深之學說維繫其間，後果如何，無待蓍卜。故我民族之盛於周秦，振於漢唐者以此，逮宋明以後再蹪而再起者亦罔不以此。是知孔孟學說實與我國家民族同其壽命，共其榮枯，彰彰明甚。前人謂『天不生仲尼，萬古如長夜。』民初國學大師章炳麟氏謂『孔子於中國爲保民開化之宗。』（《太炎文錄》）均非虛言。德人加拜倫資(G. von der Gabelentz)亦云：

吾人欲測定歷史上的人物之偉大程度，其適當之法，即觀其人物所及於人民著：感化之大小，存續之長短，及強弱之程度，三者之如何是也。以此方法測定孔子，彼實不可不謂爲人類中最偉大人物之一人。蓋經過二千年以上之歲月，至於今日，使全人類三分之一於道德的、社會的及政治的生活之點，全然存續於孔子之精神感化之下也。（夏德 F. Hirth《中國古代史》引）

法人格拉納(Granet)於中國文化更是推崇備至，謂具有永恆價值。其說云：

在這個（中國）文化裏，記錄了人類的經驗的大部分，似乎奇怪，但確是一事實。多年來沒有別的文化能像中國文化成爲人類這樣多方面的聯繫。自命爲人文主義者的人不應無視中國文化的傳統，此文化是這樣的富於美和如此的具有永恆價值。（《中國文化》）

按格氏所說的中國文化，實際上是指以孔孟學說爲主流的文化而言，因爲中國學術文化的精華就是孔孟學說，如果抽去孔孟學說，則中國學術文化必然僅剩糟粕，價值大減，應可斷言。

茲就孔孟學說中具有永恆價值的部分，擇其尤要者分別論述之，以就教於高明。

（一）中心思想——仁

孔孟學說是以仁爲中心，仁實孔孟學說之精粹，亦即中華文化之精粹。仁者，衆德之統會，人物之生機，亦即人之所以爲人的道理。梁啓超謂：『儒家言道言政，皆植本於仁。』（《先秦政治思想史》）蔡元培謂：『孔子平日所言之仁，則即以爲統攝諸德完成人格之名。』（《中國倫理學史》）誠爲的論。《論語》凡五百餘章，言仁者不下五之一，可見孔子對仁之重視。

仁之外延就是愛，故孔子答樊遲問仁曰『愛人』。（《論語・顏淵》）孟子亦云：『仁者愛人』。（《孟子・離婁》）韓愈推闡其說云：『博愛之謂仁』。（〈原道〉）是仁之與愛，猶如一物之兩面，密不可分。惟『人』之範圍極廣，所應具備之德目亦極多，聖人都作了確切而精要的詮釋。例如：

(一)以言乎『忠』，則云：『志士仁人無求生以害仁，有殺身以成仁。』（《論語・衛靈公》）

(二)以言乎『孝』，則云：『仁者，人也，親親爲大。』（《中庸》）

(三)以言乎『勇』，則云：『仁者必有勇，勇者不必有仁。』（《論語・憲問》）

(四)以言乎『樂』，則云：『仁者樂山，智者樂水。』（《論語・雍也》）

(五)以言乎『名聲』，則云：『仁言不如仁聲之入人深也。』（《孟子・盡心》）

(六)以言乎『榮辱』，則云：『仁則榮，不仁則辱。』（《孟子・公孫丑》）

(七)以言乎『過失』，則云：『人之過也，各於其黨，觀過，斯知仁矣。』（《論語・里仁》）

(八)以言乎『言』，則云：『仁者其言也訒。』（《論語・顏淵》）

(九)以言乎『恕』，則云：『己所不欲，勿施於人。』（同右）

(十)以言乎『君子』，則云：『不憂不懼。……內省不疚，夫何憂何懼。』（同右）

(十)以言乎『禮』，則云：『克己復禮爲仁。』（同右）

(十一)以言乎『交友』，則云：『君子以文會友，以友輔仁。』（同右）

至於教人爲仁之方法，其數則始於在家之孝悌，終於仁民愛物，博施於民，天下歸仁。亦即由一家發揮仁愛之性，進而發揮舉國仁愛之性，《大學》所謂『身修而後家齊，家齊而後國治，國治而後天下平』者，正足以說明仁心仁行發展擴充之程序。故就修養言，仁爲私人道德；就實踐言，仁又爲社會倫理與政治原則。儒家言仁，實已治道德、人倫、政治於一爐，齊人、己、家、國於一致，物我只有遠近先後之分，而無內外輕重之別。再由發揮一國仁愛之性，推而廣之，以臻於天下仁愛之性。其施之行事，孔子則云：

己欲立而立人，己欲達而達人。（《論語·雍也》）

鰥寡孤獨廢疾者皆有所養。（《禮記·禮運》）

孟子則云：

老吾老以及人之老，幼吾幼以及人之幼。（《孟子·梁惠王》）

古之人，得志，澤加於民；不得志，修身見於世。窮則獨善其身，達則兼善天下。（《孟子·盡心》）

禹思天下有溺者，由己溺之也；稷思天下有飢者，由己飢之也。是以如此其急也。（《孟子·離婁》）

張載則云：

民吾同胞，物吾與也。（《西銘》）

為生民立命，為天地立心，為往聖繼絕學，為萬世開太平。（《近思錄・為學類》）

足證孔孟仁學之特色，是在積極的兼善天下，而非消極的獨善其身。天下不止一人，故仁從二人，便是以仁爲實踐大同世界最高理想之開端。可知其學說思想對我中華民族精神道德影響的深而且鉅。此種仁心愛心高度之發揮，皆本於天地好生之德，消除殘暴乖戾之氣，斯爲人類理性發達之極致，誠足以抗衡釋家之慈悲、耶教之博愛，鼎足而三，光昭世界。

（二）民貴君輕

孔子之政治主張，固以君主制度爲中心，蓋適應時代，不得不然。近今思想急進之徒，每忽斯義，遂以孔子提倡尊君抑民，不但爲封建王朝張目，甚且變成專制帝王之幫兇，與現在舉世流行的民主政治背道而馳。誤會滋深，令人不能無憾。其實孔子的基本觀念是以民爲本的，是反對專制的，他『言必稱堯舜』，就是因爲堯舜能夠敝屣天下，遞相禪讓，爲千秋萬世樹立楷模之故。無可諱言，《論語》中的確很少談到人民在國家中之地位，但是卻散見於孔子所刪訂的六經中。《尚書》〈皋陶謨〉有『天聰明自我民聰明，天明畏自我民明威。』〈五子之歌〉有『民爲邦本，本固邦寧。』〈泰誓〉有『天視自我民視，天聽自我民聽。』〈盤庚〉有『古我先后，罔不惟民之承。』〈洪範〉有『汝則有大疑，謀及卿士，謀及庶人。』凡此都是著重在『民之所好好之，民之所惡惡之』（《大學》）之民本政治。國家既以人民爲本位，則政府之權力當淵源於被治者之同意，政府若是破壞基本人權，人民便可以起來推翻而另建新政府。故〈泰誓〉云：『撫我則后，虐我則仇。』《易經・革卦》云：『湯武革命，順乎天而應乎人。』蓋以桀紂之不德，遂致宗社丘墟，固其宜也。

最足以表現孔子之民主思想者，則爲《禮記・禮運》之〈大同章〉，其所揭櫫的最高理想是『天下爲公，選賢與能。』其最終目的則在改造世界之政治制度、經濟制度與社會制度，要化私爲公，方能實現人權平等、地權平等。更要廢除軍國主義，方能講信修睦，謀閉不興。政府的一切措施，都要與人民的利益相關，聚天下道德純備之仁人，化民成俗，以達於理想之大同世界。

在政治思想與理論上，如果說孔子是屬於溫和的鴿派，那麼無疑的孟子就是屬於激進的鷹派。孟子生丁戰國之季世，當時諸侯，外則以攻伐爲賢，窮兵黷武；內則盤遊怠傲，暴虐聚斂，於是社會凋敝，民生疾苦。孟子目擊心傷，對於統治階級深惡痛恨，並大加撻伐云：

今之事君者，皆曰：『我能爲君辟土地，充府庫。』今之所謂良臣，古之所謂民賊也。君不鄉道，不志於仁，而求富之，是富桀也。『我能爲君約與國，戰必克。』今之所謂良臣，古之所謂民賊也。君不鄉道，不志於仁，而求爲之強戰，是輔桀也。由今之道，無變今之俗，雖與之天下，不能一朝居也。（《孟子・告子》）

故其民主思想比孔子更發達。孟子不但主張人民在國家裏的重要地位，而且主張君臣之間更應互相尊重，盡忠盡禮，不可怠忽。試觀《孟子・離婁》所載：

孟子告齊宣王曰：『君之視臣如手足，則臣視君如腹心；君之視臣如犬馬，則臣視君如國人；君之視臣如土芥，則臣視君如寇讎。』

反應分明，不容一人橫行於天下，統治階級要尊重民意，所欲與之聚之，所惡勿施，所以他又說：『民爲貴，社稷次之，君爲輕。』（《孟子・盡心》）以諸侯危害國家，可以廢置諸侯，水旱危害國家，可以廢置社稷，惟衆怒難犯，民意不可違逆，所以說『民爲貴』。此外，他更強調天下不能以武力取得，亦不能由帝王私相授受，而是由『天與之』（《孟子・萬章》）。然則上天當如何把天下與人，孟子主張應由人民之意志來決定，他說：『得乎丘民而爲天子。』（《孟子・盡心》）此與近代西方政治學家所主張的『政府須得到被治者之同意』完全相同。

帝王既須獲得人民之擁戴，則失去人民擁戴者，即不足以爲人君，亦即喪失天下。所以孟子說：『三代之得天下也以仁，其失天下也以不仁，國之所以興廢存亡者亦然。天子不仁，不保四海，諸侯不仁，不保社稷。』（《孟子・離婁》）孟子既然痛恨暴君，亦自然堅持人民有革命之權利。齊宣王問孟子湯放桀，武王伐紂，等於臣弒其君，可以嗎。孟子答道：『賊仁者謂之賊，賊義者謂之殘，殘賊之人謂之一夫。聞誅一夫紂矣，未聞弒君也。』（《孟子・梁惠王》）此尤見孟子政治思想之急進，是明揭暴君可殺之意也。是故孟子雖然生在古代，主張君主制度，但絕不贊成無限制的君權，亦不贊成人民要無條件的服從君主。在兩千多年前就有這種卓見，非獨難能，抑且可貴。故孟子書乃爲歷代帝王所不喜。據《明史・錢唐傳》記明太祖讀《孟子》至『土芥』、『寇仇』語，大恚，以爲非臣子所宜言，詔罷其聖廟配享，諫者以『大不敬』論。後雖恢復孟子配享，仍命儒臣修改《孟子》文字。足見孟子之政治思想對後世影響之大，吾人當竭力守護此一座光明無盡的燈塔。

(三)敦敘彝倫

中華文化論理，一面建極於『仁』，一面則建極於『孝』。『孝』蓋肇始於虞舜之順事其親，友于兄弟，故曰『舜其大孝也歟』（《中庸》）。堯授以天下在此，經歷夏、商、周聖帝明王之纘緒發皇，至孔子而底於大成。孝之本義，自其小者言之，爲孝順父母，友于兄弟。但自其大者言之，宜廣此心以敦睦桑梓，博愛人類，所謂『仁民愛物』，所謂『民胞物與』，庶幾近之。

孔子去魯之後，周遊列國，深感治國化民之道，非從教育入手不可，故設杏壇於洙泗之濱，以德行、文學、政事、言語四科教授及門，並以孝爲教學之總綱，使其善體老人之心，勿墜緒統，國家之組織，倫常之制度，社會之安定，要皆以此爲基準。爲了能使孝道落實，以免流於空談起見，孔子乃爲曾子講述其精義，而有《孝經》之作。其〈開宗明義章〉云：

仲尼居，曾子侍。子曰：『先王有至德要道，以順天下，民用和睦，上下無怨。汝知之乎。』曾子避席曰：『參不敏，何足以知之。』子曰：『夫孝，德之本也，教之所由生也。復坐，吾語汝。身體髮膚，受之父母，不敢毀傷，孝之始也。立身行道，揚名於後世，以顯父母，孝之終也。夫孝，始於事親，中於事君，終於立身。〈大雅〉云：「無念爾祖，聿修厥德。」』

此為孔子講論孝道之精髓。其下則分別說明天子有天子之孝，諸侯有諸侯之孝，下逮卿大夫、士、庶人等亦莫不有孝。孔子之意，無非在昭告世人，上自天子，下至黎庶，地位雖殊，當孝則一。曾子紹述聖人之意，又加以闡揚光大，於是而有〈曾子大孝〉之作，載於《大戴禮記》中，茲迻錄於次：

曾子曰：『孝有三：大孝尊親，其次不辱，其下能養。』公明儀問於曾子曰：『夫子可謂孝乎。』曾子曰：『是何言與，是何言與，君子之所謂孝者，先意承志，諭父母以道。參直養者也，安能為孝乎。身者，親之遺體也，行親之遺體，敢不敬乎。故居處不莊，非孝也；事君不忠，非孝也；蒞官不敬，非孝也；朋友不信，非孝也；戰陳無勇，非孝也。五者不遂，災及乎身，敢不敬乎。故烹熟鮮香，嘗而進之，非孝也，養也。君子之所謂孝者，國人皆稱願焉，曰：「幸哉有子。」如此所謂孝也。』

蓋孝為吾國傳統之主要德性，亦數千年最偉大之立國精神。我先聖往哲深知其重要性，實不下於堅甲利兵，故對於孝道講求最周全，發揮最透闢，不獨以孝道作為培育道德之搖籃，抑且用為推行政治之利器。而儒家對孝道之施教程序又特別注重『擴充』，自堯命契爲司徒，確定『父子有親，君臣有義，夫婦有別，長幼有序，朋友有信』（《孟子．滕文公》）五倫爲教育宗旨後，孔子以五倫之教要先從孝悌做起，蓋道德之基，植根於對人對物敬愛之心，而敬愛之自然流露，莫切於父母子女，故培育道德，必造端於孝悌。由父母兄弟之間的孝悌，再擴充到夫婦間的和順，朋友間的信義，社會間的親善，君臣上下間的盡忠盡禮。故孔子云：『夫孝，始於事親，中於事君，終於立身。』抑再進一步而詳言之，政治之推行，端賴全體國民之親愛精誠，互助合作。欲求親愛精誠互助合作之國民，亦必求之孝子慈父賢妻良母之中。故曾子所云居處不莊、事君不忠、蒞官不敬、朋友不信、戰陣無勇，均謂之爲不孝。良以愛國愛家，其情理本屬一貫，苟能發揮此一貫之孝心，偉大之愛力，以推行政治，則國家斷無不強盛之理。明乎此，然後知先聖所稱『至孝近乎王，至弟近乎霸』（《禮記．祭義》）者，絕非迂闊而不切實際之空談。而『求忠臣必於孝子之門』亦成爲歷代帝王拔擢人才之重要原則，蓋事親至孝之人斷無事君不忠之理，甚至當忠孝不能兩全時，亦往往會權衡輕重，移孝作忠，雖犧牲性命亦在所不惜。茲舉漢．王尊入川故事爲例：

先是王陽刺益州，行至九折坂，以山路艱險，歎曰：『奉先人遺體，奈何數乘此險。』後以病去。及尊爲刺史，至其坂，問吏曰：『此非王陽所畏道耶。』叱其馭曰：『驅之，王陽爲孝子，王尊爲忠臣。』（《漢書》本傳。按叱馭橋在今四川滎經縣西邛峽山九折坂下。）

在史書上若王尊其人者，不知凡幾，茲不備舉。

（四）重義輕利

重義輕利為我中華民族傳統文化的特質之一，本儒門立身之首要。陸九淵謂『凡欲為學，當先識義利公私之辨。』（《象山語錄》）言學者所以為人，當自分辨義利始。

孔子首倡義利之辨，載在《論語》者不少概見，如〈里仁篇〉云：『君子喻於義，小人喻於利。』惟孔子並未絕對的以『利』字含有惡屬性，至孟子始公然排斥之，謂以利為利，則起爭奪，以義為利，則起禮讓，一爭一讓，而天下安危，蒼生性命均繫之於此。故答梁惠王之問即昌言道：『王何必曰利，亦有仁義而已矣。王曰何以利吾國，大夫曰何以利吾家，士庶人曰何以利吾身，上下交征利，而國危矣。……苟為後義而先利，不奪不饜。』（《孟子・梁惠王》）且孟子不僅對梁惠王首嚴義利之辨，即宋牼以利說秦楚罷兵，造福二國人民，孟子尚以為『先生之志則大矣，先生之號則不可。』（《孟子・告子》）深恐利端一開，禍亂相尋，尤甚於交兵，故必嚴義利之辨，不願息兵一時而遺禍萬世。惟其嚴義利之別，遂為人類理欲之辨之所本，而充理欲之辨，則可以捨生而取義。故曰『生亦我所欲也，義亦我所欲也，二者不可得兼，捨生而取義者也。』（同上）是義利之辨乃是孟子學說中極重要之精神。後來董仲舒推闡其說云：『仁人者，正其誼（同義）不謀其利，明其道不計其功。是以仲尼之門，五尺之童，羞稱五霸，為其先詐利而後仁誼也。』（《漢書》本傳）此學說在往後的二千年社會中確已發生相當作用，許多志士仁人每值夷狄猾夏之時，則殺身捨命，或摩頂放踵，皆樂於犧牲。如文天祥臨刑，其衣帶有贊云：『孔曰成仁，孟曰取義，惟其義盡，所以仁至。讀聖賢書，所學何事，而今而後，庶幾無愧。』（《宋史》本傳）惜自近代西方功利主義傳入中土以後，社會風氣日益敗壞，一般人但知爭奪擾攘，孳孳為利，不復知仁義道德為何物，每一念至，輒為之扼腕太息。吾人如欲挽此頹風，安定社會，捨發揚此具有永恆價值、四海皆準之重義輕利學說，其道莫由也。

（五）崇尚和平

我中華民族是世界上最崇尚王道，最愛好和平的民族，數千年來，宅居東亞，披草萊，斬荊棘，胼手胝足，藍篳啓疆，遂擁有此九百餘萬平方公里的錦繡河山，而古代環列在我國四周的所謂東夷、西戎、南蠻、北狄諸少數民族，都歆慕中華文化之博大精深，陸續放棄其語言、文字、風俗、習慣，而與我民族歸於一統，遂成為今日之泱泱大國。沿河討源，振葉尋根，這些都是上拜孔孟學說尊王黜霸，崇尚和平之賜，苟非如此，我們早就步上歐洲之後塵，分裂成二十幾個小國了。

孔孟崇尚和平之學說，都記載在經典裏，信手翻檢，隨處可見。

孔子之作《春秋》也，諸侯用夷禮則夷之，進於中國則中國之。（韓愈〈原道〉）

孔子作《春秋》，褒貶很嚴正，對於那些採用夷狄禮儀的諸侯，就把它看成夷狄；那些力求進步的夷狄，採用中國的禮儀，就把它看成中國。這充分顯示了孔子用和平漸進的方式同化少數民族。

送往迎來，嘉善而矜不能，所以柔遠人也。繼絕世，舉廢國，治亂持危，厚往而薄來，所以懷諸侯也。（《中庸》）

這是孔子對少數民族的懷柔政策。（所謂『遠人』，蓋兼指少數民族而言。）他主張『視人之國如己國』，『兼天下而愛之』，其胸襟之寬大，對少數民族之友善態度，即此可證。我民族漸染於儒學者至深，雖在漢唐極盛時代，也沒有用武力侵佔別國領土的紀錄，即偶有一二事件，亦僅是保國衛民的神聖戰爭而已。對四鄰藩屬，無不愛護有加，照顧備至，凡有嗣君即位，例派大臣前往册封，賞賚尤厚，遠逾朝貢之數目。亦從未干涉其內政，榨取其錢財，或以殖民地視之，而均以與國相待。

齊宣王問曰：『齊桓晉文之事可得聞乎。』孟子對曰：『仲尼之徒無道桓文之事者，是以後世無傳焉，臣未之聞也。無已，則王乎。』（《孟子・梁惠王》）

儒家倡仁政，霸者重武力，故仲尼之徒不喜道桓文之事。

孔子曰：『桓公九合諸侯，不以兵車，管仲之力也。如其仁，如其仁。』（《論語・憲問》）

孔子生平不肯輕易以『仁』許人，而對管仲則稱許若是，蓋以管仲相桓公九合諸侯，不假威力也。孔子嘗答子貢問立國之首要在於足食、足兵、民信三者，若不得已而去，則曰『去兵』。（見《論語・顏淵》）聖人之厭惡戰爭，愛好和平，均可於此見之。

孟子曰：『以力假仁者霸，霸必有大國。以德行仁者王，王不待大，湯以七十里，文王以百里。以力服人者，非心服也，力不贍也。以德服人者，中心悅而誠服也，如七十子之服孔子也。』（《孟子．公孫丑》）

孟子極力主張『以德行仁』、『以德服人』的王道，排斥『以力假仁』、『以力服人』的霸道，使天下之民皆引領而望之，與孔子所謂『遠人不服則修文德以來之，既來之，則安之』（《論語．季氏》）同意。儒家學說之聖聖相傳，即此可窺。

梁襄王問曰：『天下惡乎定。』對曰：『定于一。』『孰能一之。』對曰：『不嗜殺人者能一之。』『孰能與之。』對曰：『天下莫不與也。』（《孟子．梁惠王》）

孟子特別強調惟有推行仁政，主張王道的人才能統一天下。他和孔子一樣都是厭惡戰爭，故云：『爭地以戰，殺人盈野，爭城以戰，殺人盈城，此所謂率土地而食人肉，罪不容於死。』（《孟子．離婁》）又云：『故善戰者服上刑，連諸侯者次之，辟草萊、任土地者次之。』（同上）意在儆戒世主人臣不行仁政，但知一味圖謀富國強戰，殘民以逞者，罪不容於死。

綜觀上述，可知孔孟二聖王道思想之一斑，我中華民族長期接受此一思想的薰染，因而成為世界上最愛好和平的民族，稽諸史册，當可覆按。反觀西歐各國——尤其是葡萄牙、西班牙、荷蘭、英吉利、法蘭西等，從十五世紀開始便積極向外侵略，拓展疆土，因而殖民地分布全球，無遠弗屆，中美洲、南美洲、非洲和亞洲地區的幾十個國家都曾慘遭淪亡或橫被瓜分，重撫前史，眞令人搖頭鄙視，扼腕太息。抑可悲者，自一九四五年第二次世界大戰結束以後，美蘇兩大超級強國復挾其戰勝餘威，到處張牙舞爪，搶奪地盤，粗暴干涉他國內政，大肆壓榨他國經濟利益，甚至顚覆分化，暗中謀殺，無所不用其極。例如俄帝之強佔日本北方四島，鎭壓捷克、波蘭，血洗匈牙利，陳兵珍寶島，蠱惑外蒙古，蹂躪阿富汗，租借金蘭灣等種種劣跡暴行，昭昭在人耳目，這些都是斯拉夫民族窮兇極惡、黷武好戰的習性之自然表露。而美國亦先後派兵進駐奧地利、德意志、日本、越南、菲律賓、南朝鮮、波斯灣，名義上是充當世界警察，維持世界秩序，實際上無非是在擴張勢力範圍，展現強大國力吧了。其逞強好戰之民族性，稱霸世界之野心，持較蘇修，直如一丘之貉。爲了寰宇全人類的幸福安定，爲了維護世界的永久和平，我們應該把孔孟崇尚王道、愛好和平的學說思想弘揚於世界，庶幾堵塞亂源，永無戰爭。

遠在八世紀時，篤信孔孟學說的詩聖杜甫，曾作〈洗兵馬行〉云：「安得壯士挽天河，淨洗甲兵長不用。」道出詩人厭惡戰爭，追求世界永久和平的強烈願望，一千二百多年以後的今天，仍然是我全民族的共同願望。

吾人歷述孔孟學說之永恆價值，上列諸端，不過舉其首要。他如均富思想、教育學說、敬遠鬼神等，皆其犖犖較著者，惟茲限於時間，未能一一闡述，增補其說，容俟異日。

最後我要附帶說明的是：現在臺灣海峽兩岸都在高唱和平統一，我政府喊出了『以三民主義統一中國』的口號，其意非不美也，不過我認爲仍嫌不足，應該再加上一句：『用孔孟學說重整華夏』。因為大陸在文化大革命的十年期間，『批孔揚秦』之說甚囂塵上，孔孟學說慘遭亙古未有之摧殘，如今四害雖除，而瘡瘢尚在，故亟應以孔孟學說煽揚大陸，深入民間，以期早日療傷救弊，恢復舊觀，使我們永遠成為一個自由、民主、均富的現代化國家，讓全體國民永遠過著安和樂利的幸福生活。吾其馨香禱之，吾將翹首俟之。

今年農曆元旦，台北《國文天地》雜誌社要我寫一首春聯向全國讀者賀節，我欣然應諾，揮翰立就，茲抄錄其詞如下，以與邦人君子共勉之。

春意滿蓬瀛，試聽沸地絃歌，道統相承唐正朔。

天聲振寰宇，願起此邦俊傑，風雲再造漢江山。

（民國七十七年元月在中華民國孔孟學會第二五五次研究會演講辭全文。

並刊載於民國七十七年元月台北《孔孟月刊》二十六卷十期）

文學與生活（一九九〇）

（一）古典文學營養豐富

對於中國文學的前途，向來衆說紛紜，莫衷一是。我認爲在錯綜複雜的情況下，古典與現代文學，如何結合，實爲耐人尋味之事。由於我們的歷史悠久，前人的創作經驗、前人所用過的詞藻、詞彙以及優美的文句，實在太多了，如果我們不加利用，未免太過可惜。現代人所寫的白話文，實在太白了，看不出一個人的學問。我認爲像報紙社論或學術論文那種文白夾雜的文章，應多加推行。何以那些文章能引人入勝呢？主要由於作者常閱讀古典文學作品，古典文學看多了，下筆自然不會很膚淺，要想維持縱的繼承，不可否定我們的老祖宗。某些數典忘祖者，亟應痛加省思。

目前，大衆傳播媒體出現的歌詞都很俚俗，有何改善之道？就我從事駢文及詩詞創作多年，並經多方觀察，深覺電視公司應負最大責任，他們爲了省錢，都找些無名小卒來寫歌詞。今後要想提升國民欣賞歌舞的興趣及國文程度，必須重金禮聘有才氣有學問的專家學者來寫歌詞。何以周旋的歌曲能夠流傳幾十年，至今我家仍保有她的全集，原因在於歌詞優美，都是出自大才子的手筆。試看現今的〈月兒像檸檬〉、〈美酒加咖啡〉，像什麼？還有鐘錶聲也拿來當作歌詞，這類歌曲只能流行一年半載，絕不能傳諸久遠。依我看來，優美的歌詞至少應具四個要件：㈠要押韻；㈡詞藻要華麗；㈢內容要精彩，意在言外，不可太露骨；㈣不能不加修飾，使其更合乎現代人的生活，比如形容飛機可找出更優美的文詞加以描繪。

我在童年時期，就從古典章回小說中吸收到營養，眞是獲益匪淺，究竟它有何優點呢？推原其故，大概是：㈠詞藻美麗；㈡內容豐富，不像現代小說大多是描寫畸型的愛情，和不食人間煙火的男女。試看臥龍生、司馬翎的武俠小說都脫離現實，古代人使用刀斧弓箭，所以古代武俠小說可與生活相結合，而現代人都使用槍砲，再用刀斧弓箭，就脫離現實生活太遠了。

現在談談與唐詩有關的問題，其中最常受人爭論的有以下數事：

㈠李商隱的『無題』詩，究竟是寫給誰？我想這只有他本人知道，後人全靠猜測，不過只要猜得合情合理，就能代表你的說法。據我所知，李商隱戀愛的對象有四種人：即宮女、青衣（達官貴人的姨太太或歌妓）、女道士、尼姑，這四種人都不能暴露身分，所以他以『無題』作爲題目。例如首句是『相見時難別亦難』這首『無題』詩，我看是寫給女道士的，因爲末聯是『蓬萊此去無多路，青鳥殷勤爲探看。』蓬萊是蓬萊仙島，是仙人聚集之處；『青鳥』是西王母的使者，一首詩中居然用了兩句仙界的典故，應接近於女道士。

有人說蓬萊仙島是比喻可望而不可即的宮廷，因此認爲此詩是寫給宮女的，此說我不贊成。須知，唐朝的女道士並非個個都是看破紅塵，虔心修鍊，而是一種時髦。因爲唐朝把道教當成國教，皇帝爲了以身作則，經常會強迫自己的女兒去當女道士，以爲提倡。皇帝的女兒並非眞正六根清淨，她也跟我們一樣有感情，也想談戀愛，也想消除寂寞，自難免會跟一些才子你儂我儂，傾心相悅。

㈡其次是杜甫〈哀江頭〉與白居易〈長恨歌〉的評價問題。我認爲以文學大衆化的原則來看，〈長恨歌〉評價較高，很多雋永句子都騰播衆口，令人喜愛，譬如『天長地久有時盡，此恨綿綿無絕期。』『遂令天下父母心，不重生男重生女』等是。因爲白居易的詩，寫成之後，都先念給老太婆聽，才予以定稿，所以普及性高。其實，白居易自己說過：『大家都喜歡我的〈琵琶行〉與〈長恨歌〉，其實這是我較差的作品。眞正好的作品是新樂府，但因許多句子造得並不很順口，所以大家就不喜歡它。』

至於〈哀江頭〉，我唸了幾十遍，感覺上不很順口，只有少數幾句如『江水江花豈終極』可讀性較高而已，其他都不很順口，因而不大受歡迎。只因將它編入《唐詩三百首》，才有人去唸，否則，唸的人更少。

總括而言，如就言簡意賅、內容深奧而論，〈哀江頭〉較佳；如就普及化及朗誦順暢、名句多而言，則〈長恨歌〉較佳。

現在略談錯別字問題。傳播媒體經常出現錯別字，使人擔心國文教學的成果，霎時爲之抵銷，究應如何糾正才好呢？我每次上課或演講，都會把常見的錯別字告訴學生和聽衆，漢字之所以易於產生錯別字，不外乎下列二因：

㈠漢字的字形太複雜，相似字太多，筆劃多，部首也多，不像英文只有廿六個字母，日文只有五十個字音，使得中國人學習本國文字，要比外國人學習本國文字困難得多。

㈡漢字的字音大約只有四百個，同音字太多，通常每一個音平均約爲三十個字左右，常用字約爲一萬二千個，因此容易發生混淆，譬如講到「快」，你會想到「一塊錢」的「塊」，「勤快」的「快」，又想到「快樂」的快，「痛快」的「快」。講到「平」，你會想到「和平」的「平」，「草坪」的「坪」，「蘋果」的「蘋」，「浮萍」的「萍」，「頻繁」的「頻」等是。

第一個原因，使我們容易寫錯字；第二個原因，使我們容易寫別字。全世界的錯別字，以中國最嚴重，如欲挽救此一危機，只有用苦肉計，也就是死方法：首先，教育部應把所有的文字加以統一，如「却」與「卻」，「覇」與「霸」，如能選用一個，必可減少我們學習的困難，因爲漢字的筆劃已經很接近了，如果再有俗體字，那就更爲混淆難分了。又如「祕書」的「祕」，應從「示」而不從「禾」，所謂「祕」即「祕密」，應與神有關，神是看不到的，故應從「示」才對，可是我在某校評鑑時，該校的「祕書科」竟寫成「秘書科」。

再如電視上常將「不同凡響」寫成「不同凡嚮」，「不能自已」寫成「不能自己」，「可見一斑」寫成「可見一般」，眞是令人搖頭。

希望政府趕緊邀請學者專家把漢字統一起來，凡是異體字、俗體字，或其他古怪的字，都把它消滅。同時，政府也應監督傳播媒體，不准出現錯別字。（某日中午台視新聞播報員竟將「鎩羽而歸」說成「鍛羽而歸」，實在太沒水準了。）

其次，平常應多買些有關錯別字的專書來看，藉以提昇自己的形象。

至於詩的素材應該怎樣擷取呢？古人云「詩言志」，內心有所感觸時，才提起筆來寫；反之，無所感觸時，就不必寫。比如你與某位縣長交情很深，他生日時，你想寫一首詩向他祝賀，你就應搜集與縣長有關的典故，才不會離題；如欲送詩給某將軍，你就要熟讀歷代將軍的故事，才能寫得很貼切，因此工具書不可缺乏。

（二）混合教學・弊多利少

現在許多大專的大一國文課，多把散文、詩、詞、曲、應用文熔於一爐，採取混合教學，有何利弊得失？

依我看來，教師如不具全方位的專長，教起來必然不會精采。比如不是專精於應用文的教師，教起應用文，絕對不能稱心如意。鄙意以為應該依照教師專長而開課較為恰當，可於開學之初，由任課教師填寫志願，比如學生有一千名，教師開出的課程約為二十種，則每五十名學生選讀一門課，如此必然皆大歡喜。

報禁解除後，各報水準參差不齊，究應如何加以鑑別呢？以《自立晚報》爲例，只能看二、三版，何以見得？因爲他們對於政治新聞處理得很恰當，文筆也很通順，並邀請專家執筆，立場超然。其他十版都不能看，因爲他們偏重鄉土文學，甚至用台語寫作，這種作法，我極力反對，因爲台灣並非只有閩南人，還有客家人、山地人、外省人，這將近一千萬不諳台語的民衆要如何閱讀這種文章，豈非作繭自縛。

當然，《聯合報》和《中國時報》由於人才濟濟，內容豐富，文稿酬勞又高，自能執報界之牛耳，其他各報均無法與之比擬。

（三）語言政策有待重新評估

據悉，客家人的電視和報紙即將推出，我舉雙手贊成。揆諸政府的語言政策，不應消滅方言，應該使方言與國語並駕齊驅，可以規定在學校裏一定要講國語，但不能強求其他娛樂節目、報紙、雜誌、電視等媒體全都使用國語。例如新加坡、瑞士都是使用多種語言的國家，瑞士採用法、德兩種語言，新加坡採用四種語言，都不妨礙國家的富裕，何況我們並不主張採用台語、國語雙軌教學。只是方言政策不應限制得那麼死板，如今限制方言電視節目，不得超過百分之幾，我認爲應該讓他們自由發展，甚至爲了顧及原住民的利益，政府可採取政策性措施，花一點錢來製作那個族羣所需要的節目。

還有，台灣省政府應該拿出一點錢來製作客家節目，讓客家民衆也能收看到本土節目。

一般而言，南方音較接近古音，也就較能分辨入聲字。那麼北方人該如何因應？我們中國是以秦嶺淮河爲界，秦淮以北的人，在春秋戰國時代，就與北方的野蠻民族混合在一起，再加上三國動亂，五胡亂華，使中國的北方受到野蠻民族的統治達七百年之久，加以盛行通婚，語言受到嚴重破壞，因此現今秦淮以北的語言可說大同小異，都不能發入聲字，由於當地語言與少數民族結合以後，入聲字便被消滅掉。現在能分辨入聲字的只有秦淮以南的幾省，因爲這些省分沒有跟胡人通婚，沒有受到胡人文化的影響，所以仍然保持中原的母音，這幾省人都可發入聲字，其中以閩南語、潮州語、廣州話最爲複雜，其音甚至多達九種。

現在的學生，如果想學作古典詩，就得先學分辨入聲字，才能將平仄拿捏得宜。會用方言發音，當然最好，如果不會用方言發音，可買一本《國音標準彙編》（開明書店印行），它將所有平上去入四聲分別標出，想學作近體詩的人，都應先看這一本書，把入聲字搞清楚。由於現今是以北平話作爲國語，而北平話自五胡亂華以後，入聲字就消失掉了，我們應該設法將它找回來，才對得起我們的老祖宗。

（民國七十九年十月在中國文化大學戲劇系之演講詞・由林惠美記錄）

六朝隱士導論（一九九一）

（一）引　言

隱逸思想之萌生，蓋始於上古時代，自巢父許由務光以降，所謂隱逸之士者，代有其人，而至魏晉六朝之世爲最盛。歷代帝王，莫不崇尚其道，尊仰其人，此種特殊現象乃吾華所獨有，非彼歐西國家所能夢見者，所謂「祇此一家，別無分店」，此非余一人之私言，乃天下之公論也。

《梁書・處士傳序》云：

《易》曰：「君子遯世無悶，獨立不懼。」孔子稱長沮、桀溺隱者也。古之隱者，或恥聞禪代，高讓帝王，以萬乘爲垢辱，之死亡而無悔。此則輕生重道，希世間出，隱之上者也。或託仕監門，寄臣柱下，居易而以求其志，處汙而不愧其色。此所謂大隱隱於市朝，又其次也。或裸體佯狂，盲瘖絕世，棄禮樂以反道，忍孝慈而不恤。此全身遠害，得大雅之道，又其次也。然同不失語默之致，有幽人貞吉矣。與夫沒身亂世，爭利干時者，豈同年而語哉。孟子曰：「今人之於爵祿，得之若其生，失之若其死。」《淮南子》曰：「人皆鑒於止水，不鑒於流潦。」夫可以揚清激濁，抑貪止競，其惟隱者乎。自古帝王，莫不崇尚其道，雖唐堯不屈巢、許，周武不降夷、齊，以漢高肆慢，而長揖黃、綺，光武按法，而折意嚴、周，自茲以來，世有人矣。有梁之盛，繼紹風猷，斯乃道德可宗，學藝可範，故以備〈處士篇〉云。

將歷代隱士分為三個等級，雖未盡當，然謂彼等遠引孤騫，亭亭物表，備受帝王之禮遇，則為不爭之事實。

夫隱士之名稱多矣，雖更僕亦難悉數，惟世所習稱者，大約三十種而已，茲一一臚列於後，並略作詮釋。

1. **隱　士**　謂隱居之人也。《史記・信陵君傳》：「魏有隱士曰侯嬴，年七十，家貧，為大梁夷門監者。」按此種稱呼最為廣泛，以下稱呼皆準此，以求畫一，亦從人所習知也。

2. **處　士**　有學行而隱居不仕者。《荀子・非十二子篇》：「古之所謂處士者，德盛者也，能靜者也，修正者也，知命者也，箸是者也。」又《史記・信陵君傳》：「公子聞趙有處士毛公，藏於博徒，薛公藏於賣漿家，公子欲見兩人。」按從未出仕而現猶隱居者，始可稱為處士，一如稱未出嫁、未破身之女子曰處女然。至若曾經出仕而後隱居者，祇能謂之隱士，不得謂之處士，一如嫠婦不得謂之處女也。此則兩者之最大區別所在，不可淆亂。

3.處　子　與處士同。《後漢書・逸民傳序》：「自後帝德稍衰，邪孽當朝，處子耿介，羞與卿相等列，至乃抗憤而不顧，多失其中行焉。」又《文選》束晳〈補亡詩〉：「堂堂處子，無營無欲。」李善注：「處子，處士也。」

4.高　士　謂品行高尚之人。《史記・魯仲連傳》：「新垣衍曰：『吾聞魯仲連先生，齊國之高士也。』」又《後漢書・徐穉傳》：「郭林宗有母憂，穉往弔之，置生芻一束於廬前而去，衆怪不知其故。林宗曰：『此必南州高士徐孺子也。』」按穉字孺子。又按晉皇甫謐著《高士傳》，載晉以前隱士九十六人。清高兆著《續高士傳》，載晉至明隱士二百四十三人。

5.高尚士　與高士同。陶潛〈桃花源記〉：「南陽劉子驥，高尚士也，聞之，欣然規往，未果，尋病終。」按劉子驥名驎之，東晉隱士。

6.高　人　與高士同。駱賓王〈寓居洛濱對雪憶謝二詩〉：「高人倘有訪，興盡詎須還。」

7.高　隱　與高士同。梁阮孝緒著有《高隱傳》。

8.高　逸　與高士同。梁蕭子顯著《南齊書》，列褚伯玉等十二人爲〈高逸傳〉。

9.處　人　與處士同。《國語・魯語》：「踦跂畢行，無有處人。」又《淮南子・主術訓》：「是故處人以譬尊。」高誘注：「處人，隱居也。」

10. **幽人** 幽居之人，謂隱士。《周易・履卦》：「九二，履道坦坦，幽人貞吉。」又《後漢書・逸民傳序》：「光武側席幽人，求之若不及，旌帛蒲車之所徵賁，相望於巖中。」

11. **逸民** 遁世隱居之人也。《論語・微子篇》：「逸民，伯夷、叔齊、虞仲、夷逸、朱張、柳下惠、少連。」何晏集解：「逸民者，節行超逸也。」朱子集注：「逸，遺逸。民，無位稱。」按兩注義實相成。又按范曄撰《後漢書》，列向長等十八人為〈逸民傳〉。

12. **逸士** 與逸民同。《後漢書・逸民・高鳳傳論》：「先大夫宣侯嘗以講道餘隙，寓乎逸士之篇。至〈高文通傳〉，輟而有感，以為隱者也，因著其行事而論之。」又《文選》潘岳〈西征賦〉：「悟山潛之逸士。」當代國畫大師溥儒（字心畬）自號西山逸士。

13. **遺民** 指隱士。張登〈招客游寺詩〉：「招取遺民赴僧社，竹堂分坐靜看心。」王士禎《香祖筆記》：「張遺字瑤星，金陵遺民也，居棲霞一小庵，數十年不入城市，著書十餘種。」

14. **遺士** 謂隱居之士也。《元史・董士選傳》：「其尊敬賢士尤至，諸老儒及西蜀遺士，皆以書院之祿起之，使之所學教授。」

15. **遺逸** 謂隱士。方干〈題懸溜岩隱者居詩〉：「見說公卿訪遺逸，逢迎亦是戴烏紗。」亦作遺軼。劉壎《隱居通議・駢儷》：「市駿骨而捐金，招來遺軼；聞雞鳴而起舞，寤寐功名。」

16. **隱者** 與隱士同。《論語・微子篇》：「子路從而後，遇丈人以杖荷蓧。明日，子路行以告。子曰：隱者也。」賈島〈尋隱者不遇詩〉：「松下問童子，言師採藥去。祇在此山中，雲深不知處。」

17. **隱君子** 隱士之最尊稱。《史記・老子傳》：「老子，隱君子也。」又蘇軾〈超然臺記〉：「南望馬耳常山，出沒隱見，若近若遠，庶幾有隱君子乎。」又鮑當〈題林和靖隱居詩〉：「如何隱君子，長嘯掩杜門。」

18. **徵士** 爲朝廷所徵聘之隱士。晉陶潛諡曰靖節徵士，見《文選》顏延之〈陶徵士誄〉。李善注：「陶潛隱居，有詔禮徵爲著作郎，不就，故謂徵士。」

19. **徵君** 徵士之美稱。東漢黃憲，天下號爲徵君，詳《後漢書》本傳。

20. **棲逸** 與隱士同。宋劉義慶撰《世說新語》，有〈棲逸篇〉，專記隱士之行誼。

21. **隱逸** 與隱士同。《晉書》、《南史》、《北史》、《隋書》均有〈隱逸傳〉。

22. **名士** 與隱士同。李詳〈名士說義〉：「《小戴記・月令》：季春之月，聘名士。鄭君注：名士，不仕者。孔沖遠疏引蔡氏云：名士者，德行貞純，道術通明，王者不得臣，而隱居不在位者也。」按此爲名士之原始意義，與魏晉以後世人觀念中之名士有別。

23. **巖穴之士** 隱居山窟之人。《史記・伯夷傳》：「巖穴之士，趨舍有時，若此類，名堙滅而不稱，悲夫。」

24. **傲世賓** 與隱士同。釋道恆〈釋駮論〉：「國家方上與唐虞競巍巍之美，下與殷周齊郁郁之化，不使箕潁專有傲世之賓，商洛獨標嘉遁之客，甫欲大扇逸民之風，崇肅方外之士。」（《弘明集》）

25. **嘉遁客** 與隱士同。見前條。

26. **肥遯之士** 與隱士同。《晉書・桓玄傳》：「玄以歷代咸有肥遯之士，而己世獨無，乃徵皇甫謐六世孫希之爲著作，並給其資用，皆令讓而不受，號曰高士。時人名爲充隱。」按《周易・遯卦》：「上九，肥遯無不利。」孔穎達疏：「肥，饒裕也，上九最在外極，無應於內，心無疑顧，是遯之最優，故曰肥遯。」遯有隱退逃避之名，後因稱高隱曰肥遯。

27. **充隱** 冒充隱士，即假隱士。見前條。

28. **逋客** 即隱士。《文選》孔稚珪〈北山移文〉：「請迴俗士駕，爲君謝逋客。」

29. **遯　士**　亦作「遁士」。即隱士。權德輿〈送崔諭德致政東歸詩〉：「懿此嘉遯士，蒲車赴丘中。」

30. **遁　仙**　對隱士之敬稱。劉孝威〈辟厭青年畫贊〉：「遁仙託稱，妖寇馮名。」

（二）六朝隱逸思想形成之時代背景

任何學術思想之發生，必含前因與當時之因，亦即所謂時代背景。西哲馬文(Marvin)氏謂：「任何時代之哲學，皆爲全部之文明，與其時流動之文明之結果。」（《歐洲哲學史・自序》）其言雖小，可以喻大，即隱逸思想一道，亦當作如是觀。良以六朝隱逸思想之發生，匪從天降，時代及環境之隱驅潛率，則爲最重要之催生劑也。今本此說以探求六朝隱逸思想形成之原因，或有勝於扣盤捫燭之見乎。

自漢末政綱解紐，群雄競起，逞志干戈，吾國即進入長期大動亂之時代。典午既興，內則八王權臣交鬨，四海困窮，生靈塗炭；外則五胡雲擾，盤據中原，先後建立兩趙、三秦、四燕、五涼，及漢夏等十六國，烽火漫天，兵燹匝地，亙百餘年而未已。莽莽華夏，除江南外，幾無一寸乾淨土可資養息，故中朝名士乃相率渡江避難，江左一隅遂爲文風鼎盛之區，衣冠薈萃之所。其初，武人尚有擊楫悲歌，誓殲兇頑之志，文人尚作新亭之泣，陸沈之歎。及其末也，劉裕以功高而受晉禪，蕭道成以國亂而移宋鼎，蕭衍更受齊禪而爲梁，陳霸先又代蕭氏而立國。在此一百六十餘年間，篡奪相尋，內亂迭作，民生多艱，封疆日蹙，蓋視魏晉爲尤甚焉。加以道家玄風彌漫全國，印度佛學自西徂東，遂使維繫世道人心之儒家學術思想日益幽淪，而傳統之彝倫禮教亦隨之蕩焉殆盡。知識分子處此危疑震撼之時代中，身世感其飄零，宇宙傷其搖落，百端交集，欲紓無從，寧復有經邦軌物，霖雨蒼生之壯志乎。故或則苟且偷安，進入文苑藝圃，從事美術文學之創作。或則高翔遠引，隱遁山林，藉以獲得精神上之忻慰。於是在思想上有個人、浪漫、頹廢、唯美主義之勃興，在文學上有山水、田園、神怪、遊仙、隱逸作品之出現。沿河討源，振葉尋根，則自建安以來三百八十餘年玉石俱焚之茫茫浩劫實有以促成之。茲就其犖犖大者，綴之於後，以明其時代背景之梗概。

㈠政局動蕩·人命危淺

大漢帝國至桓靈之世而解體，從此禹跡波蕩，海宇塵飛，陷入長期動亂之中，內而同室操戈，篡奪相繼，外而夷狄交侵，兵燹匝地，生靈塗炭，可云至極。此長時期之混亂分裂，蓋始於漢獻帝建安元年（西元一九六年），以迄隋文帝開皇九年（五八九），歷時達三百九十三年（若自魏文帝黃初元年，即西元二二〇年開國起算，則爲三六九年。），與兩漢之統一，歷年相若。在此三百九十三年中，中央政府之眞正統一，嚴格言之，只有十一年（自晉武帝太康元年，即西元二八〇年滅吳起，至晉惠帝元康元年，即西元二九一年賈后及八王之亂止。）；放寬言之，亦不過三十六年（自太康元年起至晉愍帝建興四年，即西元三一六年劉曜陷長安止。），尚不及全時期十分之一也。故此一時期實吾國歷史上最動亂，戰爭最頻繁之時期。錢穆《國史大綱》云：「將本期（按即指六朝）歷史與前期（按指秦漢）相較，前期以中央統一為常態，以分崩割據為變態。本期則以中央統一為變態，而以分崩割據為常態。」（第十二章）誠屬的論。

由於長期動亂，政局多變，直接受害者，厥為人民。加以當時帝王宿將，草莽英雄，以至戎狄酋豪，率多暴戾恣睢，嗜殺成性，大小規模之屠殺，年有數起。據馬端臨《文獻通考》及鄭樵《通志》所載，漢桓帝永壽二年（一五六）全國人口為五千餘萬，至隋文帝統一南北（五八九），僅餘一千一百餘萬，歷時四百餘年，人口減耗達四千萬之多。人命之微賤，曾雞犬草芥之不若，人類之尊嚴，可謂掃地以盡，誠不知人間為何世矣。

在此期間，尤令人怵目驚心而不能已於言者，則為知識分子慘遭政治之迫害與無情之誅殺，其事起於漢之季世，請得縷而述之：

自漢和帝以後，主荒政謬，國脈民命或委於外戚，或委於閹寺，知識分子羞與為伍，遂結合同類，與戚宦鬥爭，然均歸失敗。死事之慘，以靈帝建寧二年（一六九）名士陳蕃聯合大將軍竇武與宦官曹節王甫鬥爭為最，史稱第二次黨錮之禍。此次株連最廣，殺戮最多，陳蕃李膺杜密范滂等俱遭戕害，諸門生故吏死徙廢禁者又六七百人，自是一再窮治，禁錮之令，爰及五屬，其心狠手辣，令人寒心。

自來儒者出處之道，合則留，不合則去。孔子云：「天下有道則見，無道則隱。」孟子云：

「可以仕則仕，可以止則止，可以久則久，可以速則速。」揚雄亦云：「君子得時則大行，不得時則龍蛇。」是皆有感於天下滔滔，無人得而易之，灰心之餘，欲留此有用之身，另闢蹊徑，爲社會國家作更多更大之貢獻，而不作無謂之犧牲，觀孔孟二聖之行誼，非儒家行爲哲學之典範耶。乃東漢李杜諸賢味於斯義，熱中國是，盲進不已，竟以千金之身，徒膏虎狼之吻，道德命脈，自此而斬，危言清議，自此而息，芸芸衆生遂茫然無所瞻依矣。

黨錮之禍以後，漢室凋零，閹豎弄權，益無忌憚，國勢陵夷，不可復振，曾不旋踵，而大好河山已非復劉氏所有矣。蓋自李杜諸賢逝後，朝中善類，驟然一空，彼握瑜懷瑾之徒，志潔行芳之士，或匿跡樹窟，或潛身土室，或高翔遠引，韜光養晦，或放曠煙霞，絕意仕進。政權更易，無復縈心，蒼生哀樂，無復關懷。夫善人者，民族精神之所託，而國家元氣之所在也，精神委靡則族危，元氣斲傷則國削，精神喪則族亡，元氣盡則國滅。漢祚傾覆，實黨人之獄有以促成之。

梁啓超氏嘗有極痛切之評論，其言曰：

漢世外戚宦官之禍，連踵繼軌，兩漢后妃之家，著聞者四十餘氏，大者夷滅，小者放竄，其身家俱全者不得四五，宦官弄權，殺人如草，一朝爲董袁所襲，亦無孑遺。人人漸覺骨肉之間，皆有刀俎。若乃黨錮之禍，俊顧廚及，一網以盡，其學節冠一世，位望至三公者，亦皆駢首闕下，若屠豬羊。天下之人，見權勢之不可恃也如彼，道德學問之更不可恃也如此，人心旁皇，罔知所適，故一遁而入於虛無荒誕之域，芻狗萬物，良非偶然。（《中國

學術思想變遷之大勢》）

謂殺戮過甚，導致人心惶惑，甚具灼見。

漢轍將覆，曹操崛起，欲重振乾綱，削平動亂，既再三提倡不忠不孝主義（詳見下目），又倒持太阿，嚴刑御下，嘗下詔曰：「夫刑，百姓之命也。」（《三國志．魏書．武帝紀》）又謂「撥亂之政，以刑爲先。」（《三國志．魏書．高柔傳》）於是排除異己，殺戮名士，良醫華陀、聖裔孔融以及董承路粹崔琰許攸婁圭等均遭迫害，身首異處。其後司馬氏父子襲其故智，變本加厲，誅夷尤衆。爲司馬懿所殺者有曹爽何晏鄧颺丁謐畢軌李勝桓範張當，爲司馬師所殺者有李豐夏侯玄張緝李翼李韜樂敦劉賢許允毌丘儉，爲司馬昭所殺者有諸葛誕王經嵇康呂安鄧艾鍾會。要之，當時知識分子稍有思想者，幾無一能得善終。中國之政治傳統既爲曹馬破壞無遺，中國知識分子之尊嚴復爲曹馬掃地以盡，戾氣所結，禍流後世，其子孫或爲權臣所荼毒，或爲外族所屠殺，是皆天道好還之明證也。

統治階層既以刀鋸鼎鑊待天下之士，知識分子爲逃避此一劫難，而求自保，於是分成兩大類：第一類則競尚虛浮，守己中立，如山濤爲吏部尚書，啓擬數人，隨帝所欲，屢表遜讓，不安於位，而見鄙於孫綽。

綽嘗鄙山濤，而謂人曰：「山濤吾所不解，吏非吏，隱非隱，若以元禮爲龍津，則當點額暴鱗矣。」（《晉書．孫綽傳》）

譏其依違取容，隨俗浮沈，既不能進，又不能退也。王戎爲司徒，亦無蹇諤之節，狷介之操，但知明哲保身已耳。

戎轉司徒，以王政將圮，苟媚取容，屬愍懷太子之廢，竟無一言匡諫。……戎以晉室將亂，慕蘧伯玉之爲人，與時舒卷，無蹇諤之節。自經典選，未嘗進寒素，退虛名，但與時浮沈，户調門選而已。（《晉書・王戎傳》）

位列鼎司，而昏憒若此，固無怪司隸傅咸奏之曰：「書稱三載考績，三考黜陟幽明。今內外群官，居職未朞，而戎奏還，既未定其優劣，且送故迎新，相望道路，巧詐由生，傷農害政。戎不仰依堯舜典謨，而驅動浮華，虧敗風俗，非徒無益，乃有大損。宜免戎官，以敦風俗。」而樂廣庾敳則競相倣效，恥不相及。《晉書・樂廣傳》云：

廣與王衍俱宅心事外，名重於時，故天下言風流者，謂王樂爲稱首焉。……值世道多虞，朝章紊亂，清己中立，任誠保素而已，時人莫有見其際焉。

《世說新語・賞譽篇》注引《名士傳》云：

庾敳雖居職任，未嘗以事自嬰，從容博暢，寄通而已。是時天下多故，機事屢起，有爲者拔奇吐異，而禍福繼之。敳常默然，故憂喜不至也。

上舉諸人，皆中朝大臣，亦皆一代清談宗師，而韜精斂芒，委蛇自晦如此。風氣所播，莫不脫略世務，自命清高，置身名場祿位之中，而侈談出世玄遠之學，因而形成一批既據要津，又無宦情，既求聞達，又思隱遁之特殊人物，王衍則其著焉者也。

泰始八年，詔舉奇才可以安邊者，衍初好論縱橫之術，故尚書盧欽舉爲遼東太守，不就，於是口不論世事，唯雅詠玄虛而已。（《晉書·王衍傳》）

可見王衍本好蘇張之術，非無意於用世者，及見宦海波譎，仕途雲詭，方務韜晦之計，不以蒼生爲念耳。

衍累居顯職，後進之士，莫不景慕放效，選舉登朝，皆以爲稱首，矜高浮誕，遂成風俗焉。……衍雖居宰輔之重，不以經國爲念，而思自全之計。（同上）

蓋政局多變，諸王爭權，士大夫往往朝膺軒冕之榮，夕遭族滅之禍，態度消極，固其宜也。

顧榮與楊彥明書曰：「吾爲齊王主簿，恆慮禍及，見刀與繩，每欲自殺。」（《晉書·顧榮傳》）

此爲當時仕宦中朝者之共同心理，居官任職者自易養成畏葸苟安，不負責任之習慣，而相率祖尚浮虛，遺落世事。

至於第二類名士則脫略形骸，寄情酒色。蓋欲藉酒精以麻痹中樞神經，暫時忘卻精神上之痛苦，欲藉女色以障蔽他人耳目，期能躲避政治上之迫害。其心境愈苦，斯酒色愈不能離身，終則遁入文苑藝圃，從事美術文學之創作，藉以獲得精神上之忻慰而已。試舉阮籍爲例。據《晉書·阮籍傳》云：

籍本有濟世志，屬魏晉之際，天下多故，名士少有全者，籍由是不與世事，遂酣飲爲常。

顏延之〈阮嗣宗詠懷詩注〉亦云：

阮籍在晉文代，常慮禍患，故發此詠耳。（《文選》）

李善《文選注》則云：

嗣宗身仕亂朝，常恐罹謗遇禍，因茲發詠，故每有憂生之嗟。雖志在刺譏，而文多隱避，百代以下，難以情測。

藉酒護身，以詩抒憤，亦無可奈何之事也。在中朝名士中，如籍比者尚多，若阮咸王澄謝鯤阮修光逸畢卓胡毋輔之之倫，皆屬此類人物，茲姑從略。要而言之，魏晉名士由於政局動盪，屠戮大行，只得韜光斂芒，苟且求生，是以放蕩中有莊嚴，酣飲中有血淚，遠非後世頹廢派(Decadents)作家純係沈湎酒色者可比也。

(二)儒學衰微・道德淪喪

儒家素重士品，其教人亦以道德爲先。《論語・學而篇》：

子曰：「弟子入則孝，出則弟，謹而信，汎愛眾，而親仁。行有餘力，則以學文。」

子夏曰：「事父母能竭其力，事君能致其身，與朋友交言而有信，雖曰未學，吾必謂之學矣。」

是皆道德重於學問之明證。此種觀念經過時間之推移，逐漸深入民心。尤其自漢武帝採董仲舒之議，罷黜百家，獨尊儒術以後，儒家學說思想遂如日月經天，江河行地，無所容其疵議。此外，孝武又破格任用儒生公孫弘爲相，影響所及，公府則禮敬賢良，州郡則察舉孝廉，所拔擢者，率經術湛深，志潔行芳之士，曾不旋踵，天下景附。故陳湯無節，州里羞於齒及，李陵降虜，隴西深以爲愧。社會制裁，自此而嚴，道德藩籬，自此而固。光武中興，復增察舉「敦朴有道，能直言篤行，高節質直，清白敦厚之屬」，共參政事。而又表章氣節，敦厲名實，尊顯巖穴之士，如嚴光卓茂等，皆加禮遇。名教既興，人知自勵，風俗之淳，曠古未有。（說詳顧炎武《日知錄．兩漢風俗條》）追源溯始，孝武之尊經崇儒實有以致之。

惟天下之事，利之所在，弊亦隨之，物極必反，自然之理也，復極必剝，情勢之常也。儒家學說長期獨尊之結果，遂失去與其他各家學說相互觀摩競爭之機會，於是日漸泥滯，弊竇叢生。有舉半生歲月而委於一經者，有皓首經營而未能貫通者，更有穿鑿其義，支離其詞，說一〈堯典〉篇目，累十萬言不能休者。引繩自縛，莫此爲甚。至於叔季之世，其本身既停滯於章句訓詁及家法宗派諸瑣屑問題，且又雜以陰陽五行之說，雖云標新，實則魔道，卒引起王充之抨擊。其言曰：

夫儒生之業五經也，南面爲師，旦夕講授章句，滑習義理，究備於五經可也。五經之後，秦漢之事，無不能知者，短也。夫知今不知古，謂之陸沈，然則儒生所謂陸沈者也。五經之前，至於天地始開，帝王初立者，主名爲誰，儒生又不知也。夫知今不知古，謂之盲瞽。五經比於上古，猶爲今也。徒能說今，不曉上古，然則儒生所謂盲瞽者也。（《論衡．謝短

篇》）

王充憤世嫉俗，比論人物，無稍寬假，見儒生馳逐末學，習小遺大，非獨不能通識今古，亦將錮蔽人心，故予痛加針砭，不留餘地。又曰：

著作者爲文儒，說經者爲世儒。……世儒當時雖尊，不遭文儒之書，其跡不傳。（《論衡・書解篇》）

明白指出著作之儒家愈於解經之儒家，儒家欲傳播思想，發揚學術，須先重視詞章。王充除痛斥漢儒詁經之繁瑣，浪擲精力，誤以手段當目的，於實學曾無裨益外，更大膽向儒家所標榜之倫理道德挑戰。《論衡・物勢篇》：

天地合氣，人偶自生，猶夫婦合氣，子則自生也。夫婦合氣，非當時欲得生子，情欲動而合，合而子生矣。

又〈自然篇〉：

萬物自生，天不須復與也，由子在母懷中，父不能知也。物自生，子自成，天地父母，何與知哉。

今儒錢穆氏謂「此種議論，新奇可喜，宜其聳動一時之觀聽，而儒家五六百年來以孝治天下之倫理，根本遭其打擊矣。」（《國學概論》）佛眼獨具，確非漫言。

其後曹操繼之，蔑棄倫常，視充爲甚。蓋漢末乾綱解紐，海宇塵飛，舊日對政治作原則指導之儒學，既不足以消弭禍亂，尤不足以饜足人心。曹氏秉政之後，洞悉其弊，以爲非用申韓之術，無以撥亂返治，於是尙法輕儒，仇視高門，裁抑世族，禁絕清議。其在政治上所標榜者，乃切切實實的人才主義，而鄙棄舊日之道德政治，由皇皇建安四令中可以識其大凡。建安八年庚申令曰：

議者或以軍吏雖有功能，德行不足堪任郡國之選，所謂「可與適道，未可與權。」管仲曰：「使賢者食於能則上尊，鬥士食於功則卒輕於死，二者設於國則天下治。」未聞無能之人，不鬥之士，並受祿賞，而可以立功興國者也。故明君不官無功之臣，不賞不戰之士，治平尚德行，有事賞功能。論者之言，一似管窺虎歟。（《三國志·魏書·武帝紀》注引《魏書》）

此即曹氏用人之大原則，明示舊道德之落伍，不合時代需要。又建安十五年令：

自古受命及中興之君，曷嘗不得賢人君子與之共治天下者乎。及其得賢也，曾不出閭巷，豈幸相遇哉，上之人不求之耳。今天下尚未定，此特求賢之急時也。「孟公綽爲趙魏老則優，不可以爲滕薛大夫。」若必廉士而後可用，則齊桓其何以霸世。今天下得無有被褐懷玉而釣於渭濱者乎，又得無盜嫂受金而未遇無知者乎。二三子其佐我明揚仄陋，惟才是舉，吾得而用之。（《三國志·魏書·武帝紀》）

此更明言才能與德行若不能得兼，寧捨德行而用才能。又建安十九年令：

夫有行之士未必能進取，進取之士未必能有行也。陳平豈篤行，蘇秦豈守信邪，而陳平定漢業，蘇秦濟弱燕。由此言之，士有偏短，庸可廢乎。有司明思此義，則士無遺滯，官無

廢業矣。（同上）

時當黃巾暴亂之後，禹跡波蕩，百廢待舉，需才孔殷，在飢不擇食之情況下，自然祇重進取之士，而輕有德之士。又建安二十二年令：

昔伊摯傅說出於賤人，管仲，桓公賊也，皆用之以興。蕭何曹參，縣吏也，韓信陳平負污辱之名，有見笑之恥，卒能成就王業，聲著千載。吳起貪將，殺妻自信，散金求官，母死不歸，然在魏，秦人不敢東向，在楚，則三晉不敢南謀。今天下得無有至德之人，放在民間，及果勇不顧，臨敵力戰，若文俗之吏，高才異質，或堪爲將守，負污辱之名，見笑之行，或不仁不孝，而有治國用兵之術。其各舉所知，勿有所遺。（同《三國志・魏書・武帝紀》注引《魏書》）

堂堂政府詔令，竟一再強調朝廷用人不拘流品，雖不仁不孝之徒，盜嫂受金之輩，亦得以躋秩公輔，迴翔廊廟。此雖曹氏經營霸業，權宜一時之計，然其影響所及，則消極方面破壞世人對於舊禮教之信仰，社會因而失去道德之瞻依。積極方面則在建立新的道德觀念，作爲政府以後用人取捨之標準。殊不知新道德觀念之建立難，而舊禮教信仰之破壞易。此風一開，直若黃河決堤，沛然無復能禦。漢鼎既革，曹丕基命，崇奉黃老，敝屣名教，又改前代舉孝廉爲九品中正，推波揚瀾，變本加厲，而兩漢三百餘年所苦心培植之倫理觀念與道德哲學，至此蕩焉以盡。故終六朝之世，王綱不振，風俗澆漓，曹氏父子之摧殘節義，鄙棄人倫，實不能辭其咎也。故晉・傅玄嘗深致慨歎曰：

近者魏武好法術，而天下貴刑名，魏文慕通達，而天下賤守節。其後綱維不攝，而虛無放誕之論盈於朝野，使天下無復清議，而亡秦之病復發於今。（《晉書》本傳）

顧炎武言之尤爲剴切：

孟德既有冀州，崇獎跅弛之士，觀其下令再三，至於求負污辱之名，見笑之行，不仁不孝，而有治國用兵之術者，於是權詐迭進，姦逆萌生。故董昭太和之疏，已謂當今年少不復以學問爲本，專更以交游爲業。國士不以孝悌清修爲首，乃以趨勢求利爲先。至正始之際，而一二浮誕之徒，騁其知識，蔑周孔之書，習老莊之教，風俗又爲之一變。夫以經術之治，節義之防，光武明章數世爲之而不足，毀方敗常之俗，孟德一人變之而有餘。後之人君，將樹之風聲，納之軌物，以善俗而作人，不可不察乎此矣。（《日知錄·兩漢風俗》）

痛惜之情，溢乎楮墨，殆亦《春秋》責備賢者之意乎。

㈢道家學說復興

1. 道家學說要旨

道家學說蓋包括黃帝、老子、莊子、列子、楊朱五家之學說，先秦時代，分鑣競爽，不相統屬，以時際喪亂，故信者甚衆，與儒墨二派分庭抗禮，並稱顯學。

道家學說本是一種亂世之產物，在意識上積極的反對現實，否定現實，在行爲上則消極的逃避現實，脫離現實。其基本主張有五：

(1)清靜無爲　老子謂「道常無爲而無不爲」（《老子》第三十七章），其意即謂先須「無爲」，然後可以「無不爲」。易言之，即以「無爲」爲法則，以達到「無不爲」之目的，故曰「我無爲而民自化」（《老子》第五十七章），是即「無爲」而「無不爲」之效也。

(2)順應自然　吾師林尹氏《中國學術思想大綱》云：「老子感物欲之誘惑，故主絕聖棄智，而復其淡泊。憤世俗之澆薄，故主反璞歸眞，順乎自然。」老子之最高理想爲順應自然，故曰：「人法地，地法天，天法道，道法自然。」其「無名」「無爲」之說，無一非順應自然之論。其意以爲能順應自然，則社會自然安定，可以進一步達到「小國寡民，甘其食，美其服，安其居，樂其俗，鄰國相望，雞犬之聲相聞，民至老死不相往來」（《老子》第八十章）之理想社會。

(3)絕對自由　林尹氏云：「莊子生當衰亂之世，習老氏之言，悲天下之沈濁，故有出世之想，而作〈逍遙遊〉。」又云：「莊子悲天下之沈濁不可處也，故求徜徉自得，高遠無所拘束，與天地同運，與造物者遊，以極其逍遙之致。夫能極其逍遙之致，而無所拘束者，蓋即隨心所欲，亦今所謂自由也。然老子謂：『吾之所以有大患者，以吾有身，若其無身，吾有何患。』人生有耳目之知，肢體之形，旣已爲人矣，又安能隨心所欲，無所拘束。故莊子無可奈何而求之於無何有之鄉，廣漠之野。此莊子出世之想所以偏於玄虛也。」（《中國學術思想大綱》）

(4)絕對平等　林尹氏云：「莊子齊萬物之說曰：『天下莫大於秋豪之末，而泰山爲小，莫壽於殤子，而彭祖爲夭。天地與我並生，萬物與我爲一。』蓋以物之稟分，各自不同，大小雖殊，而咸得稱適。各安其分，則性足矣。夫能性足，則天地與我並生，萬物與我爲一，又何必貴我而賤物，大天地而小豪末，壽彭祖而夭殤子哉。」（同上）

(5)個人主義　《列子・楊朱篇》載楊朱爲我之說云：「伯成子高不以一毫利物，舍國而隱耕。大禹不以一身自利，一體偏枯。古之人損一毫利天下不與也，悉天下奉一身不取也。人人不損一毫，人人不利天下，天下治矣。」楊朱之意，以今語言之，即絕對的個人主義也。

綜上以觀，可見道家諸子皆智慧高深，體物細密，解救個人之精神固所優爲，以言經綸邦國，霖雨蒼生，則殊缺乏具體主張也。

2.道家學說復興原因

秦一宇內，車軌混同，法術盛行，遂成霸業。炎漢初興，百廢待舉，內外交迫，學術未遑。逮文景纘統，雅慕清虛，黃老之說乃大行於世。近人夏曾佑氏於黃老之起源，言之甚詳。

黃老之名，始見《史記》〈申不害傳〉、〈韓非傳〉、〈曹相國世家〉、〈陳丞相世家〉，並言治黃老術。《史記》以前，未聞此名。今曹陳無書，申不害書僅存，韓非書則完然俱在，中有〈解老〉〈喻老〉，其學誠深于老者，然絕無所謂黃。然則黃老之名，何從而起，吾意此名必起於文景之際，其時必有以黃帝老子之書合而成一學說者，學既盛行，謂之黃老，日久習慣，成爲名辭，乃於古人之單治老子術者，亦舉謂之黃老。《史記・孝武紀》竇太后治黃老言，不好儒術，〈封禪書〉同。〈儒林傳序〉竇太后好黃老之術，〈申公傳〉竇太后好老子言，不說儒術。〈轅固生傳〉竇太后好老子書。《漢書．郊祀志》竇太后不好儒術。〈轅固傳〉竇太后好老子書。〈外戚傳〉竇太后好黃帝老子言。景帝及諸竇，不得不讀老子書，尊其術。竇太后者，其黃老學之開祖耶。（《中國歷史教科書》第二冊）

惟至武帝之世，竟遭罷黜，儒術獨尊，歷時近四百年。漢社既屋，六代踵起，周孔告退，而莊老方滋，推轂玄虛，至蔓延於陳隋而未息，是道家學說全盛之時代也。推原其故，蓋有三端。

(1)緣於時代者　儒家在吾國學術思想界一向居於領導地位，凡儒學昌明之時，必為統一治平之世。漢之衰季，中原板蕩，四海塵飛，內而外戚擅權，閹豎為禍，外而戎狄交侵，盜賊蜂起，加以災疫流行，民生凋敝。舊日對政治作原則指導之儒學，既不足以消弭禍亂，尤不足以饜足人心。而老子之清靜無為，莊子之逍遙齊物，楊朱之個人主義，列子之厭世思想，最能迎合當時之需要，一般聰明穎達之士，遂相率遁入道家玄虛之領域，騁懷於窈渺之理想世界矣。今儒錢穆氏有云：

> 《莊子》，衰世之書也，故治《莊》而著者，亦莫不在衰世。魏晉之阮籍向郭，晚明之焦弱侯方藥地，乃及船山父子皆是。（《莊子纂箋．序目》）

又云：

> 處衰世而具深識，必將有會於蒙叟之言，寧不然耶。（同上）

實深造有得之言也。

(2)緣於政治者 自漢末以迄晉初，干戈擾攘，荼毒生靈，固無論矣。而秉國之君，率皆嗜殺成性，迫害名士，若屠豬羊，名士運數之窮，未有甚於此者也。於是人人自危，罔知所適。其上焉者，則韜光遁世，寄情煙霞，以求避禍全身之道。其中焉者，則揮舞麈尾，談玄說理，化觚爲圓，和光同塵之觀念，遽奉爲立身之楷模。其下焉者，則蔑棄禮法，菲薄儒術，破落周孔之綱，放浪形骸之外。甚至醉狂赤裸，不以爲非，吏部偷酒，不以爲奇，王弼何晏，貽譏於管寧，劉伶王澄，騰笑於搢紳。緣是老莊思想盛行，玄談風氣彌漫，開闢以來，未曾有也。

(3)緣於學術者 西漢以來，處於獨尊狀態之儒學，久成利祿之途，其本身既停滯於章句訓詁及家法宗派諸瑣屑問題，逐漸引繩自縛。其尤怪誕者，且雜以陰陽五行之說，雖云標新，實則魔道，卒引起王充荀粲諸子之抨擊。近儒梁啓超氏云：

兩漢帝王儒者，崇尚讖緯，迷信休咎，所謂陰陽五行之謬說，久入人心。而權勢道德，既兩無可憑，民志皇皇，以爲殆有司命之者存，吾祈焉禳焉，煉養焉，服食焉，或庶可免，於是相率而歸之。（《中國學術思想變遷之大勢》）

吳承仕氏亦云：

漢師拘虛迂闊之義，已爲世人所厭。勢激而遷，則去滯著而上襄玄遠。（《經典釋文序錄疏證》）

坐是聖道幽淪，經典廢棄，而爲老莊所取代，乃事有必至，理有固然也。

3. 道家學說興盛概況

東漢桓靈之世，主荒政謬，國命委於閹寺，君子羞與爲伍，故匹夫抗憤，處士橫議，遂釀成黨錮之禍，清流領袖，一網俱盡，於是聰明魁傑之士，率皆由積極變爲消極，由儒家轉入道家，著其先鞭者，厥推經學大師馬融。融被服儒者，名重關西，而達生任性，不護細行，絳帳傳經，弟子集帳前，歌妓居帳後。嘗歎息謂友人曰：

古人有言：「左手據天下之圖，右手刎其喉，愚夫不爲。」所以然者，生貴於天下也。今以曲俗咫尺之羞，滅無貲之軀，殆非老莊所謂也。（《後漢書》本傳）

則融顯然爲一道家化之經學家，而老莊並舉，亦始於此。是六代玄風，嚴格言之，非肇端於王何，馬氏實有以先之也。風氣既開，不可遏止，雖貴爲帝王，亦競趨時尚。

延禧八年春正月，遣中常侍左悺之苦縣，祠老子。（《後漢書．桓帝紀》）

延禧八年十一月，使中常侍管霸之苦縣，祠老子。（同上）

其後仲長統更以老莊之出世思想，雜糅淮南子之理想仙界，而作〈樂志論〉，節錄其詞如下：

安神閨房，思老氏之玄虛，呼吸精和，求至人之彷彿。與達者數子，論道講書，俯仰二儀，錯綜人物。彈南風之雅操，發清商之妙曲。消搖一世之上，睥睨天地之間，不受當時之責，永保性命之期。如是則可以陵霄漢，出宇宙之外矣。豈羨夫入帝王之門哉。（《後漢書》本傳）其意蓋謂凡遊帝王之門者，不外是欲以立身揚名耳。而名不常存，人生易滅，優游偃仰，可以自娛，欲卜清曠，以樂其志。此種富有濃厚道家出世思想色彩的消極言論之產生，實種因於滄海塵揚，劫難薦臻，欲求苟全性命於亂世之一種自然反應也。

下逮魏世，三方鼎峙，干戈未息，民生日蹙，道家玄風，愈益扇揚。永嘉亂後，半壁江山，沒於胡塵，劫後災黎，挽瀾無計，遂務苟安，奉手聃周，聊以自解。語其要者，約得四端，分述之如下：

(1)著於功名 當塗既興，曹丕基命，雅慕前代文景之治，蓋民心厭戰已久，非黃老治術不足以適應時代也。故即位之後，即頒息兵之詔。

> 帝常嘉漢文帝之爲君，寬仁玄默，務欲以德化民，有賢聖之風。時文學諸儒，或以爲孝文雖賢，其於聰明，通達國體，不如賈誼。帝由是著〈太宗論〉曰：「昔有苗不賓，重華舞以干戚，尉佗稱帝，孝文撫以恩德，吳王不朝，錫之几杖，以撫其意，而天下賴安。乃弘三章之教，愷悌之化，欲使曩時累息之民，得闊步高談，無危懼之心。若賈誼之才敏，籌畫國政，特賢臣之器，管晏之姿，豈若孝文大人之量哉。」三年之中，以孫權不服，復頒〈太宗論〉於天下，明示不願征伐也。
>
> 他日又從容言曰：「顧我亦有所不取於漢文帝者三：殺薄昭，幸鄧通，愼夫人衣不曳地，

集上書囊爲帳帷。以爲漢文儉而無法，舅后之家，但當養育以恩，而不當假借以權，既觸罪法，又不得不害矣。」其欲秉持中道，以爲帝王儀表者如此。（《三國志・魏文帝紀》裴注引《魏書》）

黃初二年又頒薄稅之詔，四年又頒禁復仇之詔，五年又頒輕刑之詔。

近之不綏，何遠之懷。今事多而民少，上下相弊以文法，百姓無所措其手足。昔太山之哭者，以爲苛政甚於猛虎，吾備儒者之風，服聖人之遺教，豈可以目翫其辭，行違其誡者哉。廣議輕刑，以惠百姓。（同上）

五年之間，詔令屢頒，揆其用心，無非在改變乃父嚴刑峻法之作風，急功好利之政策，而將道家之清靜無爲貫徹於政治上。故終六朝之世，聃周當路，玄風彌漫，魏文之提倡，實與有力焉。

(2)厭世傾向　魏文雖貴爲天子，卻帶有濃厚的文人氣息，世難迍邅，人生無常，時時流露於楮墨中，如〈與吳季重書〉、〈與吳質書〉、〈與王朗書〉，以至樂府〈短歌行〉、〈折楊柳行〉、〈燕歌行〉等，皆有厭世傾向。

帝初在東宮，疫癘大起，時人彫傷，帝深感歎，與素所敬者大理王朗書曰：『生有七尺之形，死唯一棺之土，唯立德揚名，可以不朽。其次莫如著篇籍。疫癘數起，士人彫落，余獨何人，能全其壽。』（《三國志・魏文帝紀》裴注引《魏書》）

由此觀之，魏文在本質上實一道家化之文士也。其弟曹植厭世傾向尤爲顯著，《文選》載其〈七啓〉云：

有形必朽，有跡必窮，芒芒元氣，誰知其終。名穢我身，位累我躬，竊慕古人之所志，仰老莊之遺風。假靈龜以託喻，寧掉尾於塗中。

餘若樂府〈箜篌引〉、〈升天行〉、〈仙人篇〉、〈遊仙〉、〈遠遊篇〉，以及〈七哀〉、〈送應氏〉、〈贈王粲〉諸詩，皆感歎世難，追慕逍遙之作。下逮梁之昭明太子，所撰《錦帶書十二月啓》，詳其每篇自敍之詞，皆山林語，非帝胄所宜言。如〈蕤賓五月啓〉云：

某沈痾漳浦，臥病泉山，頓懷劉幹之勞，鎭抱相如之酷。是知榮枯莫測，生死難量，驗風燭之不停，如水泡之易滅。

又〈林鍾六月啓〉云：

某白社狂人，青緗末學，不從州縣之職，聊立松篁之間。時假德以爲鄰，或借書而取友。三千年之獨鶴，暫逐雞群，九萬里之孤鵬，權潛燕侶。既非得意，正可忘言。

蓋風氣已成，天下披靡，其能翹然獨立者，良難多覯矣。

(3)以道用世　老子權謀之術，進可以用世，退可以保身，得其精髓而能靈活運用者，前有戰國之韓非，後有晉初之王戎。《晉書・王戎傳》云：

戎以晉室方亂，與時舒卷，無蹇諤之節。自經典選，未嘗進寒素，退虛名，但與時浮沈，户調門選而已。尋拜司徒，雖位總鼎司，而委事僚寀。

此王戎之以道保身也。又云：

鍾會伐蜀，過與戎別，問計將安出。戎曰：「道家有言：『為而不恃』，非成功難，保之難也。」及會敗，議者以為知言。

此王戎之以道用世也。按老子云：

我有三寶，持而保之，一曰慈，二曰儉，三曰不敢為天下先。（《老子》第六十七章）

其用意在挽救時弊，示人以陰柔自處之道。亦即知雄守雌，知白守黑，知榮守辱，而從去甚、去奢、去泰為入手方法。魏源《老子本義・序》云：

老子主柔賓剛，而取牝、取雌、取母、取水之善下，其體用皆出於陰。陰之道雖柔，而其機則殺。故學之而善者，則清淨慈祥，不善者，則深刻堅忍，而兵謀權術宗之，雖非其本眞，而亦勢所必至也。

吾師林尹氏亦云：

以剛強之易摧，爭競之自害，故〈老子〉主謙虛柔弱，以長保其身，以善處此世。（《中國學術思想大綱》）

王戎所以能位極人臣，長保福祿，非深得於老學之三昧者耶。

(4) 著作

何晏王弼鑒於司馬懿弄權作威，又以國家刑殺過甚，故酷嗜老莊，濟以談玄之風。然二子被服儒者，從容中道，固未嘗鄙薄儒學。刻意提倡道家學說，垂範後世，正面攻擊儒家學說，形諸文字者，實自竹林七賢始。《晉書・向秀傳》云：

秀雅好老莊之學。莊周著內外數十篇，歷世才士雖有觀者，莫適論其旨統也。秀乃為之隱解，發明奇趣，振起玄風，讀之者超然心悟，莫不自足一時也。惠帝之世，郭象又述而廣之，儒墨之跡見鄙，道家之言遂盛焉。

可見莊學之盛，由向秀作始。其友阮籍遂作〈達莊論〉以張之，闡釋莊子「天地與我並生，萬物與我為一」之義，語至精審，節錄一段如左：

天地生於自然，萬物生於天地。自然者無外，故天地名焉，天地者有內，故萬物生焉。當其無外，誰謂異乎，當其有內，誰謂殊乎。是以重陰雷電，非異出也，天地日月，非殊物也。故曰：『自其異者視之，則肝膽楚越也，自其同者視之，則萬物一體也。』人生天地之中，體自然之形。身者，陰陽之精氣也，性者，五行之正性也，情者，遊魂之變欲也，神者，天地之所以馭者也。以生言之，則物無不壽，推之以死，則物無不夭。自小視之，則萬物莫不小，由大觀之，則萬物莫不大。殤子為壽，彭祖為夭，秋毫為大，泰山為小。故以死生為一貫，是非為一條也。別而言之，則鬚眉異名，合而說之，則體之一毛也。

凡耳目之官，名分之施，處官不易司，舉奉其身，非以絕手足，裂肢體也。然後世之好異者，不顧其本，各言我而已矣，何待於彼。殘生害性，還為讎敵，斷割肢體，不以為痛。

目視色而不顧耳之所聞，耳所聽而不待心之所思，心奔欲而不適性之所安，故疾病萌則生意盡，禍亂作則萬物殘矣。夫至人者，恬於生而靜於死。生恬則情不惑，死靜則神不離，故能與陰陽化而不易，從天地變而不移。生究其壽，死循其宜，心氣平治，消息不虧。

（《漢魏六朝百三名家集》）

又作〈通老論〉以輔之。

道者法自然而爲化，侯王能守之，萬物將自化，《易》謂之太極，《春秋》謂之元，《老子》謂之道。（同上）

又作〈老子贊〉以歌之。

陰陽不測，變化無倫，飄搖太素，歸虛返眞。（同上）

又作〈大人先生傳〉，譏禮法之士，而自託於曠達，在學術思想上爲一大轉變。

或遺大人先生書曰，天下之貴莫貴於君子，服有常色，貌有常則，言有常度，行有常式。……於是大人先生乃喟然而嘆，假雲霓而應之曰，若之云尚何通哉。夫大人者，乃與造物同體，萬物並生，逍遙浮世，與道俱成，變化散聚，不常其形。……且汝獨不見夫虱之處於褌中乎，逃乎深縫，匿乎壞絮，自以爲吉宅也。行不敢離縫際，動不敢出褌襠，自以爲得繩墨也。飢則齧人，自以爲無窮食也。然炎丘火流，焦邑滅都，群虱死於褌中而不能出。汝君子之處區內，亦何異夫虱之處褌中乎。

昔者天地開闢，萬物並生，大者恬其性，細者靜其形。……夫無貴則賤者不怨，無富則貧者不爭，各足於身而無所求也。恩澤無所歸，則死敗無所仇。奇聲不作，則耳不易聽，淫色不顯，則目不改視。耳目不相易改，則無以亂其神矣。此先世之所至止也。今汝尊賢以相高，爭勢以相君，寵貴以相加，驅天下以趣之，此所以上下相殘也。竭天地萬物之至，以奉聲色無窮之欲，此非所以養百姓也。於是懼民之知其然，故重賞以喜之，嚴刑以威之，財匱而賞不供，刑盡而罰不行，乃始有亡國戮君潰敗之禍。此非汝君子之爲乎。汝君子之禮法，誠天下殘賊亂危死亡之術耳，而乃目以爲美行不易之道，不亦過乎。今吾乃飄搖於天地之外，與造化爲友，朝餐湯谷，夕飲西海，將變化遷易，與道周始，此之於萬物，不亦厚哉。故不通於自然者，不足以言道，闇於昭昭者，不足與達明，子之謂也。（同上）

同時又有劉伶作〈酒德頌〉以和之。

有大人先生，以天地爲一朝，萬期爲須臾，日月爲扃牖，八荒爲庭衢。行無轍跡，居無室廬，幕天席地，縱意所如。止則操卮執觚，動則挈榼提壺，惟酒是務，焉知其餘。有貴介公子，搢紳處士，聞吾風聲，議其所以，乃奮袂攘襟，怒目切齒，陳說禮法，是非蜂起。先生於是方捧罌承槽，銜杯漱醪，奮髯箕踞，枕麴藉糟，無思無慮，其樂陶陶。兀然而醉，怳爾而醒。靜聽不聞雷霆之聲，熟視不睹泰山之形。不覺寒暑之切肌，利欲之感情。俯觀萬物，擾擾焉若江海之載浮萍。二豪侍側焉，如蜾蠃之與螟蛉。（《晉書》本傳）

嵇康則作〈釋私論〉以爲行爲之準則。

夫稱君子者，心無措乎是非，而行不違乎道者也。何以言之，夫氣靜神虛者，心不存於矜尚，體亮心達者，情不繫於所欲，矜尚不存乎心，故能越名教而任自然，情不繫於所欲，故能審貴賤而通物情。物情順通，故大道無違，越名任心，故是非無措也。是故言君子則以無措爲主，以通物爲美，言小人則以匿情爲非，以違道爲闕。……君子之行賢也，不察於有度而後行也，仁心無邪，不議於善而後正也，顯情無措，不論於是而後爲也。是故傲然忘賢，而賢與度會，忽然任心，而心與善遇，儻然無措，而事與是俱也。故論公私者，雖云志道存善，口無凶邪，無所懷而不匿者，不可謂無私，雖欲之伐善，情之違道，無所抱而不顯者，不可謂不公。今執必公之理，以繩不公之情，使夫雖爲善者，不離於有私，雖欲之伐善，不陷於不公，重其名而貴其心，則是非之情不得不顯矣。是非必顯，有善者，無匿情之不是，有非者，不加不公之大非，無不是，則善莫不得，無大非，則莫過其非，乃所以救其非也。非徒盡善，亦所以厲不善也。夫善以盡善，非以救非，而況乎以是非之至者，故善之與不善，物之至者也。若處二物之間，所往者必以公成而私敗，同用一器，而有成有敗。夫公私者，成敗之途，而吉凶之門乎。（《全三國文》）

影響所及，天下風靡，「戶詠恬曠之辭，家畫老莊之象。」（嵇含語○見《晉書・忠義傳》）此蓋時勢所趨，思潮所至，非一二人所能遏阻也。

要而言之，東晉南北朝之世，由於神皋沈陸，久亂不靖，一般知識分子蒿目時艱，欲救乏力，乃思高翔遠引，全身保眞。同時復以不能忘情家國，絕意存亡，悟大劫之莫逃，知世累之難脫，故多陷入極端苦悶與惶惑之中。而老子則雅慕至德之世，安居樂俗，雞犬之聲相聞。莊子則謂：「山林與，皋壤與，使我欣欣然而樂與。」（〈知北遊篇〉）又謂：「予方將與造物者爲人，厭則又乘夫莽眇之鳥，以出六極之外，而遊無何有之鄉，以處壙埌之野。」（〈應帝王篇〉）此正六朝知識分子返於自然之先聲，抑亦六朝隱逸思想之源於道家者也。

（三）六朝隱士

六朝之起迄年代，自唐宋以來，即聚訟紛紛，莫衷一是。鄙意以爲應作兩種區分：㈠文學上之六朝，㈡史學上之六朝。文學上之六朝起於漢獻帝建安元年（西元一九六年），以迄隋朝覆亡（六一七），凡四百二十一年。蓋曹操父子、王粲等建安七子、蔡邕父女，以及禰衡、潘勖、吳質、楊修等均馳名於建安時代，作品風格亦不類兩漢，反而酷肖魏晉，故應歸入六朝。隋朝建政二十餘年，由於國祚短淺，文家如陳叔寶、江總、薛道衡、盧思道等，作品風格絕不類三唐，卻與梁陳無異，故亦應歸入六朝。

惟史學上之六朝，則指建都於南京（當時稱秣陵、金陵、石城、石頭、石首城、石頭城、建康、建業、台城）之六個朝代，起自魏文帝黃初元年（二二〇）建國，以迄隋文帝開皇九年（五八九）滅陳而統一南北，凡三百六十九年。

至於世所習稱之六朝，多指文學上之六朝，本文從之。

六朝距今已逾一千四百餘年，由於年世綿遠，文獻殘缺，欲獲取此一時代所有隱士之完整資料，誠非易易。今僅能就《晉書》、《南史》、《北史》等正史之〈隱逸傳〉，以及在稗官野史如皇甫謐《高士傳》、高兆《續高士傳》、阮孝緒《高隱傳》，以至無名氏所撰之《蓮社十八高賢傳》中得知其姓名及其生平事蹟而已。

又六朝隱士之人生觀重在「得意」，亦即心神之超然無累，故有隱於朝廷者，有隱於城市者，非必欲棲遁於山澤林藪也。陶潛《歸園田居詩》云：

結廬在人境，而無車馬喧。

王康琚《反招隱詩》云：

小隱隱陵藪，大隱隱朝市。伯夷竄首陽，老聃伏柱史。

《晉書・鄧粲傳》亦載鄧粲之論云：

夫隱之爲道，朝亦可隱，市亦可隱，初在我不在於物。

此種理論實爲當時知識分子之共同看法，故隱於朝市者，亦得謂之隱士。今試製一表，將六朝隱士作簡略之紹介，以便觀覽。

六朝隱士一覽表

朝代名	姓名	字	號	籍貫	歲數	生年	卒年	隱居地點	著作	備註
魏	王烈	彥方			78	140	218	遼東		《三國志・魏書》本傳
魏	管寧	幼安		北海朱虛	84	158	241	遼東		同右
魏	龐德公	根矩		南郡襄陽				鹿門山		《後漢書・逸民傳》
魏	邴原			北海朱虛				遼東		《三國志・魏書》本傳
魏	諸葛亮	孔明	臥龍先生	琅琊陽都	54	181	234	隆中	諸葛忠武集	《三國志・蜀書》本傳
晉 西晉	孫登	公和		汲郡共縣				北山宜陽山		《晉書・隱逸傳》
晉 西晉	蘇門生		蘇門先生					蘇門山		《三國志・魏書・王粲傳》裴注引《魏氏春秋》
晉 西晉	董京	威輦						白社		《晉書・隱逸傳》
晉 西晉	夏統	仲御		會稽永興				會稽		同右

東晉										
任旭	氾騰	魯褒	伍朝	郭琦	霍原	董養	魯勝	范喬	范粲	朱沖
次龍	無忌	元道	世明	公偉	休明	仲道	叔時	伯孫	承明	巨容
臨安 章安	敦煌	南陽	武陵 漢壽	太原 晉陽	燕國 廣陽	陳留 浚儀	代郡	陳留 外黃	陳留 外黃	南安
								78	84	
								220	201	
327								298	185	
章安	敦煌	南陽	漢壽	晉陽	廣陽	蜀中		外黃	外黃	南安
		錢神論		五行傳		無化論	墨辯注			
同右	同右	同右	同右	同右	同右	同右	同右	同右	同右	同右

郭文	文學		河內軹縣				大辟山臨安		同右
龔壯	子瑋		巴西				巴西	邁德論	同右
孟陋	少孤		武昌				武昌	論語注	同右
韓績	興齊		廣陵				嘉興		同右
譙秀	元彥		巴西				巴西		同右
翟湯	道深		尋陽	73			南山		同右
翟莊	祖休		尋陽	56			尋陽		同右
劉驎之	子驥		南陽				南陽	劉遺民集	同右
謝安	安石		陽夏	66	320	385	上虞東山	存文六篇存詩三首	《晉書》本傳
陶潛	元亮	五柳先生	尋陽	63	365	427	尋陽	陶淵明集	《晉書·隱逸傳》
戴逵	安道		譙國	67	330	396	剡縣	竹林七賢論	同右·子戴顒亦爲隱士

南朝 宋	戴顒	仲容		銍縣	64	378	441	桐廬	逍遙論	《宋書・隱逸傳》・父戴逵亦爲隱士
	宗炳	少文	棲丘遯客	南陽	69	375	443	衡山	宗景集	同右・名畫家
	周續之	道祖		廣武	47	377	423	廬山	嵇康《高士傳》注	同右・與劉子驎、陶潛並稱潯陽三隱
	劉遺民							廬山		同右
	孔淳之	彥深		魯縣	59	372	430	剡縣	穀梁春秋注	同右
	王弘之	方平		臨沂	63	365	427	上虞		同右
	劉凝之	志安		枝江	59	390	448	衡山		同右
	宗彧之	叔粲		南陽	50	382	431	南陽		同右
	雷次宗	仲倫		南昌	63	386	448	廬山 鍾山	雷次宗文集	同右・經學家
齊	褚伯玉	元璩		武康	86	409	494	瀑布山		《南齊書・高逸傳》
	臧榮緒	被褐先生		東莞莒縣	74	415	488	京口	晉書	同右・史學家

	關康之	伯愉		河東楊縣	63	415	477	京口	禮論	同右・經學家
	沈驎士	雲禎		武康	85	419	503	吳差山		同右
	顧歡	景怡		吳郡鹽官	64	420	483	天台山	存文四篇	同右・黃老學者
	何求	子有		廬江	56	431	486	虎丘山		同右・與弟點、胤並稱何氏三高
	何點	子晳	通隱	廬江	68	437	504	廬江	齊書	同右
	何胤	子季		廬江	86	446	531	上虞東山	周易注	同右
	劉虯	靈預		南陽	58	438	495	江陵	法華經注	同右・佛學家
	周顒	彥倫		安城	51	441	491	鍾山		《南齊書》本傳・音韻字家・佛學家
梁	陶宏景	通明		秣陵	81	456	536	句曲山	陶隱居集	《梁書・處士傳》・時號山中宰相
	謝朏	敬沖		陽夏	66	441	506	吳興	存文二篇	同右・謝莊之子
	阮孝緒	士宗		陳留	58	479	536	建康	高隱傳	同右・門人謚曰文貞居士

	諸葛璩	幼玟		陽都				京口		同右
	沈顗	處默		武康				武康		同右
	劉慧斐	文宣	離垢先生	彭城	59	478	536	東林寺		同右
	張孝秀	文逸			42	483	522	匡山		同右
北朝 魏	眭夸			高邑				高邑		《北史・隱逸傳》
北朝 魏	馮亮	靈通		南陽				嵩山		同右
北朝 魏	鄭修			北海				凡谷		同右
北朝 魏	徐則			郯縣				天台山		同右
北朝 魏	李謐	永和		趙郡	32			趙郡		同右
隋	王績	無功	東皋子	龍門	55	590	644	北山東皋	王無功文集	《隋書・隱逸傳》・王通之弟・王勃之從祖
隋	王貞	孝逸		陳留				陳留	存文一篇	《隋書・文學傳》

（四）結　語

六朝以前，入世出世，判爲兩途，志存匡濟者，迴翔廊廟，獨善其身者，棲遁山野，所謂「山林之士，往而不能反，朝廷之士，入而不能出。」（《漢書・王貢兩龔鮑傳贊》）自魏晉清談融合儒道，將此不同之兩途綰合爲一，亦即將鐘鼎與山林之界限逐漸消弭於無形。試舉東晉賢相謝安爲例：安少時寓居會稽上虞之東山，有高世之志，遊放山水三十餘年，及出而執政，既善玄言，兼能濟世，遂贏得「風流宰相」（王儉語，見《南齊書》本傳）之美譽，爲後世政治家樹立新範型。自茲厥後，一般人心目中之理想政治家，在能以出世之懷，建濟世之業，雖身居廟堂之上，而其心無異於山林之中，吾國知識分子遂奉此爲進退出處之最佳楷模，最高境界。李商隱〈安定城樓詩〉自述懷抱云：「永憶江湖歸白髮，欲迴天地入扁舟。」即言欲建立整頓乾坤之事業，然後歸隱江湖，以匡濟之壯懷，而兼山林之高趣。相傳王安石最喜此聯，則以王安石亦同此懷抱，喜商隱之詩先獲我心也。實則不但李商隱王安石如此，唐宋以降之知識分子亦罔不如此，此則吾人研究六朝隱逸思想所探得之奧祕，即謂得之於筌蹄之外亦無不可也。

（民國七十九年十一月在國立成功大學中文系主辦「魏晉南北朝文學與思想研討會」所宣讀之論文）

李商隱〈錦瑟詩〉新詮（一九九二）

錦瑟無端五十絃，一絃一柱思華年。
莊生曉夢迷蝴蝶，望帝春心託杜鵑。
滄海月明珠有淚，藍田日暖玉生煙。
此情可待成追憶，只是當時已惘然。
——李商隱〈錦瑟〉

【注　釋】

①錦瑟句：《史記・封禪書》：『泰帝使素女鼓五十絃瑟，悲，帝禁不止，故破其瑟爲二十五絃。』杜甫〈曲江對雨詩〉：『何時詔此金錢會，暫醉佳人錦瑟旁。』

②莊生句：《莊子・齊物論》：『昔者莊周夢爲蝴蝶，栩栩然蝴蝶也，自喻適志歟，不知周也。俄然覺，則蘧蘧然周也。不知周之夢爲蝴蝶歟，蝴蝶之夢爲周歟。』

③望帝句：樂史《太平寰宇記》：『蜀王杜宇，號望帝。後因禪位，自亡去，化爲子規。』按子

規爲杜鵑鳥之別名。又按杜鵑鳥之別名尚有杜宇、謝豹、子鵑、催歸、思歸等。

④滄海句：任昉《述異記》：『南海中有鮫人室，水居如魚，不廢機織，其眼能泣，泣則出珠。』按鮫人俗稱美人魚。

⑤藍田句：《長安志》：『藍田山在長安縣東南三十里，其山產玉，亦名玉山。』又干寶《搜神記》：『吳王夫差小女紫玉，悅童子韓重，欲嫁之，不得，氣結而死。重游學歸知之，往弔於墓側，玉形見贈重明珠，因延頸而作歌，重欲擁之，如煙而沒。』按詞章家常以『紫玉成煙』喻少女逝世，即本於此。義山此句蓋合用『藍田生玉』、『紫玉成煙』二義，『藍田生玉』乃極言伊人之貌美質麗，『紫玉成煙』則深痛伊人之殂逝也。

【集　解】

按歷來各家解此詩者甚多，要而歸之，不外下列十說，茲備錄之。

1. 悼　亡：①馮浩《玉谿生詩集箋注》。②張采田《玉谿生年譜會箋》。
2. 自傷身世：①朱鶴齡《李義山詩集箋注》。②民初詩人陳三立曾面告詩人江絜生，堅持此說。一九七二年江氏當面語我，除轉述陳氏之見解外，亦謂此說最爲完美無疵。
3. 自題詩集：①何焯《李義山詩集評》（《柳南隨筆》引）。②錢鍾書《管錐編》。
4. 追憶舊歡：①紀昀《李義山詩集評》。②張仁青《玉溪詩醇》。
5. 哀悼宮女飛鸞輕鳳：蘇雪林《玉谿詩謎》。

6. 對瑟興感，別無寄託：薛雪《一瓢詩話》。
7. 李商隱故意為難世人，絕無深意：黃子雲《野鴻詩的》。
8. 形容古樂府適怨清和四曲：①蘇軾答黃庭堅之語（見《緗素雜記》）。②尤袤《全唐詩話》。
9. 錦瑟為令狐楚家之青衣：①計有功《唐詩紀事》。②劉攽《中山詩話》。
10. 永無確解：①元好問〈論詩絕句〉：『望帝春心託杜鵑，佳人錦瑟怨華年。詩家總愛西崑好，獨恨無人作鄭箋。』②王士禛〈論詩絕句〉：『獺祭曾驚博奧殫，一篇〈錦瑟〉解人難。千年毛鄭功臣在，猶有彌天釋道安。』③屈復《玉谿生詩意》：『其寄託或在君臣、朋友、夫婦、昆弟間，或實有其事，俱不可知。……作者固未嘗語人，解者其誰曾起九原而問之哉。』

【新詮】

此詩解者聚訟紛紜，仁智互見，迄無定論，世多憾之。其實唯美文學之佳者，常在可解與不可解之間。作者在創作之初，只供自己吟哦、欣賞，並未打算與他人讀，乃至不希望有人讀，但求感情之發洩，中懷之舒暢，即已畢其能事。此則偏重精神作用之唯美文學與偏重教化功能之工具文學之最大不同處。吾人苟能持此觀點以鑑賞李義山若干詞意晦澀之詩篇，必不致牽強某人某事以解之，徒貽膠柱鼓瑟之譏。

在作新詮以前，須先對此詩作一簡單說明：

1. 以錦瑟與美人相提並論向為詞章家之慣用手法，因此可以斷定此詩必與美人有關。而素女鼓瑟，悲淚縱橫，又可以斷定此詩必與男女之情有關，而且此一段戀情亦必然是以悲劇收場。

2. 五十絃顯示詩人對短暫生命之哀歎，亦是對繁複人生之迷惘。

3. 蝴蝶外形亮麗，而生命短暫，正以象徵感情生活之多采多姿，亦是象徵人壽之不永。

4. 望帝之魂化為杜鵑，為富有悲劇色彩之神話故事，用以自喻心境之苦。又杜鵑啼叫，非至血出，不肯停止，亦用以自喻情意之堅。

5. 鮫人泣珠以喻感情豐富，淚腺發達，相戀期間，往往以淚眼相對。

6. 潤滑而實在之美玉與飄渺而迷幻之輕煙形成強烈之對比，以喻心波之起伏不定，懷疑世上美好之物是否必遭摧折，觀顏延之〈祭屈原文〉『蘭薰而摧，玉縝則折』可證。

明乎上陳六事，則此詩大旨即不難推定。吾今大膽推定此詩必為詩人失戀後，追憶前情，重自哀傷之作。首句以錦瑟象徵悲情，言己無端而巧遇此奇緣，與彼女相戀，為之狂喜；然自始即預感其非豔遇，恐將以悲劇收場，奇緣竟成孽緣。二句以絃柱象徵戀愛期間之悲歡歲月，兩情繾綣，令人回味無窮。三句言此段愛情深覺如夢如迷，但為期甚短，是為憾事。四句言一片癡情，直若鵑叫蜀山，非至血枯，不肯收聲，有『海枯石爛，此志不移』之意。五句言伊人明眸愛哭，極富情義。六句言彼女玉潔冰清，楚楚動人，深可愛戀；不意天妒良緣，竟以悲劇收場；或如紫玉成煙，已然殂逝，亦未可知。末二句言此段愛情已經成為過去，只恨當時中心迷惘，未能倍加珍惜，往事成空，徒留鴛思，痛悔之情，流露紙上。

按馮浩張采田均肯定〈錦瑟〉爲悼亡之作，時賢亦多有附和者。然玩繹詩旨，實有可議。良以悼亡之作，貴在寫實，或稱美亡妻之賢德，觀附錄悼亡詩五首，可爲佐證。才高如義山者，斷無不知之理。揚搉言之，此詩原即晦澀難解，而又連用三個神話故事，使其意旨愈益迷離惝恍，有如墮入五里霧中。實則義山撰寫艷體詩，類都慣用此一手法，不足詫異。揆其用心，無非是在美化、神化彼所愛戀之女子而已，保護雙方之名節則猶其餘事焉耳。故吾今特大膽爲紀曉嵐作桴鼓之應，斷然認定〈錦瑟詩〉爲義山『追憶舊歡』之作，亦庶乎其有當也夫。

【附錄】悼亡詩五首

悼亡詩 三首之一

潘岳

荏苒冬春樹，寒暑忽流易。之子歸窮泉，重壤永幽隔。
私懷誰克從，淹留亦何益。僶俛恭朝命，迴心反初役。
望廬思其人，入室想所歷。幃屏無彷彿，翰墨有餘跡。
流芳未及歇，遺掛猶在壁。悵怳如或存，周遑忡驚惕。
如彼翰林鳥，雙栖一朝隻。如彼游川魚，比目中路析。

春風緣隙來，晨霤承簷滴。寢息何時忘，沈憂日盈積。
庶幾有時衰，莊缶猶可擊。

遣悲懷三首

元　稹

謝公最小偏憐女，自嫁黔婁百事乖。顧我無衣搜藎篋，泥他沽酒拔金釵。
野蔬充膳甘長藿，落葉添薪仰古槐。今日俸錢過十萬，與君營奠復營齋。（其一）
昔日戲言身後意，今朝都到眼前來。衣裳已施行看盡，針線猶存未忍開。
尚想舊情憐婢僕，也曾因夢送錢財。誠知此恨人人有，貧錢夫妻百事哀。（其二）
閒坐悲君亦自悲，百年多是幾多時。鄧攸無子尋知命，潘岳悼亡猶費辭。
同穴窅冥何所望，他生緣會更難期。惟將終夜長開眼，報答平生未展眉。（其三）

悼亡

秦　略

自古生離足感傷，爭教死別便相忘。荒陂何處墳三尺，老眼他鄉淚數行。
多事春風吹夢散，無情冷月照更長。還家恰是新寒節，忍見堂空紙掛牆。

（民國八十一年十月在國立中山大學中文系主辦之「唐代文學學術研討會」所宣讀之論文）

蕭統之文學思想（一九九二）

【提　要】

蕭梁一代，雖國祚短淺，而吟詠滋盛，文運之隆，不僅在六朝中稱最，即謂在整個中國歷史上稱最亦無不可。蓋武帝得國之後，扢揚風雅，誕敷文教，措國家於磐石之安者長達半世紀，是即庾子山所謂『五十年間，江表無事』之時代。蕭統生丁茲世，自不能不深受濡染，時日既久，亦自有其對文學之好惡與主張。其彰明較著者大約分爲六端：

㈠**文學進化論**　言文學一若凡百事物，只有日趨美化，斷無重返淳素之理。

㈡**緣　情　説**　言文學創作之目的，在於發抒一己之情感，故文學不能脱離情感而獨立。

㈢**文學封域論**　蕭統所輯《文選》，其選文原則大抵皆奇偶相雜之純文學。

㈣**文質和諧論**　強調美術文學必須内容與形式並重，不宜偏枯

㈤**文　德　論**　蕭氏在道德觀念上猶帶儒家傳統色彩，主張文學應與道德相表裏，庶可免於文人無行之譏。

(六)文體論

蕭氏選文，僅得三十八體，略少於他家。惟入選文體均合於其所標榜之『沈思』『翰藻』宗旨，劍履相及，宜無間然。

以上爲蕭統文學思想之精華所在，其畢生心志所傾注者概見於此。因不憚辭費，略加推闡，庶幾先賢之勝義妙諦，粲然彰明於世。

蕭梁享國雖淺，而文學理論家輩出，撰述宏富，紛然雜陳，要而歸之，略分三派：一曰守舊派，鍾嶸、裴子野、劉之遴（《梁書・劉之遴傳》：『之遴好屬文，多學古體，與河東裴子野、沛國劉顯常共討論書籍，因爲交好。』）等屬之。二曰趨新派，蕭綱、蕭子顯、徐陵等屬之。三曰折衷派，劉勰、蕭統、劉孝綽等屬之。折衷云者，謂調和於新舊之間，而不爲已甚。此派以劉勰開其先，蕭統主其盟，劉孝綽等則其羽翼者也。

蕭統字德施，武帝長子，世稱昭明太子。少有文譽，引納才學之士，賞愛無倦。恆自討論篇籍，或與學士商榷古今，間則繼以文章著述，率以爲常。於時東宮有書幾三萬卷，名才並集，文學之盛，晉宋以來，未之有也。著有《昭明太子集》二十卷，又撰古今典誥文言爲《正序》十卷，五言詩之善者爲《文章英華》二十卷，《文選》三十卷。

昭明生値南齊末葉，於時東昏失德，屠戮大行，王公貴族授首闕下者踵相接，昭明雖未能親見，然耳之所聞，已足驚心。逮年事稍長，輒感於福禍無常，哀樂難憑，雖貴爲帝胄，亦莫能外之，於是自然主義思想遂隱然勃發，而時時流露於篇什之中焉。

夫自衒自媒者，士女之醜行，不忮不求者，明達之用心。是以聖人韜光，賢人遁世，其故何也。含德之至，莫踰於道，親己之切，無重於身。故道存而身安，道亡而身害。處百齡之內，居一世之中，倏忽比之白駒，寄寓謂之逆旅，宜乎與大塊而榮枯，隨中和而任放，豈能戚戚勞於憂畏，汲汲役於人間。齊謳趙舞之娛，八珍九鼎之食，結駟連鑣之遊，侈袂執圭之貴，樂則樂矣，憂亦隨之。何倚伏之難量，亦慶弔之相及。智者賢人居之，甚履薄冰，愚夫貪士競此，若泄尾閭。玉之在山，以見珍而招破，蘭之生谷，雖無人而猶芳。故莊周垂釣於濠，伯成躬耕於野，或貨海東之藥草，或紡江南之落毛。譬彼鴛雛，豈競鳶鴟之肉，猶斯雜縣，寧勞文仲之牲。至如子常寧喜之倫，蘇秦衛鞅之匹，死之而不疑，甘之而不悔。主父偃言：『生不五鼎食，死即五鼎烹。』卒如其言，亦可痛矣。（〈陶淵明集序〉）

人類生命，既如駒隙之俄遷，世間利祿，又如腐鼠之無味，惟有極力提高精神生活，庶幾不爲外物所奴役。

性愛山水，於玄圃穿築，更立亭館，與朝士名素者遊其中。嘗泛舟後池，番禺侯軌盛稱『此中宜奏女樂』。太子不答，詠左思〈招隱詩〉曰：『何必絲與竹，山水有清音。』侯慚而止。出宮二十餘年，不畜聲樂。少時，敕賜太樂女妓一部，略非所好。（《梁書》本傳）

絲竹女樂，固能滿足耳目一時之欲，事後依然有空虛寂寞之感，猶未若縱情山水之爲得也。

> 或曰因春陽，其物韶麗，樹花發，鶯鳴和，春泉生，暄風至，陶嘉月而嬉游，藉芳草而眺矚。或朱炎受謝，白藏紀時，玉露夕流，金風多扇，悟秋山之心，登高而遠託。或夏條可結，倦於邑而屬詞，冬雪千里，睹紛霏而興詠。……不如子晉，而事似洛濱之遊，多愧子桓，而興同漳川之賞。漾舟玄圃，必集應阮之儔，徐輪博望，亦招龍淵之侶。校覈仁義，源本山川，旨酒盈罍，嘉肴溢俎。曜靈既隱，繼之以朗月，高春既夕，申之以清夜。（〈答湘東王求文集及詩苑英華書〉）

蓋經常投入大自然之懷抱，藉芳草，悟秋心，方能使襟懷日益高潔，人生日益優美，而終則上達於列仙渾然忘我，與天地同遊之理想境界。其對大自然之崇拜，與夫對神仙世界之嚮往，有非常人所能企及者。

> 昭明太子愛文學士，常與筠及劉孝綽、陸倕、到洽、殷芸等遊宴玄圃，太子獨執筠袖撫孝綽肩而言曰：『所謂「左挹浮丘袖，右拍洪崖肩。」』（《梁書．王筠傳》）

惟其胸次高曠，才識深美，乃逐漸由對大自然之崇拜轉而對純文學之熱愛，故其文學理論獨能折衷諸家，模範百世也。今試分別言之。

（一）文學進化論

儒家自來有一根深蒂固觀念，即今不如古，古必勝今，故人必稱堯舜，言必尊先王，似後人之智慧、努力無一可取者。不知人文發展，恆循螺旋而轉動，遞革而遞進，此社會之所以繁複而日新也。東漢王充對儒家此種人文退化觀頗有微詞，乃力倡變古爲高之說，期有以恢復人類之自尊，而不盲目崇古。東晉葛洪承其遺意，又進一步提倡今必勝古之說，強調古書多隱難曉之因，在於時移世異，語文變遷，簡牘殘缺，非古人智慧勝於今人也。昭明復推闡葛氏之論，以物質文明印證後世之雕飾不遜於古昔之淳素，尤具卓見。質文既有代變，人事日益繁雜，則文章之富美日新，內容之翻空詭譎，乃進步之徵象。若曰凡百事物均日趨進化，惟獨文章一道反日趨退化，是乃不通之論也。於是高揭文學進化論之大纛，徹底粉碎尚古主義者之迷夢，使文學脫離迂儒之牢籠而趨於純淨，獲得獨立而自由發展。其思想可謂新矣，其立論可謂勇矣。

式觀元始，眇覿玄風，冬穴夏巢之時，茹毛飲血之世，世質民淳，斯文未作。逮伏羲氏之王天下也，始畫八卦，造書契，以代結繩之政，由是文籍生焉。《易》曰：『觀乎天文，以察時變，觀乎人文，以化成天下。』文之時義遠矣哉。

若夫椎輪爲大輅之始，大輅寧有椎輪之質，增冰爲積水所成，積水曾微增冰之凜。何哉，蓋踵其事而增華，變其本而加厲。物既有之，文亦宜然，隨時變改，難可詳悉。（〈文選

序〉）

言文字肇興，僅具實用價值，其後人文日繁，而載文之工具日便，外內表裏，遂相資而彌盛，由質趨文，由樸趨麗。易詞言之，即由摛詞淳素變爲麗藻繽紛，由實用價值轉入藝術價值。此則以變動的歷史眼光投射於文學發展之軌跡上，而作點、線、面之綜合觀察，遂成千秋定論。劉勰亦有此種觀念，其《文心雕龍・通變篇》云：

黃唐淳而質，虞夏質而辨，商周麗而雅，楚漢侈而豔，魏晉淺而綺，宋初訛而新。

又贊云：

文律運周，日新其業，變則其久，通則不乏。趨時必果，乘機無怯，望今制奇，參古定法。

或曰，昭明嘗敬禮劉勰（事見《梁書・文學傳》），文學理論不免受其啓發，其或然歟。

（二）緣情說

一篇美的文章，必有眞情以絡之，此自晉陸機以後文學批評家之一致看法也。昭明亦云：

詩者，蓋志之所之也，情動於中而形於言。（〈文選序〉）

又云：

其文章不群，辭彩精拔，跌宕昭彰，獨超眾類，抑揚爽朗，莫之與京。橫素波而傍流，干青雲而直上。語時事則指而可想，論懷抱則曠而且眞。（〈陶淵明集序〉）

頗能探究文章之本。蓋文藝創作乃所以抒情，必有其情者始克有其文，無其情而勉強爲之，直若無源之水，無根之木，其枯涸可立而待也。昭明又謂惟『綜緝辭采，錯比文華，事出沈思，義歸翰藻』之作，乃得稱爲美文。故文章之美者，除內秉眞誠之情，自然流露以出外，仍須有思想、詞華以佐之。西哲亨德(Theodore W. Hunt)亦云：

文學爲貫徹想像、感情(feelings)、興趣、思想之文字表現，而使一般人易於理解，並引起其興味於無形中者也。（〈文學原理及問題〉）

是則感情乃文學之基本動力，中西學者所見大致相同也。

（三）文學封域論

文學有廣狹二義：舉凡經史子集，以至語錄小說，而具有文學之形式者，皆是文學，此文學之廣義者也。惟巧思內運，詞華外現，而具有藝術美之作品，始可稱爲文學，此文學之狹義者也。昭明論文，取其狹義。

若夫姬公之籍，孔父之書，與日月俱懸，鬼神爭奧，孝敬之準式，人倫之師友，豈可重以芟夷，加之剪截。

老莊之作，管孟之流，蓋以立意爲宗，不以能文爲本，今之所撰，又以略諸。

若賢人之美辭，忠臣之抗直，謀夫之話，辯士之端，冰釋泉涌，金相玉振。所謂坐狙丘，

> 議稷下，仲連之卻秦軍，食其之下齊國，留侯之發八難，曲逆之吐六奇，蓋乃事美一時，語流千載，概見墳籍，旁出子史。若斯之流，又亦繁博，雖傳之簡牘，而事異篇章，今之所集，亦所不取。
>
> 至於記事之史，繫年之書，所以褒貶是非，紀別同異，方之篇翰，亦已不同。若其讚論之綜緝辭采，序述之錯比文華，事出於沈思，義歸乎翰藻，故與夫篇什雜而集之。（〈文選序〉）

此則以純藝術性之觀點，嚴定文學之封域。蓋自建安以前，文學寄居儒家之籬下，固無獨立可言。建安以後，雖已逐漸蔚爲大國，而世人觀念，多取廣義，內涵無所不包，實屬大而無當。昭明有鑒於此，以爲非嚴定其封域，不足以順應洶湧而至之唯美思潮，亦即非嚴律其繩尺，不足以饜當世重文相感之心。其封域爲何，即作品須具備『綜緝辭采，錯比文華，事出沈思，義歸翰藻』諸條件者，始可稱之爲文學。（按此雖昭明選文特例，實則全書之通例也。）故經子史應摒除於文學範疇之外，以其不合於上述條件也。（惟史傳中之『讚論』『序述』除外）蓋周孔之經，所以明道，老莊百家，重在立意，馬班諸史，偏於記事，皆利用文字作表達工具，故此等文字，祇能視爲經史百家之文，而非文人之文。文人之文，以文爲主，匠心默運，機杼別出，專意經營，並無外在之束縛，即今人所謂純粹爲文學而文學者也。清阮元闡述其說云：

> 昭明所選，名之曰文，蓋必文而後選也，非文則不選也。經也，子也，史也，皆不可專名

之爲文也。故昭明〈文選序〉後三段特明其不選之故，必沈思翰藻，始名之爲文，始以入選也。或曰：昭明必以沈思翰藻爲文，於古有徵乎。曰：事當求其始。凡以言語著之簡策，不必以文爲本者，皆經也，史也，子也。言必有文，專名之曰文者，自孔子《易・文言》始。傳曰：『言之無文，行之不遠』，故古人言貴有文。孔子〈文言〉實爲萬世文章之祖，此篇奇偶相生，音韻相和，如青白之成文，如〈咸〉〈韶〉之合節，非清言質說者比也，非振筆縱書者比也，非佶屈澀語者比也。是故昭明以爲經也，史也，子也，非可專名之爲文也，專名爲文，必沈思翰藻而後可也。自唐宋韓蘇諸大家以奇偶相生之文爲八代之衰而矯之，於是昭明所不選者，反皆爲諸家所取。故其所著者非經即子，非子即史，求其合於昭明〈序〉所謂文者鮮矣，合於班孟堅〈兩都賦序〉所謂文章者更鮮矣。其不合之處，蓋分於奇偶之間。經子史多奇而少偶，故唐宋八家不尚偶。《文選》多偶而少奇，故昭明不尚奇。如必以比偶非文之古者而卑之，則孔子自名其言曰文者，一篇之中偶句凡四十有八，韻語凡三十有五，豈可以爲非文之正體而卑之乎。（〈書梁昭明太子文選序後〉○見《文筆考》）

章太炎駁之曰：

昭明太子序《文選》也，其於史籍則云不同篇翰，其於諸子則云不以能文爲貴。此爲裒次總集，自成一家，體例適然，非不易之定論也。《抱朴子・百家篇》曰：『狹見之徒，區區執一，惑詩賦瑣碎之文，而忽子論深美之言，眞僞顚倒，玉石混殽，同廣樂於桑間，均龍章於素質。』斯可以箴矣。且沈思孰若莊周荀卿，翰藻孰若《呂氏》《淮南》，總集不摭九流之篇，格於科律，固不應爲之詞。誠以文筆區分，《文選》所集，無韻者猥眾，豈獨諸子。若云文貴其彣耶，未知賈生〈過秦〉，魏文〈典論〉，同在諸子，何以獨堪入錄。有韻文中既錄漢祖〈大風〉之曲，即《古詩十九首》亦皆入選，而漢晉樂府反有憖遺。是其於韻文也，亦不以節奏低卬爲主，獨取文采斐然，足耀觀覽，又失韻文之本矣。是故昭明之說本無以自立者也。（〈文學總略〉〇見《國故論衡》）

按二說各有精義，蓋仁智所見，不能盡同也。今不暇多辯，但舉《史記》《漢書》之〈公孫弘等傳贊〉以備商略：

《史記・平津侯主父偃傳贊》：

太史公曰：公孫弘行義雖脩，然亦遇時。漢興八十餘年矣，上方鄉文學，招俊乂，以廣儒墨，弘爲舉首。主父偃當路，諸公皆譽之，及名敗身誅，士爭言其惡。悲夫。

《漢書・公孫弘等傳贊》：

贊曰：公孫弘、卜式、兒寬皆以鴻漸之翼困於燕爵，遠跡羊豕之間，非遇其時，焉能致此位乎。是時漢興六十餘載，海內艾安，府庫充實，而四夷未賓，制度多闕。上方欲用文武，求之如弗及，始以蒲輪迎枚生，見主父而歎息。群士慕嚮，異人並出。卜式拔於芻牧，弘羊擢於賈豎，衛青奮於奴僕，日磾出於降虜，斯亦曩時版築飯牛之朋已。漢之得人，於茲爲盛，儒雅則公孫弘、董仲舒、兒寬，篤行則石建、石慶，質直則汲黯、卜式，推賢則韓安國、鄭當時，定令則趙禹、張湯，文章則司馬遷、相如，滑稽則東方朔、枚皐，應對則嚴助、朱買臣，曆數則唐都、洛下閎，協律則李延年，運籌則桑弘羊，奉使則張騫、蘇武，將率則衛青、霍去病，受遺則霍光、金日磾，其餘不可勝紀。是以興造功業，制度遺文，後世莫及。孝宣承統，纂修洪業，亦講論六藝，招選茂異，而蕭望之、梁丘賀、夏侯勝、韋玄成、嚴彭祖、尹更始以儒術進，劉向、王褒以文章顯，將相則張安世、趙充國、魏相、丙吉、于定國、杜延年，治民則黃霸、王成、龔遂、鄭弘、召信臣、韓延壽、尹翁歸、趙廣漢、嚴延年、張敞之屬，皆有功跡見述於世。參其名臣，亦其次也。

前者略無藻采，昭明屏於美術文學之外，後者詞華爛然，故選之。許文雨《文論講疏》云：『案文辭加綜緝錯比之功者，即劉勰所謂麗辭。謂事出沈思，則非振筆縱書，義歸翰藻，則非清言質說。』所謂『辭采』『文華』『麗辭』『翰藻』，均屬美術文學之條件，亦即文字經過美學(Aesthetics)之處理者也。所謂『沈思』，即創作文藝之想像力，想像力豐富之作品，始可言美，始可言美術價值。昭明選文宗旨固不外乎是，其中心思想亦不外乎是。其價值在此，而後人爭議之焦點亦在此。

（四）文質和諧論

昭明既大力提倡美術文學，並精選周秦以來一千餘年之美文，以沾益後生。惟美之極致，或將流於淫靡（如『宮體詩』是），或將專重外形（如後人所謂『選派』），皆非其所以選文之初衷，故又發為文質和諧之論。

夫文典則累野，麗則傷浮，能麗而不浮，典而不野，文質彬彬，有君子之致。吾嘗欲為之，但恨未逮耳。（〈答湘東王求文集及詩苑英華書〉）

意謂摛辭華麗並非文章之病，惟華而有實，麗不傷浮，始臻佳妙。易詞言之，必形式與內容調劑得中，始能臻於文質彬彬之最高境界。觀其文學理想，蓋以美妙人生為內涵，卓越藝術為外形者也。

（五）文德論

昭明論文，既主文質相劑，故過與不及，均非所宜。而專以描寫肉慾為能事之色情文學，尤嚴拒於千里之外。

〈關雎〉〈麟趾〉，正始之道著，桑間濮上，亡國之音表。（〈文選序〉）

所作〈陶淵明集序〉，於陶公為人，深致傾慕，於陶公文章，亦推崇備至，獨於其〈閑情〉一賦頗有微辭。

余愛嗜其文，不能釋手，尚想其德，恨不同時，故加搜校，粗爲區目。白璧微瑕，惟在〈閑情〉一賦，揚雄所謂勸百而諷一者，卒無諷諫，何足搖其筆端，惜哉無是可也。

按昭明所謂白璧微瑕，蓋指其中間一段描寫情愛部分，茲全錄之：

願在衣而爲領，承華首之餘芳。悲羅襟之宵離，怨秋夜之未央。
願在裳而爲帶，束窈窕之纖身。嗟溫涼之異氣，或脫故而服新。
願在髮而爲澤，刷玄鬢於頹肩。悲佳人之屢沐，從白水以枯煎。
願在眉而爲黛，隨瞻視以閒揚。悲脂粉之尚鮮，或取毀於華妝。
願在莞而爲席，安弱體於三秋。悲文茵之代御，方經年而見求。
願在絲而爲履，附素足以周旋。悲行止之有節，空委棄於牀前。
願在晝而爲影，常依形而西東。悲高樹之多蔭，慨有時而不同。
願在夜而爲燭，照玉容於兩楹。悲扶桑之舒光，奄滅景而藏明。
願在竹而爲扇，含淒飈於柔握。悲白露之晨零，顧襟袖以緬邈。
願在木而爲桐，作膝上之鳴琴。悲樂極以哀來，終推我而輟音。

此篇描繪美人之高潔，陳訴戀情之深功，好色而不淫，怨誹而不亂，乃〈離騷〉後難得一見之創格。其撰作緣由，現雖無從探究，但觀其寄託遙深，情意宛轉，則可斷爲一篇象徵主義(Symbolism)之作品，未可以等閒兒女之情目之也。昭明乃承襲自漢尊《毛詩》爲經典以後文章與道德混爲一談之觀念，以爲此篇足損陶公高致，或亦《春秋》責備賢者之意乎。惟蘇軾則深不以爲然，其〈題文選〉云：

淵明作〈閑情賦〉，所謂『〈國風〉好色而不淫』者，正使不及〈周南〉，與屈宋所陳何異，而統大譏之，此乃小兒強作解事者。（〈東坡題跋〉）

迴護陶公，可謂不遺餘力。韓淲（宋人）駁之云：

東坡謂梁昭明不取淵明〈閑情賦〉，以爲小兒強解事。〈閑情〉一賦雖可以見淵明所寓，然昭明不取亦未足以損淵明之高致。東坡以昭明爲強解事，予以東坡爲強生事。（《澗泉日記》）

除指斥蘇氏外，於陶公昭明均未作左右袒，甚具卓識。明清二代，爭訟益繁，歸納其說，要不出正反折衷三派，茲遴載一二，以爲談辯之助焉。

【一】贊同昭明者

❶明郭子章《豫章詩話》：

陶彭澤《閑情賦》，蕭昭明云：『白璧微瑕，惟在〈閑情〉一賦。』東坡曰：『淵明作〈閑情賦〉，所謂「〈國風〉好色而不淫」，正使不及〈周南〉，與屈宋所陳何異，而統大譏之，此乃小兒強作解事者。』昭明責備之意，望陶以聖賢，而東坡止以屈宋望陶，屈猶可言，宋則非陶所願學者。東坡一生不喜《文選》，故不喜昭明。

㈢清方東樹《續昭昧詹言》：

昔人謂正人不宜作豔詩，此說甚正，賀裳駁之非也。如淵明〈閑情賦〉，可以不作。後世循之，直是輕薄淫褻，最誤子弟。

【二】贊同陶公者

㈠明何孟春註《陶靖節集》：

賦情始楚宋玉、漢司馬相如，而平子伯喈繼之為〈定〉〈靜〉之辭。而魏則陳琳阮瑀作〈止欲賦〉，王粲作〈閑邪賦〉，應瑒作〈正情賦〉，曹植作〈靜思賦〉，晉張華作〈永懷賦〉，此靖節所謂奕世繼作，並固觸類，廣其辭義者也。

㈡明張自烈輯《箋註陶淵明集》：

按昭明序云：『白璧微瑕，惟在〈閑情〉一賦。』愚謂昭明識見淺陋，終未窺淵明萬一。盲者得鏡，用以蓋卮，固不足怪。

㈢民國陳衍〈石遺室論文〉：

其序《陶淵明集》，指其〈閑情〉一賦，以為白璧微瑕，乃於〈高唐〉、〈神女〉、〈好色〉、〈洛神〉諸賦，則無不選入，此何說哉。且題曰〈閑情〉，乃言防閑情之所至也，何所用其疵點乎。後世選家不選，殆自謂所選皆有關人心世道之文，合於立德立功之旨。乃歸有光〈寒花葬誌〉，自寫與妻婢調笑情狀，頗不莊雅，而姚惜抱選入《古文辭類纂》，曾滌生選入《經史百家雜鈔》，謂之何哉。

【三】不爲左右袒者

清吳觀文批校《陶淵明集・陶淵明集序》批語：

至於淵明〈閑情〉一賦，其自序曰：『雖文妙不足，庶不謬作者之意。』所謂作者之意，即上張蔡兩賦，所謂『檢逸辭而宗澹泊，始則蕩以思慮，而終歸閑正。將以抑流宕之邪心，諒有助於諷諫』云爾也。予細玩其賦，如『願在衣而爲領』等語，何等流宕，而終結之曰：『尤〈蔓草〉之爲會，誦〈邵南〉之餘歌。坦萬慮以存誠，憩遙情於八遐。』則終歸閑正矣。作者之意若曰：吾如是之蕩以思慮，而終無益也，則不如『坦萬慮以存誠』而已，此豈非有助于諷諫乎。而昭明乃謂其卒無諷諫，其論亦已過矣。雖然，昭明之論〈閑情賦〉則爲過當，而其言『卒無諷諫，何必搖其筆端』二語，要自爲作文之正論也。予觀後世之學義山詩者，徒習其浮靡流宕之詞，而失其旨，不能終歸閑正。予嘗謂孔子若作，則此等詩皆當入刪詩之例，惟其謬於作者之意也，使得聞『卒無諷諫』二語，當亦廢然返矣。然則昭明之論豈可以其過當而盡非之哉。

（六）文體論

文體莫備於梁朝，亦莫嚴於梁朝。昭明選文，獨具佛眼，七代文體，甄錄略盡，凡分體三十有八，持較《文心》，名目雖小有出入，大體則適相符合。茲造表比較之，以明其異同。

《文選》與《文心雕龍》文體分類異同表

文選	文心	文選	文心	文選	文心	文選	文心
①賦	賦	⑫啓	奏啓	㉓頌	頌讚	㉞碑文	誄碑
②詩	詩・樂府	⑫彈事	奏啓	㉔贊	頌讚	㉟墓誌	誄碑
③騷	（騷）	⑭牋	書記	㉕符命	封禪	㊱行狀	○
④七	雜文	⑮奏記	奏啓	㉖史論	論說	㊲弔文	哀弔
⑤詔	詔策	⑯書	書記	㉗史述贊	頌讚	㊳祭文	哀弔
⑥册	詔策	⑰移	檄移	㉘論	論說	○	史傳
⑦令	詔策	⑱檄	檄移	㉙連珠	雜文	○	諸子
⑧教	詔策	⑲對問	雜文	㉚箴	銘箴	○	諧隱
⑨文	詔策	⑳設論	雜文	㉛銘	銘箴	○	議對
⑩表	章表	㉑辭	（騷）	㉜誄	誄碑		
⑪上書	奏啓	㉒序	論說	㉝哀	哀弔		

觀此表知《文心》所有而《文選》所無者凡四：一曰史傳，二曰諸子，三曰諧隱，四曰議對。此四體者，皆非沈思翰藻之作，不符昭明之選文宗旨，故予以排除。此外，賦又分爲十五子目，詩

又分爲二十三子目，亦皆他書所無者。此則昭明區分文體之特色，蓋集衆家之大成者也。按《文選》成於衆手，可能參與編纂者，有劉孝綽、王筠、殷芸、到洽、徐勉、到沆、張率、王規、殷鈞、王錫、張緬、張纘、陸襄、何思澄、劉苞、謝舉、劉杳等（據《南史》《梁書》各本傳所作之推測），均屬一時之選，昭明必與之商酌再三，相互辯難，思之至愼，計之至熟，然後出之。其非師心自用，貿然決定，可以斷言。至其分類所以如此細密者，以梁初文風特盛，作者蔚起，文體日益繁夥，內容日益複雜，非有精密之畫分，不足以應時代之需要，事實具在，無待喋喋矣。

惟後世不慊意此種分類法者甚多，蘇軾恨其『編次無法，去取失當。』（〈題文選〉）姚鼐譏爲『分體碎雜，立名可笑。』（《古文辭類纂・序目》）蓋責其乖離瑣細，不能執簡馭繁也。孫德謙亦云：

> 六朝以前，文章無有選本，昭明《文選》，固後世選家之所宗也。惟選文當以體裁爲主，昭明之選，其例誠善，宜爲姚鉉而下，遞相師祖。但每類之中，所用子目，如賦之曰志、曰情，不免爲細已甚。即賦爲六義附庸，今先賦後詩，識者譏之，是也。（《六朝麗指》）

以先賦後詩，不明本源責之，固極有見。然賦在兩漢，已以附庸蔚爲大國，至梁代更與五言詩、駢體文並稱文藝界之三大主流。故孰先孰後，實無關宏旨，不必深究。姚永樸則云：

> 欲學文章，必先辨門類，門者其綱也，類者其目也。總集古以《文選》爲美備，故王厚齋《困學紀聞》云：『李善精於《文選》，爲注解，因以講授，謂之《文選》學。』少陵有

詩云：『續兒誦《文選》。』又訓其子云：『熟精《文選》理。』蓋選學自成家。陸放翁《老學庵筆記》亦云：『宋初此書盛行，士爲之語曰，《文選》爛，秀才半。』然其中錄文既繁，分類復瑣。蘇子瞻題之云：『恨其編次無法，去取失當。』亦不可謂盡誣。蓋文有名異而實同者，此種只當括而歸之一類中，如『騷』『七』『難』『對問』『設論』『辭』之類，皆詞賦也。『表』『上書』『彈事』，皆奏議也。『箋』『啓』『奏記』『書』，皆書牘也。『詔』『冊』『令』『教』『檄』『移』，皆詔令也。『序』及諸史論贊，皆序跋也。『頌』『贊』『符命』，同出褒揚。『誄』『哀』『祭』『弔』，並歸傷悼。此等昭明皆一一分之，徒亂學者之耳目。（《文學研究法・門類》）

更具體指出其分類缺失所在。以上皆文學家之觀點，或因立場不同（如二姚皆桐城派鉅子），持論遂異。雖然，文體分類之難有三：一曰素材不全，二曰標準不定，三曰抉別不精。自古至今，尚無一部令人滿意之選本，其故在此。夫前修未密，後出轉精，乃學術進步之必然現象，若《文選》既導總集之先河，先哲嘔心瀝血之作，復賴此而存，則分類偶有瑕疵，亦未足深怪也，況其識見且在前代諸家之上乎。

抑有進者，《文選》與《文心雕龍》又同爲六朝唯美文學之兩部要籍，《文選》乃選錄唯美文學作品之總集，《文心》則評騭唯美文學作家之得失，其影響於後世文學者至深且遠。他勿具論，即以文體分類一端言之，自乾嘉以來，辨析文體之風甚熾，要而歸之，約分三派：一曰駢文派，一曰散文派，一曰駢散合一派。無論其爲何派，均崇奉蕭劉二氏爲宗主，論點亦不能溢出於二書畛畦之外。茲試製一表以明之。

近代文體分類師承表

文選	孫梅・阮元	駢文派
	姚鼐・曾國藩	散文派
文心雕龍	李兆洛・章炳麟	駢散合一派

觀此，則知其沾溉文苑、裨益詞林者，歷千百年而未已，謂非梁代文學之雙璧，中古文學之瑰寶可乎。

（民國八十一年八月在中國・長春師範學院與日本・敬和學園大學聯合主辦之「文選學國際學術研討會」宣讀之論文）

宋代駢文新探（一九九四）

宋太祖趙匡胤由陳橋兵變奪取政權，並次第鞭笞群雄，統一南北，而建立一個高度集權之專制帝國。其後復用「杯酒釋兵權」之政治手腕，解除諸將之軍權，徹底改變兵制，總督師干，悉改由文人出任，如韓琦、范仲淹、文天祥均爲文科進士及第之將相。此外，爲防止大臣擅權，更建立嚴密的監察制度。爲提倡文人政治，乃一再強調「宰相須用讀書人」，趙普且暢言以半部《論語》佐太祖定天下，以半部佐太宗致太平。爲廣獲百官擁戴，竟罔顧財政平衡，實行高薪厚俸，儒臣顯榮，亙古以來，未之前聞。尤有進者，爲羈縻知識分子，竟作踐天下名器，而廣開仕進之路，每屆科舉考試，錄取進士常達七八百人（唐代不過二三十人而已）。此種特重「文治」、輕忽「武功」之政策，影響所及，遂使國家積弱不振，版圖日益縮小，而終爲外族所覆滅。

惟天下之事，往往利弊互見，利之所在，弊亦隨之，反之亦然。宋代崇文抑武之治術，固有害於民族之強大，國威之遠揚，是爲其短處。但一般聰明魁傑之士，相率遁入文苑書圃，或挑燈苦讀，或創作詞藝，遂使宋代文壇朝氣蓬勃，大放奇采，呈現曠古未有之壯觀。尤其作家作品之數量，更是驚人耳目。僅據《全宋詞》所載，即有詞人一千三百餘家，詞作近二萬首，比唐五代詞多出近十倍。宋代詩家約爲一萬一千餘人，詩作三十餘萬首，亦均高出唐代五六倍。宋代別集與駢文、散文數量尤倍蓰於唐人。至於創作技巧，亦多能推陳出新，別開生面；其尤慧黠者，更已臻於登峰造極，爐火純青，出神入化之絕詣，幾令後人無所措手足。故終宋之世，雖未能揚旌遼海，飲馬長城，然即此一端，似足以彌補缺憾，差堪告慰已。

近今一般文學史家及文學評論家，言及宋代文學，率多止於詩、詞、散文、話本小說、戲劇而已，於駢文一體，則不甚詳談，或竟付闕如，扣盤捫燭，爲憾實甚。此固無關乎價值之取向，亦無關乎心態之偏頗，實乃見所未周之故。是以不憚辭費，探其幽隱，庶幾先士茂製，粲然復明於世。

蓋嘗試論之，時無論古今，地靡間中外，當一種文體通行相當年代以後，必蛻變而成他體，蓋勢使之然也。顧炎武《日知錄・詩體代降條》云：

> 《三百篇》之不能不降而《楚辭》，《楚辭》之不能不降而漢魏，漢魏之不能不降而六朝，六朝之不能不降而唐也，勢也。

此雖專指詩體而言，而駢文蛻變之情況亦莫能外是。余以爲唐之不能不降而宋者，亦勢也。蓋自東漢中葉「雙行意念」開始發達，駢文雛型初步具備以還，時更九代，數近千祀，其間變化多端，莫可窮詰，而其精神面貌改變最大者，厥推宋代。王國維復申顧氏之說云：

> 四言敝而有《楚辭》，《楚辭》敝而有五言，五言敝而有七言，古詩敝而有律絕，律絕敝

而有詞。蓋文體通行既久，染指遂多，自成習套，豪傑之士亦難於其中自出新意，故遁而作他體，以自解脱。一切文體所以始盛終衰者，皆由於此。故謂文學後不如前，余未敢信，但就一體論，則此説固無以易也。（《人間詞話》）

王氏更進一步指出文體蛻變之主因，在於後人難以爭勝前人，乃另闢蹊徑，而作他體。其說甚具法眼，千古莫易。宋代駢文固不若六代之風華，亦不若三唐之博麗，而能別開新境，自成風貌，與六代三唐鼎足而三，在中國文學史上大放異采，歷時達三百二十年。雖間有希蹤前代者，然神貌盡變，不相沿襲，非皆落前人窠臼也，此宋代駢文所以獨樹一幟，自成馨逸也歟。

兩宋駢文既然殊異前代，自成王國，則其精神風貌，以至鑄詞練字、調聲運典各端，自有其獨特之處，爰就平日沈浸所得，權分六端而論述之。

(一) 駢文散體化

時代爲文藝之背景，故無論何種文藝必帶有其時代之特色。宋代爲散文（即古文）與半語體文（即語錄體文）盛行時代，凡百詞藝自然受其影響，駢文自亦不能獨外。宋初駢文，源出唐末之李商隱，西崑諸子楊億、劉筠、晏殊、錢惟演輩極力仿效之，但取徑偏窄，得粗遺精。彼等多在對仗精工、音調鏗鏘、典故繁富、詞藻華麗等外在形式上下功夫，而缺乏李商隱之氣格，馴至塗澤太過，失之浮艷，終貽優人撏撦之譏。

祥符天禧中，楊大年、錢文僖、晏元獻、劉子儀以文章立朝，為詩皆宗李義山，後進多竊義山語句。嘗內宴，優人有為義山者，衣服敗裂，告人曰：吾為諸館職撏撦至此。聞著歡笑。（劉攽《中山詩話》）

按此事亦載葛常之《丹陽集》引吳枋《宜齋野乘》，非專指詩而言，駢文亦涵蓋其中。其實優人譏誚，乃後此效西崑體（亦稱太學體）者之過，楊劉等詩文，固皆有根柢，雖華靡，尚不失典雅，且已隱開宋代風氣，特未嘗參以散文之法耳。逮歐陽修出，始以流轉之筆，運淡雅之辭。易詞言之，亦即以散文之氣勢運偶句，以流利之辭語見自然，駢文之風貌與境界遂驟然一變。其後復經王安石、蘇氏軾轍兄弟、曾鞏相與推轂，體格遂確然大定，而與三唐分庭而抗矣。茲率舉歐蘇四六文各一篇繫諸左方，以為鼎臠之嘗焉。

致仕謝兩府書

歐陽修

比者
獲解郡章，
許歸田畝。
荷聖君之念舊，
越常典以推恩。
內自省循，
惟知感涕。（第一段）

伏念某
猥以一介之賤。
幸會千齡之期。
學業素荒，早接俊游之末；
謀說無取，晚陪國論之餘。
訖於報效之蔑聞，
徒蹈危機之可畏。

而
年齡遲暮，
疾病侵攻。
乃以難強之筋骸，
坐尸踰分之榮祿。
自陳懇悃，
頗歷歲時。
猶蒙上之哀憐，
久乃賜其開可。
奉身而去，悵負國之已多；
受寵至優，但捫心而自愧。（第二段）

此蓋伏遇某官
權衡萬物，
佐佑三朝。
思輔治於和平，
務敦行於仁厚。
不遺故舊，期俗革於偷風；
過借寵光，俾民知於愛老。

致茲渙渥，
併及衰殘。
已自屏於明時，
惟永藏於大賜。（第三段）

謝丁連州朝奉啓

蘇軾

七年遠謫，不知骨肉之存亡；
萬里生還，自笑音容之改易。
久恬颶霧，
稍習蛙蛇。
自疑本儋崖之人，
難復見魯衛之士。
而況
清時雅望，
令德高標。
固以聞名而自慚，
蓋欲通書而未敢。（第一段）

豈謂知郡朝奉

仁無擇物，
義有逢時。
每憐遷客之無歸，
獨振孤風而愈厲。
固無心於集苑，
而有力於噓枯。

遠遺一紙之書，
何啻百朋之錫。
過情之譽，雖知無其實而愧於中；
起廢之文，猶欲借此言以華其老。
窮途易感，
永好難忘。（第二段）

按宋代承三唐餘習，詔令表奏書啓一類應用文例用四六，故古文家多兼駢文家。上舉二篇，雖講對偶，然仍清空流轉，情致深婉，確爲宋四六中錚錚之作。陳善《捫蝨新語》云：

以古文體爲詩，自退之始，以古文體爲四六，自歐陽公始。

孫梅《四六叢話》云：

宋初諸公駢體，精敏工切，不失唐人矩矱。至歐公倡爲古文，駢體亦一變其格，始以排奡古雅，爭勝古人，而枵腹空笥者，亦復以優孟之似，藉口學步，於是六朝三唐格調寖遠，不可不辨。

而瞿兌之《中國駢文概論》亦云：

宋朝一班講古文的人，遇著作制誥箋表，不能不用駢體的時候，便又開闢一種新的文體來。

這種新文體是不用典的駢文，是以古文作法來作的駢文，也可以說是白描的駢文。彷彿畫家從金碧山水解放到水墨山水一樣，大約這種風氣，從歐陽修創始，一時善爲古文者，亦無不能作這種駢文。

歐氏嘗痛革西崑末流磔裂怪誕之弊，欲使文體復歸於淳正，故所作多自出胸臆，不肯蹈襲前人，而鎔裁古語，亦極自然，絕不見牽強斧鑿痕跡，色彩漸趨平淡，詞語漸趨淺白，清空流轉，別具風格，宋四六之弘基，從是遂奠。故就中國駢文史地位而言，歐氏實爲繼唐陸贄以後提倡駢文散體化之巨擘，謚之爲宋四六之開山祖師可也。

要而言之，以宋代之駢文與宋代之古文較，則爲駢文；以宋代之駢文與唐代之駢文較，則唐代之駢文可謂駢文中之駢文，而宋代之駢文可謂駢文中之散文矣。

(二)說 理 化

吾國論理之文，大抵分名理與事理二種。名理之文，晚周與六朝人最擅勝場，如嵇康〈聲無哀樂論〉、裴頠〈崇有論〉、范縝〈神滅論〉，皆擘肌分理，綿密異常。而事理之文，大作手當推中唐以後古文家。駢文自初唐由六朝體衍化而成四六文後，限於格律，難以縱橫議論，屈曲洞達，世遂有「四六短於說理」之歎，此唐代議論體駢文之所以獨少也。洎乎宋代，理學大昌，儒佛道三教並盛，往復駁難，首重條理，流風所煽，遂及文壇。加以宋代科舉制度，採用經義策論，與唐代以詩賦取士者不同，議論之文遂爲宋人所優爲。故宋代文學不論何種體裁，均以說理見長，爲前此所未有。試以辛棄疾〈賀新郎詞〉爲例：

甚矣吾衰矣。悵平生、交游零落，只今餘幾。白髮空垂三千丈，一笑人間萬事。問何物、能令公喜。我見青山多嫵媚，料青山、見我應如是。情與貌，略相似。一尊搔首東窗裏。想淵明、〈停雲詩〉就，此時風味。江左沈酣求名者，豈識濁醪妙理。回首叫、雲飛風起。不恨古人吾不見，恨古人、不見吾狂耳。知我者，二三子。

此篇抒寫自己壯志莫酬、知音難覓之悲慨，鎔鑄古語入詞，自然貼切，略無呑剝之病，而且以散行文之氣勢運之，又以議論文之作法出之，所謂「東坡以詩爲詞，稼軒以文爲詞」，誠信而有徵。至於說理化之駢文，則要以歐陽修、蘇軾、王安石、汪藻四家爲最著。歐蘇王三氏爲古文大家，惟亦兼擅四六（歐氏且以四六取得進士），所作四六亦一如其散體，率皆理無不舉，詞無不達，傑然稱一代宗師。吳子良《林下偶談》云：

本朝四六，以歐公爲第一，蘇王次之。然歐公本工時文，早年所爲四六，見別集，皆排比而綺靡。自爲古文後，方一洗去，遂與初作迥然不同。他日見二蘇四六，亦謂其不減古文，蓋四六與古文同一關鍵也。然二蘇四六尚議論，有氣燄，而荊公則以辭趣典雅爲文，能兼之者歐公耳。

所言極是，絕非阿私所好者可比。至於汪氏，則專工駢體，所作多持論精審，條理密察，以視歐蘇，不遑多讓。《四庫全書簡明目錄》稱其「文章淹雅，爲南渡後詞臣之冠，其〈隆祐太后手書〉、〈建炎德音〉諸篇，感動人心，幾於陸贄興元之詔。」洵非過譽。今即錄其〈隆祐太后告天下手書〉於次，以窺豹斑。

隆祐太后告天下手書

汪　藻

比以敵國興師，都城失守。祲纏宮闕，既二帝之蒙塵；誣及宗祊，謂三靈之改卜。眾恐中原之無統，姑令舊弼以臨朝。雖義形於色，而以死爲辭；然事迫於危，而非權莫濟。內以拯黔首將亡之命，外以紓鄰國見逼之危。遂成九廟之安，坐免一城之酷。乃以衰癃之質，起於閒廢之中。迎置宮闕，進加位號。舉欽聖已行之典，成靖康欲復之心。永言運數之屯，坐視邦家之覆。撫躬獨在，流涕何從。緬惟藝祖之開基，實自高穹之眷命。歷年二百，人不知兵；傳序九君，世無失德。雖舉族有北轅之釁，而敷天同左袒之心。乃眷賢王，越居近服。已徇群情之請，俾膺神器之歸。繇康邸之舊藩，嗣我朝之大統。漢家之厄十世，宜光武之中興；獻公之子九人，惟重耳之尚在。茲爲天意，夫豈人謀。尚期中外之協心，共定安危之至計。庶臻小愒，同底丕平。用敷告於多方，其深明於吾意。

宋欽宗靖康元年，金兵大舉入寇，陷汴京，北宋亡。翌年金人立張邦昌爲楚帝，邦昌自知不爲眾望所歸，在位僅三十日即自去僞號，迎接已被廢黜之隆祐太后（即哲宗孟皇后）入宮聽政，太后於五月遣人至濟州，尋降書播告天下，立康王爲帝，康王徇衆之請，即位商丘，遂成宋室中興之局。惟當時金人之餘威尚在，邦昌是以金人之意旨而即帝位，故起首數句，極力爲金人留餘地，詞氣之間，極其平妥。而宋人又雅不以邦昌稱帝爲然，故又須極力爲邦昌洗刷，乃有「義形於色」數句。矧隆祐又以廢后之名義頒發詔令，故又必須有幾句斡旋語。至「永言運數之屯」以下，始慷慨激昂，垂涕而道。「漢家之厄十世」，比喻極其貼切，神情尤爲悲壯。通篇不過三百言，其中文意何等曲折，何等莊嚴，何等妥貼，堪稱宋四六中之有數瑋篇。

（三）淺白化

宋代騈文因受到古文運動之影響，而率趨於散文化；又因受到理學與科舉之影響，而率趨於說理化；復因受到平話小說與諸儒語錄之影響，而率趨於淺白化、平淡化。

騈文爲中國唯美文學之極品，亦爲世界上獨一無二之特殊文體，在內容上固當力求充實，與散文同。而在形式上則須具備五個條件：即㈠對偶精工，㈡聲律和諧，㈢典故繁夥，㈣辭藻華麗，㈤句型靈動。此五者缺一不可，若缺少其中任何一項或數項，即將黯然失去其特色，不足以言唯美矣。而世所集矢而攻之者，厥爲「辭藻華麗」一項，以爲雕繢滿眼，言之無物；甚且詆爲優孟衣冠，不值一錢。皆誤以作者之工拙，爲文章之利病。胸次褊狹，一至於此，良堪浩歎。

前已約略言之，宋初西崑諸子瓣香唐之李商隱，詞取妍華，而不乏興象，效之者漸失本眞，惟工組織，於是有優伶撏撦之譏。實則楊億、劉筠所作多舂容大雅，裔皇典重，爲台閣之正聲，故能自名一家，號太學體。迨歐陽修出，鑑於學西崑而不善者之流弊，以爲非徹底加以摧陷廓清，實不足以導正文壇風氣。於是在散文方面務求清新雅潔，平易通達，在駢文方面亦力求色彩平淡，辭語淺白。其後蘇軾、王安石復爲之推闡，而平淡化與淺白化之駢文遂成爲兩宋駢文之主流，在中國文學史上寫下嶄新的一頁。茲舉數例爲式：

(一)伏念臣以一介之妄庸，荷三朝之眷獎。因時竊位，嘗俾贊於萬機，積日累年，訖無稱於一善。（歐陽修〈蔡州乞致仕第一表〉）

(二)故自辭於機政，即願謝於軒裳。蒙上聖之至仁，念三朝之舊物。每曲煩於訓諭，久未忍於棄捐。（歐陽修〈蔡州乞致仕第三表〉）

(三)惟聖人之時不可失，而君子之義必有行。故當陛下即政之初，輒慕昔賢際可之仕。越從鄉郡，歸值禁林。（王安石〈手詔令視事謝表〉）

(四)伏見唐宰相陸贄，才本王佐，學爲帝師。論深切於事情，言不離於道德。智如子房而文則過，辯如賈誼而術不疏。上以格君心之非，下以通天下之志。（蘇軾〈乞校正陸宣公奏議劄子〉）

(五)湖海十年，分絕修門之夢；雲天一札，忽來省戶之除。孰云處士之星，復近長安之日。

（楊萬里〈除吏部侍郎謝宰相啓〉）

（四）用典少

駢文之繁用典故，自魏晉以後成爲必備之條件。駢文家一致認爲典雅乃文章之正法，博麗乃文章之正宗，故摛辭造語，必廣徵故實，比附今情。蓋駢文原是間接表達作者之意念，魏晉以前多用排比，魏晉以後乃用典實。其作用在於用簡潔之文字，表達繁複之意思，使作品富有濃厚的神祕性、象徵性、藝術性與趣味性，以增加讀者之美感，從而提高其藝術價值。惟古文大家歐陽修之觀點則不然，彼以爲文章乃表情達意之工具，必使普羅大衆均能了解，即已畢其能事，於是大力提倡平淡淺白之駢文，而其本身亦能劍履相及，遂予宋代駢文注入新血，而賦予新的生命矣。陳師道《后山詩話》云：

> 國初士大夫例能四六，然用散語與故事爾。楊文公刀筆豪贍，體亦多變，而不脫唐末與五代之氣。又喜用古語，以切對爲工，乃進士賦體爾。歐陽少師始以文體爲對屬，又善敍事，不用故事陳言而文益高。

言歐文「不用故事陳言而文益高」，最具佛眼。今率舉一篇，以知其凡。

蔡州乞致仕第二表

歐陽修

臣修言：臣近上表章，乞從致仕，伏奉詔書，所乞宜不允者，睿訓丁寧，曲加慰諭；愚衷懇迫，尚敢黷煩。將再干於冕旒，宜先伏於砧鑕。

伏念臣世惟寒陋，少苦奇屯。識不達於古今，學僅知於章句。名浮於實，用之始見於無能；器小易盈，過則不勝於幾覆。徒以早遘千齡之亨會，誤蒙三聖之獎知。寵榮既溢其涯，憂患亦隨而至。稟生素弱，顧身未老而先衰；大道甚夷，嗟力不前而難強。每念恩私之莫報，兼之疾病以交攻。爰於守亳之初，遂決窴漳之計。逮此三遷於歲律，又更兩易於州符。而犬馬已疲，理無復壯；田廬甚邇，今也其時。是敢更殫螻蟻之誠，仰冀乾坤之造。況今時不乏士，物咸遂生。鳧雁去來，固不爲於多少，鳶魚上下，皆自適於飛潛。苟遂乞於殘骸，庶少償其夙志。

伏望皇帝陛下哀憐舊物，隱惻至仁。察其有素非僞之誠，成其識分知止之節。曲從其欲，賜報曰俞。俾其解組官庭，還車故里。披裘散髮，逍遙垂盡之年；鑿井耕田，歌詠太平之樂。其爲榮幸，曷可勝陳。

嚴格言之，全文三百餘言，用典只有四處，即「窴漳之計」用劉楨養病事；「披裘散髮」分用嚴光袁閎隱遁事；「鳶魚上下」見《詩經・大雅・旱麓》，謂萬物各得其所；而「鑿井耕田」則爲

〈擊壤歌〉之詞句。四典總字數僅三十六字，僅佔全文十分之一，以視梁陳以來典故恆佔全文百分之三十以上者，相去實在太遠。近人高步瀛云：「永叔四六，情韻俱佳，不尚藻麗，一出自然，遂開宋代之體。」（《唐宋文舉要》）觀此篇而益信。

（五）句型多而又喜用長聯

自東漢和帝以後，「雙行意念」逐漸進入一般作家之腦海中，至叔季之世，編字鍾句愈益齊整，駢文體格遂告形成。其後歷經六朝之全力發展，至唐初而大變，由駢散不分之六朝文（即廣義之駢體文）一變而爲格律謹嚴之四六文（即狹義之駢體文）。自是句型愈衍愈多，至南宋末葉，竟達八十餘種（詳見拙著《駢文學》二六一至二八〇頁）。其實六朝時代，藝事未精，句型殊少變化，直至唐季始逐漸增多，惟其爲世所習用者，充其量亦不過二十種左右而已。茲列舉如下：

(1) 四 四

(2) 五 五

(3) 六 六

(4) 七 七

(5) 四——四 四——四

(6) 四——五 四——五

(7) 四——六 四——六

(8) 四——七 四——七

(9) 五——四 五——四

(10) 五——五 五——五

(11) 五——六 五——六

(12) 五——七 五——七

(13) 六——四 六——四

(14) 六——五 六——五

(15) 六——六 六——六

(16) 六——七 六——七

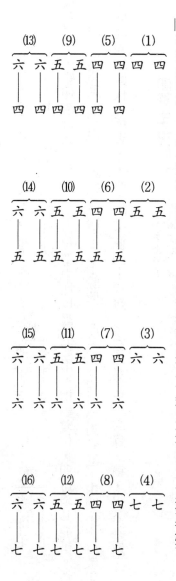

(17) 七—四 / 七—四

(18) 七—五 / 七—五

(19) 七—六 / 七—六

(20) 七—七 / 七—七

揚榷言之，一般作家行文，在此二十種句型中加以靈活運用，稍事變化，即可畢其能事。然而兩宋作家則不以爲足，竟由二十種驟然增至八十餘種，而又往往通篇屬對到底，中間不夾以散句者，因而形成異於前代之所謂「宋四六」，此即宋代駢文之一大特色。率錄一篇，以著其概：

謝賀生日啓

此爲一九六〇年余所首創之駢體文新式排列法

眞德秀

日逾采菊之三，實惟初度；
詩詠伊蒿之什，慨矣永懷。……「懷」與「荊」必須相粘，均爲平聲。句型爲六四對六四。

況方掩於柴荊，
乃俯勤於車騎。……「騎」與「禮」必須相粘，均爲仄聲。句型爲六對六。

錫之盛禮，君子之酒且多；
貺以佳文，幼婦之詞絕妙。……「妙」與「陋」必須相粘，均爲仄聲。句型爲四六對四六。按「子」應爲平聲，而作者卻用仄聲，是爲拗字。

顧惟衰陋，
難稱寵嘉。……「嘉」與「非」必須相粘，均爲平聲。句型爲四對四。

年五十而知非，況又逾伯玉之歲；
壽萬千而無害，願回頌魯侯之賢。
句型爲六七對六七。

句型多寡，關乎各人之寫作習慣與技巧，孰是孰非，實難界定，姑不具論。宋人喜用長句爲對，即世所謂長聯（按一篇四六文係由許多聯語組合而成，故駢文之句型實即聯語之句型。）者，則又爲宋四六句型之另一特色。蓋自初唐以迄宋末，朝廷之制誥、詔令、奏議、表狀，私人之書啓、箋牘一類應用文，例用駢體，以其便於宣讀也。至宣和間，載筆之倫竟相率以長句爲對，後進效之，遂成風尚，直至末葉，未嘗稍改。樓鑰〈北海先生文集序〉云：

> 唐文三變，宋之文亦幾變矣。止論駢儷之體，亦復屢變。作者爭名，恐無以大相過，則又習爲長句，全用古語，以爲奇倔，反累正氣。況本以文從字順，便於宣讀，而一聯或至數十言，識者不以爲善也。

而俞樾《春在堂筆錄》亦云：

> 《困學紀聞》所錄諸聯，如周南仲草〈追貶秦檜制〉云：「兵於五材，誰能去之，首弛邊疆之禁；臣無二心，天之制也，忍忘君父之讎。」貪用成句，而不顧其冗長，自是宋人習氣。又載王爚〈辭督府辟書〉云：「昔溫太眞絕衿違母，以奉廣武之檄，心雖忠而人議其失性；徐元直指心戀母，以辭豫州之命，情雖窘而人予其順天。」以議論行之，更宋派之

陋者。此派一行，而明人王世貞所作四六，竟有以十餘句爲一聯者，其亦未顧四六之名而思其義乎。

又孫梅《四六叢話》云：

駢儷之文，以唐爲極盛，宋人反詆譏之，豈通論哉。浮溪（汪藻集名《浮溪》）之文，可稱精切，南宋作者，莫能或先，然何可與義山同日語哉。古之四六，句自爲對，語簡而筆勁，故與古文未遠。其合兩句爲一聯者，謂之隔句對，古人愼用之，非以此見長也。義山之文，隔句不過通篇一二見；若浮溪，非隔句不能警矣。甚或長聯至數句，長句至十數句者，以爲裁對之巧。不知古意寖失，遂成習氣，四六至此弊極矣。其不相及者一也。義山隸事多而筆意有餘，浮溪隸事少而筆意不足。其不相及者二也。

三氏均口徑一致，全盤否定長聯之功能，以爲用之太多，將使文章遜色不少，宋代駢文之所以未能臻於高格，在駢文史上未能獲得崇高之地位者，殆以此也。質實言之，喜用長聯固有礙於文氣之順暢，而意思較爲顯豁，論敍較爲和緩，則爲前代所未曾夢見者，況其原是修辭之一法乎。茲再舉數例，以供觀賞。

(一)聖人之行法也，如雷霆之震草木，威怒雖盛，而歸於欲其生。
　　人主之罪人也，如父母之譴子孫，鞭撻雖嚴，而不忍致之死。（蘇軾〈乞常州居住表〉）

(二) 枯羸之質，匪伊垂之，而帶有餘。
斂退之心，非敢後也，而馬不進。（蘇軾〈謝賜對衣金帶馬表〉）

(三) 不泄邇，不忘遠，要皆如出於京畿。
在知人，在安民，是以不輕於牧守。（王子俊〈知成都謝到任表〉）

(四) 長者賜，不敢辭，正惟禮屈。
小人腹，已屬饜，過爲身謀。（周必大〈謝劉守再送朱墨錢啓〉）

(五) 事天明，事母孝，新周南正始之基。
有文德，有武功，策召公平夷之績。（李劉〈賀丞相平淮寇啓〉）

(六) 成語繁富

成語之大量使用，爲宋四六之又一特色，其手法高妙者，輒能食古而化，推陳出新，絕不露一絲痕跡，遂爲駢文開拓另一新境界。劉祁《歸潛志》云：

文章各有體，本不可相犯，故古文不宜蹈襲前人成語，當以奇異自強，四六宜用前人成語，復不宜生澀求異。如散文不宜用詩家句，詩句不宜用散文言，律賦不宜犯散文言，散文不宜犯律賦語。皆判然各異，如雜用之，非惟失體，且梗目難通。然學者闇於識，多混亂交出，且互相詆誚，不自覺知，此弊雖一二名公不免也。

程杲〈四六叢話序〉復申之云：

宋自廬陵、眉山以散行之氣，運對偶之文，在駢體中另出機杼，而組織經傳，陶冶成句，實足跨越前人。要之兩端不容偏廢也。由唐以前，可以徵學殖；由宋以後，可以見才思。苟兼綜而有得焉，自克樹幟於文壇。

錢基博《駢文通義》亦云：

六代、初唐，語雖襞積，未有生吞活剝之弊；至宋而此風始盛，運用成語，隱括入文，然有餘於清勁，不足於茂懿。

三氏均一致肯定繁用成語爲創作文藝之一法，固無是非利弊可言，蓋能心通其旨者矣。試舉數例，以見大凡。

用舍行藏，仲尼獨許於顏子。存亡進退，周易不及於賢人。（蘇軾〈賀歐陽少師致仕啓〉）

按上聯見《論語・述而篇》：「子謂顏淵曰：『用之則行，舍之則藏，唯我與爾有是夫。』」言顏回在出處仕隱之間，頗知分寸，甚得自己之眞傳。下聯見《易經・乾卦》：「『上九，亢龍有悔。』〈文言〉曰：『亢之爲言也，知進而不知退，知存而不知亡，知得而不知喪，其唯聖人乎。知進退存亡而不失其正者，其唯聖人乎。』」言惟有聖人始能正確判斷存亡進退之道。

一、三兩句均截自書中原文，而重行組合，是爲用詞。二、四兩句則敍述其事，是爲用事。此兩組典故謂之事詞合用。

蓋四方其訓，以無競維人。
必三后協心，而同底於道。（正安中〈除少宰余深制〉）

按上聯見《詩經・周頌・烈文》：「無競維人，四方其訓之；不顯維德，百辟其刑之。於乎，前王不忘。」

下聯見《尚書・畢命》：「三后協心，同底於道，道洽政治，澤潤生民。」

明哲以保其身，靡失青氈之舊。
喜愠不形於色，可娱綠野之游。（洪适〈湯思退特授觀文殿大學士制〉）

按首句見《詩經・大雅・烝民》：「既明且哲，以保其身。」二句用王獻之故事，以青氈爲世代書香之代詞。《晉書・王獻之傳》：「獻之夜臥齋中，而有偷人入其室，盜物都盡。獻之徐曰：『偷兒，青氈我家舊物，可特置之。』群偷驚走。」

三句見《三國志・蜀書・先主傳》：「先主少言語，善下人，喜怒不形於色。」（亦見蔡邕〈陳留太守胡公碑〉）四句用裴度事。裴度字中立，唐聞喜人，屢秉國政，身繫天下重輕者垂三十年，後以閹宦擅權，搢紳道衰，遂築別墅於洛陽，號綠野草堂，與諸名士觴詠其間，不問世事。見《唐書》本傳。

一、三兩句直接用書中成語，是爲用詞。二、四句間接用書中事義，是爲用事。此兩組典故亦謂之事詞合用。

風聲鶴唳，不但平淮。
雪夜鵝鳴，更觀擒蔡。（李劉〈賀丞相明堂慶壽並冊皇后禮成平淮寇奏捷啓〉）

按首句見《晉書・苻堅載記》：「堅爲流矢所中，單馬遁還於淮北，聞風聲鶴唳，皆謂晉師之至。」極度形容晉兵衆多之假象。二句及三、四兩句用李愬平淮事。唐憲宗元和十年，淮西節度使吳元濟據蔡州反，朝廷遣裴度宣慰淮西行營，以李愬爲鄧州節度使，率兵討伐。十二年，愬率師雪夜襲蔡州，懸瓠城旁有鵝鶩池，乃下令擊之，以亂軍聲，卒生擒吳元濟，淮西平。事見《唐書・李愬傳》。此聯無非是借用李愬雪夜擒蔡之事，以比況丞相史彌遠平定逆賊李全之功。首句逕用書中成語，是爲用詞。其餘三句均與平淮事有關，是爲用事。此種用事多（三句）而用詞少（一句）之情形，亦謂之事詞合用。而籠統言之，謂之用典。

（民國八十三年四月在國立成功大學中國文學系主辦「第一屆宋代文學研討會」所宣讀之論文）

李商隱〈淚詩〉詮評（一九九五）

永巷長年怨綺羅，離情終日思風波。
湘江竹上痕無限，峴首碑前灑幾多。
人去紫臺秋入塞，兵殘楚帳夜聞歌。
朝來灞水橋邊問，未抵青袍送玉珂。

——李商隱〈淚〉

【解　題】

此詩有如一篇『淚賦』。前六句鋪排六件與淚有關之故實，將宮女、離人、后妃、名將、美人、英雄之傷心事一一寫出，以與末聯『青袍送玉珂』作一比較，意在凸顯後者（即義山自己）傷心之程度遠在前列六者之上。此乃作者首創之律詩章法，亦古今詠懷詩之有數瑋篇。

【注　釋】

①永巷長怨：言失寵之宮女也。永巷，漢宮中獄名，中有長巷，故稱，所以幽閉有罪之宮女者。

後泛指後宮而言。徐陵〈玉臺新詠序〉：『五陵豪族，充選掖庭，四姓良家，馳名永巷。』綺羅，細綾也，引伸為美服之總稱。《文選》江淹〈恨賦〉：『綺羅畢兮池館盡，琴瑟滅兮邱隴平。』

②湘江竹痕：相傳舜崩蒼梧，二妃（娥皇、女英）追至，哭帝極哀，淚染於竹，故其竹斑斑如淚痕，後人名之曰斑竹，今湖南、廣西多有之。王象《晉群芳譜》：『斑竹即吳地稱湘妃竹者，其斑如淚痕，世傳二妃將沈湘水，望蒼梧而泣，灑淚成斑。』按今洞庭湖中有君山，二妃葬於此，墓前斑竹成林。

③峴首碑：晉武帝時，羊祜出鎮襄陽，綏懷遠近，甚得江漢之心，在鎮常輕裘緩帶，身不披甲，與吳將陸抗對境。及病卒，襄陽百姓懷之，乃於峴山祜平生觸詠之所建碑立廟，歲時饗祭，望其碑者，罔不流涕，杜預因名為墮淚碑，或曰峴山碑，亦曰羊碑。劉孝綽〈棲隱寺碑銘〉：『召棠且思，羊碑猶泣。』

④紫臺：即紫禁，帝王所居，詞章家多泛指宮廷。此言王昭君一離宮闕，便遠至異域，於時正值秋季。杜甫《詠懷古蹟詩》：『一去紫臺連朔漠，獨留青冢向黃昏。』

⑤楚帳聞歌：《史記・項羽紀》：『項王軍壁垓下，兵少食盡，漢軍及諸侯兵圍之數重，夜聞漢軍四面皆楚歌，項王乃大驚曰：「漢皆已得楚乎，是何楚人之多也。」項王夜起飲帳中，有美人名虞，常幸從，駿馬名騅，常騎之。於是項王乃悲歌慷慨，自為詩曰：「力拔山兮氣蓋世，

時不利兮騅不逝，騅不逝兮可奈何，虞兮虞兮奈若何。」歌數闋，美人和之，項王泣數行下，左右皆泣，莫能仰視。』

⑥灞橋：在陝西長安縣東，橋橫灞水上，古人多在此送別，故又名銷魂橋。《三輔黃圖》：『灞橋在長安東，跨水作橋，漢人送客至此橋，折柳贈別。』

⑦青袍玉珂：青袍，青色之袍，古時士子之所服也。庾信《哀江南賦》：『青袍似草，白馬如練。』玉珂，馬勒飾也，以貝爲之，色白似玉，故名。陳後主《紫騮詩》：『玉珂鳴廣路，金絡耀晨輝。』

【串　解】

住在後宮的宮女們，長年累月的等待皇帝的臨幸或召見，滿懷幽怨，淚溼羅衣。閨中婦女終日惦掛著在外勞苦奔波的愛人，眼淚就撲簌簌地掉下來。在湘江邊的竹子上，染著無數斑斑的啼痕。峴首山上的羊祜廟碑前，不知有多少人在此灑過懷思之淚。王昭君離開了皇宮，在秋風蕭索中進入塞外，感懷身世，凄然而泣。楚霸王兵敗垓下，夜聞四面楚歌，自知大勢已去，不覺灑下英雄之淚。今天早晨來到灞水橋邊探問一般送別的人，才知道上面所說的一切，都不及寒士送別貴人的可悲啊。

【大　意】

㈠首句寫宮女失寵之恨，並明示精神生活重於物質生活。
㈡二句寫普羅大衆生離之恨。
㈢三句寫夫婦死別之恨。
㈣四句寫懷德之淚。
㈤五句寫絶代佳人淪落絶域之痛。
㈥六句寫蓋世英雄窮途末路之悲。
㈦七句寫詩人晨間至灞橋爲友人送行，並與其他送行者閒聊。
㈧八句寫失意才子送別達官顯宦之悲痛遠在前述六種人之上，蓋所以自喻也。

【鑑　賞】

㈠前人多以爲律詩與議論文之章法完全相同，亦分起、承、轉、合四段。即一二兩句（俗稱首聯或起聯）爲『起』，三四兩句（俗稱領聯）爲『承』，五六兩句（俗稱腹聯或頸聯）爲『轉』，七八兩句（俗稱末聯或尾聯）爲『合』。前後照應，脈絡相貫，渾然一體，始合規格。自初唐以後，學者遵之，無有異議。元・楊載《詩法家數・律詩要法》言之極爲簡要，蓋爲初學導其先路者，茲迻錄於次，以供參酌。

破題：或對景興起，或比起，或引事起，或就題起，要突兀高遠，如狂風捲浪，勢欲滔天。

頷聯：或寫意、或寫景、或書事、用事、引證。此聯要接破題，要如驪龍之珠，抱而不脫。

腹聯：或寫意、寫景、書事、用事、引證。與前聯之意相應相避，要變化，如疾雷破山，觀者驚愕。

結句：或就題結，或開一步，或繳前聯之意，或用事。必放一句作散場，如剡溪之棹，自去自回，言有盡而意無窮。

惟義山〈淚詩〉章法，則與此迥異。前六句排比六事，各自獨立，互不相干，至末二句始予以綰合，將詩中今昔不同時空所呈現之悲哀事實作一串聯比較，而歸出作意，此種章法謂之『合筆見意之歸納法』。茲爲清晰計，特製圖以明之。

李商隱〈淚詩〉示意圖

- ①永巷長年怨綺羅（宮女失寵之淚）
- ②離情終日思風波（普羅大眾生離之淚）
- ③湘江竹上痕無限（夫婦死別之淚）
- ④峴首碑前灑幾多（懷念名宦之淚）
- ⑤人去紫臺秋入塞（美人沈淪絕域之淚）
- ⑥兵殘楚帳夜聞歌（英雄窮途末路之淚）

- ⑦朝來灞水橋邊問
- ⑧未抵青袍送玉珂（才士屈居下僚之淚）

義山用此法寫作，除〈淚詩〉外，尚有七律〈無題〉（颯颯東風細雨來）及〈茂陵〉二首，心裁別出，具見才力，頗能予讀者以新穎別致之感。其實此種章法在文章俳賦中已屢見不鮮，如宋玉〈對楚王問〉，江淹〈別賦〉、〈恨賦〉（均載《昭明文選》）等均是，惟施之於詩，則以義山為第一人耳。

㈡此詩以『未抵』二字最緊要，為全篇之『詩眼』，著此二字，即在斷然否定前列六種人之悲哀，而祇肯定自己當前之悲哀。繩之以理，個人之悲哀，何以反勝於上舉六事。（馮浩語）以意度之，其故有三：

1. 詩人刻意運用渲染誇飾之修辭技巧，以襯說蓄勢。易詞言之，作者連續重疊人所共喻之六種傷心故事，目的無非是為末聯『青袍送玉珂』之悲情蓄勢，然後逼出主題，層層加深，始能令人倍覺悲痛。

2. 前列六事，雖亦令人悽愴傷懷，然畢竟與自己無關，並無切膚之痛，故感受較淺。主觀之詩人往往如此，固不特義山一人而已。

3. 況前列六事亦有可得而說者，茲試言之：

⑴第一句失寵之淚：按古來帝王，多好漁色，法定之三宮、六院、九嬪、二十七世婦、八十一御妻（詳見《禮記・婚義》），猶不滿足，又精選天下絕色少女三千人，充之後宮，以供其一人之淫樂。然而能邀其青睞而獲寵幸者，百不得一二，糟蹋少女之青春，剝奪

少女之人權，莫此爲甚。杜牧《阿房宮賦》云：『一肌一容，盡態極妍，縵立遠視，而望幸焉，有不見者三十六年。』蓋紀實也。此專制時代之遺毒，實非區區之弱女子所能反抗或改變者。事屬無奈，自古已然，吾人固無須用其驚異也。

(2)第二句生離之淚：離別爲天下夫婦、情侶、親人所共有，事極平常，不足爲奇。

(3)第三句死別之淚：夫婦死別亦爲天下人所共有，博人同情則可，賺人眼淚則未必。

(4)第四句懷德之淚：人民懷念地方官之遺愛，其熱度不過三數世耳，日久則逐漸冷卻，終則淡忘之矣。

(5)第五句美人和番之淚：王昭君賦性孤高，自恃其貌，不肯向現實妥協（向畫師毛延壽送禮），以致遠嫁番邦，魂埋絕塞，可謂咎由自取。若換一個角度觀之，身爲匈奴之皇后，地位崇高，亦足以爲歡。

(6)第六句英雄敗亡之淚：項羽剛愎自用，殘暴多疑，遂致兵敗垓下，飲恨烏江，亦是咎由自取，難邀同情。宋・張方平嘗作《詠史詩》以誚之，極有見地，錄其詞如下：

秦人天下楚人弓，慷慨頭顱贈馬童。
天意何嘗袒劉季，大王失計戀江東。
早摧函谷稱西帝，何必鴻門殺沛公。
徒縱咸陽三月火，讓他婁敬說關中。

而義山以曠世奇才，竟然橫遭牛李黨爭之禍害，終致長年侘傺不偶，沈滯下僚，未能一償經邦軌物、霖雨蒼生之宿願，以視彼才具平庸而飛黃騰達者，其相去為何如耶。故其悲淚實較上舉六種人為多也。

㈢全篇寫八種眼淚，四、七兩句為一般人（不分男女）之眼淚，六、八兩句為男人之眼淚，其餘四句皆為女人之眼淚，此或女人淚腺特別發達之證歟。

㈣全詩所用典故，均極普遍，皆家喻戶曉，平易通行，稍讀書者，類能解之，與他詩或流於生僻，或流於艱深者異趣。

【集　評】

㈠馮　班曰：『句句是淚，不是哭。（按此二句係馮舒評語，見二馮評閱《才調集》）詩有起承轉合，訓蒙之法也，如此詩八句七事，《三體詩》、《瀛奎律髓》全用不著矣。』（馮浩《玉谿生詩集箋注》引）

㈡錢謙益曰：『陸游效之作《聞猿詩》亦然。』（同上）

㈢金人瑞曰：『入宮則哭「綺羅」，去家則哭「風波」，此寫流淚之因。湘江則點於「竹上」，峴首則零在「碑前」，此寫淚流之痕也。前解（按指前四句）猶泛寫天下人淚，後解（按指後四句）再專寫獨一人淚也。雖蒙天生，而不蒙人用，於是而慷慨辭衆，深走入胡，我欲自用，而天又亡之，於是而半夜悲歌，引刀自絕，如今日灞橋折柳、青袍送人之中，豈少如是之人之事也哉，故曰橋下水未抵橋上淚也。』（《聖歎選批唐才子詩》）

㈣何 焯曰：『峴首湘江，生死之感也。出塞楚歌，絕域之悲，天亡之痛也。凡此皆傷心之事，然豈若灞水橋邊以青袍寒士而送玉珂貴客尤爲可痛乎。前皆假事爲詞，落句方結出本意。』（朱鶴齡《李義山詩集箋注》）

㈤朱彝尊曰：『「八句七事，律之變也。」予謂不然。若七事平列，則通首皆是死句。落韻「未低」二字亦轉不下矣。此是以上六句興下二句也。陸務觀效之作《聞猿詩》亦然。』（同上）

㈥紀 昀曰：『六句六事皆非正意，只於結句一點，運格絕奇，但體太卑耳。』（同上）

㈦程夢星曰：『此篇全用興體，至結處一點正義便住。不知者以爲詠物，則通章賦體，失作者之苦心矣。八句凡七種淚，只結句一淚爲切膚之痛。首句長門宮怨之淚，次句黯然送別之淚，三句自傷孀獨之淚，四句有懷舊德之淚，五句身陷異域之淚，六句國破強兵之淚。淚至於此，可謂至矣極矣，無以加矣。然而坎坷失職之傷心，較之更有甚焉。故欲問之灞水橋邊，凡落拓青袍者餞送顯達，其刺心刺骨之淚，竟非以上六等之淚所可抵敵也。此詠之本旨也。按此結從晉時羅友托之揶揄鬼語「但見汝送人作郡，不見人送汝作郡」脫化得來，蓋其爲痛深矣。愚解此篇，不記朱本有陳氏之說，久之繕寫，因檢閱補注事實，乃見其論先得我心，若合符節，遂欲舉鄙論棄之。既而觀其分疏中四句略有不同，或存之以備參觀互論可耶。陳氏說附錄於左：

陳帆曰：「首言深宮望幸，次言羈客離家。湘江、峴首，則生死之傷也。出塞、楚歌，又絕域之悲，天亡之痛也。凡此皆傷心之事，然自我言之，豈灞水橋邊，以青袍寒士而送玉珂貴客，窮途飲恨，尤極可悲而可涕乎。前皆假事爲詞，落句方結出本旨。」』（《李義山詩集箋註》）

(八)馮　浩曰：『香山《中秋月》已有作法，此則尤變化矣。初疑義山抑塞終身窮途抱痛之作，然繩之以理，末句之可傷，何反勝於上六事歟。況以自慨，復何用問諸水濱，此必李衛國疊貶時作也。《唐摭言》有「八百孤寒齊下淚，一時南望李崖州」之句，與此同情。上六句興而比也。首句失寵，次句離恨。三四以湘淚指武宗之崩，峴碑指節使之職，衛公固以出鎮荆南而疊貶也。五謂一去禁廷終無歸路，六謂一時朝列盡屬仇家。用事中自有線索。結句總納上六事在內，故倍覺悲痛。不悟其旨，則大失輕重之倫矣。灞橋只取離別，不泥京師。此義山獨創之絕作也。』（《玉谿生詩集箋注》）

(九)屈　復曰：『平列六句，以二句結，七律原有此格，非玉谿創調。○深宮之怨，離別之思，湘江峴首，生死之傷，明妃出塞之恨，項王天亡之痛，以上數者，皆不及朝來灞橋青袍寒士送玉珂貴人窮途飲恨之甚也。』（《玉谿生詩意》）

(十)姚培謙曰：『此歎有情人之不易得也。有情故有淚，然人生眞淚，原無幾滴，果是眞淚，不但兒女有之，英雄亦有之。首聯永巷、離人，猶是世俗所共曉。必如湘江竹上，峴首碑前，又如紫臺出塞，楚帳聞歌，如是乃爲眞淚耳。何意灞水橋邊，青袍送客，朝來俄頃，便不啻懸河決溜之多，我不知其何來此副急淚也。』（《李義山詩集箋注》）

㈩陸昆曾曰：『首言永巷長年，離情終日，淚之因也。次言湘江竹上，峴首碑前，淚之跡也。次又言明妃去國，項羽聞歌，淚之事也。以詩論，則由虛而實；以情論，則由淺而深。結言凡此皆可悲可涕之處，然終不若灞水橋邊，以青袍寒士而送玉珂貴客，抱窮途之恨爲尤甚也。』（《李義山詩解》）

㈪張采田曰：『奇則不卑，豈有格奇而體卑之詩哉，體與格有何分別，紀評不通之至。○首句失寵。次句分離。「湘江」句暗喻不能入李回湖南幕府。「峴首」句暗喻巴遊失意，留滯荊門之恨。「人去」句以明妃嫁遠比己之沈淪使府。「兵殘」句以項羽天亡比己之坎壈終身。結則言豈若灞水橋邊，以青袍寒士送玉珂貴人爲愈可悲乎。似指贊皇疊貶，八百孤寒而言。而己之不能依恃，亦在言外。衞公由分司貶潮，灞水專指在京孤寒也，不必泥看。此解發自馮氏，余爲演之。』（《玉谿生年譜會箋》及《李義山詩辨正》）

㈫黃　侃曰：『首六句皆陪意，末二句乃結出正意。以「青袍」寒士而送「玉珂」上客，其悲苦之情，非復「永巷」「離情」所能爲喻也。如以爲詠物之詞，則無此堆砌之篇法矣。程以爲末二句從晉時羅友托之揶揄鬼語「但見汝送人作郡，不見人送汝作郡」脫化得來，可云善悟。』

（《李義山詩偶評》）

【附錄】

1.李商隱模擬前人之作舉隅

恨賦

江淹

試望平原。蔓草縈骨。拱木斂魂。人生到此。天道寧論。於是僕本恨人。心驚不已。直念古者。伏恨而死。

至如秦帝按劍。諸侯西馳。削平天下。同文共規。華山爲城。紫淵爲池。雄圖既溢。武力未畢。方架黿鼉以爲梁。巡海右以送日。一旦魂斷。宮車晚出。

若乃趙王既虜。遷於房陵。薄暮心動。昧旦神興。別豔姬與美女。喪金輿及玉乘。置酒欲飲。悲來塡膺。千秋萬歲。爲怨難勝。

至於李君降北。名辱身冤。拔劍擊柱。弔影慚魂。情往上郡。心留雁門。裂帛繫書。誓還漢恩。朝露溘至。握手何言。

若夫明妃去時。仰天太息。紫臺稍遠。關山無極。搖風忽起。白日西匿。隴鴈少飛。代雲寡色。望君王兮何期。終蕪絕兮異域。

至乃敬通見抵。罷歸田里。閉關卻掃。塞門不仕。左對孺人。右顧稚子。脫略公卿。

跌宕文史。齎志沒地。長懷無已。

及夫中散下獄。神氣激揚。濁醪夕引。素琴晨張。秋日蕭索。浮雲無光。鬱青霞之奇意。入修夜之不暘。

或有孤臣危涕。孽子墜心。遷客海上。流戍隴陰。此人但聞悲風汩起。血下霑衿。亦復含酸茹歎。銷落湮沈。

若乃騎疊跡。車屯軌。黃塵帀地。歌吹四起。無不煙斷火絕。閉骨泉裏。

已矣哉。春草暮兮秋風驚。秋風罷兮春草生。綺羅畢兮池館盡。琴瑟滅兮丘隴平。自古皆有死。莫不飲恨而吞聲。

2.宋人模擬李商隱之作舉隅

淚二首之二　　楊億

寒風易水已成悲，亡國何人見黍離。枉是荊王疑美璞，更令楊子怨多歧。

胡笳暮應三撾鼓，楚舞春臨百子池。未抵索居愁翠被，圓荷清曉露淋漓。

按宋初楊億、劉筠、錢惟演等作詩專法義山，與同時名人唱和之詩，合爲一集，曰《西崑酬唱集》，後遂稱爲西崑體。西崑體之詩，好用僻典，不易索解，元好問所謂『望帝春心託杜鵑，佳人錦瑟怨華年。詩家總愛西崑好，獨恨無人作鄭箋』（〈論詩絕句〉）也。文學乃生活之反映，西崑諸子皆身居高位，廊廟迴翔，既無義山之遭際，復乏義山之才情，強作效顰，勉爲學步，其不能感人也必矣。劉攽《中山詩話》所記故事一則，諷刺西崑諸子，用意至深，錄之如下：

祥符、天禧中，楊大年（億）、錢文僖（惟演）、晏元獻（殊）、劉子儀（筠）以文章立朝，爲詩皆宗尚李義山，號西崑體，後進多竊義山語句。賜宴，優人有爲義山者，衣服敗敝，告人曰：『我爲諸館職撏撦至此。』聞者歡笑。

又按民初上海富商多好附庸風雅，受『官大好吟詩』之影響，遂亦『錢多好吟詩』矣。彼等往往購置菊花數盆於庭院，圍以竹籬，每屆三秋佳日，輒邀約商界大亨效陶淵明把酒東籬之舉，吟詩作樂，詩題多爲『秋日賞菊步陶彭澤原韻』，翌日刊登各報副刊，閱者無不竊笑，以其腦滿腸肥，渾身銅臭，略無陶公之高致也。持較西崑後進諸子，非一丘之貉也耶，噫。

3.依照起承轉合而作之律詩標準章法舉隅

⑴五言律詩

①王　維〈終南別業〉
②孟浩然〈臨洞庭上張丞相〉
③杜　甫〈月夜憶舍弟〉
④杜　甫〈別房太尉墓〉
⑤杜　甫〈登岳陽樓〉
⑥杜　甫〈旅夜書懷〉

⑦劉長卿〈新年作〉　⑨韋應物〈淮上喜會梁川故人〉

⑧白居易〈草〉　⑩崔　塗〈除夜有懷〉

(2)七言律詩

①杜　甫〈登　樓〉　⑥劉長卿〈長沙過賈誼宅〉

②杜　甫〈江　村〉　⑦溫庭筠〈蘇武廟〉

③杜　甫〈秋　興〉八首之一　⑧李商隱〈隋　宮〉

④杜　甫〈宿　府〉　⑨羅　隱〈魏城逢故人〉

⑤盧　綸〈晚次鄂州〉　⑩黃庭堅〈寄黃幾復〉

按上舉二十例乃按律詩標準章法而作之名篇，自盛唐以還，此法逐漸通行，其後遂爲習詩者之不二法門。惟才高學富者往往獨運巧思，別出機杼，自創新法，以爭勝古人，義山〈淚詩〉即是最佳之佐證。

（收入民國八十四年台北・天工書局印行、張仁青主編之《李商隱詩研究論文集》）

李商隱〈嫦娥詩〉詮評（一九九五）

雲母屏風燭影深，長河漸落曉星沈。
嫦娥應悔偷靈藥，碧海青天夜夜心。
——李商隱〈嫦娥〉

【解　題】

嫦娥，本作姮娥，漢文帝名恆，漢人避諱，因改姮爲嫦，亦稱常娥、素娥。相傳嫦娥爲夏朝有窮國君后羿之妻，后羿請不死之藥於仙人西王母，未及服，嫦娥盜食之，得仙，奔入月宮爲月精，世稱月中仙子。事見《淮南子．覽冥訓》。

此詩各家解釋不一，若照詩直解，則作者只將嫦娥之寂寞與淒清和盤托出而已，似別無寓意。若必欲作別解，則是作者仕途蹭蹬，心懷怨憤，遂不覺以同情嫦娥之故，而轉以自傷，一若借他人杯酒以澆自己胸中塊壘者，其或然歟。

按古今詠嫦娥之作甚多，世咸推此篇爲壓卷，玩賞詩意，應可當之無愧。

【注　釋】

①雲母屏風：以雲母石飾製之屏風。按雲母石有紅白黑三種，色白有珠光者爲白雲母，可作屏風，稱爲雲屏。李商隱〈爲有詩〉：『爲有雲屏無限嬌，鳳城寒盡怕春宵。』

②長河：即天河，亦稱銀河。陳子昂《春夜別友人詩》：『明月隱高樹，長河沒曉天。』

【串　解】

在這幽寂的深夜裏，我獨處斗室，只有雲母屏風和微弱燭光與我相伴。向窗外望去，只見天河逐漸降落，晨星也逐漸隱沒了。嫦娥啊，妳一定會後悔當年偷食了長生不老之藥，以致永遠居住在月宮裏，每天所面對的只是碧海和青天，妳孤獨寂寞的心情如何打發排遣呢。

【大　意】

㈠首句寫室內之陳設豪華，主人公深宵獨坐觀月。

㈡二句寫夜空寥落，晨星漸稀，似是徹夜未能成眠。

㈢三四兩句寫嫦娥孤獨心傷，應悔偷藥成仙之舉，如今所面對者，惟有碧海與青天而已。

【鑑　賞】

㈠首句：先寫室內裝潢華麗，再寫燭影搖紅，時屬深夜。

㈡二句：鏡頭由室內移向室外，先寫空間之轉移，再寫時間之流動。

㈢三句：由眼前景象轉爲議論，推測美人心境，高峰突起，的是神筆。

㈣四句：自問自答，解除讀者疑惑，蓋月宮中除玉兔擣藥與吳剛伐桂外，別無他物，美人芳心如

㈣何不寂寞耶。故後二句寓有追求自由、解除束縛之意。按《莊子・秋水篇》：『莊子釣於濮水，楚王使大夫二人往先焉，曰：「願以境內累矣。」莊子持竿不顧，曰：「吾聞楚有神龜，死已三千歲矣，王巾笥而藏之廟堂之上。此龜者，寧其死為留骨而貴乎，寧其生而曳尾於塗中乎。」二大夫曰：「寧生而曳尾塗中。」莊子曰：「往矣，吾將曳尾於塗中。」』旨在強調自由之可貴。嫦娥雖非失去自由，但長年獨居月宮，顧影無儔，與長期監禁之人無異，此作者所為深致同情者也。而其寫作之靈感，或即濬源於《莊子》乎。

㈤總而論之，前二句寫詩人所居所見之實景，是為現實的世界。後二句寫詩人懸想神話世界之虛境，是為想像的世界。將現實與想像融為一體，又將詩人與嫦娥打成一片，不復知何者為我，何者為人，此其所以為高也。

【集評】

㈠何焯曰：『自比有才調，翻致流落不遇也。』（《李義山詩集箋注》）

㈡朱彝尊曰：『（三四句）是何言歟。』（同右）

㈢紀昀曰：『意思藏在上二句，卻從嫦娥對面寫來，十分蘊藉。非詠嫦娥也。』（同右）

㈣程夢星曰：『此亦刺女道士。首句言其洞房曲室之景，次句言其夜會曉離之情。下二句言其不為女冠，儘堪求偶，無端入道，何日上升也。蓋孤處既所不能，而放誕又恐獲謗，然則心如懸旌，未免悔恨於天長海闊矣。』（《李義山詩集箋注》）

(五)馮　浩曰：『或為入道而不耐孤孑者致誚也。』（《玉谿生詩集箋注》）

(六)孫　洙曰：『夜夜如此寂寞，早知今日，悔不當初。詩意必別有所指，姑託嫦娥以遣懷。』（《唐詩三百首》）

(七)沈德潛曰：『孤寂之況，以「夜夜心」三字盡之。士有爭先得路而自悔者，亦作如是觀。』（《唐詩別裁》）

(八)屈　復曰：『嫦娥，指所思之人也。作眞指嫦娥，癡人說夢。』（《玉谿生詩意》）

(九)姚培謙曰：『此非詠嫦娥也。從來美人名士，最難持者末路，末二語警醒不少。』（《李義山詩集箋注》）

(十)張釆田曰：『寫永夜不眠，悵望無聊之景況，亦託意遇合之作。「嫦娥偷藥」比一婚王氏，結怨於人（按指娶李黨王茂元之女而結怨於牛黨），空使我一生懸望，好合無期耳，所謂「悔」也。蓋亦為子直（令狐綯字）陳情不省而發。若解作悼亡詩，味反淺矣。馮氏謂刺詩，似誤。』（《李義山詩辨正》）

(土)章　燮曰：『以嫦娥自奔月而後，則夜夜有心相照，下窮碧海，上徹青天，周而復始，應悔從前不當竊藥以自取其勞也。』（《唐詩三百首注疏》）

(土)喻守眞曰：『此詩雖是詠月裏嫦娥，但看他後二句，或有所寄託，大概是責備意中人的偷奔，而仍不能忘情。』（《唐詩三百首詳析》）

【附　錄】

㈠藉月抒情之作舉隅

(1)李白《把酒問月詩》（自注：故人賈淳令余問之）：

青天有月來幾時，我今停杯一問之。人攀明月不可得，月行卻與人相隨。皎如飛鏡臨丹闕，綠煙滅盡清輝發。但見宵從海上來，寧知曉向雲間沒。白兔擣藥秋復春，嫦娥孤棲與誰鄰。今人不見古時月，今月曾經照古人。古人今人若流水，共看明月皆如此。唯願當歌對酒時，月光長照金樽裏。

(2)杜甫《月詩》：

四更山吐月，殘夜水明樓。塵匣元開鏡，風簾自上鉤。兔應疑鶴髮，蟾亦戀貂裘。斟酌姮娥寡，天寒耐九秋。

(3)石延年・聯語：

天若有情天亦老，
月如無恨月長圓。

按前句為唐・李賀所撰，見〈金銅仙人辭漢歌〉。後句為宋・石延年（曼卿）所對。

(4)蘇軾《水調歌頭》（自注：丙辰中秋，歡飲達旦，大醉，作此篇，兼懷子由。）：

明月幾時有，把酒問青天，不知天上宮闕，今夕是何年。我欲乘風歸去，惟恐瓊樓玉宇，高處不勝寒。起舞弄清影，何似在人間。　轉朱閣，低綺戶，照無眠。不應有恨，何事長向別時圓。人有悲歡離合，月有陰晴圓缺，此事古難全。但願人長久，千里共嬋娟。

㈡月之別名

晶盤　瓊蟾　鏡光　金兔　銀盤　瓊樓　玉壺　桂影
冰鏡　寒玉　玉彩　玉宇　金輪　月輪　飛光　璧彩
蟾宮　玉盤　玉檻　金餅　玉軫　涼蜍　丹桂　金精
冰輪　飛鏡　素魄　月華　銀界　金波　月宮　玉兔
蟾光　姮娥　彩蟾　寶鏡　太陰　輪影　桂魄　銀蟾
月窟　常娥　玉蟾　兔魄　蟾魄　嬋娟　兔窟　玉樓
月姐　蟾華　皓魄　桂宮　月球　合璧　蟾桂　蟾兔
寒璧　月娘　玉盌　珪月　璧月　皓彩　素娥　金兔
金鏡　揚彩　金環　桂華　瑤盤　重輪　弦望　結璘
清虛府　白兔宮　水晶盤　月姐兒　金粟影　水晶毬　蟠月窟　廣寒宮

（收入民國八十四年台北・天工書局印行、張仁青編纂之《李商隱詩研究論文集》）

評析李商隱〈北青蘿詩〉(一九九五)

殘陽西入崦，茅屋訪孤僧。落葉人何在，寒雲路幾層。獨敲初夜磬，閒倚一枝藤。世界微塵裏，吾寧愛與憎。

——李商隱〈北青蘿〉

這是一首訪僧悟道的詩。

作者去拜訪在北青蘿茅舍中的孤僧，只惜緣慳未遇，雖徒勞往返，然亦不無收獲。布局單純，而又多樣統一，爲主題製造出清新的氛圍。

首聯『殘陽西入崦，茅屋訪孤僧。』點出了造訪的時間、地點和人物。『殘陽西入崦』泛言夕陽在山，指出時間在黃昏時分。『茅屋』指孤僧之所居，僧舍極爲簡陋。『孤僧』明說所尋訪的對象是一個孤獨的僧人，而這個僧人可能是一個憤世嫉俗的高僧。

頷聯『落葉人何在，寒雲路幾層。』敍述沿途所見到的景色，『落葉』是秋聲，『寒雲』是秋色。意謂只聽到落葉瑟瑟的聲響，卻不知人在何處，只見寒雲彌漫山路，卻不知雲有多深。二句顯然是分別從韋應物的『落葉滿空山』、賈島的『雲深不知處』脫胎換骨而來，只是不露痕跡罷了。義山詩的高明處，多可於此處見之。紀昀評此詩謂『三四格高』，確是深造有得之言。

腹聯『獨敲初夜磬，閒倚一枝藤。』是作者懸想那位孤僧平日生活之悠閒，或在初夜之時敲磬唸經，或在僧舍之外倚杖徜徉，一副萬慮俱空、與世無爭的神態。『獨敲』、『一枝』上應『孤僧』，『初夜』上應『殘陽』，前後呼應，緊緊相扣，有如銅山西崩，洛鐘東應，在多樣之間具有統一性。

末聯『世界微塵裏，吾寧愛與憎。』則是悟道之言。《楞嚴經》云：『人在世間，直微塵耳，何必拘於憎愛而苦此心也。』作者由彼孤僧之結茅舍、敲夜磬、倚枝藤的悠閒自得，而悟出大千世界中的功名富貴，是非得失，以至榮枯成敗，愛恨恩仇，都是虛浮空幻的，所以對人世間的事物又何必去認眞計較呢。楊愼《臨江仙詞》云：『是非成敗轉頭空，青山依舊在，幾度夕陽紅。』正可以作此詩的注腳。

（收入民國八十四年台北・天工書局印行、張仁青編纂之《李商隱詩研究論文集》）

評析李商隱之〈韓碑詩〉（一九九五）

〈韓碑〉是一首詠史詩，也是一首敘事詩。

〈韓碑〉，即韓愈所撰〈平淮西碑〉。唐憲宗元和十二年（西元八一七年），宰相裴度爲淮西宣慰處置等使，任用大將李愬，韓愈爲行軍司馬，率兵討伐淮西吳元濟的叛軍。李愬善於觀察形勢，選擇戰機，撫養士卒，對降將李祐等推誠相待，在隆冬雪夜潛師以襲，攻克蔡州，生擒吳元濟，解押京師斬首。憲宗詔令韓愈撰〈平淮西碑〉，歌頌這一場反對藩鎮割據，維護國家統一的戰爭。〈韓碑〉中雖然肯定了李愬雪夜擒蔡之功，但是對裴度以宰相出任統帥，爲此一戰役的最高司令員，調度有法，指揮若定，尤深致推崇，因而引起了李愬之妻（唐安公主之女，憲宗之表妹。）的不滿，徑向皇帝申訴。憲宗乃令推倒此碑，磨去碑文，並詔翰林學士段文昌重新撰文勒石。其後兩篇碑文並存，韓碑見《韓昌黎全集》，段碑見《唐文粹》。

義山此詩，極力歌頌韓碑，認爲韓愈強調裴度的首功是合理的。先敘碑之所以成，次敘碑之所以毀，末言碑文深入人心，與訓誥典謨同樣寶貴，是一首完整的中篇敘事詩。

全詩分爲六段：首四句爲第一段，寫憲宗李純的英明神武，上侔羲、軒。自『淮西有賊五十載』至『功無與讓恩不訾』十四句爲第二段，寫淮西叛軍的跋扈，而由宰相裴度揮師討伐。自『帝曰汝度功第一』至『言訖屢頷天子頤』八句爲第三段，寫憲宗命韓愈撰平淮西碑文。自『公退齋戒坐小閣』至『詠神聖功書之碑』八句爲第四段，寫韓愈恭承帝命，敬謹撰作碑文。自『碑高三丈字如斗』至『今無其器存其辭』十句爲第五段，寫推碑經過，並極言碑文之價値。自『嗚乎聖息及聖相』至『以爲封禪玉檢明堂基』八句爲第六段，抒發自己的感想，並願爲〈韓碑〉大力宣揚，使它流傳萬古。

此詩風格清勁，摛辭典雅，乃《玉谿詩集》中錚錚之作。前人或以爲本詩刻意模擬韓愈的〈石鼓歌〉，實乃皮相之論，殊不知義山乃晚唐詩壇中的巨星，自有其獨特的藝術風格，取法先士或有之，模擬某家則未必。屈復《玉谿生詩意》評此詩云：『生硬中饒有古意，甚似昌黎，而清新過之。』馬位《秋窗隨筆》亦云：『義山〈韓碑〉直與昌黎〈平淮西碑〉並峙不朽，即〈石鼓歌〉無以加焉。』二詩之所以常被人相提並論，大概是指詩歌散文化而言。不過昌黎『以文爲詩』是衆所周知的，而義山只是偶一爲之罷了。

葛立方《韻語陽秋》對〈平淮西碑〉一文推挹甚至，譽爲『絕世之文』，茲迻錄於次，以供參鏡。

> 裴度平淮西，絕世之功也。韓愈〈平淮西碑〉，絕世之文也。非度之功不足以當愈之文，非愈之文不足以發度之功。碑成，李愬之子乃謂沒父之功，訟之於朝，憲宗使段文昌別作，

此與舍周鼎而寶康瓠何異哉。李義山詩云：『碑高三丈字如斗，負以靈鼇蟠以螭。句奇語重喻者少，讒之天子言其私。長繩百尺拽碑倒，麤沙大石相磨治。公之斯文若元氣，先時已入人肝脾。』愈書愬曰：『十月壬申，愬用所得賊將，自文城因天大雪，疾馳百二十里到蔡，取元濟以獻。』與文昌所謂『郊雲晦冥，寒可墮指，一夕捲旆，凌晨破關』等語，豈不相萬萬哉。東坡先生謫官過舊驛壁間，見有人題一詩云：『淮西功業冠吾唐，吏部文章日月光。千古斷碑人膾炙，世間誰數段文昌。』坡喜而誦之。

（收入民國八十四年台北・天工書局印行、張仁青編纂之《李商隱詩研究論文集》）

應用文之革新問題（一九九七）

（一）現代國民國文程度低落之原因

現在是知識爆發的時代，人類爲求生存，謀幸福，自當努力吸取各種知識，學習各種技能，以免被時代所淘汰，由是其所用於研讀國文之時間即相對減少，而運用文字之能力亦相對減弱。而在工商業高度發展、以金錢掛帥之社會，一般人之價值觀念已作重大改變，認爲國文程度之高低與金錢之賺取並無絕對關聯。加以電話、電報、電腦、傳眞之普及，旅遊、娛樂之頻繁，均足以揚其波而助其瀾，遂使此一問題更加嚴重，雖起聖人於地下，亦莫得而易之。惟此乃世界各國之共同現象，不獨我國爲然，憂時有識之士固無須用其驚異也。

（二）公務員國文程度低落之事實

毋須諱言，今日全國公務員之國文程度普遍低落，乃是不爭之事實，甚至有江河日下之勢，長此以往，絕非國家之福。蓋公務人員身分特殊，上自中央，下至地方，雖官階不同，職務有別，而其代表國家行使公權力則初無二致。惟其行使公權力時，大多以公文為之，而公文之撰寫，則完全依靠文字靈活運用，公務人員之國文程度不能太低，其故即在於此。然而目前各機關每日往來之公文，以及參加高普特考而上榜者之國文試卷，其完美無疵者，殊難多遘。各級主管與典試委員無不悄悄心憂，感慨系之。語其大者厥為：①格式錯誤，②詞不達意，③思路不清，④文句冗長，⑤結構鬆散，⑥用詞不當，⑦錯別字多。有志之士，應即分別改進，切勿以輕心掉之，則非特個人之幸，抑亦國家之幸。

(三)應用文之革新

筆者最近二十幾年在各大學講授「應用文」，時常有學生提出「應用文」應否革新的問題，我的答覆一直是肯定的。因為「應用文」雖然不是什麼深奧的學問，但它也和其他學術一樣，不斷的在汰故求新，跟隨時代潮流前進。加以近三十年來，我國的社會結構發生了前所未有的巨大變化，亦即由保守的農業社會進入到日新月異的工商業社會，人際關係日益複雜，酬酢方式日益改變，應世之作自無故步自封、墨守成規的道理。茲率舉數例以明之：

(一)公文程式

吾華立國五千年，歷代公文程式種類如典、謨、訓、誥、誓、詔、制、論、章、奏、疏、表、檄、移、啓、令、呈等，名目繁多，難可詳悉。迨民國肇造，廢除專制政體，實行民主政治，南京臨時政府制定一項公文程式，將前此帶有專制色彩與封建意識之公文程式盡量刪除。其後歷經多次修訂，至民國六十二年十一月三日行政院修正公布《公文程式條例》，始大致底定，通行至今，公務人員與一般民衆無不稱便。六十二年修訂的最大特色是將「令」和「呈」的用途大事縮小，而將「函」的用途大事擴充。無論上行、平行、下行之文一律用「函」，非若舊式上行文用「呈」，下行文用「令」，帶有封建專制色彩的公文程式至此革除淨盡，在我國公文史上是應該大書特書的。

㈡公文用語

假若只注意公文程式的革新，而公文用語則一仍舊貫，那是不切實際的表面化作風，將貽人以「換湯不換藥」之譏。行政院有鑒於此，在六十二年修訂公布之公文程式之餘，又編印《行政機關公文處理手册》頒行各機關，作爲處理公文之範本。這本《手册》最大特色是沿用數千年的公文術語大量刪改，例如陳詞爛調的術語「伏乞」、「仰懇」、「爲禱」等，模稜兩可、推卸責任的術語「尚無不合」、「似可照辦」、「姑予照准」、「存備查核」等一律取消不用。官腔十足的術語「令仰」改爲「希」，「遵照」改爲「照辦」，「鑒核示遵」改爲「核示」等。揆其用意，無非在求簡明確切，更符合民主之精神。

㈢書　信

吾國社會，素重彝倫，尊卑有序，書信之格式，尤見繁複，通行於世者有「單抬」、「雙抬」、「三抬」、「平抬」、「挪抬」五種，前三種已由於時代之進步，早在民國初年即遭淘汰，今僅餘後二種而已。「平抬」即涉及受信人之言行時，提行書寫與各行相平；「挪抬」爲就原行空一格書寫，稱自己尊親及受信人子姪輩時用之。惟今人則凡涉及收信人之言行時，率以「平抬」、「挪抬」交互使用，亦頗見靈活。

又前人寫信，除家書可文白不拘外，均用文言，以示尊敬，今則文言白話並行，此亦書信革新之一例。

四邀　宴

以前農業社會，宴客須親自登門送帖邀請，用表誠意。現在則因人多忙碌，而所欲宴請之人數甚衆，若一一登門邀請，勢非時力所能許，於是在請帖上寫「恕邀」二字，請求受帖人寬恕，此亦社會形態轉變之必然結果。

五訃　聞

在吾國舊禮制中最繁複者莫過於喪禮，即以喪葬柬帖而言，通行者即有六類：一曰報喪條（人死後喪家立即通知親友所送者），二曰訃聞，三曰送禮帖，四曰公祭通知，五曰告窆（安葬死者時通知親友之訃告），六曰謝帖。今人汰繁就簡，厲行節約，報喪條、送禮帖、公祭通知與告窆多廢而不用，而一起併入「訃聞」中。故近年台灣所流行者，只有「訃聞」與「謝帖」而已。惟「謝帖」已大量改爲「謝啓」，刊登報紙，周告親友，更爲經濟實用。按自民國九十年（二〇〇一）以後，時人爲求省事，登報之「謝啓」亦急遽減少，預計不久之將來，恐將逐水東流，隨波而去。此則時代潮流之趨勢，非任何人所得而挽回者。

又舊時訃聞例須在家族名字之上列入喪服名稱，如「杖期夫」、「孤哀子」、「齊衰五月曾孫」、「大功九月堂弟」、「期服姪女」之類，今則一律取消不用。而家族居喪時拜賓客之禮如「泣血稽顙」、「泣稽顙」、「拭淚稽首」、「抆淚稽首」之類亦歸淘汰，而改爲「泣啓」或「敬啓」。蓋喪服名稱繁瑣，拜客禮數不一，已成專門知識，一般人均不甚了了，稍有不愼，即貽譏當世，不如不用爲妙。

又舊時「訃聞」所常用之「杖期夫」、「未亡人」，均已嚴重落伍，不切實際，應分別改爲「護喪夫」、「護喪妻」，現台灣民衆已逐漸推廣使用，這也是革新進步之一例。

再者，出家之僧尼、牧師、修女、神父、道士，早已看破紅塵，六親不認，死後固無哀輓之事，當然亦無須發訃聞，但在報紙上卻時時見到此類出家人之訃聞，此亦時代進步，出家人之習俗觀念亦隨之進步的緣故。（今日寺廟中，誦經已改用錄音機，蠟燭亦改用紅色電燈；而僧尼戴手錶、穿皮鞋、提收音機、背錄音機、拿手機傳教者，尤日益增多，則此輩發訃聞之事，吾人固不必訝異。）

㈥慶　賀　文

吾民族人情味之濃郁，素稱世界第一，因此與人情味息息相關之慶賀文字獨步環宇，舉凡婚嫁、生子、壽誕、上梁、遷移、開業、升遷、金榜題名……等，均須爲文以申賀悃。今世人多忙碌，鮮有餘暇顧及此事，慶賀文字僅限於婚嫁、壽誕、開業（含公司行號開張、報紙雜誌創刊）三項而已，其餘亦均已投入歷史長河，永遠不再重現，這也是應用文汰舊存新的最好證明。

㈦祭　弔　文

自儒家提倡愼終追遠以後，影響所及，吾民族即極端重視祭弔文字，其重視程度且遠在慶賀文字之上，吾人信手翻閱《昭明文選》、《古文辭類纂》、《經史百家雜鈔》諸書，即可一目了然，其名目之多，蓋累紙所不能盡（詳見拙著《應用文》第七章第一節）。而至今尙爲人所習用者，不過「行狀」、「祭文」、「墓志銘」等三數種而已。

綜上所述，社會上交際應酬之文字，時時都在改變，都在革新。例如朱自清氏所撰之《給亡婦》，無異一篇上乘的白話祭文；又如毛子水氏所撰之《胡適先生墓志銘》，以白話出之，人多不以爲非，即爲鐵證。所以只要改變得合理，能爲一般人所接受，即已畢其能事。

（一九九七年七月四日在香港理工大學主辦第三屆「應用文國際學術研討會」所宣讀之論文）

比興詩初探（二〇〇〇）

自古以來，詩歌創作之方法，無慮千百種，累紙所不能盡。而其中使用最多且又最爲人所樂道者，厥爲「賦」、「比」、「興」三種。其說始於先儒之〈詩大序〉：

> 詩有六義焉：一曰風，二曰賦，三曰比，四曰興，五曰雅，六曰頌。

《周禮・春官・大師》稱爲「六詩」，次序相同。孔穎達《毛詩正義》云：

> 然則風雅頌者，詩篇之異體；賦比興者，詩文之異辭耳。大小不同而得並爲六義者，賦比興是詩之所用，風雅頌是詩之成形。用彼三事，成此三事，是故同稱爲「義」，非別有篇卷也。

若以今語言之，則風雅頌三者爲詩之體製，賦比興三者爲詩之作法，統稱《詩經》之六義。風雅頌既爲《詩經》之體制，非本文之所應及，姑置勿論。今僅釋賦比興。

所謂「賦」，含有鋪陳直敍之意，當用作動詞。鄭玄《周禮・春官・大師》注：

> 賦之言「鋪」，直鋪陳今之政教善惡。

孔穎達《毛詩正義》引此云：

詩文直陳其事不譬喻者，皆賦辭也。

又劉熙《釋名》：

敷布其義謂之賦。

其後劉勰、鍾嶸以至朱熹均一致認爲「直書其事」「體物寫志」爲賦之特徵。

所謂比，即比喻，亦作譬喻，俗語謂之「打比方」。用具體形象之事物或淺顯通俗之道理作比方，以描繪與之不同之陌生事物，或表達比較艱深之道理，統謂之比喻。鄭玄《周禮・春官・大師》注：

比者，比方於物也。

《藝文類聚》引摯虞《文章流別論》：

比者，喻類之言也。

朱熹《詩集傳》：

比者，以彼物比此物也。

沈德潛《說詩晬語》言之尤詳：

事難顯陳，理難言罄，每託物連類以形之；鬱情欲舒，天機隨發，每借物引懷以抒之。比興互陳，反覆唱歎，而中藏歡愉慘戚，隱躍欲傳，其言淺，其情深也。

文家創作詞藝，多喜用比喻，沈氏此言，實已道出個中緣由。

所謂興，即興起，兼有發端與比喻之雙重作用。何晏《論語集解》引孔安國云：

> 興，引譬連類。

朱子《詩集傳》釋興云：

> 先言他物以引起所詠之辭也。

陳奐《詩毛氏傳疏・葛藟篇》中鄭衆之說云：

> 曰「若」曰「如」曰「喻」曰「猶」，皆比也。《傳》則皆曰興。比者，比方於物；興者，託物於物（按此四句為鄭玄《周禮・春官・大師》注引鄭衆之説）。作詩者之意，先以託事於物，繼乃比方於物，蓋言興而比已寓焉矣。

按興亦有僅具發端而無比喻之作用者，亦有喻意由於年世綿遠已難明悉者，更有僅具音律上之聯繫作用者。又按近今修辭學家有以「明喻」釋比、「暗喻」釋興者，亦有以「顯喻」釋比、「隱喻」釋興者，更有以「直喻」釋比、「聯想」釋興者。故興之界說，較為紛歧，至今尚無定論。

漢儒解詩，直言「賦」者極少，多訓「賦」為「鋪」，假借為「鋪陳」字。而「比」、「興」則往往混沌不清，「以興為比」者所在多是。《毛詩》傳箋注明「興也」者凡一百十六篇，佔全詩（三〇五篇）百分之三十八。若將「比」加入「興」中，必遠過於此數。茲率舉三例，以見漢儒詁詩之慣用手法。

(一)〈關　雎〉

原詩：關關雎鳩，在河之洲。窈窕淑女，君子好逑。

毛傳：興也。關關，和聲也。雎鳩，王雎也，鳥摯而有別。后妃悅樂君子之德，無不和諧，又不淫其色，愼固幽深，若雎鳩之有別焉。

㈡〈桃　夭〉

原詩：桃之夭夭，灼灼其華。之子于歸，宜其室家。

毛傳：興也。桃有華之盛者，夭夭其少壯也。灼灼，華之盛也。

鄭箋：興者，喻時婦人皆得以年盛時行也。

㈢〈鵲　巢〉

原詩：維鵲有巢，維鳩居之。之子于歸，百兩御之。

毛傳：興也。鳩，鳲鳩，秸鞠也。鳲鳩不自爲巢，居鵲之成巢。

鄭箋：鵲之作巢，冬至架之，至春乃成。猶國君積行累功，故以興焉。興者，鳲鳩因鵲成巢而居有之，而有均一之德。猶國君夫人來嫁，居君子之室，德亦然。

漢儒詮詩，率皆類此，是否有當，前賢論之已多，可勿具論。惟其所貽與後世之影響，則至爲深遠。如阮籍之〈詠懷詩〉，明明是陶冶性靈，抒發幽思之作，而李善注《文選》則引顏延之、沈約之說云：

嗣宗身仕亂朝，常恐罹謗遇禍，因茲發詠，故每有憂生之嗟。雖志在譏刺，而文多隱避，百代之下，難以情測。

又如杜甫之〈佳人詩〉，明明是敍寫安史亂後，有一棄婦逃入秦州，獨居空谷之窘狀，而陳沆《詩比興箋》則云：

夫放臣棄婦，自古同情，守志貞居，君子所託。「兄弟」謂同朝之人，「官高」謂勳戚之屬，「如玉」喻新進之猖狂，「山泉」明出處清濁，「摘花不插」，「膏沐誰容」，竹柏天眞，衡門招隱，此非寄託，未之前聞。

再如杜甫之〈和賈至早朝大明宮詩〉，明明是歌頌大唐帝國早朝之盛況，並稱美賈至之高才，而魏慶之《詩人玉屑．託物條》則引梅堯臣之說云：

如「旌旗日暖龍蛇動，宮殿風微燕雀高」。「旌旗」喻號令，「日暖」喻明時，「龍蛇」喻君臣，言號令當明時君所出，臣奉行也。「宮殿」喻朝廷，「風微」喻政教，「燕雀」喻小人，言朝廷政教才出而小人向化，各得其所也。

或穿鑿其義，或附會其辭，或無中生有，其眞旨妙諦，反爲所掩，將詩學引入魔道，良可慨已。黄庭堅〈大雅堂記〉論杜詩云：「彼喜穿鑿者棄其大旨，取其發興，於所遇林泉人物，草木魚蟲，以爲物物皆有所託，如世間商度隱語者，則子美之詩委地矣。」洸洸議論，足鍼其弊。

雖然，上舉諸賢詁詩，確有可議者，惟比興乃詩文修辭之重要法門，其見重於文苑藝壇，自不待言。其中提倡最爲積極，理論最稱圓賅者，則要以我國文學批評之雙璧——《文心雕龍》與

《詩品》爲尤著。劉勰《文心》五十篇，〈比興〉即居其一，於比興之義，多所闡發，詳徵博引，屈曲洞達。且強調比用於事理，興用於情義，比顯而興隱。繼又慨歎興義之銷亡云：

楚襄信讒，而三閭忠烈，依《詩》製〈騷〉，諷兼比興。炎漢雖盛，而辭人夸毗，詩刺道喪，故興義銷亡。於是賦頌先鳴，故比體雲構，紛紜雜遝，信舊章矣。

劉氏鑒於興義淪亡，詞人競用比義，將使詩文減色，文致亦不復生動，故兼重比興。實則興義未嘗淪亡，不過六朝人合比興爲一而渾言之，統謂之「隱喻」、「聯想」、「暗示」而已。其後詩、詞、曲，以至戲劇、小說，運用益廣，直書其事者漸少，間接表達者寖多，馴至「詩貴比興」、「比興之外無詩」之說囂然塵上，喧騰衆口。而其瓊章麗曲，雋句瑋篇，亦往往而間出，江山文藻，信爲不朽。茲遴選數篇，以窺豹采。

㈠曹植〈七哀〉

明月照高樓，流光正徘徊。上有愁思婦，悲歎有餘哀。
借問歎者誰，言是蕩子妻。君行逾十年，孤妾常獨棲。
君若清路塵，妾若濁水泥。浮沈各異勢，會合何時諧。
願爲西南風，長逝入君懷。君懷良不開，賤妾當何依。

此詩前賢多謂作於魏文帝黃初年間，於時曹植迭遭其兄曹丕迫害打擊，身心備受煎熬。曹丕曾先誅殺其羽翼丁儀、丁廙，繼逼其與諸王兄弟就國，不得相互存問，並派監國謁者灌均嚴密監視，又以各種藉口貶爵、改封、遷徙，十一年中六次削爵，三次徙國。遂使其壯志難伸，戚戚無歡。故元・劉履《選詩補注》云：「子建與文帝同母骨肉，今乃浮沈異勢，不相親與，故以『孤妾』自喻。」又云：「此篇亦知在雍丘所作，故有『願爲西南風』之語，按雍丘即今汴梁之陳留縣，當魏都西南方。」

此詩通體比興，將閨怨與諷諭融合無間。鍾嶸《詩品》謂曹植之詩「源出於〈國風〉」，實則曹植亦上窺屈原美人香草之比興手法，正如劉熙載《藝概》所云「曹子建、王仲宣之詩出於〈騷〉」。本篇以男女喻君臣即其顯例。

㈡王維〈息夫人〉

莫以今時寵，能忘舊日恩。
看花滿眼淚，不共楚王言。

孟棨《本事詩》：「寧王曼（唐玄宗兄）貴盛，寵姬數十人，皆絕藝上色。宅左有賣餅者妻，纖白明媚，王一見屬目，厚遺其夫娶之，寵惜逾等。環歲，因問之：『汝復憶餅師否。』默然不對。王召餅師使見之，其妻注視，雙淚垂頰，若不勝情。時王座客十餘人，皆當時文士，無不悽異。王命賦詩。王右丞維詩先成云云，座客無敢繼者，王乃歸餅師，以終其志。」按《左傳・莊公十四年》載息侯之夫人姓嬀，亦稱息嬀，容貌絕世，楚文王興兵滅息，奪之歸。息嬀入楚宮後，生堵敖及成王，惟終日不言不笑，狀甚哀戚，長達數十年。一日楚王問之，答曰：「吾一婦人而事二夫，縱弗能死，其又奚言。」餅師妻與息夫人身分雖殊，遭遇則同，亦同樣不忘舊情而又敢怒而不敢言，暗示只能得到其身體，而不能得到其靈魂與愛情。以「息夫人」為題詠餅師之妻，託古諷今，怨而不怒，深得《詩經》比興之旨，無怪在座文士均為之擱筆。

(三)朱慶餘〈近試上張水部〉

洞房昨夜停紅燭，待曉堂前拜舅姑。
妝罷低聲問夫壻，畫眉深淺入時無。

詩題一作〈閨意〉，或作〈閨意上張水部〉。張水部即張籍，時任水部郎中。據尤袤《全唐詩話》載，朱慶餘欲應進士科舉，張籍素負重名，乃錄舊作呈覽，求其品鑑，是否合乎考官口味，此種習尚謂之「溫卷」。朱氏又作此詩以獻。張氏大加贊賞，為之延譽，並酬詩云：「越女新妝出鏡心，自知明艷更沈吟。齊紈未足時人貴，一曲菱歌敵萬金。」從此朱氏詩名遂流傳海內，不久果登金榜，一時傳為佳話。作者表面上是寫新嫁娘在明晨拜見公婆前擔心全身妝扮合不合時，實際上是借此以暗喻自己在進考場前擔心詩文能否為考官賞識。全詩以新娘自比，以新郎比張籍，以公婆比考官，以新娘初次拜見公婆之惶恐心理比自己臨考前之忐忑不安。其實就詩而論，若單純按其表面意義去理解，亦是一首絕妙的閨情詩，故以一代香奩高手譽之，當非過甚。洪邁《容齋隨筆》盛贊此詩云：「細味此章，元不談量女之容貌，而其華艷韶好，體態溫柔，風流蘊藉，非第一人不足當也。歐陽公（按當是梅堯臣）所謂『狀難寫之景，如在目前；含不盡之意，見於言外，然後爲工。』斯之謂也。」

㈣張籍〈節婦吟〉

君知妾有夫，贈妾雙明珠。
感君纏綿意，繫在紅羅襦。
妾家高樓連苑起，良人執戟明光裏。
知君用心如日月，事夫誓擬同生死。
還君明珠雙淚垂，恨不相逢未嫁時。

唐汝詢《唐詩解》：「《容齋三筆》云：『張籍在他鎮幕府，李師道以書幣辟之，籍卻而不納，而作〈節婦吟〉詩以寄之。』繫珠於襦，心許之矣。以良人貴顯而不可背，是以卻之。然還珠之際，涕泣流連，悔恨無及，彼婦之節不幾岌岌乎。夫女以珠誘而動心，士以幣徵而折節，司業（籍歷官至國子司業）之識淺矣哉。」又王文濡《歷代詩評注讀本》：「此張籍卻李師道聘，託言〈節婦吟〉，通首用比體，而本意已明，妙絕。」按此爲最膾炙人口之比興詩，饒有韻外之致，絃外之音。全詩擬少婦口吻，心理描寫，細膩生動，深情而不曖昧，堅決又不兇悍，發乎情，止乎禮，所言所行均極有分寸，儼然大家閨秀之風範，決非小家碧玉之行徑，委婉曲折，耐人尋味。題下原注：「寄東平李司空師道」。李師道爲當時平盧淄青節度使，割據一方之軍閥，聲勢極盛。張氏心鄙其人，而又不便明言，故借男女情愛表政治立場。

㈤高蟾〈下第後上永崇高侍郎〉

天上碧桃和露種，日邊紅杏倚雲栽。
芙蓉生在秋江上，不向東風怨未開。

一般才高志大之士，若秋闈失意，多責怪考試之不公，或考官之刁難，而不肯心平氣和，自我檢討。惟高蟾則不然，先以「碧桃」、「紅杏」喻新科進士，藉皇家雨露之恩而嬌貴。後以「芙蓉」自喻，言芙蓉生在江上，方春百花競開，芙蓉寂然自守，不怨東風之不相及。至秋百花搖落，秋江之芙蓉獨拒霜而開花，屆時必凌桃杏而上之。此種自我安慰之作法，極爲別致，亦合於儒家「溫柔敦厚」之詩教。

㈥仲燭亭〈答袁枚〉

託買紅綾束，何須問短長。
妾身君慣抱，尺寸細思量。

據袁枚《隨園詩話》載，友人仲燭亭賦閒錢塘，生活艱困，請袁枚代覓一職，袁氏薦往蕪湖作幕，問其希望待遇若干。仲氏不覆信，而答以此詩。言二人既爲至交，則我全家每月生活費用自然十分清楚，何必多問。託喻閨情，令人發噱。

（民國七十九年十月在國立中山大學中國文學系學術研討會宣讀之論文）

高啓詩之用典藝術（二〇〇〇）

蒙古人在西元一二七七年入侵南宋，建立蒙元帝國，統治華夏歷時幾近一個世紀，直至一三六八年始為我大漢民族所驅逐，莽莽神州，復歸我有。正是「四塞河山歸版籍，百年父老見衣冠。」（高啓〈送沈左司從汪參政分省陝西汪由御史中丞出詩〉）

大明帝國的建立，重新顯現華夏文化的強大力量，詩歌、散文、戲曲、小說再度放射出萬丈光芒，形成明代文學的四大支柱，足以秀掩蒙元，潤逼遜清，江河萬古，堪稱不朽。即以詩歌而論，民間歌謠固然是琳瑯滿目，美不勝收，成為朱明文苑的一大特色；而近、古各體亦復瓊章麗曲，往往間出，上視唐宋，實不遑多讓。在此三百年間，詩人們各噓煙墨，同振詞葩，於是流派爭雄，色彩繽紛，將詩歌繼唐宋之後推出另一奇峰。「吳中四傑」之規摹衆體，頻放異彩；「閩中十子」之瓣香盛唐，追其色象；「三楊台閣體」之博大昌明，雍容閒雅，廊廟翕服，海內咸宗；「前後七子」之擬古復古，眞誠坦率，雖乖正軌，亦是一代文雅才；「公安三袁」之靈筆慧心，佳製紛披，固不止小品飲譽千秋而已；「竟陵派」之幽獨淒清，沈耽苦吟，情志所託，實邁孟賈。各種詩風，各種詩體，無不具備。緣是六代民歌之形，三唐詩歌之神，兩宋詞作之韻，都被明代詩人繼續保存，或予以發揚光大。

在明代偌多詩人當中，才氣最高，聲華最懋，成就最大的，實非高啓莫屬。高啓（一三三六——一三七四）字季迪，長洲（今江蘇蘇州市）人。幼警敏，有文武才，家於北郭，與王行等十人相友善，號「北郭十友」或「北郭十才子」。元末張士誠據吳，名士嚮附，啓獨隱居吳淞江邊之青丘，自號青丘子。明洪武初，召入京纂修《元史》，尋入內府，教功臣子弟，授翰林院國史編修官。三年，參與廷對，帝親擢爲戶部侍郎，託辭年少不敢承擔重任，未受職，退居青丘，以教書爲生。洪武七年（一三七四），蘇州知府魏觀以改修張士誠府第獲罪，啓因代魏觀撰〈郡治上梁文〉連坐，被腰斬於南京，得年僅三十九歲。詩有《吹台》、《江館》、《鳳台》、《姑蘇雜詠》、《婁江吟稿》等集，計有詩二千餘首。自選定爲《缶鳴集》十二卷，九百餘首。另有文《鳧藻集》，詞《扣舷集》，合編爲《高太史大全集》，凡二十五卷。今版稱《高青丘集》。

高啓賦性高邁不羈，才華橫溢，學識淵博，絕意仕進，惟專精傾注於詩，未嘗稍懈。其《缶鳴集・自序》云：「一事於此而不他，疲殫心神，搜刮物象，以求工於言語之間。」此與杜工部「爲人性僻耽佳句，語不驚人死不休」，可謂異代同符，遙相呼應。

蒙元末季，楊維禎崇尚險怪新奇之詩，風氣所播，彌遍江左，高啓獨樹別幟，不肯附和，提出博取衆長，隨事師法，主張「格」、「意」、「趣」俱備。其說云：

詩之要：有曰格，曰意，曰趣而已。格以辯其體，意以達其情，趣以臻其妙也。體不辯，則入於邪陋，而師古之義乖；情不達，則墮於浮虛，而感人之實淺；妙不臻，則流於凡近，而超俗之風微。三者既得，而後典雅、沖淡、豪峻、穠縟、幽婉、奇險之辭，變化不一，隨所宜而賦焉。如萬物之生，洪纖各具乎天；四序之行，榮慘各適其職。又能聲不違節，言必止義，如是而詩之道備矣。（〈獨庵集序〉）

此說一出，震撼詩壇，而其本人亦能劍履相及，以爲天下倡，遂一掃元末纖穠縟麗之習，而復歸於正。時人謝徽云：

季迪之詩，緣情隨事，因物賦形，橫縱百出，開合變化。（〈高啓《缶鳴集》序〉）

所言深中肯綮，亦可代表明清二代許多論者的看法。《四庫全書總目提要》更進一步詳評其詩，言之尤爲切要。其詞云：

高啓天才高逸，實據明一代詩人之上。其於詩，擬漢魏似漢魏，擬六朝似六朝，擬唐似唐，擬宋似宋，凡古人之所長，無不兼之。振元末纖穠縟麗之習，而返之於古，啓實爲有力。然行世太早，殞折太速，未能鎔鑄變化，自爲一家，故備有古人之格，而反不能名啓爲何格，此則天實限之，非啓過也。特其摹仿古調之中，自有精神意象存乎其間，譬之褚臨〈禊帖〉，究非硬黃雙鉤者比。故終不與北地、信陽、太倉、歷下同爲後人詬病焉。

識者以爲篤論，比起主張「詩貴性情，亦須論法」，以「格調說」馳名天下之沈德潛在《明詩別裁集》所評「特才調有餘，蹊徑未化」，實較爲公允。

高啓博聞強記，學富才豐，因此在今存二千多首古近體詩中，使事運典，幾佔其半，信手拈來，或如珠走盤，或渾化無跡，使典故成爲篇什裏的有機部分。其高明之處，更是臻於登峰造極，爐火純青，出神入化之絕詣，令人擊節稱賞，歎爲觀止。趙翼《甌北詩話》評其詩云：「蓋其用力全在於使事用典，琢句渾成，而神韻又極高朗。此正是細膩風光，看似平易，實則洗鍊功深。」可謂深造有得之言。蓋詩歌之繁用典故，自魏晉以後成爲必要之條件，病之者謂爲戕賊性靈，賞之者謂爲用意深厚，清代桐城派諸子及民初五四運動主盟諸公更集矢於此，以爲雕蟲小技，有傷眞性。此種仁智之所見，原屬歷史公案，殊難遽下斷語，定其是非。惟吾人在此須鄭重聲明者，文學乃緣歷史以發生，人不習知歷史，則不能從事文學之研究，此中國文史所以恆爲一體，不容分割的主因，所謂典故，就是古代的事情，亦即歷史的事情，是以典故之定義，凡引證歷史中事實及前人言語入於詩者，都是典故，前者謂之「用事」（亦稱「事典」），後者謂之「用詞」（亦稱「語典」）。苟不能禁人斷絕歷史知識，則不能禁人不引用古事古語，即不能禁人不引用典故，何況用典且爲修辭之一法，豈可輕言廢棄，視若讎仇。鄙意以爲典故非不可以用，只看各人能不能用，善不善用，詩歌修辭之法，固不止白描一端，這是衆所周知的事實。

抑更進一步言之，詩歌是文章之精華，亦即屬於美感之文學，不可不著重藻釆，其來源皆取材於典籍故實，讀書稍多，造語自有根據。韓文杜詩之所以喧騰衆口，千載以下猶爲人所瓣香膜拜者，就是在於「無一字無來歷」。揚搉言之，隸事運典之最大作用，在於用簡潔的文字表達繁複的意思，使作品富有濃厚的神祕性，或象徵性，或趣味性，以增加讀者之美感，從而提高其藝術價值。

茲就平日諷誦《青丘集》之一得，卒竭愚夫之千慮，將其用典之神技妙法，權分五端而論述之，嘗鼎一臠，冀概其餘。

（一）明 用 詩中徵引典實，或明言其人，或明引其事者，謂之明用。此乃用典之基礎，最爲簡單，亦最爲普遍，載筆之倫，類能優爲。例如：

謝公最小偏憐女，自嫁黔婁百事乖。（元稹〈遣悲懷〉）

前句以東晉謝安最疼愛其小姪女道韞，喻其妻韋蕙叢亦最得其老父韋夏卿之疼愛。（事見《晉書·列女傳》）後句以春秋齊國高士黔婁自喻，言己亦是一介寒士。（事見皇甫謐《高士傳》）高啓讀書甚勤，腹笥極豐，故驅遣典實，易如探囊，其「明用」者有如下例：

北山恐起〈移文〉誚，東觀慚叨論議名。（〈被召將赴京師留別親友〉）

上句用孔稚珪〈北山移文〉譏嘲南齊周顒以隱謀官之事，揭穿假隱士的虛僞面目，是一篇高級戲謔文章。（事見《文選》呂向注）下句用東漢明帝命班固等人在洛陽東觀修撰《漢記》之事。（詳見《後漢書·班固傳》）高啓用此二典，意在說明自己原本遁隱青丘，長棄軒冕，今無端被迫赴南京纂修《元史》，膺任史官，中懷慚愧，莫可言宣。

騎驢客醉風吹帽，放鶴人歸雪滿舟。（〈梅花〉九首之三）

上句用南宋詩人陸游酷愛梅花事。陸游〈劍門道中遇微雨詩〉：「衣上征塵雜酒痕，遠遊無處不銷魂。此身合是詩人未，細雨騎驢入劍門。」（見《劍南詩稿》）又唐詩人孟浩然亦曾踏雪尋梅。蘇軾〈贈寫眞何充詩〉：「雪中騎驢孟浩然，縐眉吟詩肩聳山。」尋繹詩意，騎驢客指陸游爲長。況且陸游喜愛梅花，遠逾孟氏，其〈梅花詩〉：「小亭終日倚闌干，樹樹梅花看到殘。」又：「何方可化身千億，一樹梅花一放翁。」

下句用北宋隱士林逋妻梅事。林逋在杭州西湖孤山隱居，終身不娶，屋畔遍種梅花，在湖邊飼養白鶴，稱爲「梅妻鶴子」，時常放鶴遨遊，自得其樂，今杭州西湖孤山尚有放鶴亭，爲遊覽勝地。

高啓用此二典，旨在頌美梅花兼有詩人之風雅與隱士之高潔，自是花中逸品。

（二）暗 用　徵引典實，須渾然天成，莫測端倪，有如羚羊挂角，無跡可求。又如水中著鹽，渾化無跡。使博雅者見之，知文中尙有玄機，而腹儉者讀之，亦能望文而生義。此乃詞章家行文作詩之最高手法，亦爲隸事運典之最高境界。例如：

五更鼓角聲悲壯，三峽星河影動搖。（杜甫〈閣夜〉）

前句見《後漢書・禰衡傳》：「衡方爲〈漁陽〉（鼓曲名）參撾，蹀躍而前，容態有異，聲節悲壯，聽者莫不慷慨。」後句言三峽水中之銀河倒影搖晃不定，雖是寫現實之景，實則暗用《漢書・天文志》：「元光中，天星盡搖，上以問候星者，對曰：『星搖者，民勞也。』後伐四夷，百姓勞於兵革。」按少陵此詩作於大曆元年冬夔州西閣，於時兵氛未靖，干戈四起，民人勞苦，靡有紀極，少陵哀之，故有此作。若純屬寫景，則其意淺露，非其本色。

高啓乃斲輪老手，暗用典實，最爲當行，《青丘集》中，隨處可見，率舉一二，以窺豹斑。

雲暖空山栽玉遍，月寒深浦泣珠頻。（〈梅花〉九首之六）

此言雲暖天晴時，在空山中處處掩埋著生煙之玉；清寒的月夜，在深浦裏鮫人頻頻地泣淚成珠。

兩句暗用李商隱〈錦瑟〉詩意：「滄海月明珠有淚，藍田日暖玉生煙。」據說南海外有鮫人，水居如魚，不廢績織，其眼泣則能出珠。（見張華《博物志》）又謂藍田山中出產美玉。青丘此詩，上句是說天晴日暖時梅花飄落在山中，如同美玉之埋於黃土。栽，栽種。古有「仙人種玉」的傳說（見陶潛《搜神後記》）。這裏只作「掩埋」解。一說漢代合浦郡不產穀實，而海出珠寶，常被貪官搜刮移往遠處。（見《後漢書．孟嘗傳》）下句寫寒夜中梅花飄落在水裏。珠，亦以比喻梅花瓣。

兩句寫梅花零落如玉如珠，深致惋傷之意。

門巷有人催稅到，鄰家無處借書看。（〈秋日江居寫懷〉）

此言門巷中有小吏到來催稅，左鄰右里也沒有一家人可借書來看。

有人催稅，言新建立的明政權馬上又把賦稅加在人民頭上。《宋詩紀事》載：詩人潘大臨重陽日在家吟詩，得一佳句：「滿城風雨近重陽」。適値催租人到，遂敗興，不復完章。本詩中兼有兩意，其一是暗用典實，引人發噱；其二是正値稅吏前來催繳賦稅。

下句謂僻處於鄉村，附近無讀書人可往還，純屬白描。

（三）反　用　詩家隸事運典，其術多方，有直用其事者，有反其意而用之者。前者謂之正用，亦曰明用。後者謂之反用，與文章之「翻案法」（如歐陽修〈縱囚論〉、王安石〈讀孟嘗君傳〉、王世貞〈藺相如完璧歸趙論〉均是）略同，最爲奇警，可以增強人之思辨能力，自來即深爲文士所喜用。惟用之不當，極易流於膚淺，畫虎類犬，反爲不美。以下即爲令人激賞之一例：

新栽楊柳三千里，引得春風度玉關。（楊昌濬〈贈左宗棠詩〉）

按王之渙〈出塞〉：「黃河遠上白雲間，一片孤城萬仞山。羌笛何須怨〈楊柳〉，春風不度玉門關。」此題一作〈涼州詞〉，〈涼州詞〉係唐代樂府曲名，與北朝樂府〈折楊柳枝〉同爲古代送別之名歌，常以笛吹之。涼州在今甘肅武威縣，玉門關在其境內，出此關便是塞外，黃沙廣漠，草木不生。王詩意謂楊柳須得春風吹蕩而生，今春風不過玉門，則玉門關外安得有任怨之楊柳，塞外既無任怨之楊柳，則羌笛固無須吹奏〈楊柳曲〉，以免勾起邊兵之別恨。此言君恩不及邊塞，意在撫慰邊兵，並勸其認命，具有濃厚的反戰思想。而楊詩則反其意而用之，意謂左宗棠收復新疆以後，湖湘子弟遍佈天山南北麓，廣植楊柳，遂使邊塞景色爲之改觀，而綠意盎然，此後春風必定年年度過玉門關，永續不變。

典故之反用，眞是可遇不可求，雖鏤肝鉥腎，絞盡腦汁而爲之，亦不易討好。高啓春秋方盛，即告殞折，槃槃大才，竟未能盡其用，故此類篇什，爲數較少，粗舉數例，以窺大凡。

秦人若解當時種，不引漁郎入洞天。（〈梅花〉九首之二）

此言秦人如果懂得在當時種植梅花，就不至於把武陵（今湖南常德縣）漁郎引入他們的洞天福地了。據陶潛〈桃花源記〉：東晉太元中，武陵漁人見溪水中流出桃花瓣，便沿溪前行，至桃花源。居民均爲秦時避難者之後裔，人人豐衣足食，怡然自樂，不知世間有禍亂憂患，時人因稱這種理想境界爲世外桃源。此與十六世紀英國文學家謨耳（Sir Thomas More，一四七八——一五三五）所著烏托邦（Utopia）社會主義島國差相類似。

高啓在此反其意而用之，意謂秦人不應種紅桃，而應種白梅。桃花鮮艷，容易引起漁郎的問津；梅花素潔，適於他們淳樸的隱遁生活。謝枋得〈桃花詩〉：「花飛莫遣隨流水，怕有漁郎來問津。」亦是反用，與此詩有異曲同工之妙，異代同揆，殊屬難能可貴。

此時何暇化光明，去照逃亡小家屋。（〈明皇秉燭夜遊圖〉）

按前二句云：「琵琶羯鼓相追逐，白日君心歡不足。」此四句言唐玄宗在後宮歡宴，琵琶聲和羯鼓聲相繼不停，君王還嫌白晝太短，未能盡興。這時哪有空閒化作光明之燭，去照那流民們所居住的破陋房子呢。旨在抨擊明皇晚年荒淫無道，不恤國事，不紓民瘼，因而招致宗社丘墟之慘禍。

唐聶夷中〈詠田家詩〉:「我願君王心,化作光明燭。不照綺羅筵,只照逃亡屋。」高啓則反其意而用之,化願景爲諷刺,振聵發聾,警策無比,遂成全篇之主幹,亦爲詩眼所在。

(四)活 用 使事運典,貴能靈活變化,宜令「事爲我使」,而「不爲事使」,直將故事之內涵與自己立意所在,融爲一體,孰水孰鹽,莫見痕跡。故運典技巧之高者,雖死事死句亦可以靈活運用,極盡出神入化之能事,而達到雅俗共賞之目的。王安石有云:「詩家病使事太多,蓋皆取其與題合者類之,如此乃是編事,雖工何益。若能自出其意,借事以相發明,變態畢出,則用事雖多,亦何所妨。」(蔡启《蔡寬夫詩話》引)楊載亦云:「陳古諷今,因彼證此,不可著跡,只使影子可也,雖死事亦當活用。」(《詩法家教.用事條》)是皆深於此道者之言。例如:

曾經滄水難爲水,除卻巫山不是雲。(元稹〈離思〉)

前句是《孟子.盡心篇》:「孔子登東山而小魯,登泰山而小天下。故觀於海者難爲水,遊於聖人之門者難爲言。」孟子之意,蓋謂聖人之道,博大精深,故未知聖人者,常自命甚大,及所見既大,則其小者不足觀也。元稹截取其詞而加以活用,意謂天下美女觀賞殆遍,彼俗艷凡花固未嘗縈心,意在深悔前此廣交女友,逢場作戲之非。

後句用《文選》宋玉〈高唐賦〉所述楚襄王夢與巫山神女歡合之事,元稹亦截取其詞而加以活用,意在強調愛情之深固,絕不作移情別戀之想。

按用典之作用有四:①可以避免平凡單調,②可以美化詩篇,③可以使文意深婉,④可以使言簡意賅。試觀上例，四者皆備，是其最佳佐驗，彼信口詆娸用典爲躲懶藏拙，錮蔽性靈者，允宜三思。

在高啓《大全集》中，活用典實，觸目可見，茲遴擇數聯，以識其凡。

黃旗入洛竟何祥，鐵鎖橫江未爲固。（〈登金陵雨花台望大江〉）

言三國末季，吳主孫皓迷信「黃旗紫蓋」（指雲氣集結，形成黃色旌旗、紫色車蓋形狀，乃帝王統一天下之瑞兆。）的傳說，輕率領兵遠征晉都洛陽，究竟有什麼好兆頭。後來在長江險要處（如西塞山）用鐵鏈橫鎖江面，企圖阻遏晉軍戰船，也算不得穩固。旨在譴責孫皓淫虐不修德政，終於亡國，後世帝王應引以爲戒。

上句是吳攻晉，半途而返。裴松之〈三國志・吳書・吳主傳〉注：陳化使魏，魏文帝因酒酣嘲問曰：「吳魏峙立，誰將平一海內者乎。」化對曰：「舊說紫蓋黃旗，運在東南。」後來吳主孫皓迷信此種舊說，發兵攻晉，並云：「青蓋入洛陽，以順天命。」途中遇雪苦寒，軍心動搖，幾乎倒戈，孫皓無奈，頹然返回。

下句是晉攻吳，竟滅之。《晉書・王濬傳》載：武帝太康元年（二八〇），命大將軍王濬攻吳，吳人於江中要害處，以鐵鎖橫截之，逆拒晉之舟艦。王濬便用十餘丈長的大炬，灌以痲油，燃炬燒斷之，吳國因而投降，孫皓舉家西遷入洛，晉廢爲歸命侯，吳亡。唐劉禹錫嘗賦〈西塞山懷古詩〉以哀之，其詞云：

王濬樓船下益州，金陵王氣黯然收。千尋鐵鎖沈江底，一片降旛出石頭。
人世幾回傷往事，山形依舊枕寒流。今逢四海爲家日，故壘蕭蕭蘆荻秋。

高啓此聯，全寫孫皓，是流水對。上句說他迷信而愚蠢，竟妄想滅晉而稱天子，還帶著老母、妻子以及後宮佳麗千餘人御駕親征，昧於「婦人在軍中，兵氣恐不揚」的明訓，以致損耗國力，頹然而還。下句說他誤信長江天塹，用鐵鎖可以抗拒晉兵，終告淪亡。讀之既令人慨歎不已，又令人噴飯絕倒。其運典之高明處在此，其所以江河不廢者亦在此。陳田《明詩紀事》盛稱之云：「天才絕特，允爲明三百年詩人稱首，不止冠絕一時也。」絕非漫言。

楚客不吟江路寂，吳王已醉苑台荒。（〈梅花〉九首之八）

言楚國的遷客不吟詠梅花，遂使沅湘江路顯得十分寂寞；吳王沈湎酒中，終履危亡，遂使宮苑池台日漸荒涼。

上句楚客指屈原，《楚辭》未有詠梅之作，實不能令人無憾，故其〈次韻西園公詠梅詩〉深自慨歎云：「如何天與出塵姿，不得芳名入《楚辭》。」可爲此句作註腳。而宋人曾幾〈海棠詩〉：「少陵忘卻渾閒事，更有〈離騷〉忘卻梅。」則早已有人表示遺憾。又姜夔詠梅而作〈暗香詞〉：「江國，正寂寂，歎寄與路遙，夜雪初積。」江國，指江鄉。寄與路遙，表示音訊隔絕，暗用陸凱寄給范曄的詩：「折梅逢驛使，寄與隴頭人。」高啓又轉化姜詞，而作「江路寂」。展轉點染，令人歎爲觀止。

下句吳王指春秋末年的吳王夫差，他定都蘇州，築姑蘇台，與美人西施以及妃嬪日夜飲酒作樂，驕奢淫佚，靡有紀極，以至亡國殞身。（詳見《史記．吳世家》、《吳越春秋》）又蘇州多梅花，馳名海內，以鄧尉山爲尤著。各名園亦多種梅。元明之際，兵燹匝地，苑台荒蕪，詩人目睹心傷，時有悽惋之作。詩繁不備錄。李白〈烏棲曲〉：「姑蘇台上烏棲時，吳王宮裏醉西施。」李商隱〈吳宮詩〉：「吳王宴罷滿宮醉，日暮水漂花出城。」羅隱〈詠梅詩〉：「吳王醉處十餘里，照野拂衣今正繁。」三氏所詠，旨意均同。而高啓則以西施比喻梅花，以苑台荒蕪比喻梅花零落。

（五）借用　詩家使事，只用古人詞語，而不用其文意者，謂之「借用」。與修辭學上之「比喻」、「影射」、「借代」，對偶法之「借對」、「假對」有異曲同工之妙。楊萬里《誠齋詩話》云：「詩家借用古人語，而不用其意，最爲妙法。如山谷〈詠猩猩毛筆〉：『平生幾兩屐，身後五車書。』猩猩善飲酒，喜著屐，故用阮孚事。其毛作筆，用之鈔書，故用惠施事。二事皆借人以詠物，初非猩猩毛筆事也。」例如：

寒藤老木被光景，深山大澤皆龍蛇。（黃庭堅〈中秋月詩〉）

按《左傳．襄公四年》：「深山大澤，實生龍蛇。」黃氏借用其字詞而不用其意義。《左傳》所載者是活生生的龍蛇，是眞動物；而黃氏借用之，以形容蒼勁屈曲的藤木，係指龍蛇之幻象而言，是假動物，已非《左傳》原意。

質實言之，典故之借用，宋人最優爲之，其中又以蘇軾、黃庭堅、陳師道、楊萬里、陸游五人最負盛名，可能與彼等均為多產作家有關。楊氏《誠齋集》、陸氏《劍南詩稿》都在萬首以上，非惟空前，抑且絕後，則其詩藝詩法之多且精，自無待數計而周知。高啓慘遭朱元璋之殺害，天不假年，以是較少使用此法入詩，然亦非謂其藝法欠高欠精，有時或有過於上述五子者，略舉二聯，以實吾說。

雪滿山中高士臥，月明林下美人來。（〈梅花〉九首之二）

此為高氏平生最得意之作，亦為膾炙衆口，騰播千古之雋句。意謂大雪覆滿深山之中，哪位隱士還高臥不起；明月照在梅林之下，有個美人卻姍姍到來。

上句用袁安臥雪故事。袁安字卲公，東漢汝陽（今河南商水縣），賦性高邁，年輕時隱居不仕，冬天大雪封山，村人們都出門求食，安卻高臥家中，忍飢受凍，怡然自得。後朝廷見徵，累官至太僕、司空、司徒。（見《後漢書・袁安傳》）王維〈冬晚對雪憶胡處士家詩〉：

寒更傳曉箭，清鏡覽衰顏。隔牖風驚竹，開門雪滿山。

灑空深巷靜，積素廣庭閒。借問袁安舍，翛然尚閉關。

下句用帶有羅曼蒂克（romantic）情調的仙凡相戀故事。隋朝開皇年間，睢陽人趙師雄過廣東羅浮山，天寒日暮，看見樹林裏有家酒店，旁有茅屋，一位美人淡妝素服出來迎接他。兩人一同到酒店喝酒，師雄喝醉酒睡著了。醒來，發覺自己在大梅樹下，有翠鳥在樹上鳴叫，當時月落星橫，不覺滿心惆悵。事見柳宗元《龍城錄》。

高啓之所以愛詠梅花，是要通過贊美梅花的品質，寄託自己崇高的志趣和聖潔的襟懷。從本組詩來看，詩人似有更高的美學追求，那就是超越形象之美，探索形而上的精魂美，使自己的靈魂與梅花的精魂達到融然無間的契合，亦梅亦人，如此則詩的內涵豐富無比，讀來不知是詩人化作梅花，還是梅花化作詩人。此聯表面上是以高士和美人形容梅花的高潔和美麗，實際上是把梅花化作高潔的逸士和脫俗的美人，來到雪中山地和月明林下，環境、形象、品質完美無疵的結合在一起。分開則是兩幅絕美的山水畫，一幅是「隱士高臥圖」，一幅是「林下美人圖」，一男一女，都是梅花的化身。

翠袖佳人依竹下，白衣宰相住山中。（〈梅花〉九首之五）

言梅花有如穿了翠綠衣裳的美人斜倚在修竹之下，又如同被稱爲「白衣宰相」的文士居住在空山之中。

前句把梅花比作佳人，長與修竹相伴，旨在凸顯它的素雅出塵，成功地借用了前賢詩句。杜甫〈佳人詩〉：「絕代有佳人，幽居在空谷。……天寒翠袖薄，日暮倚修竹。」陸游〈射的山觀海詩〉：「倚竹眞成絕代人。」

後句把梅花比作才士，長期幽居山中，旨在凸顯它的高標逸韻。古人稱學識淹雅，品行高潔，沒有功名，沒有官職，而在朝野上卻有很大影響力的人，叫做「白衣宰相」。如梁之陶弘景、唐之令狐滈、魏野（分見《梁書》、《唐書》各本傳及《稗史》）均是。

綜上以觀，高啓在用典隸書方面的成就確實相當驚人，從而提高了他在朱明三百年騷壇的地位，卓然稱一代冠冕，應無間然。趙翼〈論詩〉有云：「江山代有才人出，各領風騷數百年。」眞不啻爲青丘高氏詠也。茲選錄明清學者評語二則，以作本文之殿。

王世貞《藝苑卮言》評高啓詩：

弘博凌厲，殆駸駸正始，一時宿將選鋒，莫敢橫陣。快若迅鶻乘飆，良驥躡景；麗若太陽朝霞，秋水芙蕖。詞家射鵰手也。

趙翼《甌北詩話》：

詩至南宋末年，纖薄已極，故元、明兩代詩人又轉而學唐，此亦風氣循環往復，自然之勢也。元末明初，楊鐵崖最爲巨擘。然險怪仿昌谷，妖麗仿溫、李，以之自成一家則可，究非康莊大道。當時王常宗已以「文妖」目之，未可爲後生取法也。惟高青丘才氣超邁，音節響亮，宗派唐人，而自出新意，一涉筆即有博大昌明氣象，亦關有明一代文運論者。推爲開國詩人第一，信不虛也。李志光作〈高太史傳〉，謂其詩「上窺建安，下逮開元，至大歷以後則藐之。」此亦非確論。今平心閱之：五古、五律則脫胎於漢、魏、六朝及初、盛唐，七古、七律則參以中唐，七絕並及晚唐。要其英爽絕人，故學唐而不爲唐所囿。後來學唐者：李、何輩襲其面貌，彷其聲調，而神理索然，則優孟衣冠矣；鍾、譚等又從一字一句標舉冷僻，以爲得味外味，則幽獨君之鬼語矣。獨青丘如天半朱霞，映照下界，至今獨光景常新，則其天分不可及也。

【主要參考及引用書目】

1.《明史》第二十四册，北京・中華書局校點本，一九七九年版。
2.《列朝詩集》，錢謙益編，上海・上海國光印刷所排印本，一九八二年版。
3.《列朝詩集小傳》，錢謙益撰，上海・上海古籍出版社一九八三年新一版。
4.《明詩別裁集》，沈德潛編，北京・中華書局一九七六年版。
5.《明三十家詩選》，汪端編，清同治十二年蘊蘭吟館刊本。
6.《明人詩鈔》，朱琰編，清乾隆二十五年樊桐山房刻本。
7.《千家絕句》，葛杰、倉陽卿選注，北京・花山文藝出版社一九八四年版。
8.《高青丘集》，徐澄宇、沈北宗校點，上海・上海古籍出版社一九八五年版。

（民國八十九年七月在香港・新亞研究所、聯教中心合辦之「明代文學復古與革新研討會」所宣讀之論文）

《認識中國》發刊辭（二〇〇三）

在距今四、五千年以前，世界上先後出現了四大文明國家，並且分別產生了高等學術文化。她們是埃及、巴比倫、印度和中國。經過長時間的競爭衍變，埃及和巴比倫陸續被波斯帝國所吞滅，其學術文化乃逐漸瓦解而消失。所謂四大文明古國，實際上碩果僅存者，只有印度和中國而已。然而古印度之基本學術文化僅爲宗教，舉凡哲學、倫理、科學、文藝以至政法制度、社會組織，幾無一不胎源於其宗教。惟獨我們中國學術文化經歷了唐、虞、夏、商、周聖君賢士的開先繼美，弘揚充實，因而奠定了廣大而深厚的基礎。其後又經過列祖列宗的胼手胝足，慘澹經營，遂巍然成爲雄踞東亞的泱泱大國。至於今日，以言文化遺產，我們擁有五千年光輝燦爛的歷史文化，爲全世界獨一無二的文明古國。以言土地面積，我們擁有九百六十餘萬平方公里的土地，爲全世界僅次於蘇俄的第二大國。以言人口數目，我們擁有十三億的優秀人口，爲全世界的第一大國。以言文學作品，我們更擁有富麗堂皇、車載斗量的詩、詞、曲、賦、駢文、散文、對聯、戲劇、小說……等，無論質、量，都高居世界之冠。此外，諸如山川的雄偉，土地的肥沃，物產的豐饒，風俗的淳美，民性的勤樸各端，也都遠非他國所能望其項背。因此，做爲一個中國人，實在是太光榮了，也實在是太幸運了。英國大史學家湯恩比教授曾經很肯定的說：「二十一世紀是中國人的世紀」，讓我們以無比歡欣鼓舞的心情來迎接這個光榮日子的到來。

不過，在歡欣鼓舞的背後，仍難免有一些令人焦慮的不正常現象。那就是從十九世紀中葉——中英鴉片戰爭爆發以後，西歐列強、蘇聯強盜和日本軍閥便相繼出兵侵略我國，歷時長達一百餘年之久。我們的錦繡河山橫遭踐踏，我們的骨肉同胞橫遭殺戮，我們的珍貴文物橫遭劫奪，我們的神聖都城橫遭腥染，這眞是曠古未有的奇恥大辱。我們的國家雖然僥倖沒有淪亡，然而我們的民族自尊心卻已喪失殆盡了。於是由排外轉變爲懼外，又由懼外轉變爲媚外，最後則以爲人無不是，而我莫不非，甚至連外國的月亮都覺得要比較圓些。影響所及，一般青少年學子由於心智尚未成熟，認識不够清楚，遂不再認爲這個國家有什麼可愛的地方了。這種可怕的心理和畸形的現象，至今不但沒有消除，甚至有變本加厲之勢。試以課外讀物爲例：時下青少年知道安徒生童話、格林童話、灰姑娘、白雪公主、魯賓遜、唐吉訶德的很多，但是知道王昌齡、李商隱、韓愈、李清照、魏徵、房玄齡、趙孟頫的卻很少。長此以往，他（她）們的思想言行和生活習慣必將逐漸脫離母國而傾向西化，到那時候，我們的國家亦必將如同無舵之舟，無根之木，隨風飄盪，不知所止，最後則淪爲西洋文化的殖民地。這決不是我們所願見的，更不是我們所忍見的。

本社有鑒於此，決定投下鉅資，邀請碩學鴻儒，傾其全力，完成此書，將陸續出版問世，以饗讀者。本刊最大的特色在於：用現在所流行的淺顯白話分析介紹深奧難懂的古籍，目的是讓青少年學子以此書作爲橋樑，進而認識優美的古典文學作品，期能激發其愛國心與向心力。至於本刊內容則分爲六個單元，茲分別簡介如次：

歷史之部 我國是一個史學大國，數千年來，歷代的治亂興衰，先民的重要活動，都有史官記錄下來，從未間斷，坊間印行的《二十五史》就是最好的證明。不過，前人常說：「一部二十五史不知從何讀起。」的確是事實，因爲除了這些正史以外，還有稗官、野史、三通、十通之類，卷帙浩繁，即使窮畢生之力，也難窺其堂奧。加以文字典雅艱深，並非一般青少年所能了解。本刊因而採用演義的體制和說故事的方式，並用淺顯明白的語體文，把上下數千年的史實，依照時代先後，逐一撰寫，深入淺出，饒有趣味。連橫〈臺灣通史序〉說：「夫史者，民族之精神，而人群之龜鑑也，代之盛衰，俗之文野，政之得失，物之盈虛，均於是乎在。故凡文化之國，未有不重其史者也。」明悉歷史之要，從是可見。

地理之部 我國幅員廣大，疆域遼闊，山川景物，冠絕萬國。言山岳則有東嶽泰山，西嶽華山，南嶽衡山，北嶽恆山，中嶽嵩山。還有峻偉雄秀的峨嵋山、天台山、廬山、粵秀山、阿里山、長白山、崑崙山。言河流則有黃河、長江、淮河、遼河、珠江、湘江、錢塘江、松花江。言湖泊則有洞庭湖、鄱陽湖、太湖、西湖。言名勝古蹟則有北平的故宮、頤和園，長達一萬二千七百餘里的萬里長城，曲阜的孔廟，呼和浩特的昭君墓，蘇州的滄浪亭，杭州的靈隱寺，揚州的二十四橋，武昌的黃鶴樓，西安的華清池，南京的秦淮河、莫愁湖，成都的薛濤井、浣花草堂等。自古以來，不知有多少文人才子跋涉登臨，而加以謳歌讚歎。本刊特作重點式的介紹，帶領讀者神遊其間，以增強對孕育中華文化的神聖土地的熱愛。

小說之部　我國小說，汗牛充棟。按體裁來分，有筆記、傳奇、平話、章回、短篇等。按內容來分，則有神仙、鬼怪、僧道、武俠、愛情、狹邪、遊記、警世、諷刺等。本書特精選流行最廣和最具可讀性的《西遊記》、《紅樓夢》、《鏡花緣》、《水滸傳》、《老殘遊記》、《兒女英雄傳》……各書，俾作青少年朋友的課外讀物，除了寓娛樂於閱讀外，必能有助於寫作能力之提升。

唐詩之部　我們不但是一個史學王國，同時也是一個文學王國，尤其是詩歌，在數量上固足以傲視寰宇，在素質上亦足以凌駕萬國。其中以李唐一代成果最爲豐碩，在詩歌部分，本刊之所以僅選取李唐作爲代表，其故在此。唐代是我國歷史上自秦漢以後最強大的帝國，在強大的政治力量與雄厚的經濟力量支持下，東晉以來漢胡血統結合而成的新民族發揮其高度的創造力，無論在文學、音樂、繪畫、雕刻各方面，均呈現朝氣蓬勃的氣象，詩歌在此洶湧澎湃的藝術潮流中，尤有極輝煌的成就。清康熙年間所編纂的《全唐詩》，凡九百卷，收詩四萬八千九百餘首，作者二千二百餘人。上自帝王將相，下至販夫走卒，旁及閨閣僧尼，凡有文采可觀者，均予收錄。可見詩歌至唐代，已然成爲大衆化的文學體裁，非復少數貴族文人的專利品了。在這衆多的作品裏，本刊愼選了雋永可誦的名篇佳製，以供諷誦。雖買菜求益，或失之宂濫，而披沙揀金，亦往往見寶。讀者苟能晨夕吟詠，細加品味，日久必能淨化性靈，變易氣質而不自知。

宋詞之部　「詞」又名「詩餘」、「樂府」、「倚聲」、「長短句」，是我國單音節文字所構成的特殊文體，也是我國文化精神所孕育出來的絕妙文藝，與辭賦、駢文、律詩、散曲、聯語同屬中國文學的瑰寶。舉目斯世，無論任何國家都不能產生此六種文體，所謂「只此一家，別無分店」，這絕不是我們孤芳自賞，而是鐵案如山的事實。詞藝之興，蓋肇始於盛唐，茁壯於五代，至宋代而臻於全盛。據最新資料統計，宋代詞家大約有一千三百三十餘人，作品一萬九千九百餘首，殘篇四百三十餘首。體製分爲「小令」（又名「令」）、「中調」（又名「引」、「近」）、「長調」（又名「慢」）三種，五十八字以內爲小令，五十九字至九十字爲中調，九十一字以上爲長調。風格則分爲婉約、豪放、格律三派，其中以婉約派作家最多，聲勢最大，被尊爲詞學的正宗。本刊所選的詞作，不分體製，不拘派別，凡屬佳章，均予採錄，並加賞析，期使讀者吸收詞人才子的智慧，擷取作品的精華，並體會其苦心孤詣之所在。

元曲之部　「曲」的名稱，在漢魏樂府中，早已有之，不過與「元曲」的性質不同。元曲係金元以來新興的一種文體，取代宋詞而成爲蒙元一代的文學中心，故世稱元曲。元曲包括「散曲」和「雜劇」兩大部門，散曲是由詞直接演變而成，其中又分「小令」與「套數」兩種。小令又有演故事與不演故事之分，不演故事的小令，是指單闋的曲而言，係一韻到底，即只用一個曲調構成。套數又稱散套，是用兩個以上的曲調構成一套，後段可再加「尾聲」，比起小令要繁難得多，這是散曲的特徵。由於雜劇情節繁複，變化多端，篇幅冗長，故本刊所選，只限於散曲部分，以免加重讀者負擔。

今者，本刊即將陸續出版，以爲中華文化之復興略盡棉薄。本社懍於職責之重大，使命之神聖，雖心懷兢兢，黽勉從事，但無可諱言的，由於人力、物力以及時間上的限制，在資料蒐集方面，難免會有精蕪雜陳之失，在作品去取方面，也難免會有滄海遺珠之憾，其未能臻於美善之境，自是意料中事。所幸此刊既已略具規模，將來修補增訂，甚爲容易，惟望閱者諸君有以教之，無任企荷。

按：《認識中國》由臺北·地球出版社印行

《中華詩學雜誌》之沿革（二〇〇四）

——兼論臺灣詩學之傳承與展望

遠自黃炎以來，我中華民族即宅居中土，雄峙亞東，至於今長達五千年之久。我列祖列宗披草萊、斬荊棘，以有尺寸之地，血汗所積，遂成錦繡之河山；子孫相承，同作宗邦之屏翰。尤其是從周代初葉以後的騷壇鉅子，閬苑才人，傾其心血，竭其思慮所營造出來的名篇佳製，瓊章麗曲，更是琳瑯滿目，美不勝收，卓然成爲世界上獨一無二的詩歌王國，所謂「只此一家，別無分號」，此實非我一人之私言，乃是舉世之公論。顧炎武《日知錄·詩體代降》云：

《三百篇》之不能不降而《楚辭》，《楚辭》之不能不降而漢、魏，漢、魏之不能不降而六朝，六朝之不能不降而唐也，勢也。

近儒王國維《宋元戲曲史·自序》亦云：

凡一代有一代之文學：楚之騷，漢之賦，六代之駢語，唐之詩，宋之詞，元之曲，皆所謂一代之文學，而後世莫能繼焉者也。

二氏均明確指出我國文學作品一代有一代之所勝，面貌獨具，體裁不同，統而合之而成爲文學大國，照耀千秋，光芒萬丈，爲奕葉子孫留下龐大豐富、華美無比的文學遺產，乃得以精光四射，永世不絕。

抑有進者，他勿具論，僅詩歌一道，在素質上，即足以雄視寰宇；在數量上，更足以凌架萬國。其中以李唐一代成果最爲豐碩，實緣唐代乃我國歷史上自秦、漢以後最強大的帝國，在強大的政治力量與雄厚的經濟力量支持下，東晉以來漢、胡血統結合而成的新民族發揮其豐富之創造力，無論在文學、音樂、繪畫、雕刻……各方面，均呈現生機勃發，煥然一新的氣象，詩歌在此洶湧澎湃的巨大潮流中，成績最爲耀眼，丹葩最爲秀出。清．康熙四十六年敕編之《全唐詩》，凡九百卷，得詩四萬八千九百餘首，作者二千二百餘家，上自帝王將相，下至走卒販夫，旁及衲子羽流、閨閣名媛，凡有文采可觀，一長足採者，均予收錄。這是繼明成祖敕纂《永樂大典》以後的最大學術工程，可以印證唐代詩歌之大衆化，非復皇家與士族之專利品。

唐鼎既革，五代踵興，經歷宋、明，以迄遜清，風流廣扇，吟詠滋繁，西崑、江西、四靈、江湖，臺閣、同光各體，性靈、神韻、肌理、格調、南社各派，亦均自樹一幟，獨具風貌，曾在詩歌百花園裏大放異彩，終成馨逸，可謂燈燈續照，葉葉承華，其苦心孤詣實有足多者，允宜斂衽拜手，以申敬意。

台灣原是一個孤懸海外的荒涼小島，不在〈禹貢〉方輿之中，草昧初開，野人雜處，歷代聲教不及，文化落後，與鴉片戰前之上海、香港極相類似。直至明桂王永曆十五年（清世祖順治十八年，西元一六六一年。）鄭成功攻克臺灣，南閩子弟大量湧至，才開始藍篳啓疆，經營建設，中原文化遂相繼東傳，蔚爲大觀。其中以詩歌種子播植特別迅速，立首功者，當推隨鄭氏東渡之中土士大夫徐中丞孚遠、張尚書煌言、盧尚書若騰、沈都御史佺期、曹都御史從龍、陳光祿士京等六人，由於聲氣相求，桴鼓相應，乃共同結爲幾社，以閣公徐氏爲祭酒，扢揚風雅，翊贊中興。這是明代台灣惟一的詩社，亦可說是台灣詩社的鼻祖。

明社既屋，清幟初張，乃於康熙二十二年（一六八三）欽命提督施琅攻佔台灣，台灣始歸入滿清版圖。從此中華一統，車書混同，華夏吟風，遍扇孤島，士趨科名，家傳制藝，曾不旋踵，而三台面貌爲之丕變，化炎徼爲鄒、魯，易蠻荒爲仙境，已與神州禹域水乳交融，相濡以沫。在初期之台籍名士中，以沈斯庵最號傑出，沈氏於康熙二十四年（一六八五）與季蓉洲、華蒼崖、韓震西、陳易佩、林貞一、鄭紫山、陳雲卿、翁輔生等十餘名詩界耆宿創設東吟社，共推沈氏爲盟主。諸子皆慷慨忠義之士，所作率多正氣磅礴，色壯風雲，時明亡已數十年，處滿人威暴之下，無不隱曲其辭以寄痛，而〈黍離〉之感，新亭之悲，西台之哭尤時時流露於行間字裏，試一放聲朗讀，但覺一字一句，悉化爲淚痕血點，凝結成一片民族沈哀而已。

下逮同、光叔季之世，福建巡撫王凱泰奉旨來臺擘劃經營，退食餘暇，常與幕僚唱和，所著《台灣雜詠合刊》傳頌全島，極富文獻價值。光緒十二年（一八八六）台灣自福建分出，建立行省，灌陽唐景崧以台灣道蒞止，力倡風雅，即組斐亭吟會。後升巡撫，又於台北立牡丹詩社，台籍詩人施士潔、丘逢甲、蔡國琳、林啓東等相繼加入。而新竹林亦圖之竹梅吟社、台南許南英之浪吟詩社都在此一時期先後成立。其中才華卓懋，聲光煒然者，當首推光緒十五年（一八八九）進士及第之苗栗愛台詩人丘逢甲，丘氏生平耽詩，所作千餘首輯爲《嶺雲海日樓詩鈔》梓行問世。光緒二十一年（一八九五）中、日簽訂〈馬關條約〉，割讓臺灣、澎湖給日本，丘氏等共推唐景崧爲台灣民主國總統，失敗後內渡，賦〈離台詩〉云：

宰相有權能割地，孤臣無力可回天。
扁舟去作鴟夷子，回首河山意黯然。

一時騰播萬口，名震中夏。翌年在廣東蕉嶺祖籍地復作〈春愁詩〉云：

春愁難遣強看山，往事驚心淚欲潸。
四百萬人同一哭，去年今日割台灣。

其椎心泣血之痛，黍離麥秀之悲，實不難想見。西人尼采有云：「一切文學，余最愛以血淚書之者。」丘氏之詩其實就是用血淚寫成的。

丘氏去後，在台人士長期忍受日寇之統治，類多韜光自晦，明哲保身，或徜徉山水，或寄情詩酒，一方面哀傷鄉土的沈淪，一方面憂懼斯文的頹喪，於是紛立詩社，暗結同心，擊缽催詩，秉燭聯吟。台北之立社、星社，桃園之桃園吟社、以文吟社，新竹之竹社，台中之櫟社，台南之南社、琅嬛詩社，高雄之鳳岡吟社等二百餘所，有如雨後春筍，叢立全島，其密度之高，詩風之盛，伊古以來，得未曾有。可惜民國二十六年（一九三七）日寇發動侵華戰爭，並強令台灣各報社廢除漢文一欄，詩社横遭波及，遂亦同時宣告終結。泚筆述此，不禁扼腕三歎。

倭虜既降，漢聲復振，三台淵雅有識之士，亟思有以重整詩社，廣扇詩風，除了沿襲日據時代原貌以外，又另行成立二、三十社。既而天道循環，皇靈眷顧，三十八年（一九四九）中樞拓業瀛台，恢基宸府，大陸各地騷壇耆英，鄧林魁傑，亦絡繹違難東來，與台籍詩家切磋攻錯，相與唱酬，彬彬然稱一時之盛。其間所宜大筆特書者，厥爲民國五十年代初期，浙江鄞縣名儒張其昀曉峯博士相中台北近畿之陽明山，以爲雄偉壯麗，靈秀天鍾，幾疑四明武嶺之復現，因在華岡創辦中國文化大學，步河、汾之高躅，振洙、泗之遺風，廣栽桃李，勤護青衿，以期蔚爲國楝，造福鄉邦。嗣又痛心大陸四人幫喪心病狂，倒行逆施，悍然發動文化大革命，肆意摧殘輝煌燦爛的傳統文化，使我珍貴的文物遺產，翼世的綱常名教，幾於全遭滅絕，萬劫不復。遂於五十七年（一九六八）毅然成立中華學術院詩學研究所，網羅海內外詩苑名家，士林碩彥，薈萃一堂，集思廣益，以傳承儒家詩教，宏揚中華詩學爲職志。並創辦《中華詩學雜誌》，作爲重振漢威，延續薪火之利器。於是禮聘監察院副院長張維翰先生出任所長，張氏齒德俱尊，位望崇隆，詩學造詣，早臻極巔，管領風騷，增華邦國，自是實至名歸，世無間然。副所長由國學耆宿彭醇士、梁寒操、易大德出任，而由易大德、李猷分任正副社長。至於社中主要成員則爲朱玖瑩、張泰祥、許君武、吳萬谷、成惕軒、彭國楝、林尹、盧元駿、尉素秋、汪中、何志浩、黃湘屏、楊向時、龔嘉英、張佛千、丁治磐、張佐辰等十餘人。

春秋代謝，駒隙頻遷，瞬息之頃，本社成立已歷三十有六年，前列諸賢，多已殂逝，惟其光風霽月之懷，嶽峙淵渟之標，猶復時時呈現在後生的腦海，彷彿接謦欬於生平。如今傳其薪火，扇其風流者：發行人兼所長爲朱萬里，名譽所長爲張定成，副所長爲龔嘉英、馬鶴淩、張壽平、張以仁、林恭祖，首席顧問爲趙諒公，社長爲尤信雄，副社長爲柯淑齡，總編輯爲張仁青，執行編輯爲羅賢淑。凡此皆學有專精，醉心吟詠之士，以其無比之熱情，全力灌溉此海峽兩岸碩果僅存之園地，惟願溫柔敦厚之詩教，優雅美善之詩歌，得以廣播瀛台，流布禹甸，一如松柏長青，江河不廢。進而淨化華裔之性靈，雅化國人之氣質，而形成一個優雅美麗的中華新世界。創辦人曉公博士靈兮有知，必當捻髯含笑，欣慰無已。

西人常謂：「學音樂的孩子不會變壞」，吾今套用其語，亦謂「學詩歌的孩子不會變壞」，願與我大中華邦人君子共勉之。

（原載民國九十三年六月台北《中華詩學雜誌》二十一卷四期）

駢文略說（二〇〇四）

駢文是中國單音節方塊字所構成的特殊文體，也是中國文化精神所孕育出來的絕妙文藝，舉目斯世，無論任何國家、任何民族、任何地區，都不能產生這種風華絕代的美文。因爲世界各國之文章，依其體式，只能畫分爲散文（prose）與韻文（verse）兩大類，惟有中國文章，除此二者之外，還有一類特種文藝，那就是駢文。這種文體，既不是純粹的散文，也不是純粹的韻文。蓋謂之爲散文，則彼既著重聲調之抑揚諧婉，同時亦考究字句之整齊勻稱，非若散文之字句參差，聲調錯落。謂之爲韻文，則彼只著重句中平仄之相間，而不必押句末之韻腳，非若韻文之通體用韻。由是觀之，這類文藝實在是一種非散非韻、亦散亦韻之特殊文體，乃舉世所未有，中邦所僅見者。以通俗語言之，所謂「只此一家，別無分號」，決不爲過。

（一）駢文之界說

「駢」是兩匹馬同駕一車的意思，見《說文》，段玉裁注：「併馬謂之儷駕。」由於有些車子太重，一匹馬恐怕拉不動，於是用兩匹馬來拉，自然就綽綽有餘了。先賢見此情形，就聯想到寫作文章或著書立說，如果用兩個文句來評論一個人或說明一件事，可能會更加清晰顯豁，而誦讀起來也更加順口，令人喜愛。今舉曹植〈與楊德祖書〉爲例：

當此之時，人人自謂握靈蛇之珠，家家自謂抱荊山之玉，吾王於是設天網以該之，頓八紘以掩之，今悉集茲國矣。

這是評論建安七子的一段話。「靈蛇珠」與「荊山玉」都是比喻才氣橫溢，文藻秀出，其實用一句就夠了，何必要用兩句，「荊山玉」句豈非多餘。又「設天網以該之」與「頓八紘以掩之」都在稱美其父曹操誠心廣羅人才，只用上句，文意已足，下句實不必再用。不過話又講回來，假令把多餘的兩句去掉，那麼這篇文章還能讀嗎？須知駢文是先哲智慧的精髓，躍居唯美文學之極品，卓然成爲世界上最高雅、最華麗的文學。它除了表情達意外，還有娛目賞心、悅耳淨性的功能，是以西洋人多稱之爲美術文學、音樂文學。

古人著書撰文，在潛意識裏並無駢文、散文之分，當駢則駢，當散則散，完全順其自然，絕無成見。吾人只要翻閱《十三經》與先秦子書，就可以知其大凡。約略言之，從東漢中葉（第一世紀末期）開始，「雙行意念」即逐漸進入文士的腦海，於是「造語不隻，錘句皆雙」遂成爲文士之共識，流風所扇，天下披靡，形成另一種寫作方式，自班固《漢書》以下，幾無例外。經過百餘年的慘淡經營，終於在建安初葉（西元一九六年爲建安元年）開花結果，而旖旎風華的駢文遂宣告誕生，造成六朝駢文的黃金時代。

（二）駢文之名稱

駢文係對散文或古文而言，但自六朝以來，名稱繁多，未曾統一，直至清・乾嘉時期始告確定。其名稱殆不下二三十種，惟一般文家所習用者，僅十數種而已，即①駢體文、②駢文、③偶文、④駢儷文、⑤麗辭、⑥麗體文、⑦俳文、⑧六朝文、⑨駢偶文、⑩駢麗文、⑪儷體文、⑫今體、⑬四六文、⑭儷文、⑮美文（bellest lettres）、⑯唯美文學（Aestheticism literature）、⑰貴族文學（noble literature）、⑱中國對偶文學（Chinese antithetical style）。

惟是，駢文有廣狹二義：狹義之駢文，即世俗所稱之四六文，形成於初唐四傑，其所應具備之條件有五項：①對偶精工、②聲律諧美、③典故繁富、④辭藻華麗、⑤句型靈動。必須嚴格遵守，一如唐代近體詩。王勃〈滕王閣序〉、駱賓王〈討武后檄〉即屬此類。而廣義之駢文則泛指六朝文，只要意義平行、偶對紛披、辭采華美、形式整齊即可，至於平仄是否相間，對仗是否精切，典故是多是少，句型調適與否，則概非所計。吳均〈與宋元思書〉即屬此類。

（三）駢文構成之要件

世俗觀念裏的駢文，係指六朝文而言，其實這種觀念是籠統的，是不很正確的。因爲自隋朝以降，駢文又繼續發展下去，曾經發生四次重大變化——至初唐而衍生爲狹義之駢文（即四六文），至中唐又衍生爲別裁之駢文（即陸贄之台閣文章），至兩宋再衍生爲散行之駢文（即以散文之氣勢運偶句之宋四六），至遜清更衍生爲白描之駢文（絕不用典）。在這五種體製中，以「四六文」與「台閣體」最受歷朝中央政府及上層社會之青睞，舉凡制誥章奏，公務文書，以至私家書翰，酬世應用，多採此體。譬如積薪，後來居上，竟悍然奪取「六朝駢文」之席位，一躍而成駢文之正宗——尤其是「四六文」，熠然生輝，光焰四射，且與散文迭相雄長，歷時長達一千餘年，直至滿清覆亡，始與各體古典文學一起逐漸衰歇。

至於四六文構成之要件，至少必須具備五項，茲逐一分述於後，以供參鏡。

❶對偶精工　對偶亦稱對仗，有如龍門對峙，日月雙懸，爲文章修辭之一法。一篇駢文係由許多對聯組合而成，故對聯乃是駢文之靈魂，亦是駢文之雛形。對聯須上下相比，意義對稱，平仄相反，而且詞性亦須相對，即名詞對名詞，動詞對動詞，數字對數字，動植物對動植物等，如此才合規格。今以王勃〈滕王閣序〉爲例，其中「雄州霧列，俊彩星馳」，「酌貪泉而覺爽，處涸轍以猶歡」，「關山難越，誰悲失路之人；萍水相逢，盡是他鄉之客。」都是工整而典型的對仗。

❷聲律諧美　駢文的第二特徵是聲律諧美，音節鏗鏘，讀起來才能口吻調利，十分順暢，足以增加文章的音響效果，駢文之所以被稱爲音樂文學，其故在此。今再以〈滕王閣序〉爲例：

① 台隍枕夷夏之交，
賓主盡東南之美。

② 十句休暇，勝友如雲；
千里逢迎，高朋滿座。

在例①中，是「平仄平」對「仄平仄」（字旁之符號，○表平聲，●表仄聲。）。在例②中，是「平仄仄平」對「仄平平仄」。平情而論，這種平仄相間，抑揚頓挫的文句，的確可以強化它的可讀性，提高它的藝術價值。

❸**典故繁富**　文學乃緣歷史以發生，人不習知歷史，則不能從事古典文學，這就是中國文史之所以恆爲一體，不容分割的原因。故凡引證歷史中事實及前人言詞入文者，都叫做典故。苟不能禁人斷絕歷史知識，則不能不引用古事，亦即不能禁人不引用典故。文章修辭之法，固不止白描一端，白描特較合乎初學之便而已。古來摛文之士，多喜用典，尤以駢文家爲最，自建安以後且成爲必備之條件。推原其故，用典殆有四美：一是文簡意豐，二是遣詞委婉，三是辭采富麗，四是韻味深長。試看〈滕王閣序〉第五段：

嗟乎，時運不齊，命途多舛。馮唐易老，李廣難封。屈賈誼於長沙，非無聖主；竄梁鴻於海曲，豈乏明時。所賴君子安貧，達人知命。老當益壯，寧移白首之心；窮且益堅，不墜青雲之志。酌貪泉而覺爽，處涸轍以猶歡。北海雖賒，扶搖可接；東隅已逝，桑榆非晚。孟嘗高潔，空懷報國之心；阮籍猖狂，豈效窮途之哭。

凡在字旁打三角形符號者，都是典故，駢文家用典之繁富，由此可見一斑。

❹辭藻華麗　駢文是我國唯美文學的極品，自然特別注重辭藻，正如同器物之有刻鏤繪畫，衣服之有錦繡色彩，居室之有布置裝潢，婦女之有修飾美容，完全是基於實際上的需要。故辭藻華麗亦是構成駢文之重要條件，蓋去此則不足以言唯美，而與散文等視齊觀了。不過，在駢文所必備之五條件中，最爲人所詬病者，厥爲「辭藻華麗」一項，以爲此類作品徒重形式，而忽略內容。亦即外表雖雕繢滿眼，而內容則空洞無物，故有稱之爲形式主義文學（Formalism literature）者。這實在是由於不懂駢文而產生的誤解，也是一般人的偏見。

揚搉言之，繪畫之渲染色澤，無非是求其美觀；菜餚之添加作料，無非是求其可口；衣服之五顏六色，亦無非是求其悅目，不聞有人非議，而獨集矢於駢文之敷藻，此非偏見而何。以婦女之妝飾爲例，有淡妝者，有濃妝者，有靚妝者，有粗服亂頭者，端看個人之習性與需要而定，亦不聞有人非議，何獨至於駢文之形式而大加韃伐，此非愚昧，即是偏見。再以寶石珠玉而言，飢不可食，寒不可衣，而人珍之寶之愛之者，以其璀璨炫目，可供欣賞之故。其實形式與內容兼備之唯美文學作品，浩如煙海，充盈緗帙，不入寶山，自必空手而歸。何況作品之美惡，乃是作者才華之高低，腹笥之豐儉，以及表現手法之優劣問題，完全與文體無關，任何文體都會發生這個問題，絕不止駢文一道而已。

抑再進一步言之，辭藻華麗之唯美文學，並非劈空自天而降，亦非由政治力量所促成，而是文學進化之自然結果。昔孔子論文有云：「言之無文，行而不遠。」（《左傳・襄公二十五年》）又云：「文質彬彬，然後君子。」（《論語・雍也》）又云：「情欲信，辭欲巧。」（《禮記・表記》）聖人所以反覆言之者，旨在強調修辭之重要，以便增高作品之價值。從此載筆之倫，無不拳拳服膺，凡有撰述，必重文采而尚色澤。其尤慧敏者，甚且吐膽嘔心，織錦成文，務使作品之外形臻於藝術美之極峰，期予讀者以視覺與嗅覺之雙重美感。眞是良工心苦，設想周到。

至於駢文家雕琢作品，則多以修辭學上之「借代法」爲之。例如：以「絳」代「紅」，以「蕙」代「蘭」，以「青」代「黑」，以「綠」代「葉」，以「蓬萊」代「台灣」，以「扶桑」代「日本」，以「冰輪」代「月亮」，以「暗香」代「梅花」。揆其用心，無非是刻意規避字詞之俚俗與爛熟，期使心血作品典雅高華，增長身價而已。

❺**句法靈動**　句法猶言句型，乃指文句之形式而言。駢文雖盛行於六朝，但其句型則極少變化，以與初唐以後之四六文較，未免予人以單調之感覺。四六文之句型甚多，其詳蓋累幅所不能盡，惟歷代名家所習用者，大約只有七八十種，詳見拙著《駢文學》第四章（台北・文史哲出版社）。姑以〈滕王閣序〉爲例，作者所使用之句型只有九種，即：①三對三，②四對四，③六對六，④七對七，⑤四四對四四，⑥四六對四六，⑦四七對四七，⑧六四對六四，⑨七四對七四。此九種句型反覆運用，極富錯綜變化之美。

（四）結　語

駢文自東漢中葉以後，逐漸盛行於世，歷時長達近二千年，直到民國三十年代才日趨衰落，終則與古文一起退出歷史舞台，而爲語體文所取代。然而它畢竟是我們炎黃華胄智慧的結晶，也是列祖列宗遺留給我們的寶貴文化資產，曾經在莊嚴的廟堂裏吐放過萬丈光芒，在巍峨的文壇上陶醉過衆多才士。一種文體能夠流行那麼長久，且爲歷朝帝王顯宦所酷愛，上流社會所眷顧，其中必然有它的魅力與魔力。近儒劉師培曾經很鄭重的說：「儷文（按即駢文）律詩爲諸夏所獨有，今與外域文學競長，惟資斯體。」可謂暮鼓晨鐘，足以發人深省。今者學術傾向多元，科技領軍，工商掛帥，誠不必刻意提倡駢文，創作駢文，然亦非謂過去有價值之駢文不足爲今日表達情意之所取資。至爲認識古典文學，接受文化遺產，則更不待爭辯而自明。自今以往，深望有志之士能夠特別珍惜它，寶愛它，或作深入的研究，或作系統的整理，或作詳盡的詮釋，或作精闢的鑑賞，光前裕後，繼美揚徽，使其長耀瀛寰之表，永垂無疆之休。吾其馨香禱之。

附錄一：研習駢體文之重要書目

①昭明文選：蕭　統編，台北·華正書局，一九八二。

②駢體文鈔：李兆洛編，台北·世界書局，一九五六。

③四六法海：王志堅編，上海・文瑞樓書局，一九三〇。
④唐駢體文鈔：陳 均編，台北・世界書局，一九六二。
⑤宋四六選：彭元瑞編，台北・廣文書局，一九六六。
⑥國朝駢體正宗：曾 燠編，台北・世界書局，一九六一。
⑦國朝駢體正宗續編：張鳴珂編，台北・世界書局，一九六二。
⑧歷代駢文選詳注：張仁青選注，台北・中華書局，一九六三。
⑨楚望樓駢體文內外篇：成惕軒撰，張仁青注，台北・中華書局，一九七三。
⑩楚望樓駢體文續編：成惕軒撰，張仁青等注，台北・商務印書館，一九八四。
⑪中國駢文史：劉麟生撰，香港・商務印書館，一九五六。
⑫中國駢文發展史：張仁青撰，台北・中華書局，一九六九。
⑬六十年來之駢文：張仁青撰，台北・文史哲出版社，一九七一。
⑭駢文學：張仁青撰，台北・文史哲出版社，一九八四。
⑮駢文概論：金秬香撰，台北・商務印書局，一九六七。
⑯魏晉南北朝文學思想史：張仁青撰，台北・文史哲出版社，一九七八。
⑰歷代駢文名篇注析：譚家健撰，台北・明文書局，一九九一。
⑱中國駢文概論：瞿兌之撰，台北・華嚴出版社，一九九三。

⑲駢文通義：錢基博撰，上海．大華書局，一九三二。
⑳中國駢文選：朱洪國選注，成都．四川文藝出版社，一九九六。
㉑駢文觀止：張仁青選注，台北．文史哲出版社，一九八六。
㉒駢文觀止：莫道才選注，北京．文化藝術出版社，一九九七。
㉓中古文學文獻學：劉躍進撰，南京．江蘇古籍出版社，一九九七。
㉔駢文作法：王承之撰，台北．廣文書局，一九八〇。
㉕駢文指南：謝无量撰，上海．中華書局，一九四〇。
㉖駢文類纂：王先謙編，杭州．浙江古籍出版社，一九九八。
㉗駢文與散文：蔣伯潛撰，台北．世界書局，一九八三。
㉘駢文通論：莫道才撰，南寧．廣西教育出版社，一九九四。
㉙六朝駢文形式及其文化意蘊：鍾　濤撰，北京．東方出版社，一九九七。
㉚駢文史論：姜書閣撰，北京．人民文學出版社，一九八六。
㉛歷代駢文選：葉幼明等選注，長沙．湖南文藝出版社，一九九一。
㉜駢文精華：趙振鐸主編，成都．巴蜀書社，一九九九。
㉝庾子山集：庾　信撰，倪璠注，北京．中華書局，一九八六。
㉞徐孝穆集：徐　陵撰，吳兆宜注，台北．中華書局，一九七二。

㉟初唐四傑集：王　勃等撰，諶東飆校點，長沙・岳麓書社，二〇〇一。
㊱中國駢文通史：于景祥撰，長春・吉林人民出版社，二〇〇二。

附錄二：歷代駢文名篇舉要

①李　康：運命論。
②孔稚珪：北山移文。
③蕭　統：錦帶書十二月啓。
④沈　約：宋書・謝靈運傳論。
⑤范　縝：神滅論。
⑥徐　陵：玉台新詠序。
⑦庾　信：思舊銘並序。
⑧庾　信：哀江南賦並序。
⑨庾　信：周大將軍吳明徹墓誌銘並序。
⑩王　勃：滕王閣序。
⑪駱賓王：討武后檄。
⑫張　說：大唐西域記序。

⑬陸　贄：奉天改元大赦制。
⑭歐陽修：蔡州乞致仕第二表。
⑮蘇　軾：乞校正陸宣公奏議箚子。
⑯汪　藻：隆祐太后告天下手書。
⑰袁　枚：上尹制府乞病啓。
⑱紀　昀：進四庫全書表。
⑲王　曇：香屑集自序。
⑳汪　中：自　序。
㉑洪亮吉：蔣清容冬青樹樂府序。
㉒李慈銘：四十自序。
㉓饒漢祥：爲黎元洪大總統告全國同胞書。
㉔成惕軒：山房對月記。
㉕成惕軒：美槎探月記。

（原載民國九十三年十二月台北《中華詩學雜誌》二十二卷二期）

兩個中國之延續甚為必要（二〇〇四）

（一）前　言

西元二〇〇四年開春以來，適逢臺灣第十一任總統大選，海峽兩岸即瀰漫著詭譎怪異的氣氛，有不知其然而然者，憂時有識之士無不惄焉憫傷國步之迍邅，形勢之嚴峻。先是，在五月中旬，中共國臺辦發布措辭強硬的「五一七聲明」，提出「五個絕不」，「七個願景」，以及「兩條道路」供臺灣當權者選擇。未幾，香港媒體透露，中共國務院有意制定「解決臺灣問題時間表」（一作「統一時間表」），擬在二〇二〇年以前解放臺灣。接著分別在福建東山島、遼寧瀋陽軍區密集舉行三軍聯合作戰演習，七月初又在香港盛大舉行回歸七周年大閱兵。揆其用意，無非在操弄其慣用伎倆，企圖對臺灣進行武力恫嚇，迫令臺灣當局走上談判桌，接受所謂「一國兩制」，完成祖國統一大業。然而臺灣當局並非軟腳蝦，亦間續舉行漢光軍事演習，又寬籌鉅資六千多億臺幣，購買先進尖端武器，以遏阻中共解放軍之入侵。此外，美國目睹兩岸劍拔弩張，情勢危殆，深恐中共仍然沿用五十年前韓戰時期的陳舊思維，誤判情勢，僥倖行險，悍然點燃侵臺戰火，給東亞帶來重大劫難。因而迅速在全球五大海域展開名爲「夏日脈動」的演習；同時下令兩艘航空母艦小鷹號和史坦尼斯號在琉球附近的西太平洋海面會合，進行海空聯合演習，摸擬內容顯然是針對臺海與北韓萬一爆發戰爭而設計。不寧惟是，國防部又在五角大廈舉行代號爲「龍吟」的兵棋推演，以與國外軍演遙相呼應。可見美、中、臺、日四國都在認眞嚴肅看待這場日漸升高的危機。

自一九五三年韓戰結束以後，全球即進入漫長的冷戰時代，亞洲除了兩次越戰外，基本上還算平靜，宛如「西線無戰爭」。但在一九九六年臺灣舉行首次總統直選時，兩岸情勢即開始波動，中共竟在臺灣外海進行導彈演習，企圖干擾選舉。美國總統柯林頓見情勢險峻，立即派遣兩艘航母前來關切，臺海危機遂告化解。迨二〇〇〇年臺灣又舉行總統大選，投票之前數日，中共總理朱鎔基透過中央電視臺對臺厲聲警告：「中國人民一定會用鮮血和生命捍衛祖國的主權與領土完整」云云。這種極不得體而又充滿血腥味的話語，不但沒有把臺灣選民嚇倒，反而引起多數選民的憤怒，於是逆向操作，強力反彈，遂使陳水扁的選情突然高漲而終告當選。時人多謂「朱總理是阿扁的超級助選員」，語雖戲謔，有切事實。孟子云：「爲淵驅魚者，獺也；爲叢驅雀者，鸇也。」輔世長民者允宜取作殷鑒。

眼前臺海情勢如此緊繃，波雲又如此詭譎，正如一顆不定時炸彈，隨時都會引爆，以現代武器殺傷力之大，雙方一旦開戰，必定城郭丘墟，哀鴻遍野，兩敗俱傷，絕無贏家，將使我中華民族長期沈淪，萬劫難復，成爲世紀的大悲劇，洋人的大笑柄，這絕不是全球華人所忍見。猶記一九六五年新加坡脫離馬來西亞聯邦而獨立之時，其總理李光耀曾正告世人說：新加坡雖是蕞爾小國，但絕不容輕侮，一旦遭到他國入侵，我全國軍民必誓死抵抗，與之纏鬥到底；我們可能因國小人寡而覆滅，但對方亦必受到重創而淪爲廢國。壯哉斯言，眞不愧爲華人世界之巨人。星國在其強勢領導下，百業勃興，民生富足，而榮登亞洲四小龍之首，爲舉世所艷羨。筆者心儀久之，想見其爲人，每當夜深人靜之時，輒旁皇繞屋而焦思，臺灣目前處境之艱難，實千百倍於當年之星國，幾於走到危急存亡之臨界點上，心所謂危，殆無寧日。繼思海峽兩岸人民都是炎黃子孫，也都是漢家苗裔，我列祖列宗披草萊，斬荊棘，以有尺寸之地，血汗所積，遂成錦繡之河山，子孫相承，同作宗邦之屛翰；加以書同文，車同軌，語同音，行同倫；如此血濃於水，相濡以沫的感情，何以至於今日居然要怒目相對，兵戈相向，而不能將國共兩黨上一代所釀造的恩怨情仇全部投入歷史長河，永逝不回。宋・陸游詩云：「山重水複疑無路，柳暗花明又一村。」近人魯迅亦有詩云：「渡盡劫波兄弟在，相逢一笑泯恩仇。」如何把混沌不清的局勢轉爲柳暗花明，又如何把昔日國共兩黨之恩怨情仇在談笑間泯除淨盡，則端看兩岸當軸諸公的智慧。

筆者末學不文，綆短汲深，雖有悲憫之心，卻無匡濟之策，軍國大事，何勞我之喋喋。惟懍於「天下興亡，匹夫有責」之義，甚願披瀝肝膽，進貢芹曝，於是鄭重提出「兩個中國」之構想，以與海峽兩岸之留意臺海危機者一研究之。

（二）兩個中國之利弊

一九九二年兩岸開始解凍，翌年，中共派出汪道涵、臺灣派出辜振甫在新加坡正式舉行會談，場面溫馨，氣氛融洽，二老掬誠推心，相談甚歡，引起舉世矚目，咸以爲兩岸和解，指日可待，無不衷心祝福，寄予厚望。自茲厥後，臺灣政學工商各界紛紛提出和平共存方案，披諸報刊，林林總總，蔚爲大觀。語其要者，有「聯邦制」、「邦聯制」、「國協」、「歐盟模式」、「東西德模式」、「南北韓模式」、「特殊的國與國關係」、「一個中國兩個政治實體」、「一中一臺」、「一邊一國」、「一國兩區」、「一國兩府」、「兩個中國」等十餘種，均能持之有故，言之成理，眞是珠璣滿眼，美不勝收，可惜都不被中共所青睞，一律以「著毋庸議」予以駁回。而中共對臺方面，則從葉劍英之「葉九條」、鄧小平之「鄧六點」、江澤民之「江八點」，以至後來成爲制式口號的「和平統一、一國兩制」，亦不爲臺灣朝野所接受，甚至加以排斥。質實言之，臺灣人民的眞正想法，根據最新民意調查顯示：主張臺灣獨立的臺獨教義派約佔十%，主張與大陸統一的統一派亦約佔十%，而堅決主張不統不獨、維持現狀的中間派竟高達八十%，這個數字值得中共深思。

中共爲了加速完成祖國統一大業，除了在中央設有「統戰部」、「國臺辦」、「中臺辦」和「海協會」（美其名爲民間團體）外，又在各省市縣及自治區設立「對臺辦」，在中國社科院和廈門大學設立「臺灣研究所」，用以深入了解或研究臺灣的國情。可是令人發噱的是，偌多臺辦人員對臺灣的了解卻極有限，自亦談不上研究。而那些所謂臺灣問題專家亦多屬腹笥空儉、尸位素餐的蛋頭學者，對外總是擺出一副狂妄浮誇、傲慢無禮的高姿態；對內則報喜不報憂，向上傳遞不正確的訊息（比方說臺灣統派佔八十%，明顯是在灌水；而獨派卻衹佔三%，明顯是在縮水。），使中南海當權者往往被誤導而做出錯誤的判斷，或發表不受臺人歡迎的言論。

所謂維持現狀，其實就是「兩個中國」，大陸稱「中華人民共和國」（People's Republic of China），簡稱「中國」（PRC）；臺灣稱「中華民國」（Republic of China），亦簡稱「中國」（ROC）。或改稱大陸爲「共產中國」（Communist China），改稱臺灣爲「自由中國」（Free China）或「民主中國」（Democratic China）亦未嘗不可，完全視使用之對象與場合而定。

當「兩個中國」形成以後，必須共同簽署「百年和平協定」（或五十年或三十年均由雙方議定之），展現兩個中國人民追求永久和平之誠意與決心。「協定」內容應敍明百年之內，和平共存，互不侵犯，有如兄弟之邦。其間若臺灣人民認爲有提前與大陸統一之必要，可隨時舉行全民投票決定。美國獨立之初，祇有十三州，其後各地紛紛要求加入，遂成五十州。可見合併或統一之事，必須出於自願，人民才會欣然接受，認同國家。

至於百年屆滿之後，兩國是否合併，到時再由兩國代表磋商研議。

設若中共不願簽署「百年和平協定」，則另一個替代方案也不妨一試。那就是臺灣可繼瑞士之後成爲世界上第二個永久中立國，並向國際社會宣誓，臺灣永遠保持中立，絕對不會與他國結盟，也不會出借城市、港灣給他國作軍事基地，如違誓言，願接受聯合國的嚴厲制裁。

揚搉言之，「兩個中國」實在有百利而無一害，如果一定要說它有一害，那也不過像中共經常嚴辭抨擊的「分裂國土」而已，而這「分裂國土」——把臺灣從中華人民共和國分裂出去——的界定，卻是言人人殊，莫衷一是。因爲它包含了許多錯綜複雜的因素，也是歷史悲劇所遺留下來的棘手問題，很難用常理、情理、法理、邏輯來加以釐清。抑有進者，一九四五年八月日本投降，中華民國政府派臺灣行政長官從臺灣總督手中把臺灣接收過來，四年以後又轉進到此，作爲光復大陸之基地；同時又把首都遷來臺北，仍是一個主權獨立的國家，其所遺憾者，祇是內戰失利，因而失去大陸地區的管轄權而已。何況勝敗乃兵家常事，他日皇天眷顧，否極泰來，則飲馬長城，揚旌河洛，亦未可知。故當政局安定後，陸續與六十多個國家建立外交關係，包括世界超級強國——美國，世界經濟大國——日本，世界石油王國——沙烏地阿拉伯，天主教聖地——梵蒂岡，東南亞大國——泰國、菲律賓等。近年來雖云國步稍艱，卻仍然擁有二十六個邦交國。經過半個世紀的慘淡經營，不但名列亞洲四小龍之一，抑亦進入世界已開發國家之林，國民所得高達一萬三千美元。至於軍事上，臺灣是世界三十個強國之一；而在政治上更足以媲美東西洋民主先進國家——美國、英國、法國、日本，人民享有百分之百的言論自由。這些都是居住在臺灣的炎黃子孫胼手胝足、苦幹實幹的成果。那麼讓這樣高品質的炎黃子孫來「分裂國土」是一種罪惡嗎？何況它的名字仍叫中華民國。

綜上以觀，海峽兩岸政治上的統一，目前條件尚未成熟，即使勉強倉卒統一，也會留下許多後遺症，必將禍延子孫，而悲劇亦將不斷重演。例如一九四七年所發生的「二二八事件」，陳儀在全臺進行瘋狂大屠殺，旬月之間，大約三萬菁英慘死槍下，其所造成的仇恨，至今雖逾五十年猶未消除，成爲臺人永遠之痛。如中共以武力解放臺灣，則臺民死傷恐將百倍於此數，這筆血海深仇，可能經歷數百年亦難消除。再如意識形態問題，臺灣人民所崇奉的是自由和民主，現在是徹頭徹尾的民主國家，是資本主義的社會，以視英、美先進國家，毫無遜色。反觀中共自始即沒有自己的主義，胡亂搬來德人馬克思、俄人列寧這兩個神主牌加以供奉，虔心膜拜，並通令全國軍、警、教、黨、政、學等一體學習，把他們病態的主義當作治國的最高原則。其實馬列主義早就被世人所唾棄，試看全世界衹剩下三數個國家仍然堅持共產制度可以爲證，而高喊民族自尊的中共至今仍奉行唯謹，令人感到十分滑稽。兩岸差異如此鉅大，卻要強行統一，正如方枘圓鑿，必扞格而難通。統一既不可能，爲今之計，衹有另闢他途，他途爲何？厥以「兩個中國」暫作權變之計，從此兩國親同兄弟（當然大陸是兄，臺灣是弟。），互相存恤，全面交流，既作聲氣之求，復作桴鼓之應，把統一之事留給子孫去解決。

至於「兩個中國」之利那就太多了，雖累紙亦難盡述，前已約略言之，茲再擇其尤要者條陳於後：

一、世界上又多了一個美麗國家——中華民國　中華民國成立於一九一二年，由於衆所周知的原因，沈寂了三十餘年，現在正式復出。她是中華人民共和國的孿生兄弟，同文同種，分別保存了許多輝煌燦爛的文化，是世界文化遺產的一部分。她的人民勤奮節儉，博愛守信，崇尚和平，唾棄戰爭。

二、聯合國又多了一個優質會員國——中華民國　兩岸既成為兄弟之邦，而胳膊是往內彎的，當然會彼此關照，互相奧援，至少遇投票表決時可以增多一票。例如一七七六年北美十三州發表《獨立宣言》，脫離英國而獨立之後，英美兩國不但沒有反目成仇，反而水乳交融，情逾手足，歷久不衰。觀乎二次世界大戰和攻打伊拉克之役，兩國都組成聯軍，擊敗敵人。英國能，中共為何不能？

三、經濟上共創雙贏　兩個中國形成以後，獲益最大的，當推經濟。其故有二：第一，兩岸敵意既消，對峙局面自亦不復存在，則龐大的國防經費就可以轉移到經濟建設上，對於提升綜合國力，造福億萬人民，可收立竿見影之效。第二，一九七六年大陸文革結束，惟四害雖除，而瘡瘢尚在，鄧小平乃毅然復出，以「改革開放的總設計師」自任，全力發展經濟，並矢言「要建立一個有中國特色的社會主義國家」。豪情壯語，令人起敬，臺灣工商業鉅子遂乘時絡繹西進，投資設廠，至今已逾四萬家，高居外商投資之首位，資金多達數千億美元，不啻為全力發展經濟而又資金短絀之大陸注入一劑強心針。遂使神州大地工廠林立，商機勃發，大量吸收農村青年和下崗工人投入生產行列，無形中減輕了中共當局頭痛已久的失業問題。如今大陸國民生產毛額年年提高，對外貿易年年出超，外匯存底急遽增加，人民生活明顯改善，尋本溯源，則臺商遷貿之功實不可沒。中臺雙方處於敵對之時尚且有此利多，一旦宿嫌盡釋，成為與國，將立即實現通航，則獲益當劇增千百倍而無疑。故袪除魔障，創造雙贏，捨此實無他途可出。

試看一九九七年香港回歸祖國，洗雪百餘年之恥辱，重振大漢之天聲，固然值得額手歌頌。但是七年以來，商業日漸蕭條（全港最大的崇光百貨公司宣告倒閉即為冰山一角），資金日益外流，房市日趨冷清，外國觀光客大量減少，往日「東方明珠」之光環黯然褪色。一般估計，不出二十年，恐將為深圳所取代。九七回歸以前，筆者曾間續應聘來港講學，歷時三載，遊屐所至，遍及全島，早已視為第二故鄉，幾欲終老於此。如今見其繁華漸歇，風光不再，常為之欷歔三嘆。因而連類思及臺灣，如果貿然接受「一國兩制」，則其後果如何，寧待蓍卜？其不步香港之後塵者幾希？

四、兩岸通婚可提高人口素質　自一九八七年兩岸開放探親以來，瞬息已歷十六年，臺灣男士紛紛進入大陸探親，順便尋覓結婚對象，多能如願以償，大陸新娘至今已逾十五萬人，如果連同雙方家屬併行計入，則兩岸有姻親關係之人數，恐已突破百萬。雙方政府既不鼓勵，亦不禁止，完全聽其自然。平情而論，此種處理方式甚為正確，似有間接鼓勵作用，故凡臺灣之失婚、未婚、離婚者一直樂此不疲，絡繹於道。據內政部公布資料顯示，全臺外籍新娘（含東南亞各國）總數已高達三十餘萬人，每八個新生嬰兒的母親，就有一個是外籍新娘，成為第五大族群（按臺灣原有河洛、客家、外省、原住民四大族群），長此以往，人數將直線上升，勢將改變臺灣人口之結構。質實言之，此種現象對提升臺灣人口之素質裨益甚大，將使後代子孫更加聰明，更加優秀。蓋從遺傳學的角度觀之，夫妻之血緣相隔越遠越好，民間相傳混血兒之智商多高於常童，應非虛假。

前述諸端，不過舉其首要；他如軍事同盟、學術交流、學生交換、民族融洽、直接通航、科技互補等皆其犖犖較著者，惟茲限於篇幅，未能一一臚列，補行陳述，請以俟之異日。

（三）結　語

前已言之，臺海上空既已戰雲密佈，危機日甚，而中共又從波斯灣戰役中獲得靈感，積極擬定計劃，對臺灣實施「斬首行動」，庶幾早日解放臺灣。兩岸人民同是炎黃子孫，本無血海深仇，何以竟如此心狠手辣，「中國人專打中國人」。蓄意製造腥風血雨，必欲置臺灣於死地而後已，實在令人匪夷所思。

吾人披讀中外史籍，總認爲中華民族是世界上最崇尚王道、最愛好和平的民族。例如先哲發明火藥，並沒有用它來製造各種武器，以提高戰力；而祇用它來做鞭炮，以增加年節喜慶的歡樂氣氛。再以古代封建帝王及其統治集團而論，對分封各地的諸侯和環居邊陲的少數民族，都是採用懷柔政策。孔子答魯哀公問政云：「送往迎來，嘉善而矜不能，所以柔遠人也。繼絕世，舉廢國，治亂持危，朝聘以時，厚往而薄來，所以懷諸侯也。」（《中庸》）對四鄰藩屬，無不愛護有加，照顧備至，凡有嗣君即位，例派大臣前往册封，賞賚尤厚，遠逾朝貢之數目。我民族長期接受儒家思想之薰陶，遂逐漸爲之移氣移體而不自知，於是男子多溫文儒雅，女子多賢淑柔順。而且賦性寬厚，博愛世人，故雖僑居洋邦，亦廣受敬重。反觀往昔日、法、英、德、俄諸國，但知窮兵黷武，逞勇嗜殺，以強凌弱，以衆暴寡，張牙舞爪，大肆入侵他國，榨取經濟利益，因而殖民地遍布全球五大洲。所幸二戰結束以後，這些殖民地相繼脱離列強而獨立，如印尼、緬甸、越南、朝鮮、印度、尼泊爾、巴拿馬、利比亞、南非、菲律賓、巴基斯坦等皆是。

我們既傳承了儒家崇尚王道，愛好和平的反戰思想，自當珍惜寶愛之，身體力行之，庶使臺海波光瀲灩，永不揚塵。杜甫詩云：「安得壯士挽天河，淨洗甲兵長不用。」可見追求世界永久和平固無間於古今，亦無間於地域。英國史學家湯恩比曾鐵口直斷「二十一世紀是中國人的世紀」，可謂佛眼獨具，洞如觀火。我今亦改寫趙甌北詩句云：「江山代有眞人出，各主浮沈數十年。」惟願海峽兩岸之領導人敞開胸襟，高瞻遠矚，步先聖之高躅，成曠世之英名，早日促成「兩個中國」理想之實現。庶幾轉危機爲契機，化干戈爲玉帛，使我十數億中華子民永遠過著和平安定的生活，中華文化之輝光永遠照耀著這個美麗的世界。吾將齋沐焚香以禱之，吾將斂衽拜手以待之。

（原載民國九十三年九月台北《中華詩學雜誌》二十二卷一期）

現代人創作古典詩歌之聲韻問題（二〇〇五）

論文摘要

創作古典詩歌最基本的兩個條件，就是押韻與調聲，而韻有古今之分，聲有平上去入之別。我國由於歷史悠久，疆域遼闊，人口眾多，交通梗阻，因此一個時代有一個時代的聲韻，一個地區有一個地區的聲韻，錯綜複雜，極難釐清，時日積久，遂成為一種專門學術，各大學中文系也將它列為必修課程。

一九一二年中華民國成立以後，中央政府便大力而全面的推行國語，所謂國語，就是北京話，也就是元、明、清三代所通行的官話。其優點是這種語言已經通行了七百六十年，久已流布華夏，極易學習；而其缺點則是音韻變遷（如「東」「冬」分屬二韻），入聲字消失（如「說」「竹」均讀平聲）。使現代人創作古典詩歌深感困擾，無從下手。本人有鑑於此，乃提出芻蕘之見，以就教於華人世界之關心詩藝者。

關鍵詞

古韻、今韻、等韻、佩文詩韻、中華新韻、古體詩、近體詩、五言排律、七言排律、孤雁出群、孤雁入群、孤平、三平落底、三仄落底、出韻、湊韻、國語、四聲、平仄、借代、平水韻、寬韻、窄韻、險韻、韻書。

(一)前　言

世界各國之文章，依其體式，大致分為散文(prose)與韻文(veros)兩大類，二者之主要區別，在於散文享有極大自由，沒有任何限制，而韻文則必須押韻，又必須遵守嚴密而固定的形式。我國韻文之種類甚多，梁・蕭統之《文選》有：①賦、②詩、③騷、④七、⑤辭、⑥頌、⑦贊、⑧符命、⑨連珠、⑩箴、⑪銘、⑫誄、⑬哀文、⑭碑文、⑮弔文、⑯祭文，共十六種。明・徐師曾《文體明辨》分類尤細，共二十八種。吾今再作簡要之區分為：①賦、②頌、③贊、④箴、⑤銘、⑥哀誄、⑦祭文、⑧占筮、⑨彈詞、⑩戲劇、⑪古今體詩、⑫詞、⑬曲，共十三種。其中以詩歌一枝獨秀，艷冠羣芳。

(二)古典詩歌之體製

自有人類，即有詩歌，詩歌蓋與生民以並興。沈約《宋書・謝靈運傳論》云：

民稟天地之靈，含五常之德，剛柔迭用，喜慍分情。夫志動於中，則歌詠外發。六義所因，四始攸繫，升降謳謠，紛披風什。雖虞、夏以前，遺文不覩，稟氣懷靈，理無或異。然則歌詠所興，宜自生民始也。

沈氏斷定「歌詠所興，宜自生民始」，甚具法眼，宜無間然。其實不僅中國之詩歌如此，世界其他各國之詩歌亦莫不如此。沈氏之論，蓋濬源於卜商，卜商《詩經・關雎序》云：

> 詩者，志之所之也，在心爲志，發言爲詩。情動於中而形於言，言之不足，故嗟歎之，嗟歎之不足，故永歌之，永歌之不足，不知手之舞之足之蹈之也。

此言詩歌出於情志，內心有勃勃欲發之情志，便不期然表現爲詩歌舞蹈，詩歌之聲調爲音樂，詩歌之詞句則爲文學。由此可證上古時代，詩歌、音樂、舞蹈三者實分流而同源，異轍而同歸。

吾國由於歷史悠久，文化燦爛，自姬周以來，歷時三千餘年，瑋製瓊章，汗牛充棟，有如景星朗月，輝耀千秋。在長期發展過程中，演變成各種不同的體製與多樣化的形式，語其大者，可約略分爲「古體詩」與「近體詩」（按「近體詩」唐人謂之「今體詩」，以與「古體詩」相對。）兩大系統，其分界線是在唐代初葉。初唐以前之詩稱爲古體詩，亦稱古風，有五言、七言、六言、四言、三言之別。其句數皆無限制；或用平聲韻，或用仄聲韻；或換（轉）韻，或不換韻，亦無定則；又字句間，亦非如近體詩之拘拘於平仄對偶。唐以前無古體詩之名，至初唐首創律絕，始名律絕爲近體詩，稱非律絕之詩爲古體詩。武則天稱帝時（西元六九〇年），沈佺期、宋之問共同製定今體詩格律（後人習稱「格律詩」或「近體詩」），有絕句、律詩、排律之別。其字數句數均有限制（但排律句數無限制），平仄亦有定則，例用平聲韻，且一韻到底，概不換韻；律詩之頷聯、頸聯必須對仗。

茲將古典詩歌之體製（亦稱體裁）作一簡介：

1. **四言詩**　四言詩不冠以「古」字，乃因近體詩中根本沒有四言的緣故。《詩經》三百五篇，大率以四言爲主，因此四言體可以說是古體詩中最早的類型。由於句短音促，不利於吟唱，難邀詩人之青睞，魏、晉兩代，尚不乏名作，惟自劉宋以後，即成絕響。

2. **五言古詩**　簡稱「五古」。每句五字，平仄不拘，每篇至少四句，首句用韻與否均可，押韻不論平仄，可以換韻。此體起源於漢代，以〈古詩十九首〉最膾炙人口，其後流行日廣，作者益多，遂成爲六朝詩壇之正宗。直至今日，仍未嘗衰歇。

3. **七言古詩**　簡稱「七古」。每句七字，平仄不拘，每篇至少四句，首句用韻與否均可，押韻不論平仄，可以換韻，與五言古詩之要求全同。此體起源於魏代，惟作者不多，僅曹丕〈燕歌行〉等寥寥數篇而已。迨劉宋以後，始逐漸發展，力追「五古」，終成南朝詩壇僅次「五古」之第二大主流。直至今日，亦盛行不衰。

4. **雜言詩**　又名「長短句」。一首詩中，句子長短不齊，有五言七言相間者，有三五七言各兩句者，有一三五七九言各兩句者，有一字至十一字爲一句者，亦有隨興所至、散漫無章者。此體起源於《詩經》，其中如〈衛風・木瓜〉、〈鄭風・揚之水〉、〈鄭風・溱洧〉、〈魏風・伐檀〉等均是。漢代之樂府民歌亦時時可見，如〈孤兒行〉、〈上邪〉、〈戰城南〉、〈有所思〉等均是。其後踵武者甚多，至李唐而臻於極盛，名篇佳製亦大量湧出。惟唐人之雜言體詩並無專名，而是按照傳統歸類，屬於「七言古風」或「七言古詩」或「七言歌行體」，因爲這種長短句的詩體導源於漢樂府之「歌」與「行」，所以一般習慣上仍稱之爲「七言歌行」。例如杜甫之〈兵車行〉、李白之〈將進酒〉皆是。可惜它的生命到了唐末終告結束，而爲「詞」所取代。

5. 律　詩　近體詩之一體，全首八句。每句五字，共四十字者，謂之「五言律詩」，簡稱「五律」。每句七字，共五十六字者，謂之「七言律詩」，簡稱「七律」。以格律嚴整，異於古體，故稱律詩。八句又分爲四聯，每二句一聯，依次稱爲首聯（又稱起聯）、頷聯、頸聯（又稱腹聯）、尾聯（又稱末聯）。頷聯與頸聯必須對仗。只押平聲韻，不押仄聲韻，押平聲韻者爲正格，押仄聲韻者爲偏格。例如李白之〈贈孟浩然〉，便是五律，〈登金陵鳳凰台〉便是七律。

6. 絕　句　近體詩之一體，全首四句。每句五字，共二十字者，謂之「五言絕句」，簡稱「五絕」。每句七字，共二十八字者，謂之「七言絕句」，簡稱「七絕」。絕句後於律詩，蓋截取律詩之半，或截取首尾兩聯，或截取中間兩聯，或截取前半首，或截取後半首，故又稱爲「截句」。例如杜甫之〈八陣圖〉，便是五絕，〈江南逢李龜年〉便是七絕。

7. 排　律　近體詩之一體，爲律詩之任意延長，故亦稱「長律」。易詞言之，就是十句以上的律詩，除了首尾二聯四句不必對仗外，其餘各句均須兩兩相對。每句五字者，謂之「五言排律」，簡稱「五排」。每句七字者，謂之「七言排律」，簡稱「七排」。其押韻須用整數，自五韻、六韻起，最多至一百六十韻（共三百二十句）。唐人習慣，經常在詩題上標明「十韻」、

「二十韻」……「一百韻」等字樣，以示有別於古體。例如杜甫之〈寄峽州劉伯華使君四十韻〉、白居易之〈代書詩一百韻寄微之〉便是五排，杜甫之〈寒雨朝行視園樹〉、〈題鄭十八著作虔〉便是七排。按唐人將排律視爲律詩之延長，亦稱爲律詩，並無排律之專名。自元・楊士宏編《唐音》，始列「排律」一目，明・高棅《唐詩品彙》、徐師曾《文體明辨》因之，名稱遂告確定。又唐代盛行科舉，以詩取士，試帖詩限用五言排律，作六韻十二句，後改爲八韻十六句，時日積久，五排數量遂遠在七排之上。惟其限制既多，謀篇布局尤費躊躇，故麗製瑋章甚難多覯，南宋以後遂漸趨式微。

茲爲清晰計，將古典詩歌之體式類型列表於後：

古典詩歌

- 古體詩
  - 四言體
  - 五言古體（五古）
  - 七言古體（七古）
  - 雜言體（長短句）
- 近體詩
  - 律詩
    - 五言律詩（五律）
    - 七言律詩（七律）
  - 絕句
    - 五言絕句（五絕）
    - 七言絕句（七絕）
  - 排律
    - 五言排律（五排）
    - 七言排律（七排）

（三）韻書與押韻

古典詩歌之首要條件是押韻，因此韻書乃應運而生。韻書大致分爲三類：⑴自周初至曹魏所通用之「古韻」。⑵自曹魏至今日所通用之「今韻」。⑶研究漢語發音原理、發音方法與音韻結構之「等韻」。茲分別述其崖略：

今韻之淵源，蓋肇始於六朝初葉，魏・李登撰《聲類》，爲我國韻書之濫觴。其後有呂靜之《韻集》，李概之《音譜》，陽休之之《韻略》，夏侯詠之《四聲韻略》，杜台卿之《韻略》，周顒之《四聲切韻》，惜其書均已亡佚，莫得其詳。隋・陸法言偕顏之推等相與討論音韻，並參酌上列諸書，撰定《切韻》五卷，集六代韻書之大成。《切韻》傳到唐代，經孫愐重爲刊定，改名《唐韻》；《唐韻》傳到宋代，經陳彭年、丘雍等重修，改名《廣韻》，凡二百零六韻。南宋理宗・淳祐時，平水（今山西臨汾縣）人劉淵撰《增修禮部韻略》，將二百零六韻壓縮兼併爲一百零七韻，跳脫學術之藩籬，而專爲詩賦押韻之準繩。至元・陰時夫撰《韻府羣玉》，又併上聲「拯」韻入「迥」韻，凡一百零六韻；自後明之《洪武正韻》、清之《佩文韻府》、《詩韻集成》、《詩韻合璧》、《詩韻全璧》等，皆爲關於「今韻」之書。

至若宋・吳棫之《韻補》，明・陳第之《毛詩古音考》，清・顧炎武之《古音表》，江永之《古韻標準》，戴震之《聲類表》，王念孫之《古韻譜》，江有誥之《詩經韻讀》等，皆爲關於

「古韻」之書。

又若宋・司馬光之《切韻指掌圖》，鄭樵之《七音略》，及無名氏之《韻鏡》、《四聲等子》，元・劉鑑之《切韻指南》等，皆爲關於「等韻」之書。

要而言之，自周初至曹魏，歷時一千三百年（1122BC~220AD）文家押韻所依據之韻書爲「古韻」（亦即古音），如《詩經》、《楚辭》、漢詩便是。自曹魏至今日，歷時一千八百年（220~2004），文家押韻所依據之韻書爲「今韻」（亦即今音），如此期間之古近體詩便是。而「等韻」乃是研究反切之一種方式，已歸入聲韻學之範疇，與詩文押韻無關。

抑有進者，由「詩韻」而衍生出來的有「詞韻」與「曲韻」。「詞韻」以清・沈謙之《詞韻略》爲最早，最晚出者，爲戈載之《詞林正韻》，其書列平、上、去三聲爲十四部，入聲爲五部，共十九部，皆取古代名家之詞作參酌而定，爲詞家所遵用，至今不衰。又清・舒夢蘭撰《白香詞譜》，精選常用詞牌百闋，蓋爲初學導其先路者，極具實用價值，詞林多之。而「曲韻」則以元・周德清之《中原音韻》爲準繩，其例以平聲分陰陽，無入聲，以入聲配隸平、上、去三聲，共分十九部，與「詞韻」同。

（四）四聲與平仄

古典詩歌之第二個重要條件是平仄，亦即平、上、去、入四聲，與韻書息息相關。所謂平仄，就是指漢語的聲調，聲調就是發音的高低升降，也就是抑揚頓挫。古代漢語分成平上去入四聲，這原是中國語言文字本身早就存在著的內在因素，但它的被發現並且有意識地把它使用到詩文上的，卻是從南朝．齊武帝．永明年間（483~493）開始。據《南史．陸厥傳》所載：

永明時，盛為文章，吳興．沈約、陳郡．謝朓、琅玡．王融以氣類相推轂，汝南．周顒善識聲韻。約等文皆用宮商，將平上去入四聲，以此制韻，有平頭、上尾、蜂腰、鶴膝。五字之中，音韻悉異，兩句之內，角徵不同，不可增減。世呼為永明體。

玩繹所言，即以人工之音律，運用在文學作品上面。蓋詩歌必須講究音律，而古代詩樂合一，詩之音律，即存於樂之中。迨詩樂既分，詩之音律不得不存於字詞之中，但字詞之音調，宜求其和諧、悅耳、動聽，始能提高其傳播功能，增加其藝術價值。惟前人特心知之，而不能言之，至永明諸子始發現此天地間之奧祕，文藝界之瑰寶，狂喜之情，形乎楮墨。於是競相撰述，以資炫耀，而沈約《四聲譜》、周顒《四聲切韻》、王斌《四聲論》諸書遂陸續梓行問世。這在聲韻學上是一大發現，在文學史上更是一大革命，經過百餘年的纘緒發煌，終於在唐代初葉開出了兩朵芳香四溢的奇葩——由「古體詩」蛻變而為「近體詩」，由「六朝文」蛻變而為「四六文」。沿河討源，振葉尋根，則沈、周諸子藍篳之功，實不可沒。

至於四聲的分別，則是依據每個字聲音的長短、輕重、高低、強弱之不同程度而成的，不過歷來論四聲的分辨標準並不一致。明代高僧釋眞空曾作〈審音歌〉云：

平聲平道莫低昂，上聲高呼猛烈強。
去聲分明哀遠道，入聲短促急收藏。

這就是往昔私塾中童蒙分辨四聲所必讀的歌訣。其實分辨四聲，不必遠求，平上去入四個字的本身就是四聲——「平」字是平聲，「上」字是上聲，「去」字是去聲，「入」字是入聲。按梁武帝初不諳四聲，問於沈約，約答云：「天子聖哲」。這是最高妙的答覆。（事見《梁書・沈約傳》）

由於近體詩特別講究調配平仄，刻意使平仄相互更替，自然會產生節奏，趨於平衡，然後把調配平仄所產生的節奏製成固定的模型，此即世俗所熟知的「近體詩格律」，或「近體詩調譜」，或「格律詩調譜」，或「平仄格式」，或「平仄譜」，凡欲作近體詩者，必須嚴遵此格律，不可違誤。只是古代文字的聲調與現在國語的聲調頗多出入，甚至扞格難通，致使現代人鑑賞古典詩歌難以鞭辟入裏，創作古典詩歌更是咨嗟長歎，其中最嚴重者，當推入聲字問題。

西元一一五三年，女眞族完顏亮崛起東北，滅遼略宋，建立大金帝國，定都燕京，改爲中都（即今北京市）。北京遂成爲全國軍事、政治、經濟、文化之中心，北京話也就順理成章的成爲全國通行的語言，俗稱「官話」，官方語言至此乃告統一。其後歷經明、清二代，亦均先後建都於此（按明太祖朱元璋於一三六八年定都金陵，在位三十一年，歷惠帝四年，至一四〇二年爲成祖朱棣所篡，遷都北京。故在金陵建都前後僅三十五年。），「官話」依舊通行，始終未變。一九一二年滿清覆亡，民國肇建，北洋政府・教育部陸續公布語言政策，仍以北京語爲「標準國語」，亦簡稱「國語」。

一九四九年國民政府播越台灣，繼續推行，成效卓著；而中國共產黨建政後，亦蕭規曹隨，未予改變，只是把「國語」改稱「普通話」而已。國語最大的特點，就是沒有入聲字，它把入聲字分配到陰平、陽平、上、去四聲裏，大大的增加了鑑賞、創作古典詩歌的難度。

中國由於歷史悠久，疆域遼闊，人口衆多，交通阻梗，遂使語言歧異，不下七百種。中原語系、吳語系、閩語系、粵語系等等，既大有分別，每一語系之中，又有若干種不同而不能互相了解之方言。（例如吳語系之蘇州語與溫州方言即無法相通，而溫州方言中之永嘉語、青田語雖縣境毗連，音調亦絕不相同。）若非文字重目治之功，收統一之效，則中國早已分崩離析爲幾十幾百國家。離鄉百里，即須學習他國文字，明其語言；離鄉千里，乃至於須明數十國文字，始足應用（印度即有此弊）。又安能有今日境內同文，萬里一家，雖語言艱阻，而情愫無間之便利。（參見林尹《中國聲韻學》）茲爲醒目計，將今音與國語作一比較及中國八大語系表列如次：

今音與國語比較表

今音	平		上	去	入
國語	陰平	陽平	上	去	○
平仄	平聲		仄聲		

今音入聲字併入國語舉隅

國語四聲	今音入聲字
陰平	說、塌、踢、貼
陽平	竹、燭、卓、德
上聲	鐵、筆、塔、甲
去聲	曝、莫、闢、必

中國八大語系

①中原語系：東北三省，河北、河南、山東、山西、安徽、陝西、甘肅六省，江蘇省之北部。
②西南語系：四川、雲南、貴州三省，廣西省之北部。
③客家語系：四川、湖南、江西、福建、廣西、廣東六省及台灣之一部。
④粵語系：廣東、廣西、海南三省之大部。
⑤閩語系：福建省及台灣之大部。
⑥吳語系：浙江省，江蘇省之南部。
⑦湘語系：湖南省之大部。
⑧贛語系：江西省之大部。

表中所列，③到⑧六大語系仍然保存平上去入四聲，延續「今音」，變動不大。惟獨①、②兩大語系絕大部分自始即無入聲，只有陰平、陽平、上、去四聲而已。

又，現在六十五歲以下的青壯年人，全部接受過國語教育，因此重視國語，忽略方言，時日既久，用方言交談的能力遂逐漸萎縮退化，不但不能用方言朗誦古籍，甚至連平仄聲都無法分辨，如此而欲擷取古典文學之精華，實非易易。尤其像詩、詞、曲、賦、駢文、對聯、成語七種韻文（前四者必須押韻，是狹義的韻文；後三者不必押韻，但須標注平仄聲，是廣義的韻文。）是我國所獨有的文學遺產，是屬於音樂的文學，有聲的文字，必藉曼聲吟哦，始能咀嚼其韻味；而調節、平衡其聲調的功臣，厥爲平仄聲，尤其是入聲字，如能作適當的配置安排，必使篇章彪炳，百讀不厭。可是遺憾得很，國語卻沒有入聲字，遂使接受現代完整教育的青壯年人，永遠無緣領略上列七種韻文的聲調之美，有如霧裏看花，一片朦朧。本人有鑑於此，乃於民國五十八年（一九六九）任教台灣師範大學國文系講授詩歌、駢文之時，將國語讀平聲之入聲字挑出來，編成講義，發給學生，徹底替學生掃除魔障，三十六年來，未曾間斷，從遊諸生，無不稱便。（見附錄二。按國語讀上、去二聲之入聲字，以其同爲仄聲，不會造成困擾，故未作處理。）

（五）創作古典詩歌芻言

湘鄉．曾文正公有云：「一分耕耘，一分收穫。」意在強調學習任何一種技藝，必須付出心力，始克有成，創作古典詩歌亦然。初學者或春秋方盛，藝事未精；或綆短汲深，心餘力絀；或買櫝還珠，棄眞賞濫；或眼高手低，落筆爲難；如此而欲求速成，自名一家，殆無異緣木而求魚。故作詩之道，必先奠基，而奠基之道，在於博覽歷代古今體詩什，熟讀歷代詩家雋品，迨腹笥既充，自成馨逸，蘇東坡所謂「腹有詩書氣自華」者，即指此而言。茲就押韻、調聲、借代三端，貢其一得之愚，俾供參酌，閱者倘能有得於筌蹄之外，則尤作者之深幸也。

一、慎選韻目 近體詩例不押仄聲韻，只押平聲韻，平聲韻有上平聲十五個韻目，下平聲十五個韻目，總共三十個韻目。此三十個韻目有四種不同的作用，作詩選韻時必須斟酌再三，然後定奪。

㈠寬　韻 凡韻部中可供選擇使用之字甚多且頻率甚高者，謂之寬韻。

如：東、支、虞、眞、先、麻、陽、庚、尤。

㈡窄　韻 凡韻部中可供選擇使用之字較少且頻率較低者，謂之窄韻。

如：微、文、刪、青、蒸、覃、鹽。

㈢中　韻 凡韻部中包含字數中等之韻，介於寬、窄之間者，謂之中韻。

如：冬、魚、齊、灰、元、寒、蕭、豪、歌。

㈣險　韻 凡韻部中包含字數極少之韻，謂之險韻。如：江、佳、肴、咸。

又作詩用艱僻難押之字當韻腳，亦謂之險韻。如：尖、叉。

作詩若押窄韻、險韻，容易造成選字上的困難，因此有些詩人情有獨鍾，刻意選用，以便炫耀自己的才高學富。又蘇軾作〈雪後書北台壁二首〉，分別用「尖」（鹽韻）、「叉」（麻韻）二字爲韻腳吟詠雪景，歷來被推爲險韻詩中之名作。然此等詩畢竟吃力而未必討好，還是少作爲妙，否則將不能免於畫虎類犬之譏。

二、押韻六戒 俗語云：「戲法人人會變，巧妙各有不同。」吾今套用其語云：「詩韻人人會押，工拙各有不同。」以近體詩而言，依例應全押平聲韻，一韻到底，不得轉韻，而且要押在偶句之末字上，即已畢其能事，似乎不是什麼大學問。但一篇傳世名作，除了必須遵守前述規則外，尚有六大避忌，不可輕忽。

㈠戒出韻 出韻又稱落韻、竄韻、走韻，是指在詩歌偶句韻腳上不用本韻中之字，而用鄰韻或他韻中之字。出韻與格律詩一韻到底之要求不合，一向被視為詩家之大忌。但以下兩種情形屬於借韻，可以通融，唐、宋名家多有之。如林逋〈山園小梅〉押十三元韻，但其首句卻用鄰近之一先韻，屬於「孤雁入群格」。茲各舉一例如下：

1. 孤雁入群格

古行宮　　元稹

寥落古行宮◎，宮花寂寞紅◎。
白頭宮女在，閒坐說玄宗△。

按「宮」、「紅」為一東韻，而「宗」為二冬韻，此種押法，有如孤雁飛入雁群之中，故稱孤雁入群格。

2. 孤雁出群格

清明　　杜牧

清明時節雨紛紛△，路上行人欲斷魂◎。
借問酒家何處有，牧童遙指杏花村◎。

按「紛」爲十二文韻，而「魂」「村」爲十三元韻，此種押法，有如孤雁飛出雁群之中，故稱孤雁出群格。

質實言之，短短一首絕句，充其量也不過押三個韻腳，竟然找不到同韻之字，可見其功力不足，火候未到，則此等詩儘可不作也。惟大詩人享有豁免權，未可一例觀之。

㈡戒重韻　一首詩中，連續重複使用同一個韻字，謂之重韻，亦稱一韻兩押。詩家懸爲厲禁，不可故犯，應予迴避。

㈢戒湊韻　凡在韻腳上用一個與全詩意義毫不相干之字，謂之湊韻，又稱趁韻、掛腳韻。這種可有可無，爲押韻而押韻，硬湊上去的韻字顯得突兀和勉強，將使全詩減色不少，載筆之倫應引以爲戒。吳騫《拜經樓詩話》云：「古詩尤忌湊韻，有一句湊韻，即是懈處，通篇格律都減。」可謂深造有得之言。今舉一首爲例：

別舍弟宗一　　柳宗元

零落殘魂倍黯然◎，雙垂別淚越江邊◎。
一身去國六千里，萬死投荒十二年◎。

桂嶺瘴來雲似墨，洞庭春盡水如天◎。
欲知此後相思夢，長在荊門郢樹烟△。

按清．紀昀批云：「『烟』字，趁韻。」（《瀛奎律髓》引）因詩中「烟」字空虛飄忽，惝恍迷離，可要可不要，不如「邊」「年」「天」三韻字實在。全詩篇體光華，堪稱《柳集》中有數瑋作，惟其湊韻，遂不免稍減連城之價。

㈣戒倒韻

在古典詩歌中，因爲遷就韻腳而顛倒詞序者，謂之倒韻。例如：

逢雪宿芙蓉山主人　劉長卿

日暮蒼山遠，天寒白屋貧◎。
柴門聞犬吠，風雪夜歸△人△。

按末句本意是「風雪夜人歸」，因爲押韻而將「人歸」詞序顛倒爲「歸人」。爲押韻而顛倒詞序，在詩詞中屢見不鮮，可見法所未禁。但並非所有的詞序都能顛倒，要看情形而定。成語如「國色天香」、「花好月圓」、「傾國傾城」、「沈魚落雁」、「春花秋月」，可以顛倒；而「齊人之福」、「生生不息」、「手不釋卷」、「貧無立錐」、「目不窺園」，則不可以顛倒。詞彙如「朋友」、「山河」、「新舊」、「妍美」、「離別」，可以顛倒；而「黃昏」、「故人」、「紅顏」、「水村」、「花叢」，則不可以顛倒。

㈤戒僻韻

凡用冷僻字作韻腳，謂之僻韻。有些文士作詩，專挑難字、古字、奇字、生僻字、異體字入韻，不但詞句難於工穩，讀者亦不易索解，將詩道引入魔道，實爲通人所不取。

❻**戒同義字韻**　凡用意義相同或相近之字入韻者，謂之同義字韻。如六麻韻之「花」與「葩」，七陽韻之「光」與「芒」，四支韻之「辭」與「詞」，皆不可同時使用在一首詩中，以免礙眼，令人生厭。

三、嚴禁孤平

在格律詩中，凡平聲字被兩個仄聲字夾在中間者，謂之孤平。因爲孤平影響整句聲調之和諧至鉅，所以非萬不得已，決不製造。（所謂萬不得已，情況有三種：①專有名詞，②古書之原文，③內容之需要。）詩家製造孤平，有的會加以補救，有的則不予補救，此即所謂「拗救法」。（按拗救法問題複雜，累紙所不能盡，當另行撰文詳之，此姑從略。）蓋平聲字有如妙齡女子，膽子極小，出門必攜伴同行，以求心安。而仄聲字則如彪形大漢，膂力剛強，有大丈夫氣概。倘若一個少女被夾在兩個陌生大漢之間，必心生畏懼，忐忑難安。以此喻詩，十分恰當。故平聲字除了詩句之首字與末字可以落單外，盡可能不令孤單，庶幾宮商協暢，聲律諧美，而收抑揚頓挫之音響效果。率舉孤平數例，以窺豹斑。

①寒山轉蒼翠，秋水日潺湲。（王維〈輞川閒居〉）

②遙憐小兒女，未解憶長安。（杜甫〈月夜〉）

③孤帆遠影碧空盡，惟見長江天際流。（李白〈送孟浩然之廣陵〉）

④正是江南好風景，落花時節又逢君。（杜甫〈江南逢李龜年〉）

四、嚴禁三平落底　在近體詩句中，凡末三字連用三個平聲字者，謂之三平落底，又稱三平腳、三平調。亦列入詩家禁忌。如：

①蜀僧抱綠綺，西下峨眉峯。（李白〈聽蜀僧濬彈琴〉）

②中歲頗好道，晚家南山陲。（王維〈終南別業〉）

③舟楫眇然自此去，江湖遠適無前期。（杜甫〈曉發公安〉）

④二月二日江上行，東風日暖聞吹笙。（李商隱〈二月二日〉）

五、嚴禁三仄落底　在近體詩句中，凡末三字連用三個仄聲字者，謂之三仄落底，又稱三仄腳、三仄調。詩家亦懸爲厲禁。如：

①雲霞出海曙，梅柳渡江春。（杜審言〈早春遊望〉）

②向晚意不適，驅車登古原。（李商隱〈登樂遊原〉）

③悵望千秋一灑淚，蕭條異代不同時。（杜甫〈詠懷古蹟〉）

④南朝四百八十寺，多少樓台煙雨中。（杜牧〈江南春〉）

六、廣用借代　在修辭學中，凡借用高雅之字詞代替庸俗之字詞者，謂之借代。例如以「絳」代「紅」，以「蕙」代「蘭」，以「沖」代「虛」，以「菡萏」代「荷花」，以「芍藥」代「牡丹」，以「謝豹」代「杜鵑」，以「湖湘」代「湖南」，以「稻江」代「台北」，以「紅粉」代「美人」等，如能經常留意，廣泛蒐羅，在押韻與調聲（平仄互換）上靈活運用，必能使篇什更爲高雅妍美，而收化腐朽爲神奇之效果。茲列舉三個平日所常用者爲式，以當隅反。

台灣・南京・月亮別名表

台灣	東嶠、仙嶠、蓬嶠、海嶠、壺嶠、蓬島、蓬萊、蓬壺、瀛洲、瀛台、鯤島、鯤嶠、鯤瀛、鯤溟、瀛壖、瀛嶠、員嶠、方壺、三臺、臺員、南疆、南服、臺島、寶島、海隅、海表、海陬、炎陬、炎徼、東鯷、澶州、夷州、琉球、琉求、夷洲、台海、瀛湄、台垣、台疆、鯤嶼、鯤身、東鯤、高沙島、美麗島、福爾摩沙。
南京	金陵、秣陵、白門、白下、建康、建業、石頭、石城、上元、南都、臺城、丹陽、建鄴、江寧、蔣州、昇州、帝京、上京、王城、帝城、京華、苑城、冶城、應天、應天府、建康府、集慶路、石頭城。
月亮	晶盤、冰輪、弦望、桂魄、寒玉、飛鏡、玉鏡、冰鏡、蟾光、桂宮、兔魄、彩蟾、玉盤、玉兔、蟾宮、蟾兔、金蟾、皓魄、金輪、金鏡、月娥、金盤、金兔、金丸、金魄、丹桂、丹輪、銀盤、銀蟾、晶蟾、玉蟾、玉魄、素娥、素魄、素蟾、珠輪、銀界、玉壺、嫦娥、姮娥、蟾華、璧彩、靈蟾、白兔、蟾桂、蟾輪、蟾盤、瓊蟾、瑤盤、金環、金餅、廣寒宮、清虛府、清涼宮、蟠月窟、白玉盤。

（六）結　語

人類已經進入廿一世紀，各種科學日進千里，瞬息數變，尤其是電腦網路，橫掃全球，沛然莫之能禦，已成人類生活之主流。在此物質文明高度發展的時代，如果還孜孜矻矻，潛心鑽研古典詩歌，豈非開時代之倒車，逆世界之潮流。其實大謬不然，因爲人類除了物質生活以外，還有更重要的精神生活，詩歌、藝術、音樂、宗教、雕刻、刺繡、弈棋、書法、戲劇、電影、電視、劍道、拳法、舞蹈、體育……都是屬於精神生活。所以我們在繁忙工作之餘，抽出一點時間來鑑賞或創作古典詩歌，不但可以淨化性靈，抑且可以美化氣質，使寶島處處充滿著詩情畫意，形成一個祥和而可愛的人間樂土。

惟是，古典詩歌最基本的條件是押韻與調聲，而押韻調聲所依據的卻是南宋末年所編纂的《禮部韻略》——平水韻，亦即坊間發行最廣的《詩韻集成》。由於時代的變遷，語音的演進，平水韻有許多字的讀音已經發生巨大變化，爲了滿足現代人學詩、賞詩、作詩的欲望，必須編纂一部用「國語」或「普通話」發音的韻書，以便徹底解決平仄問題。由於平水韻已經流行了七百多年，歷代詩人據此創作了數十萬首詩歌，成爲珍貴無比的文學遺產，至今海內外愛好詩歌的華人和華裔，仍將此書奉爲神明，珍若拱璧，我們如果貿然予以揚棄，則將如何吸收先賢往哲的智慧結晶，又將如何對得起列祖列宗。

職是之故，我想出一個兩全其美的辦法，那就是在鑑賞古典詩歌時仍用「佩文詩韻」，而創作古典詩歌時則改用「中華新韻」。易詞言之，今後凡是古典詩歌之愛好者，應像雙頭馬車，並駕前進。一方面仍然遵照「佩文詩韻」（即平水韻），以便傳承此一文學遺產，繼續發揚光大，使其江河長流，萬古揚芬。一方面則廣邀海峽兩岸之碩學鴻儒，詩壇耆宿，齊聚一堂，集思廣益，共同制定以國語或普通話為準繩的「中華新韻」，然後由兩岸政府同時公布，全體華人一體遵行，庶幾皆大歡喜，永息紛爭。國家幸甚，華人幸甚，吾其焚香以禱之，吾將翹首以俟之。

附錄一：佩文詩韻（平水韻）韻目表

張仁青製

平	聲字數	上	聲字數	去	聲字數	入	聲字數
〔上平聲十五韻〕							
一 **東**通冬	一七四	**一** **董**通腫	三六	**一** **送**通宋	四三	**一** **屋**通沃	一八二
轉江		轉講		轉絳		轉覺	
二 **冬**通東	一二〇	**二** **腫**通董	四六	**二** **宋**通送	二三	**二** **沃**通屋	六三
三 **江**通陽	五一	**三** **講**通養	一一	**三** **絳**通漾	十九	**三** **覺**通藥	九二
		轉董		轉宋		轉屋	
四 **支**通微齊灰	四六四	**四** **紙**通尾薺賄	二二	**四** **寘**通未霽隊	二六六		
轉佳		轉蟹		轉泰			
五 **微**通支	七二	**五** **尾**通紙	三七	**五** **未**通寘	五七		

六　魚通虞	一二三	六　語通麌	九三	六　御通遇	六四		
七　虞通魚	三〇五	七　麌通語	一四五	七　遇通御	一四二		
八　齊通支	一三三	八　薺通紙	四一	八　霽通寘	二〇二		
				九　泰通寘	六一		
九　佳通支	五五	九　蟹通紙	二一	十　卦通寘	六八		
十　灰通支	一一一	十　賄通紙	六〇	十一隊通寘	一一二	四　質通職緝 轉物	一三二
十一真通庚青蒸 轉文元	一七一	十一軫通梗迥寑 轉吻	五七	十二震通敬徑沁 轉問	六一	五　物通質	四八
十二文轉真	九七	十二吻轉軫	二二	十三問轉震	三四	六　月通屑葉陷 轉曷	一一〇
十三元轉真	一六一	十三阮通銑	六二	十四願通霰	四〇		
十四寒轉先	一二三	十四旱通銑	四八	十五翰通勘	一〇〇	七　曷轉月	八八
十五刪通覃咸 轉先	六四	十五潸轉銑	三三	十六諫通陷 轉霰	四八	八　黠通月	六四
〔下平聲十五韻〕一　先通鹽 轉寒刪	二三五	十六銑通阮琰豏 轉旱潸感	一三三	十七霰通願豔 轉諫	一三三	九　屑通月	一六一

二蕭通肴豪	一八三	十七篠通巧晧	八〇	十八嘯通效號	八〇		
三肴通蕭	一〇七	十八巧通篠	二三	十九效通嘯	三九		
四豪通蕭	一一〇	十九晧通篠	七六	二十號通嘯	六〇		
五歌通麻	一一五	二十哿通馬	七〇	廿一箇通禡	四二		
六麻通歌	一六七	廿一馬通哿	四九	廿二禡通箇	五八		
七陽通江 轉庚	二七〇	廿二養通講	一〇八	廿三漾通絳	一〇〇	十藥通覺	一九七
八庚通眞	一九〇	廿三梗通軫	六四	廿四敬通震	五五	十一陌通月	一六八
九青通眞	九〇	廿四迥通軫	四〇	廿五徑通震	四九	十二錫通職緝	九一
十蒸通眞	一一四					十三職通質	一四〇
十一尤獨用	二四七	廿五有獨用	一一二	廿六宥獨用	一六四		
十二侵通眞	七〇	廿六寢通軫	三五	廿七沁通震	三四	十四緝通質	五九
十三覃通刪	九六	廿七感轉銑	六〇	廿八勘通翰	二九	十五合獨用	五一
十四鹽通先	八六	廿八琰通銑	四一	廿九豔通霰	七一	十六葉通月	九五
十五咸通刪	四一	廿九豏通銑	三〇	三十陷通諫	一九	十七洽獨用	五九

附錄二：國語讀平聲之入聲字

張仁青製

韻	字
一屋	屋竹服福熟族菊軸逐伏讀犢牘瀆櫝黷粥縮 哭幅斛僕叔淑菽獨鏃築啄麴禿扑屻輻洑鵩 竺筑掬簇濮鞠匊塾樸舳蝠菔踧匐摵繆槲儵
二沃	俗足曲燭毒局鵠督贖蠋纛跼挶僕
三覺	覺角捔斲珏鷟卓斮諑倬琢剝駁駮雹璞樸殼 濁擢鐲櫂濯喔踔學
四質	質出實疾一壹吉失漆橘膝匹七卒蝨詰戌櫛 姪嫉唧躓茁尼蒺礩
五物	佛拂屈掘吃紱黻弗髴茀厥崛倔不
六月	伐卒竭窟歇發忽突勃蹶鶻筏厥蕨掘闕碣惚 捽凸渤齕蠍滑劂孛核撅鱖閼杌朏艴曰訐崒 餑浡
七曷	達活鉢脫奪褐割拔撥括聒掇喝跋魃怛栝筈 鈸潑轄茇轕鶡适笪揭适
八黠	黠札拔猾八察殺軋劼椒瞎刮刷頡滑戛嘎

韻目	字
九屑	節絕結說舌潔別缺決折切拙訣傑哲鼈碣譎 玦纈訐瞥媟耋抉經揑茁竭癤擷跌趹垤孑薛 桀晢迭噦掇剟拮批欔絜觖鴂
十藥	薄閣爵約郭博縛酌託鐸灼鑿橐著泊搏籥嚼 勺籜箔攫膜礴鏄格昨擇斫摸貉玃膊斮澤芍 躩燋嚼
十一陌	石白澤伯迹宅席虢籍格帛柏額翮屐幘隔核 擲責惜舶拍擇磔摘昔摭蟈簀嘖馘
十二錫	錫擊績勣笛敵滴鏑檄激寂翟覿逖糴析狄荻 戚慼滌喫裼適嫡啇蹢迪覗淅蜥籊覓
十三職	職國德食蝕極息直得黑賊刻則殖植棘織逼 喞即湜嶷踣熄寔穡埴襲仂
十四緝	輯集習十拾什及級揖汁笈執隰汲吸褶岌戢
十五合	合答閤雜匝闔蛤鴿拉盍嗑
十六葉	貼帖牒接蝶疊捷頰楫諜堞協莢䩞睫浹笈挾 喋屧摺輒婕楸捷蛺椄蹀
十七洽	狹峽匣壓鴨乏劫脅插歃押狎祫袷掐夾呷柙 郟扱箚渫掐跲韐

附錄三：創作古典詩歌之必備書目

張仁青製

	書名	編著者	出版地點	出版社・書局	出版時間
1	詩韻集成	清・余 照	台北	學海出版社	民國71年
2	詩韻合璧	清・許時庚	上海	上海書店	1982年
3	詩韻全璧	清・暢懷書屋主人	台北	華正書局	民國88年
4	佩文韻府	清・張玉書等	台北	商務印書館	民國68年
5	淵鑑類函	清・張 英等	台北	新興書局	民國53年
6	幼學故事瓊林	清・鄒聖脈等	台中	東海書局	民國67年
7	龍文鞭影	明・蕭良友等	上海	上海古籍出版社	1990年
8	聲律啓蒙	清・車萬育等	長沙	岳麓書社	1994年
9	藝文類聚	唐・歐陽詢等	台北	文光圖書公司	民國63年
10	詩府韻粹	尤信雄等	台北	台灣學生書局	民國72年
11	詩詞曲格律辭典	李新魁	廣州	花城出版社	1991年
12	中國詩學大辭典	傅璇琮等	杭州	浙江教育出版社	1999年
13	漢語詩律學	王 力	上海	上海教育出版社	1988年
14	漢語比喻辭典	李運益	成都	四川辭書出版社	1992年
15	漢語借代義辭典	韓陳其	廣州	廣東教育出版社	1995年
16	掌故大辭典	古 風等	北京	團結出版社	1990年
17	中華典故全書	俞長江等	北京	中國國際廣播出版社	1994年
18	中華國粹大辭典	張燕瑾等	北京	國際文化出版公司	1997年
19	中國博物別名大辭典	孫書安	北京	北京出版社	2000年
20	中華韻典	蓋國梁	上海	上海古籍出版社	2004年

附錄四：平仄兩讀字表

張仁青製

拼音字母	兩讀字	字義	四聲	韻目	字義	四聲	韻目	字義	四聲	韻目
A	欸	呵斥	平	灰	應答聲	上	賄			
B	扁	扁舟	平	先	扁形不圓的	上	銑			
B	榜	鞭打的刑罰	平	庚	告示	上	養	船槳	去	敬
C	蟲	蟲子	平	東	毒蛇	上	尾			
C	重	重複	平	冬	輕重	上	腫	慎重	去	送
C	從	服從	平	冬				隨從	去	送
C	幢	旗幟	平	江				帷幕	去	絳
C	坻	渚	平	支	奠基	上	紙			
C	槌	捶擊的器具	平	支				掛蠶箔的木柱	去	寘
C	薺	蒺藜	平	支	薺菜	上	薺			
C	吹	吹風	平	支				吹奏	去	寘
C	除	階除	平	魚				除去	去	御
C	柴	小而散的木頭	平	佳				木編成的柵欄	去	卦
C	淳	質樸	平	眞	布匹的寬度	上	軫			
C	禪	佛禪	平	先				封禪	去	霰
C	穿	孔洞	平	先				貫穿	去	霰

C	傳	傳授	平	先				傳記	去	霰
C	操	持執	平	豪				志節	去	號
C	繰	繰絲	平	豪	晃繩	上	皓			
C	瘥	病	平	歌				病除	去	卦
C	杈	樹的分岔	平	麻				官府前拉人馬的木架	去	禡
C	倡	藝人	平	陽				領唱	去	漾
C	長	長短	平	陽	長幼	上	養	長物	去	漾
C	藏	收藏	平	陽				庫藏	去	漾
C	創	創傷	平	陽				開創	去	漾
C	盛	把東西放進皿中	平	庚				興旺、強盛	去	敬
C	乘	乘坐	平	蒸				車輛	去	徑
C	稱	名稱	平	蒸				權衡、量詞	去	徑
C	澄	水清	平	蒸				使水清	去	徑
C	參	參與	平	覃				鼓曲	去	勘
D	恫	疼痛、呻吟	平	東				恫嚇、恐嚇	去	送
D	墮	毀壞	平	支	掉落	上	哿			
D	氐	星宿名	平	齊	根柢	上	薺			

D	敦	敦厚	平	元				盛黍稷之器	去	隊
D	當	對著	平	陽				典當、恰當	去	漾
D	釘	鐵釘	平	青				釘釘子	去	徑
D	擔	肩挑	平	覃				擔子	去	勘
E	蛾	蛾子	平	歌	螞蟻	上	紙			
F	縫	用線綴合	平	冬				空隙	去	宋
F	菲	芬芳	平	微	菲薄	上	尾			
F	痱	風病	平	微				熱瘡	去	未
F	分	分開	平	文				本分	去	問
F	濆	水邊	平	文	水騰湧	上	吻			
F		噴水	平	元						
F	墳	大堤、墓	平	文	高起	上	吻			
G	供	供給	平	冬				陳設、供認	去	宋
G	歸	女子出嫁	平	微				餽贈	去	寘
G	幹	井上木欄	平	寒				軀幹、才幹	去	翰
G	觀	觀看	平	寒				道觀	去	翰
G	冠	帽子	平	寒				戴帽、爲首的	去	翰

G	膏	油脂	平	豪	滋潤	上	皓			
G	過	度過	平	歌				超過、勝過	去	個
G	埂	坑	平	庚	田塍	上	梗			
G	更	改變	平	庚				另、再	去	敬
G	勾	勾銷、描畫	平	尤				勾當	去	宥
G	句	彎曲	平	尤				句子	去	遇
H	溷	胡塗	平	元				混濁	去	願
H	翰	五色羽、天鵝	平	寒				筆毫、翰墨	去	翰
H	汗	可汗	平	寒				汗水	去	翰
H	咎	咎繇	平	豪	過失	上	有			
H	號	大聲喊叫	平	豪				號令、門號	去	號
H	呵	大聲呵斥	平	歌				噓氣	去	個
H	何	疑問代詞	平	歌	負荷	上	哿			
H	和	和平、調和	平	歌				跟著唱	去	個
H	荷	荷花	平	歌	負荷	上	哿			
H	潢	積水池	平	陽				染紙	去	漾
H	行	行列	平	陽				排行	去	漾

		步趨	平	庚				德行	去	敬
H	橫	縱橫	平	庚				專橫	去	敬
H	頷	面黃、燕頷	平	覃	下巴	上	感			
J	降	降服、歸降	平	江				升降	去	絳
J	幾	微少	平	微	幾多	上	尾	希望	去	寘
J	据	拮据	平	魚				依據	去	御
J	卷	捲曲	平	元	捲起來	上	阮	書卷	去	願
J	間	中間	平	刪				參與、隔離	去	諫
J	鍵	星名	平	先	門閂	上	銑			
J	徼	徼倖	平	蕭				邊界	去	嘯
J	澆	澆灌	平	蕭				迴旋的水波	去	嘯
J	膠	黏膠	平	肴				黏著	去	效
J	教	使令	平	肴				教育	去	效
J	姣	姣好	平	肴	美、媚	上	巧			
J	將	扶進、將要	平	陽				將帥	去	漾
J	檠	正弓器、燈架	平	庚				有腳的木器	去	敬
J	經	經常、經典	平	青				織	去	徑

M	L	L	L	L	L	L	L	L	L	L	L	J	J	J	J	J
膜	臨	令	量	澇	勞	燎	欄	論	累	亢	看	監	漸	衿	禁	枸
膜拜	居上視下	使令	衡量、丈量	大波	辛苦	火炬	柵欄	討論	繩索	喉嚨	看待、照應	監察、監牢	浸潤	衣服的交領	勝任	彎曲
平	平	平	平	平	平	平	平	平	平	平	平	平	平	平	平	平
虞	侵	庚	陽	豪	豪	蕭	寒	元	支	陽	寒	咸	鹽	侵	侵	尤
						焚燒草木			積聚				漸次、逐漸			枸杞
						上			上				上			上
						篠			賄				琰			有
肌肉薄膜	哭弔	號令、法令	力量、度量	雨水過多	慰勞	焚柴以祭天	樹名	理論	連累	抵抗、高亢	看望	官署、太監		繫住	禁止、禁忌	
入	去	去	去	去	去	去	去	去	去	去	去	去		去	去	
藥	沁	敬	漾	號	號	嘯	霰	願	寘	漾	翰	陷		沁	沁	

M	漫	遍布	平	寒				隨意	去	翰
M	某	酸果	平	灰	代詞	上	有			
M	蒙	承受	平	東	蔑蒙病	上	董			
M	磨	琢磨	平	歌				石磨	去	個
M	溟	溟海	平	青	大水貌	上	迴			
M	暝	昏暗	平	青				天黑	去	徑
N	帑	妻兒	平	虞	國庫	上	養			
N	泥	泥汙	平	齊				拘泥	去	霽
N	難	艱難	平	寒				災難、患難	去	翰
N	那	何、剎那、支那	平	歌	指示代詞	上	哿	語氣助詞	去	個
N	寧	安寧	平	青				寧可	去	敬
O	漚	水泡	平	尤				浸泡	去	宥
O	嘔	嘔啞	平	尤	嘔吐	上	有			
O	歐	謳歌	平	尤	嘔吐	上	有			
P	陂	蓄水池	平	支				不正	去	寘
P	披	劈開	平	支				古喪具	去	寘
P	被	披在身上	平	支				棉被	去	寘

P	P	P	P	P	P	P	P	P	P	P	P	P	P	P	P	P
砭	掊	憑	屏	娉	彷	傍	頗	炮	漂	便	胖	平	噴	培	批	鋪
以石治病	用手扒土	盛大、憑恃	屏障	娉婷	彷徨	旁邊	偏頗、不平	炮烙	漂浮	大腹便便	安泰	平坦	激射	壅土	批評、批示	鋪設
平	平	平	平	平	平	平	平	平	平	平	平	平	平	平	平	平
鹽	尤	蒸	青	青	陽	陽	歌	肴	蕭	先	寒	庚	元	灰	齊	虞
	擊破		摒退		彷彿		不正、多							培塿		
	上		上		上		上							上		
	有		梗		養		哿							有		
以石治病		依想		娉娶		依憑		火炮	水浸洗	方便、簡便	肥胖、體胖	市中平價者	鼓鼻		觸擊	店鋪
去		去		去		去		去	去	去	去	去	去		入	去
豔		徑		敬		漾		效	嘯	霰	翰	敬	願		屑	遇

Q	騎	跨馬	平	支				騎兵	去	寘
Q	其	那個、指示代詞	平	支				語氣助詞	去	寘
Q	枇	枇杷	平	支	大木匙	上	紙			
Q	耆	老、老人	平	支	達到	上	紙	喜好	去	寘
Q	跂	蟲爬行貌	平	支	踮起腳尖	上	紙			
Q	瞿	商瞿、強瞿	平	虞				鷹隼之視	去	遇
Q	趣	疾行、速奔	平	虞				意向、情趣	去	遇
Q	趨	跑、奔赴	平	虞				旨趣	去	遇
Q	妻	妻子	平	齊				嫁給	去	霽
Q	霓	副虹	平	齊				副虹	入	錫
Q	親	親近	平	眞				親家	去	震
Q	圈	圓圈	平	元	養獸之所	上	阮			
Q	牽	拉引	平	先				挽舟繩索		霰
Q	橇	泥行之具	平	蕭				雪橇	去	霽
Q	強	堅強	平	陽	勉強	上	養			
Q	搶	飛掠	平	陽	搶劫	上	養			
Q	蹌	舒暢而有節奏的步伐	平	陽				急走	去	漾

Q	寖	逐漸	平	侵				滲透	去	沁
Q	潛	在水下活動	平	鹽				在水下活動	去	豔
R	茸	鹿茸	平	冬	細毛	上	腫			
R	溶	水盛貌	平	冬	水盛貌	上	腫			
R	如	從隨、似	平	魚				往、到	去	御
R	茹	茅茹	平	魚	食	上	語	菜的總名	去	御
R	懦	柔弱	平	虞	柔弱	上	銑	柔弱	去	翰
								柔弱	去	個
R	橈	船槳	平	蕭				挫敗	去	效
R	嬈	妖嬈	平	蕭	煩擾	上	篠			
R	撓	攪撓、奸邪	平	豪	攪撓	上	巧			
R	穰	已脫粒的禾穗、豐熟	平	陽	繁盛	上	養			
R	攘	排斥、侵奪	平	陽	擾亂	上	養			
R	蹂	踩、踏	平	尤	用腳踩	上	有	用腳踩	去	宥
R	任	抱、負擔	平	侵				任用、委任	去	沁
R	妊	孕、懷孕	平	侵				懷孕	去	沁
S	施	施行	平	支				施行	去	寘

S	司	掌管、官署	平	支				伺候	去	寘
S	思	思念	平	支				心緒	去	寘
S	褫	奪去、鬆弛	平	支	奪去	上	紙			
S	疏	疏通	平	魚				分條記載	去	御
S	紓	解除、延緩	平	魚	解除	上	語			
S	輸	委輸、輸贏	平	虞				輸送、經穴	去	遇
S	孫	子之子	平	文				謙恭	去	願
S	扇	搖扇生風	平	元				門扇	去	願
S	潸	淚流的樣子	平	刪	淚流貌	上	潸			
S	訕	譏諷、諷刺	平	刪				諷刺	去	諫
S	燒	焚燒	平	蕭				野火燒田	去	嘯
S	杓	勺柄、星名	平	蕭				杯杓	入	藥
S	鈔	單據、紙幣	平	肴				紙幣	去	漾
S	喪	死亡	平	陽				失去	去	漾
S	湯	熱水	平	陽				以沸水熟物	去	漾
S	勝	勝任	平	蒸				勝利、決勝	去	徑
S	售	賣出	平	尤				賣、出	去	宥

S	叟	淅米聲	平	尤	對長老的稱呼	上	有			
S	三	數目	平	覃				再三	去	勘
S	苫	用茅草編成的覆蓋物	平	鹽				用席、布等遮蓋	去	豔
T	塗	泥、道路	平	魚				鍍	上	遇
T	彈	彈射、彈劾	平	寒				彈丸、槍彈	去	翰
T	歎	歎息	平	寒				歎息	去	翰
T	挑	挑剔	平	蕭	挑逗	上	篠			
		用肩挑	平	豪	挑撥	上	篠			
T	調	調和、調整	平	蕭				調動、格調	去	嘯
T	佻	輕佻	平	蕭	懸掛	上	篠			
T	拖	拖延	平	歌	拖延	上	哿			
T	馱	用背負載	平	歌				用背負載	去	個
T	町	田界	平	青	田界	上	迥			
T	庭	家庭	平	青				大相逕庭	去	徑
T	廷	朝廷	平	青				朝廷	去	徑
T	聽	聆聽	平	青				等待、聽從、斷獄	去	徑
W	爲	行爲、作爲	平	支				因爲、被	去	寘

W	委	委蛇	平	支	付託	上	紙			
W	萎	枯萎	平	支	枯槁	上	賄	萎縮	去	寘
W	污	濁水	平	虞				污染	去	遇
W	惡	疑問代詞	平	虞	罪過	入	藥	憎恨	去	遇
W	憮	失意	平	虞	憐愛、悲哀	上	麌			
W	聞	聽、嗅	平	文				名聲	去	問
W	蜿	彎曲行動的樣子	平	元	彎曲行動的樣子	上	阮			
W	忘	不記得	平	陽				不記得	去	漾
W	望	遠視、希望	平	陽				遠視、希望	去	漾
W	王	帝王	平	陽				統治	去	漾
X	洶	洶湧	平	冬	洶湧	上	腫			
X	胥	全部	平	魚	小吏	上	語			
X	籲	驚歎	平	虞				籲請、呼籲	去	遇
X	徇	曲從	平	眞				示衆	去	震
X	鮮	新鮮	平	先	鮮少	上	銑			
X	先	副詞，時間在先的	平	先				動詞，先做某事	去	霰
X	旋	迴旋	平	先				圓圈型迴旋	去	霰

X	些	少許	平	麻				語末助詞	去	個
X	鄉	縣以下的行政單位	平	陽				面對著、從前	去	漾
X	相	互相	平	陽				幫助、宰相	去	漾
X	醒	醒悟	平	青	醒悟	上	迥	醒悟	去	徑
X	興	興起	平	蒸				興致	去	徑
X	咻	喧嚷	平	尤	喧嚷	上	語			
Y	雍	雍和	平	冬				雍州	去	宋
Y	壅	堵塞	平	冬	堵塞	上	腫	堵塞	去	宋
Y	遺	遺失	平	支				贈送	去	寘
Y	猗	長、語氣詞	平	支	束而采之	上	紙			
Y	詒	留給	平	支	欺騙	上	賄			
Y	衣	衣服	平	微				穿衣	去	未
Y	予	我	平	魚	給予	上	語			
Y	譽	稱譽	平	魚				名譽	去	御
Y	淤	水底的污泥	平	魚				水底的污泥	去	御
Y	齬	牙齒參差不齊貌	平	魚	牙齒參差不齊貌	上	語			
Y	驅	趕馬快跑	平	虞				趕馬快跑	去	遇

Y	均	平均	平	眞				音樂術語	去	問
Y	殷	盛大	平	文	雷聲	上	吻			
		黑紅色	平	刪						
Y	媛	名媛淑女	平	元				名媛淑女	去	霰
Y	援	援引	平	元				援助	去	霰
Y	怨	愁怨、怨仇	平	元				怨恨、結怨	去	願
Y	緣	緣故	平	先				衣飾邊	去	霰
Y	咽	喉嚨	平	先	充塞	入	屑	呑咽	去	霰
Y	搖	動搖、搖動	平	蕭				動搖、搖動	去	嘯
Y	要	要求	平	蕭				要領	去	嘯
Y	夭	盛貌	平	蕭	短命	上	篠			
					初生草木	上	晧			
Y	鷂	雉名	平	蕭				鷹鷂	去	嘯
Y	咬	鳥聲咬咬	平	肴	上下牙用力咬	上	巧			
Y	啞	象聲詞	平	麻	口不能言	上	馬	笑聲	入	陌
Y	牙	牙齒	平	麻				車輞	去	禡
Y	煬	熔化金屬	平	陽				烘烤	去	漾
Y	泱	深廣貌	平	陽	水流疾貌	上	養			

Y	應	應當	平	蒸				應對、報應	去	徑
Y	吟	歎息	平	侵				歎息	去	沁
Y	喑	緘默不言	平	侵				發怒聲	去	沁
Y	蔭	樹陰	平	侵				遮蓋	去	沁
Y	澹	水貌	平	覃	澹淡、恬靜	上	感	水搖、震動	去	勘
Z	中	中間	平	東				射中	去	送
Z	衷	中心	平	東				恰當	去	送
Z	空	空洞、天空	平	東				虧空、空缺	去	送
Z	淙	水流聲	平	冬				流注	去	絳
Z	縱	蹤跡	平	冬				放縱	去	送
Z	撞	撞擊	平	江				撞擊	去	絳
Z	幢	旌旗、計屋之量詞	平	江				后妃車	去	絳
Z	知	知道	平	支				智慧	去	寘
Z	施	給予	平	支				移、延	去	寘
Z	治	治理	平	支				平斷、懲治	去	寘
Z	訾	罵	平	支				罵	去	寘
Z	栽	種植	平	灰				築牆立板	去	隊
Z	娠	懷孕	平	眞	懷孕	上	軫	震動	去	震

Z	鑽	雕鑽、鑽研	平	寒				鑽孔之器、鑽石	去	翰
Z	昭	明顯、顯著	平	蕭				通「照」	去	嘯
Z	張	張大	平	陽				自大	去	漾
Z	障	阻塞	平	陽				阻塞	去	漾
Z	正	正月	平	庚				不偏、正直	去	敬
Z	爭	爭奪	平	庚				規諫	去	敬
Z	偵	伺察	平	庚				偵察	去	敬
Z	徵	徵召	平	蒸	五音之一	上	紙			
Z	症	腹內結塊病	平	蒸				病症	去	徑
Z	湛	沈沒	平	侵	厚重貌	上	豏			
Z	占	占卜	平	鹽				據有	去	豔
Z	沾	浸潤	平	鹽				浸潤	去	豔

說明：表中所列平仄兩讀字，乃專供閱讀古籍與創作古典文學之用，故只取常用字之常用義，凡有特殊讀音而又不常用之字概予屏棄。爲便於檢索，表中各字悉按國際通用拼音字母次序排列；同一聲母之字，再按平水韻之先後次第排列。

（本文原係民國九十三年七月在台北中華詩學研究會之演講稿，後經增益修訂，並外加附錄四種。）

庾信詩文之用典藝術（二〇〇五）

【論文提要】

劉宋建國以後，雖繼續偏安江左，偈促南疆，未能飲馬長城，揚旌河、洛，一雪前朝之恥。惟在文學方面卻有重大發展，形成文學史上唯美主義之黃金時代，尤其是駢文一體，更已臻於登峰造極，爐火純青，出神入化之絕詣。

構成駢文之要素有四：一曰對偶精工，二曰聲律和諧，三曰雕琢曼藻，四曰典故繁富。其中尤以典故繁富最能表現駢文之特色與作者之學養，前人所謂「散文可蹈空，駢文必徵實」，即在強調用典與駢文關係之密切。

用典既爲創作駢文之首要條件，故南朝載筆之倫，無不鏤肝鉥腎，瀝血嘔心，全力以赴，其中最號傑出，聲光煒然，集六朝之大成，導百代之先路者，要非庾信莫屬。

庾信由於天才英特，博極群書，故其隸事運典，往往自然天成，不見斧鑿痕跡，有如彈丸脫手，上臻極詣，千百年來，一人而已。茲將其運典藝術之高妙者權分明用、暗用、反用、活用、借用、連用六端而論述之。

【關鍵詞】
語典、事典、隸事、駢體文、對偶、聲律、典故、辭藻、明用、暗用、反用、活用、借用、連用、比喻、影射、借對、使事、運典、合筆見意之歸納法、南朝、北朝、多典併用、精衛、白描。

一、緒　論

我國由於歷史悠久，疆域遼闊，人口衆多，文化尤為博大精深，光輝燦爛，所以各時代，各地區，各階層，各族群所遺留下來的故事甚多，時日積久，遂成為雋永高雅的典故，而為子孫萬代在臨文賦詩時所使用。進而言之，用典是對歷史文化遺產的運用，再經過濃縮、鍾鍊、雕飾、美化而成為放諸四海而皆準的共同詞語。例如言勤學則有：懸梁刺股、炳燭之勤、鑿壁偷光、孫康映雪、江泌隨月、囊螢照書、目不窺園、三冬積學、焚膏繼晷、憔悴三餘等。言貧窮則有：子夏鶉衣、貧同原憲、淵明乞食、家徒四壁、吳市吹簫、簞食瓢飲、阮囊羞澀、牛衣對泣、環堵蕭然、送窮無術等。言美人則有：傾國傾城、燕瘦環肥、一笑千金、西子捧心、淩波仙子、巫峽瑤姬、金屋藏嬌、昭君出塞、天生尤物、沈魚落雁、閉月羞花、花容月貌、我見猶憐、天生麗質、千嬌百媚、國色天香等。凡此皆傳誦甚久，已成常識，稍讀書者，多能解之。

詩文之隸事運典，起源甚古，究竟始於何人，始於何書，則年世綿遠，已難稽考。惟在獨立成篇之文章中，咸以《左傳·哀公十六年》所載之魯哀公〈誄孔子〉為最早見於載籍者。其辭云：

旻天不弔，不憖遺一老，俾屏余一人以在位。煢煢余在疚。嗚乎哀哉，尼父，無自律。

一般而言，典故蓋有二種，即語典與事典。凡引用前人詞語者謂之語典，而引用前人事蹟者謂之事典。此篇分別採掇《詩經》〈小雅・十月之交〉、〈周頌・閔予小子〉、〈小雅・節南山〉、〈大雅・召旻〉之詞語而成，幾與後世之「集句」雷同，即謂爲「集句」之濫觴亦無不可。其運典密度之大，而又不見斧鑿痕跡，有若出自胸臆，令人歎爲觀止，此之謂語典。

爰逮兩漢，歷年四百，百家告退，經學獨尊，載筆之倫，無不競相引據經典，以矜淵雅，而炫浩博，惟此一風氣僅止於儒林，猶未波及文苑。漢鼎既革，曹魏基命，則無論儒林文苑，均軌躅相同，目標一致，凡有述作，不但廣擷經書，亦且旁徵子史，著其先鞭者，殆非三國之應璩莫屬。其〈雜詩〉云：

細微可不愼，隄潰自蟻穴。
腠理蚤從事，安復勞鍼石。
哲人睹未形，愚夫闇明白。
曲突不見賓，焦爛爲上客。
思願獻良規，江海倘不逆。
狂言雖寡善，猶有如雞跖。
雞跖食不已，齊王爲肥澤。

按第二句出《韓非子・喻老篇》及《淮南子・人間訓》，第三句出《素問・舉痛論》，五六兩句出《史記・趙世家》，七八兩句出《漢書・霍光傳》，十三十四兩句出《呂氏春秋・用衆篇》及《淮南子・說山訓》。寥寥十四句而用典多達五起，共八句，純白描者只有六句而已。故鍾嶸《詩品》評其詩云：「善爲古語，指事殷勤，雅意深篤，得詩人激刺之旨。」可謂知言。

自茲厥後，文運愈昌，綿歷三百餘年，遂形成六朝唯美文學之黃金時代。蓋唯美文學構成之要素有四，即：①對偶精工，②聲律和諧，③典故繁富，④辭藻華麗。而「典故繁富」甚至隱然成爲當時創作文藝之首要條件，良以六朝時代由於文學蓬勃發展，文字使用過於頻繁，一般作家乃相率使用「文學語言」——典故，以替代繁瑣之敍述，亦使後人作詩行文能化繁爲簡，不以詞多事繁而害意。不寧惟是，六朝文士普遍認爲用典不但是詩文修辭之一法，抑且可以使內容更加委婉曲折，而富有神祕性與象徵性，從而提高作品之藝術價值，陡然增加讀者之喜愛與美感。

抑有進者，江左文士受前代清談與玄學之影響，作品遂由情韻之表現，轉爲事理之鋪陳，而又處心積慮，欲在修辭技巧上突過前人，於是吐膽嘔心，全力經營，因而造成用典隸事風氣之全盛，使詩文形式完全改觀。其首唱者當推宋之顏延之、謝莊，而將古詩比興之法，純以用典代之，變其本而新其貌者，則爲任昉、王融。鍾嶸〈詩品序〉云：

觀古今勝語，多非補假，皆由直尋。顏延、謝莊尤爲繁密，於時化之。故大明、泰始中，文章殆同書抄。近任昉、王元長等，詞不貴奇，競須新事，爾來作者，寖以成俗。遂乃句無虛語，語無虛字。

蕭子顯《南齊書・文學傳論》亦云：

今之文章，作者雖眾，總而為論，略有三體。……次則緝事比類，非對不發，博物可嘉，職成拘制。或全借古語，用申今情，崎嶇牽引，直為偶說。

履霜之漸，蓋非一朝一夕之故。後進之士，不惟以用典為能事，甚且廣羅祕書，爭疏僻典，以為一事不知，學者之恥，一事無據，不以為高。綿延至於庾信，用典則已臻於登峰造極，出神入化之絕詣，可謂江山文藻，信為不朽。

庾信字子山，小字蘭成，南陽・新野人，生於梁武帝・天監十二年（西元513年）。父肩吾，仕梁為散騎常侍、中書令。信幼而俊邁，聰明絕倫，博覽群書，尤善《春秋左氏傳》。年十五，即入東宮侍昭明太子講讀，弱冠，隨父肩吾與東海・徐摛父子並為東宮抄撰學士，兩家出入禁闥，榮寵極於一時，累遷尚書度支郎。太清三年，侯景陷臺城，信西奔江陵，及元帝即位，遷散騎常侍，封武康縣侯。承聖三年，出使西魏，值魏軍南犯，陷江陵，戕元帝，信被留於長安。周室代魏，特蒙恩禮，封義城縣侯，拜洛州刺史，為政清簡，吏民安之。累遷驃騎大將軍，開府儀同三司，世稱庾開府。有陳踐阼，與周通好，南士北遷者並許還鄉，惟信與王褒為周武帝所敬重，留而不遣，因有鄉關之思，作〈哀江南賦〉以寄其意。隋文帝・開皇元年（581）卒，年六十九。有《庾子山集》十六卷行世。

子山咀嚼英華，饜飫膏澤，上自天監，下訖開皇，江表名篇，爭相傳誦，咸陽鴻筆，多出其辭，所作雄偉壯麗，頗變舊體，上集六朝之大成，下開百代之宏渠。後此摛文之士，載筆之倫，莫不斟酌其英華，祖式其模範，堪稱駢文之祖師，鄧林之魁父。子山學旣淵博，才復蓋世，故凡辭章之屬，幾無體不工，亦無一不精，誠如宇文逌〈庾開府集序〉所云：「信降山嶽之靈，縕煙霞之秀，器量侔瑚璉，志性甚松筠。妙善文詞，尤工詩賦，窮緣情之綺靡，盡體物之瀏亮，誄奪安仁之美，碑有伯喈之情，箴似揚雄，書同阮籍。」實爲中國文學史上屈指可數之大作家。茲就平日寢饋所得，粗舉《庾集》之隸事用典部分，貢其芹曝，以與世之同好者一商榷之。

二、庾信詩文之用典藝術

(一) 明　用

詩文中徵引典實，或明言其人，或明引其事者，謂之明用，亦稱正用。此乃用典之基礎，最爲簡單，亦最爲普遍，稍讀書者，類能優爲。

①步兵未飲酒，中散未彈琴；（〈擬詠懷詩〉二十七首之一）
索索無眞氣，昏昏有俗心。

步兵，即阮籍，三國・魏文學家，爲竹林七賢之一。好老、莊之學，工詩文，能嘯，善彈琴，尤嗜酒，聞步兵營有人善釀酒，貯酒三百斛，乃求爲步兵校尉，遂縱酒昏酣，遺落世事，史稱阮步兵，作〈詠懷詩〉八十二篇，爲世所重。見《三國志・魏書・阮籍傳》裴松之注引《魏氏春秋》。

中散，即嵇康，亦是三國・魏文學家，竹林七賢之一。好老・莊，常修養性服食之事，尤擅彈琴詠詩，自足於懷，娶魏宗室女，官拜中散大夫，世稱嵇中散。後在政治鬥爭中遭讒，被司馬昭所殺，臨刑，奏〈廣陵散〉一曲，從容就戮。見《晉書》本傳。

索索，落寞之貌。眞氣，純眞之氣，即沒有染上世俗習氣。昏昏，迷亂貌。俗心，爭逐功名富貴之心。

此四句言己身處亂世，不能如阮籍、嵇康二人無拘無束地飲酒彈琴，超然物外，而爲世俗之名利所羈絆，深感愧疚。

② 洛陽蘇季子，連衡遂不連；
既無六國印，翻思二頃田。（〈擬詠懷詩〉之二）

蘇季子，即蘇秦，東周・洛陽人，師事鬼谷子習縱橫家言，初以「連橫」（指燕、趙、韓、魏、齊、楚六國聯合事秦）說秦惠王，不被接受，乃往說六國「合縱」抗秦，得並相六國，爲縱約長。

見《史記》本傳及《戰國策・秦策》。

蘇秦既爲縱約長，並佩六國相印，意氣風發，躊躇滿志，曾慨歎云：「使我有洛陽負郭田二頃，豈能佩六國相印乎。」見《史記》本傳。

前二句言己聘於西魏，類似連横事秦，不意西魏軍攻破江陵，結果是連横不連。後二句自維既無能力連横事秦，又無能力合縱攻秦，不如當初在家躬耕自給，優游終身，何必出仕梁朝，屈事魏、周。頗有悔恨自責之意。此處引秦事以喻魏、周，庾氏此時大約五十二歲，由於身在異邦，所以不得不遷就現實，自是明哲保身之道。

③ 雪泣悲去魯，
　 悽然憶相韓。（〈擬詠懷詩〉之四）

上句用孔子捨不得離開魯國事。《孟子・萬章篇》：「孔子之去齊，接淅而行。去魯，曰：『遲遲吾行也』，去父母國之道也。」《文選》潘岳〈西征賦〉：「丘（孔子）去魯而顧歎，季（劉邦）過沛而涕零。伊故鄉之可懷，疚聖達之幽情。」雪泣，猶言拭淚。此句喻己遠離梁國。

下句用張良父祖五世相韓事。《史記・留侯世家》：「韓破，良家僮三百人，弟死不葬，悉以家財求客刺秦王，爲韓報仇，以大父、父五世相韓故。」此句言張良每憶父祖在韓國爲相之榮顯，國亡而無力拯救，每一念至，輒爲之悽然哀傷。以喻己與父肩吾亦同時仕梁，恩寵無與倫比，其後亦遭亡國之痛。

以上二句強調當年父子齊心佐梁，位望崇隆，實不忍離別江南父母之邦。

④ 傅燮之但悲身世，無處求生；袁安之每念王室，自然流涕。（〈哀江南賦序〉）

上聯用傅燮壯烈殉國事。傅燮字南容，東漢．靈州人，靈帝時，因得罪宦官，不容於朝，出為漢陽太守。叛賊王國、韓遂等圍攻漢陽，城中兵少糧盡，其子勸他棄城還鄉，將來別輔明主，匡濟天下。燮慨歎云：「世亂不能養浩然之志，食祿又欲避其難乎，吾行何之，必死於此。」卒不聽，慷慨臨陣而死。見《後漢書》本傳。此用傅燮事哀傷自己遭逢世亂，飄淪異邦，不能自保。

下聯用袁安憂傷漢室式微。袁安字邵公，東漢．汝陽人，累官至司徒，時和帝幼弱，竇太后與外戚擅權，每當朝會進見及與公卿談國事時，輒嗚咽流涕。見《後漢書》本傳。此用袁安事表明自己憂心梁室興亡，時常痛哭流涕。

按子山撰〈哀江南賦〉大約在陳宣帝．太建十年（五七八），距江陵之陷（五五四）已歷二十四年，故國故都以至先皇先父固無時或忘，於是而有傅氏悲身世與袁氏念王室之哀歎。

⑤ 高臺已傾，稷下有聞琴之泣；壯士一去，燕南有擊筑之悲。（〈思舊銘序〉）

上聯用孟嘗君聞琴泣下事。桓譚《新論》：「雍門周以琴見孟嘗君曰：『臣竊爲足下有所常悲。夫角帝而困秦者，君也；連五國而伐楚者，又君也。天下未嘗無事，不縱即衡。縱成則楚王，衡成則秦帝。夫以秦、楚之彊而報弱薛，猶磨蕭斧而伐朝菌也。有識之士，莫不爲足下寒心。天道不常盛，寒暑更進退，千秋萬歲之後，宗廟必不血食。高臺既已傾，曲池又已平，墳墓生荊棘，狐兔穴其中，游兒牧豎躑躅其足而歌其上，行人見之悽愴，曰：『孟嘗君之尊貴亦猶是乎。』於是孟嘗君喟然太息，涕淚承睫而未下。雍門周引琴而鼓之，徐動宮商，叩角羽，終而作曲。孟嘗君遂歔欷而就之曰：『先生鼓琴，令文立若亡國之人也。』」稷下，古地名，在今山東・臨淄縣北古齊城之西，戰國時齊國文士論學談政之所。二句極言富貴無憑，生命無常。

下聯用高漸離擊筑悲歌送別荊軻事。《史記・刺客傳》：荊軻愛燕之屠狗及善擊筑者高漸離，日與飲於燕市。太子丹使荊軻獻督亢地圖於秦。太子送之易水，高漸離擊筑，荊軻和而歌曰：「風蕭蕭兮易水寒，壯士一去兮不復還。」荊軻敗後，高漸離變名姓爲人庸保，匿作於宋子。聞其家堂上客擊筑，高漸離乃退，出其匣中筑，擊筑而歌，客爲流涕。宋子傳客之，聞於秦始皇。始皇使擊筑，未嘗不稱善。稍益近之，高漸離乃以鉛置筑中，復進得近，舉筑扑秦皇帝，不中，遂誅高漸離，終身不復近諸侯之人。二句作者借壯士以喻蕭永，而以高漸離自況，擊筑悲歌痛悼蕭永之猝逝。

按蕭永本梁之宗室，封觀寧侯，承聖三年與庾信、王褒一起出使西魏，及江陵陷落，遂長羈北國，鄉關之思，無時或紓，不久即憂憤而卒。子山與蕭永境遇相同，一例飄泊，故其哀蕭永，實即所以自哀。

（二）暗　用

徵引典實，須渾化無跡，莫測端倪，有如羚羊掛角，無跡可尋。又如水中摻鹽，但知鹽味，不見鹽跡。使博雅者見之，知其袖裏尚有乾坤；而腹儉者讀之，亦能望文而生義。此乃詞章家作詩行文之最高手法，亦為使事運典之最高境界。顏之推《顏氏家訓・文章篇》引邢邵評論沈約之文章云：「沈侯文章，用事不使人覺，若胸臆語也。」即指此而言。是故稍費心機之作品，不但能夠收到雅俗共賞之效果，而且容易博得讀者之喜愛。例如黃景仁〈綺懷詩〉之十六：「結束鉛華歸少作，屏除絲竹入中年。」後句暗用《世說新語・言語篇》：「謝太傅語王右軍曰：『中年傷於哀樂，與親友別，輒作數日惡。』王曰：『年在桑榆，自然至此，正賴絲竹陶寫。恆恐兒輩覺，損欣樂之趣。』」又〈都門秋思詩〉：「全家都在風聲裏，九月衣裳未剪裁。」後句暗用《詩經・豳風・七月》：「七月流火，九月授衣。一之日觱發，二之日栗烈。無衣無褐，何以卒歲。」由於黃氏暗用典故之靈活巧妙，故能拔幟乾、嘉騷壇，隱然榮獲青年祭酒之美譽。

①抱松傷別鶴，
　向鏡絕孤鸞。（〈擬詠懷詩〉之二十二）

上句暗用夫妻離別故事。古琴曲有〈別鶴操〉，商陵牧子所作。牧子娶妻五年而無子，父母命其休妻改娶，妻中夜起而悲嘯，牧子聞之，哀傷至極，乃援琴作歌，其詞云：「將乖比翼隔天端，山川悠遠路漫漫，攬衣不寢食忘餐。」見崔豹《古今注》及蔡邕《琴操》。松，製琴木材，此借以代琴。

下句暗用鸞鳥孤獨無侶故事。漢・西域・罽賓國王購得一隻鸞鳥，三年不鳴，後懸鏡照之，鸞鳥看到鏡中的影子而悲鳴，沖霄，一奮而絕。見劉敬叔《異苑》。

此二句喻己身在北疆，直如別鶴、孤鸞，無所依歸。

②
玉關道路遠，
金陵信使疏。（〈寄王琳詩〉）

上句暗用班超但願生入玉門關事。玉門關簡稱玉關，在今甘肅・敦煌縣西，古為通西域之要道。東漢・班超於明帝・永平十六年（73）率軍赴西域，至和帝・永元十二年(100)，自以久在絕域，年老思鄉，遂上疏請歸，疏中云：「臣不敢望到酒泉郡，但願生入玉門關。」見《後漢書》本傳。作者暗用其事，以自己久客長安喻班超久在絕域，故云「玉關道路遠」。按此為庾氏暗用典故之最佳範例，即使未曾涉獵《後漢書・班超傳》者亦能望文而生義，不致懵然不知，故沈德潛《古詩源》給予極高評價云：「造句能新，使事無跡。」洵非溢美。

下句言從故都金陵來的使者很少，以致音訊久疏，倍增懷念。純屬白描，未嘗用典。按金陵爲南京之別名，梁朝建都於此。

③ 其面雖可熱，
其心長自寒。（〈擬詠懷詩〉之二十）

上句暗用王敦慚愧羞恥事。沈約《晉書》：「周顗，王敦素憚之，見輒面熱，雖復數月，亦扇面不休。」面熱，面頰發赤，慚愧之意。作者暗用此典，意指自己屈體魏、周，忍辱苟活，深感慚愧。

下句暗用趙良深感驚懼事。司馬遷〈報任安書〉：「商鞅因景監見，趙良寒心。」戰國・衛人商鞅入秦，因宦官景監引薦而見孝公，趙良以爲非爲名之道，是以寒心。子山身仕魏、周，非其本意，故內心充滿慚愧和驚懼。

按「面熱」與「心寒」二詞，由於使用者極多，已成常識性質，雖腹儉者亦可從字面上推知其涵意，故曰暗用。

④ 燕歌遠別，悲不自勝；
楚老相逢，泣將何及。（〈哀江南賦序〉）

上聯用〈燕歌〉送別事。古樂府《相和歌・平調曲》有〈燕歌行〉，燕是北方邊地，自古以來即征戍不絕，故〈燕歌行〉常用來描述征夫、怨婦之離情別緒。魏文帝・曹丕作〈燕歌行〉二首，是爲此曲之濫觴，其後代有繼作，不遑悉舉。按王褒在梁時曾作〈燕歌行〉，極力描寫關塞苦寒之情狀，元帝、庾信等都有和詩，競爲淒切之詞。及江陵淪亡，王褒、庾信等羈旅長安，這時才眞正嘗到了北方關塞苦寒的滋味。說詳《北史・王褒傳》。此言一聽到〈燕歌行〉便充滿了離別之情，羈旅之悲。由於此曲爲流行甚廣之樂府詩，自己也曾作過，所以說是暗用。

下聯泛言每一次遇到楚地人便愴然哭泣。按楚老，泛指楚地人民，並無特定對象，《列子・周穆王篇》、《漢書・龔勝傳》、《徐州先賢傳》、謝靈運〈過廬陵王墓下作詩〉等雖曾提及，然核之庾氏行誼，均不類，故可斷定必係泛指無疑。蓋庾氏世居江陵，本楚人，故常用江陵、楚人、楚事以比況自己的遭遇。

⑤ 龜言此地之寒，鶴訝今年之雪。（〈小園賦〉）

上句用神龜客死秦地事。前秦・苻堅・建元十二年，高陸縣民穿井得大龜，苻堅爲石池養之，十六年後龜死，藏其骨於太廟，名爲客龜。太卜佐高夢龜言：「我本將歸江南，遭時不遇，殞命秦庭。」幾年後，前秦亡。見《水經注》引車頻《秦書》。子山用此事，一則隱指梁亡，一則表示欲歸江南，不想客死秦地。

下句用白鶴驚訝北國酷寒甚於堯崩之年事。晉武帝・太康二年冬，大雪，南州人見二白鶴語於橋下云：「今茲寒不減堯崩年也。」於是飛去。見劉敬叔《異苑》。此處隱指梁元帝之逝世。此二句意謂己在西魏，有如客龜；元帝死，有如堯崩。江陵之陷在承聖三年十一月，至十二月魏人殺元帝，故以「寒」「雪」爲喻。按典故之「暗用」與修辭學上之「隱喻」有時並無明顯的區分，故本例謂之爲「暗用」可，即謂之爲「隱喻」亦無不可。

(三) 活用

典故之「活用」，基本上與「暗用」略同，惟前者技法更爲高明，構思更爲新穎，經驗更爲老到而已。才富學豐之作家，往往更改原典之內容，賦以新意，脫胎換骨而成爲雋永圓潤之文句，故能喧騰衆口，享譽士林。蓋嘗論之，使事運典，貴能靈活變化，宜令「事爲我使」，而「不爲事使」，直將故事之內涵與自己之立意所在，融爲一體，譬如著鹽水中，攪拌之後，孰水孰鹽，莫見痕跡。故運典技巧之高者，雖死事死句亦可以靈活運用，極盡出神入化之能事，而達到雅俗共賞之目的。楊載《詩法家數・用事》云：「陳古諷今，因彼證此，不可著跡，只使影子可也，雖死事亦當活用。」實深造有得之言。今試舉二例以觀之：其一爲元稹〈離思詩〉：「曾經滄海難爲水，除卻巫山不是雲。」上句用《孟子・盡心篇》：「孔子登東山而小魯，登泰山而小天下。故觀於海者難爲水，游於聖人之門者難爲言。」朱子集注：「此言聖人之道大也。東山，蓋魯城東之高山，而泰山則又高矣。此言所處益高，則其視下益小；所見既大，則其小者不足觀也。難爲水，難爲言，猶仁不可爲衆之意。」如此嚴肅之學術問題，元稹活用其詞，並賦以新意，意謂天下美女觀賞殆遍，彼俗豔凡花固未嘗縈心，極言對愛情之貞純專一。

下句用宋玉〈高唐賦〉所述楚王夢與巫山瑤姬歡合之事，元稹亦擷取其詞而加以活用，意在強調對彼女之愛情貞固如一，絕不作移情別戀（俗稱劈腿）之想。

其二爲李商隱〈錦瑟詩〉：「莊生曉夢迷蝴蝶，望帝春心託杜鵑。」上句用《莊子．齊物論》：「昔者莊周夢爲蝴蝶，栩栩然蝴蝶也，自喻適志歟，不知周也。俄然覺，則蘧蘧然周也。不知周之夢爲蝴蝶歟，蝴蝶之夢爲周歟。」蝴蝶象徵生命之多采多姿，亦是象徵生命之短暫。詩人舊典翻新，加以靈活運用，意謂此段戀情雖富姿采，只惜爲時甚短，翻成遺憾。

下句用樂史《太平寰宇記》：「蜀王杜宇，號望帝，後因禪位，自亡去，化爲子規（杜鵑之別名）。」按望帝之魂魄化爲杜鵑，爲富有悲劇色彩之神話故事，用以自喻情場失意之悲劇人物。又杜鵑啼叫，非至血出，絕不停止，亦用以隱喻愛情之堅貞與執著。

①一思探禹穴，（〈擬詠懷詩〉之二十）
無用鏖皋蘭。

前句活用司馬遷遊屐遍於天下事。漢武帝時，史學家司馬遷二十歲以後，南遊江、淮，上會稽，探禹穴（在今浙江會稽山上，相傳禹巡狩至會稽而崩，因葬於此，上有孔穴，民間云禹入此穴。），浮沅、湘，北涉汶、泗，歷齊、魯，經彭城，過梁、楚，以歸龍門。每到一處，必考察風俗，採集傳說。所著《史記》自成一家之言，列《二十五史》之首。見《漢書》本傳。

後句用霍去病北伐匈奴事。漢武帝時，驃騎將軍霍去病出擊匈奴，率師過焉支山（在今甘肅·山丹縣東）千餘里，曾鏖戰於皋蘭山（在今甘肅·臨夏縣南）下，大獲全勝。見《漢書》本傳。

此二句言己忍辱偷生，垂垂衰老，不能征戰，效命沙場。惟有趁此桑榆之年，遊歷四方，並勤於著述，庶幾垂聲名於後世。其〈奉報寄洛州詩〉云：「留滯終南下，惟當一史臣。」由此可以覘知其暮年心志歸趨之所在。

② 直言珠可吐，寧知炭欲吞。（〈擬詠懷詩〉之六）

上句用靈蛇報隋侯救命之恩事。戰國時，隋侯出行郊野，見大蛇傷斷，以藥傅之，蛇得生，遂於夜中銜大珠以報之，珠盈徑寸，純白，而夜有光，明如月之照，可以燭室，故謂之明月珠，又稱夜光珠、靈蛇珠、隋珠、隋侯珠。事見《淮南子·覽冥訓》高誘注及干寶《搜神記》。

下句用豫讓報智伯知遇之恩事。戰國時，晉人豫讓事智伯，智伯以國士待之，後趙襄子與韓、魏合謀滅智伯，豫讓欲爲智伯報仇，乃改名換姓爲刑人，又漆身爲癩以變其容，呑炭爲啞以變其音，行刺趙襄子不果，伏劍自殺。事見《史記·刺客傳》及《戰國策·趙策》。

此二句言梁朝以國士待我，有知遇之恩，自當誓死以報。

③ 的盧於此去，虞兮奈若何。（〈擬詠懷詩〉之八）

上句言梁元帝策馬西上江陵，中興王室，竟不幸敗亡。伯樂《相馬經》：「馬白額入口齒者，名曰榆雁，一名的盧。奴乘客死，主乘棄市，凶馬也。」按此借用的盧以喻項羽所騎乘之騅馬，由於技法靈活，故謂為「借用」可，謂為「活用」亦無不可。

下句自傷命途多舛。《史記・項羽紀》：項王軍壁垓下，兵少食盡，漢軍四面皆楚歌。項王夜起，飲帳中。有美人名虞，常幸從，駿馬名騅，常騎之。於是項王乃悲歌慷慨，自為詩曰：「力拔山兮氣蓋世，時不利兮騅不逝。騅不逝兮可奈何，虞兮虞兮奈若何。」烏江之敗，項王謂亭長曰：「吾知公長者，吾騎此馬五歲，所當無敵，嘗一日行千里，不忍殺之，以賜公。」

此二句悼祖國淪亡，元帝遇害，亦所以自悼。

④ 將軍一去，大樹飄零；壯士不還，寒風蕭瑟。（〈哀江南賦序〉）

上句活用馮異輔佐漢光武帝中興漢室事。馮異字公孫，東漢・父城人，事光武拜偏將軍，平赤眉，擊匈奴，卓著勳績。惟賦性謙退，行軍休息時，諸將常圍坐論功，異獨躲到大樹下不與爭論，軍中號爲大樹將軍。見《後漢書》本傳。此處只取大樹將軍稱號，不用馮異故事。將軍，庾氏自比。飄零，喻軍隊潰散。按侯景起兵時，梁簡文帝命信率領部隊駐紮在朱雀橋禦敵，不意敵兵一到，即全軍潰散，信僅以身免。其後梁元帝即位江陵，信轉任右衛將軍，出使西魏，不久西魏違約入侵，江陵遂告淪陷。是皆「飄零」之意也。

下句爲荆軻刺秦王事。齊國人荆軻爲燕太子丹報仇，太子送他到易水，高漸離爲他擊筑，荆軻唱道：「風蕭蕭兮易水寒，壯士一去兮不復還。」歌畢入秦，以匕首揕秦王，不中，遂遇害。事詳《史記·刺客傳》。此處亦是只取燕丹送別荆軻，不用荆軻刺秦王故事。壯士，庾氏自比。不還者，言己萍飄北國，歷久不歸。

此二句自責犬馬力薄，未能扞衛祖國，終致長羈北地，思歸不得，蓋有不勝其愧恧之情者。

⑤ 若非金谷滿園樹，即是河陽一縣花。（〈枯樹賦〉）

上句用金谷園百木萬株事。晉·石崇在洛陽郊區營構別墅，名曰金谷園，廣羅瑤草琪樹，遍植園中，尤以柏樹爲最多，幾達萬株。見石崇〈思歸引序〉。此處只取字面上之意義，其所欲強調者，乃是金谷園早已變成廢墟，而萬株柏樹亦已變成灰塵，旨在感歎人生之短暫。

下句用河陽全縣栽種桃花事。白居易《白孔六帖》：「潘岳爲河陽（今河南·孟縣西北）令，多植桃李，號曰花縣。」此句亦只取字面上之意義，旨在說明河陽桃花早已凋落淨盡，其感歎與上句同。

此二句言今日之灰燼飄落，皆昔日之繁花密樹。其眞正旨意在感傷自己年輕時代的豪情壯志與崇高理想，現在都已破滅，一如灰飛煙散，剩下來的只有落寞孤單的羈旅生涯。

按作者以「枯樹」名篇，即在凸顯「樹猶如此，人何以堪」之雙關語意。

（四）反用

文家隸事運典，其術多方，有直用其事者，有反其意而用之者。前者謂之明用，亦曰正用；後者謂之反用，與文章之「翻案法」（如歐陽修〈縱囚論〉、王安石〈讀孟嘗君傳〉、唐順之〈信陵君救趙論〉、王世貞〈藺相如完璧歸趙論〉均是）近似，最爲奇警，可以增強閱者之思辨與判斷能力，歷來即廣爲文士所喜用，亦深受讀者之歡迎。不寧惟是，反用典故亦可使詩文富於變化，含蘊深刻，達到作者所要突出的題旨，增加作品的藝術感染力。例如李商隱〈賈生詩〉：「可憐夜半虛前席，不問蒼生問鬼神。」林逋〈書壽堂壁詩〉：「茂陵他日求遺稿，猶喜曾無封禪書。」均爲傳誦不衰之神品。

①無因同武騎，歸守灞陵園。（〈擬詠懷詩〉之六）

此二句為流水句，詩意相連貫，不可分割，有如流水。因，機緣。武騎，官名。灞陵園，漢文帝之陵墓。漢景帝時，司馬相如為武騎常侍，至武帝時，拜孝文園令。見《史記・司馬相如傳》。按漢文帝葬灞陵（今陝西・西安市東北），故稱孝文園為灞陵園。

作者以司馬相如自比，卻反其意而用之。言己本梁朝文學之臣，與相如同；但無相如之幸運，不能歸守梁帝之陵。

② 雖言夢蝴蝶，
定自非莊周。（〈擬詠懷詩〉之十八）

二句亦是流水句，用莊周夢蝶事。莊周為戰國時思想家，宋・蒙縣人，楚威王聞其賢，欲迎以為相，周辭不受。所著《莊子・齊物論》中有云：「昔者莊周夢為蝴蝶，栩栩然（欣暢貌）蝴蝶也，不知周也；俄然覺，則蘧蘧然（驚動貌）周也。不知周之夢為蝴蝶歟，蝴蝶之夢為周歟。」定自非，猶言一定不是，「自」乃語助詞。

此處自慚不能像莊子那樣豁達超脫，自適其志。

③ 惜無萬金產，
東求滄海君。（〈擬詠懷詩〉之十三）

此二句亦是流水句，用張良椎秦事。《史記・留侯世家》：「秦滅韓，良家僮三百人，弟死不葬，悉以家財求客刺秦王，爲韓報仇，以大父、父五世相韓故。良常學禮淮陽，東見滄海君，得力士，爲鐵椎重百二十斤。秦皇帝東遊，良與客狙擊秦皇帝博浪沙中，誤中副車。」顏師古《漢書・張良傳》注：「滄海君，當時賢者之號也。」

此處作者自歎家業不豐，無資產求力士爲梁報仇。

④ 畏南山之雨，忽踐秦庭；讓東海之濱，遂餐周粟。（〈哀江南賦序〉）

上聯反用南山玄豹珍惜皮毛故事。劉向《列女傳》：「陶答子妻曰：『妾聞南山有玄豹（顏色黑中帶紅的豹），霧雨七日而不下食者，何也，欲以澤其毛而成文章也，故藏而遠害。』」秦庭，喻西魏京都。西魏建都長安，即秦之故都。此言南山玄豹在霧雨天忍飢挨餓，不外出覓食，因而保住了美麗光澤的毛色。作者反用其意，後悔自己不能學玄豹之善加珍惜，反而屈節事魏，憾恨實深。

下聯反用伯夷、叔齊餓死首陽故事。《史記・伯夷傳》：「伯夷、叔齊，孤竹君之二子也。父欲立叔齊，及父卒，叔齊讓伯夷。伯夷曰：『父命也。』遂逃去。叔齊亦不肯立而逃之。武王伐紂，伯夷、叔齊叩馬而諫。武王已平殷亂，天下宗周，而伯夷、叔齊恥之，義不食周粟，隱於首陽山，采薇而食之，遂餓死。」張守節正義：「孤竹故城在平州盧龍縣（今河北省縣名），濱東海也。」此言己本梁臣，承聖三年出使西魏，值魏軍南犯，遂留長安。及魏禪位於周，己身又仕之，不能如夷、齊之高蹈首陽，而竟餐周粟，自愧無節無義。

此處用典極爲高明。蓋玄豹，喻志行高潔；夷、齊，爲懷瑾握瑜之聖人（借孟子語）。又西周、嬴秦均建都長安，而西魏、北周亦均建都長安，可謂天衣無縫，令人擊節激賞。

⑤ 荊璧睨柱，受連城而見欺；
載書橫階，捧珠盤而不定。（同上）

上聯反用藺相如完璧歸趙故事。戰國時，趙・藺相如奉楚・和氏璧至秦，和秦交換十五城。璧給秦王看後，秦王無意給趙城。相如詭稱璧有瑕疵，把它拿回手中，說如果秦王逼他，他的頭和璧就一起碰碎在柱子上。同時斜視柱子，作要碰的樣子。後來相如完璧歸趙。事詳《史記・藺相如傳》。荊璧，即和氏璧，以其產於湖北省之荊山，故名。睨，斜視。見欺，被欺。二句言藺相如出使秦國，沒有被騙，而自己聘於西魏，卻被西魏所欺，留在長安。

下聯反用毛遂脅迫楚王結盟故事。戰國時，趙・平原君到楚，和楚定合縱之約，從日出談到正午，楚王還沒決定。平原君的門下食客毛遂按劍越級而上，用理說服，楚王才作出決定。毛遂捧著銅盤要楚王歃血（把牛馬狗的血抹在嘴上）爲盟，於是定縱。事詳《史記・平原君傳》。載書，訂盟約之文書。珠盤，珠飾的銅盤。二句言毛遂冒險挾持楚王，使楚、趙結盟，齊心抗秦；而現在自己出使西魏，梁反遭魏軍的侵犯，結盟失敗。

以上四句作者自責甚深，承認自己能力薄弱，勇氣不足，坐視祖國之淪胥，空自哀傷。

（五）借用

文家使事，只用古人詞語，而不用其文意者，謂之借用。與修辭學上之「比喻」、「影射」，對偶法之「借對」、「假對」有異曲同工之妙。楊萬里《誠齋詩話》云：「詩家借用古人語，而不用其意，最爲妙法。如山谷〈詠猩猩毛筆〉：『平生幾兩屐，身後五車書。』猩猩善飲酒，喜著屐，故用阮孚事。其毛作筆，用之鈔書，故用惠施事。二事皆借人以詠物，初非猩猩毛筆事也。」又《左傳．襄公二十一年》：「深山大澤，實生龍蛇。」黃庭堅借用其詞而作〈中秋月詩〉云：「寒藤老木被光景，深山大澤皆龍蛇。」按《左傳》之龍蛇是實景，而黃氏借用之，言寒藤老木經月光照射後形成蒼勁屈曲之景象，指龍蛇之幻象而言，已非原意。

①南國美人去，
　東家棗樹完。（〈擬詠懷詩〉之二十二）

上句借用楚懷王客死秦國故事。屈原〈離騷〉有「恐美人之遲暮」句，王逸注謂美人指楚懷王。君王服飾美好，故云美人。此處借指梁元帝。元帝都江陵，在南方，故言南國美人。去，離開（人間），即死之意。言梁元帝在西魏陷江陵之後，出降遇害。

下句借用王吉妻被休而復還故事。漢琅邪人王吉，字子陽，少時求學於長安，東家大棗樹垂吉庭中，吉婦取棗與吉食，吉知非己有，竟驅婦出。東家聞而欲伐其樹，鄰里因固請吉令婦復還。里中爲之歌曰：「東家有樹，王陽婦去。東家棗完，去婦復還。」事見《漢書・王吉傳》。

此二句既追悼梁元帝如同楚懷王之死於非命，宗社丘墟；又哀傷自己如同王吉出婦有去無回，不得還鄉。

② 枯木期填海，
青山望斷河。（〈擬詠懷詩〉之七）

上句用精衛填海故事。炎帝小女兒遊於東海而淹死，化爲冤禽，名曰精衛，常銜西山之木石以填東海。見《山海經》及《述異記》。枯木，喻年老體衰。填海，喻意志堅決。

下句白描。青山，指南國之錦繡河山。斷河，指爲黃河所隔斷，以喻常爲魏、周所阻撓，致不得南歸。

此二句借用其詞語而不用其詞意，自傷年邁力薄，綆短汲深，還鄉復國之望恐怕永難實現，勢將老死異邦。

按〈哀江南賦〉：「豈冤禽之能塞海，非愚叟之可移山。」上句與此同義，可以互參。

③ 啼枯湘水竹，哭壞杞梁城。（〈擬詠懷詩〉之十一）

上句用娥皇、女英哭舜故事。相傳堯有二女，曰娥皇，曰女英，皆舜妃。舜南巡崩於蒼梧，二妃追至，哭帝極哀，淚染於竹，竹文爲之斑斑然，遂相與殉於湘水，化爲水神，後人哀之，稱之曰湘君，或湘夫人。事見張華《博物志》。今湖南省所產斑竹，其文斑斑如婦女之淚痕，不文處則碧綠如美玉，名之曰湘妃竹者，蓋即紀念二妃之殉情。

下句用孟姜女哭倒萬里長城故事。俗傳秦始皇時，有范杞梁者，被役築長城，歷久不歸，其妻孟姜女送寒衣至役所，而杞梁已死，孟姜女哭於城下，有頃而城爲之崩，杞梁之骸骨遂見，孟姜女哀痛彌甚，亦觸城而殉。此事流傳甚廣，迄今猶耳熟於民間云。按劉向《列女傳》亦傳之，惟與傳說者頗多出入。

作者借用此二典，意在追悼江陵淪陷時慘遭擄掠屠殺之數萬百姓。據史書所載，承聖三年十二月，西魏攻陷江陵後，大肆屠殺，並選年輕力壯男女數萬口，分爲奴、婢二隊，驅入長安爲傭保。（見《梁書·元帝紀》）

按〈哀江南賦〉：「城崩杞婦之哭，竹染湘妃之淚。」亦與此同義，可以互參。

④ 坐帳無鶴，支牀有龜。（〈小園賦〉）

上句借用三國·介象成仙事，以喻己思歸無術。葛洪《神仙傳》：介象字元則，會稽人也。吳王徵至武昌，甚尊敬之，稱爲介君。詔令立宅，供帳皆是綺繡，遺黃金千鎰，從象學隱形之術。後告言病，帝以美梨一奩賜象。象食之，須臾便死，帝埋葬之。以日中死，晡時（下午三至五時）已至建業，所賜梨付苑吏種之。吏後以表聞，先主即發棺視之，唯一符耳。帝思之，與立廟，時時躬往祭之。常有白鶴來集座上，遲迴復去。言己長羈異邦，無介象之仙術可還建業。時梁都建業，故國故都，蓋未嘗一日遺忘。

下句借用龜支牀足事，以喻己久羈長安。《史記·龜策傳》：「南方老人用龜支牀足，行二十餘歲，老人死，移牀，龜尚不死。」言己久仕北朝，直若支牀之龜。

⑤ 鳥何事而逐酒，魚何情而聽琴。（同　上）

上句用魯侯養鳥方法錯誤故事。《莊子·至樂篇》：「昔者海鳥止於魯郊，魯侯御而觴之於廟，奏〈九韶〉以爲樂，具太牢以爲膳，鳥乃眩視憂悲，不敢食一臠，不敢飲一杯，三日而死。此以己養養鳥也，非以鳥養養鳥也。夫以鳥養之鳥者，宜棲之深林，游之壇陸，浮之江湖。」

下句用游魚聽高級樂曲非其所樂事。《韓詩外傳》：「昔伯牙鼓琴而淵魚出聽。」作者借用此二典，意謂自己應如飛鳥棲深林，游魚潛重淵，不願仕魏、周，而今事與願違，乃失其故性，以致長期悶悶不樂。總的來說，就是不能適應長安的氣候與水土，也不能適應所處的地位。

（六）連用

凡連續用兩個或兩個以上的典故表達同一種事件或情感，是爲典故之連用，亦稱「多典併用」。此法以杜甫、李商隱、楊億、王士禎諸人最優爲之，並非他們喜歡掉書袋，故示淵博，而是在凸顯主題，加深讀者的印象。例如李商隱〈淚詩〉：

永巷長年怨綺羅，離情終日思風波。
湘江竹上痕無限，峴首碑前灑幾多。
人去紫臺秋入塞，兵殘楚帳夜聞歌。
朝來灞水橋邊問，未抵青袍送玉珂。

此詩有如一篇「淚賦」，前六句鋪排六個與淚有關的故實——首句爲宮女失寵之淚，二句爲普羅大衆生離之淚，三句爲夫婦死別之淚，四句爲懷念名宦之淚，五句爲美人沈淪絕域之淚，六句爲英雄窮途末路之淚，以與末句「青袍送玉珂」之淚作比較，意在強調後者傷心之程度遠在前列六事之上。易詞言之，前列六種人眼淚之總和卻抵不上自己一個人懷才不遇的眼淚。此乃作者精心設計之律詩章法——合筆見意之歸納法，確能令人嘖嘖稱奇，愛不釋手。又如〈牡丹詩〉：

錦幃初卷衛夫人，繡被猶堆越鄂君。
垂手亂翻雕玉佩，折腰爭舞鬱金裙。
石家蠟燭何曾剪，荀令香爐可待薰。
我是夢中傳彩筆，欲書花葉寄朝雲。

本篇與前篇〈淚〉同一機杼，先平列六事，各不相干，至尾聯始加以綰合，結出主題，亦為合筆見意之歸納法。首句稱讚牡丹花有如雍容華貴的衛靈公夫人——南子，二句言其又如風流倜儻的白馬王子——到越國旅遊的楚國王子鄂君子晳，三句言其又如曼妙絕倫的舞姿，四句言其又如鮮艷的舞衣（鬱金裙）搭配高級的舞曲（折腰舞），五句盛讚其光彩奪目賽過石崇的燭花，六句寫其香氣襲人超越荀令的薰香，如此突出表現牡丹的國色天香，花中之王，然後以我的生花妙筆加以歌頌，寄給那貌若天仙的女友朝雲。娓娓道來，神采飛動，生氣盎然。朱彝尊《靜志居詩話》評云：「八句八事，而一氣湧出，不見襞積（折疊）之跡。」實乃深造有得之言，苟非義山之才之美，殆難臻此。

下面列舉五個連用之例，以見庾信用典之高明，的確不同浮泛。

①毛修之埋於塞表，流落不存；陸平原敗於河橋，死生慚恨。反公孫之柩，方且未期；歸連尹之尸，竟知何日。遊魂羈旅，足傷溫序之心；玄夜思歸，終有蘇韶之夢。遂使廣平之里，

永滯冤魂；汝南之亭，長聞夜哭。（〈周大將軍懷德公吳明徹墓誌銘序〉）

按此十六句中每兩句用一典，共有典故八起，皆非泛泛使用以示淵博，正以藉此哀其魂羈異國之恨，而亦所以自哀也。良以庾氏丁年出使，飄淪異邦，鄉關之思，無時或紓，與明徹誠屬同病相憐，故撰寫本文，乃能言哀入痛，而惺惺相惜之情，遂不覺流注於楮墨間，李兆洛謂爲「誌文絕唱」（見《駢體文鈔》），信非溢美。

②若夫入室生光，非復企及；夾河爲郡，前途逾遠。婕妤有自傷之賦，揚雄有哀祭之文，王正長有北郭之悲，謝安石有東山之恨，斯既然矣。至若曹子建，王仲宣，傅長虞、應德璉，劉韜之母，任延之親，書翰傷切，文辭哀痛，千悲萬恨，何可勝言。龍門之桐，其枝已折；卷施之草，其心實傷。嗚呼，哀哉。（〈傷心賦序〉）

庾氏連用了班姬、揚雄、王讚、謝安、曹植、王粲、傅咸、應瑒、劉韜之母、任咸（按「延」當作「咸」）之親等十人或自傷或傷子的典故，旨在增強哀傷的氛圍，博得讀者的同情。

③悲哉秋風，搖落變衰。魂兮遠矣，何去何依。望思無望，歸來不歸。未達東門之意，空懼西河之譏。在昔金陵，天下喪亂。王室板蕩，生民塗炭。兄弟則五郡分張，父子則三州離散。地鼎沸於袁、曹，人豺狼於楚、漢。或有擁樹雁災，藏衣遭難。未設桑弧，先空柘館。人惟一丘，亭遂千秋。遵韶永恨，孫楚長愁。張壯武之心疾，羊南城之淚流。痛斯傳體，尋茲世載。天道斯慈，人倫此愛。膝下龍摧，掌中珠碎。（〈傷心賦〉）

庾氏在賦之正文中又連用了東門吳、卜商、邊韶、孫楚、張華、羊祜等六人傷子的典故，將羈旅魏、周時期頻喪子孫的至哀至痛之情寫得有血有淚，感人肺腑。西哲尼采謂「一切文學余最愛以血淚書之者」，若庾氏〈傷心〉諸賦，誠足以當之。倪璠《庾子山集注》云：「〈傷心賦〉者，雖傷弱子，亦悼亡國也。《楚辭》：『目極千里傷春心，魂兮歸來哀江南。』子山二賦（按即指本篇及〈哀江南賦〉）取諸此焉。」佛眼獨具，要非漫言。

④昔草濫於吹噓，藉〈文言〉之慶餘。門有通德，家承賜書。或陪玄武之觀，時參鳳凰之虛。

觀受釐於宣室，賦長楊於直廬。（〈小園賦〉）

作者在本段八句之中，連用八典，無非是反覆強調自己系出名門，書香世第；既又渥蒙皇家眷顧，位望崇隆，今生今世，永難忘懷。

⑤悲歌度遼水，弭節出陽關。李陵從此去，荊卿不復還。故人形影滅，音書兩俱絕。遙看塞北雲，懸想關山雪。遊子河梁上，應將蘇武別。（〈擬詠懷詩〉之十）

全詩共十句，用典處凡六起，密度實不可謂不高，其主軸則在於送別。庾氏丁年出使，滯居異邦幾近三十年，送往迎來必然頻繁，而客中送客乃人生最難堪之事，眼見昔日一同流寓之士如王克、殷不害等均已先後回歸故里，只有自己卻仍留在北國，瞻望鄉關，目眥盡裂，傷心者其將何以為情，當可不卜而知之。

三、餘　論

筆者末學不文，綆短汲深，拉雜寫來，誠不足以盡庾氏用典技巧之萬一，惟其精要部分，大體略備於是。至於其他部分尚有：①一典多用，②多典糅用，③曲用典故，④典故的具象化，⑤二典一用，⑥一典二用，⑦高妙，⑧自然，⑨普遍，⑩含蓄，⑪圓潤，⑫雋永，⑬輕倩，⑭恰當，⑮工巧，⑯暗諷，⑰得體，⑱精絕，⑲貼切，⑳浮濫，㉑生僻，㉒訛誤，㉓擬於不倫，㉔合掌，㉕俚俗，㉖熟調，㉗失實，㉘拼湊，㉙杜撰，㉚割裂等大約三十餘種，皆其犖犖較著者，惟茲限於篇幅，未能一一臚列，補行陳述，請以俟之異日。

要而言之，庾氏前期詩賦，多爲抹日批風，吟花弄月的綺豔之作，故屢爲道學家、史學家所非議。惟其入北之後，憂念鄉國，思懷親友，心中之隱痛，刺激其正視人生，一變以往柔婉纖麗之風格。此時作品頗有一種深沈之憂鬱，濃郁之愁情。加以北國特有的地方色彩，於是更顯出一種蒼茫剛健的情調。句句有所指喻，字字加以錘鍊，而在表現技巧上，更已優入登峰造極，爐火純青之絕詣。在隸事運典的手法上，亦已臻於彈丸脫手，左右逢源的境地。張溥稱其「盛名異地，橘枳改觀」（《漢魏六朝百三家集題辭》）者，絕非虛譽。

至於庾氏在駢文上之造詣，在詩藝上之創獲，及其在文學史上之地位，前哲論之綦詳，累紙所不能盡，今遴擇一二，以當鼎臠。

①《周書・王褒庾信傳論》：

周氏創業，運屬陵夷，纂遺文於既喪，聘奇士如弗及。……既而革車電邁，渚宮雲撤，爾其荊、衡杞梓，東南竹箭，備器用於廟堂者眾矣。唯王褒、庾信，奇才秀出，牢籠於一代，是時世宗雅詞雲委，滕、趙二王，雕章間發，咸築宮虛館，有如布衣之交。由是朝廷之人，閭閻之士，莫不忘味於遺韻，眩精於末光，猶丘陵之仰嵩、岱，川流之宗溟、渤也。

②《四庫全書・庾開府集箋注提要》：

庾信初在南朝，與徐陵齊名。……至信北遷以後，閱歷既久，學問彌深，所作皆華實相扶，情文兼至，抽黃對白之中，灝氣舒卷，變化自如，則非陵之所能及矣。張說詩曰：「蘭成追宋玉，舊宅偶詞人。筆涌江山氣，文驕雲雨神。」其推挹甚至。

③沈德潛《古詩源》：

陳、隋間人，但欲得名句耳。子山於琢句中，復饒清氣，故能拔出於流俗中，所謂軒鶴立雞群者耶。……子山詩固是一時作手，以造句能新，使事無跡，比何水部似又過之。武陵・陳胤倩（祚明）謂少陵不能青出於藍，直是亦步亦趨，則又太甚矣。

④孫元晏〈庾信詩〉：

苦心辭賦向誰談，流落咸陽志豈甘。
可惜多才庾開府，一生惆悵憶江南。

【參考文獻】按編著者之時代先後排列

①唐・李延壽：《南史》，台北：鼎文書局，民國 66 年。
②唐・李延壽：《北史》，台北：鼎文書局，民國 66 年。
③唐・姚思廉：《梁書》，台北：鼎文書局，民國 66 年。
④唐・令狐德棻：《周書》，台北：鼎文書局，民國 66 年。
⑤明・張溥：《漢魏六朝百三家集》，台北：文津出版社，民國 76 年。
⑥清・王先謙：《駢文類纂》，上海：掃葉山房，民國 21 年。
⑦清・王文濡：《南北朝文評注讀本》，台北：廣文書局，民國 51 年。
⑧清・孫梅：《四六叢話》，台北：世界書局，民國 51 年。
⑨清・李兆洛：《駢體文鈔》，台北：世界書局，民國 67 年。
⑩清・許槤：《六朝文絜》，台北：世界書局，民國 70 年。
⑪清・倪璠：《庾子山集注》，台北：商務印書館，民國 72 年。
⑫民國・謝無量：《駢文指南》，上海：中華書局，民國 10 年。
⑬日本・鈴木虎雄：《賦史大要》，東京：富山房，民國 25 年。
⑭民國・范文瀾：《文心雕龍注》，台北：開明書店，民國 48 年。

⑮民國・金秬香：《駢文概論》，台北：商務印書館，民國 50 年。
⑯民國・駱鴻凱：《文選學》，台北：中華書局，民國 52 年。
⑰民國・張仁青：《歷代駢文選詳注》，台北：中華書局，民國 52 年。
⑱民國・張仁青：《中國駢文發展史》，台北：中華書局，民國 58 年。
⑲民國・張仁青：《魏晉南北朝文學思想史》，台北：文史哲出版社，民國 67 年。
⑳民國・張仁青：《駢文學》，台北：文史哲出版社，民國 73 年。

（民國九十四年四月在台北東吳大學主辦之「六朝學術國際研討會」所宣讀之論文）

李商隱無題詩新詮（二〇〇五）

小檔案

⑴生於唐憲宗元和八年，卒於宣宗大中十二年（西元八一三～八五八），享年四十六歲。
⑵河南沁陽縣人。字義山，號玉溪生，又號樊南生。
⑶父李嗣，曾任獲嘉縣令，八二一年卒。商隱九歲。
⑷業師令狐楚，任天平軍節度使，爲牛黨之核心人物。
⑸岳父王茂元，任涇原節度使，爲李黨之核心人物。
⑹師兄令狐綯，令狐楚之子，累官至宰相，後爲牛黨黨魁。
⑺歷仕祕書省正字，鹽鐵推官，弘農縣尉，及八個藩鎮的祕書或判官。
⑻信奉道教，曾學道於河南濟源縣之玉陽山。
⑼詩與杜牧齊名，時稱「小李杜」；後又與溫庭筠齊名，時稱「溫李」。
⑽駢體文與溫庭筠、段成式齊名，號三十六體，三人排行均爲十六。
⑾著有《玉溪生詩集》、《樊南文集》、《雜纂》。
⑿所作詩多迷離惝恍，深曲隱晦，又帶有濃厚的神祕性、刺激性和悲劇色彩，故甚難索解，有如詩謎。

金代大詩人元好問曾作詩深致慨歎云：

望帝春心託杜鵑，佳人錦瑟怨華年。

詩家總愛西崑好，獨恨無人作鄭箋。

⒀相戀女子：①尼姑②女道士③女藝人、歌女、舞女、青衣。

⒁李商隱個人條件：①相貌醜陋，②已婚，③一介寒士，④終身屈居下僚，⑤二十五歲登進士第。

⒂《玉溪生詩集》共六一一首，其中以〈無題〉爲篇名者十六首，摘首二字爲題實亦〈無題〉者三十七首，雖有題實亦〈無題〉者二十首。計六十三首，佔全集十分之一。

晚唐詩人李商隱義山，古之振奇人也，亦古之傷心人也。以曠世高邁不羈之逸才，竟然終身侘傺不偶，坎壈困厄，先後輔佐八個幕府，屈居下僚，時而影落涇原，時而飄淪兗州，時而窮困巴蜀，時而羈泊嶺海，塵霜滿面，心力交疲，流離轉徙，不遑寧處，卒以四十六歲之英年奄然殂謝，令人嗟傷惋惜。

揚搉言之，義山以稀世之高才，個人所具條件之優越，理當優游宦海，迴翔廊廟，一償其經邦軌物，霖雨蒼生之夙願，在早年所作〈安定城樓詩〉中即已展現偉抱。

迢遞高城百尺樓，綠楊枝外盡汀洲。

賈生年少虛垂涕，王粲春來更遠遊。

永憶江湖歸白髮，欲迴天地入扁舟。
不知腐鼠成滋味，猜意鵷雛竟未休。

可見詩人在年輕時代確是憂心宗國，痌瘝在抱；尤其腹聯更是追慕范蠡之志業，在旋乾轉坤，安邦定國之後，高翔遠引，徜徉江湖，此種「功成不受爵，長揖歸田廬」（左思〈詠史詩〉）之一等襟抱與作風，實為五千年來吾國知識分子奉為進退出處之最佳楷模，最高境界。惟以當時牛李兩黨（牛黨以牛僧孺為首，李黨以李德裕為首。）相互傾軋，攬權奪利，詩人依違於其間，茫然不知所從，竟成為政治鬥爭下之犧牲品，以致仕途偃蹇，抑塞終身，極古來文士書生之至慘，非惟三唐所未有，抑亦舉世所僅見，泚筆至此，不禁令人擲筆三歎。

綜括以言，義山所具備仕宦之優越條件厥有五端，分析如下：**（一）擁有進士身分**。唐文宗開成二年，進士及第，取得任官資格，時年二十五歲。**（二）恩師為牛黨鉅子令狐楚**。唐文宗大和三年，天平軍節度使令狐楚愛其才，聘為巡官，特加優遇，令在門下與其子綯等同學，親自指點課讀，教為駢體文，時年十八歲。按當時中央政府公文悉用四六駢體，凡欲榮登台省，位列鼎司省，例必能優為之，可見令狐楚乃是刻意栽培，深寄厚望，絕非公餘之消遣。**（三）岳父為李黨巨擘王茂元**。開成三年，涇原節度使王茂元聘為掾屬，並以女妻之，義山因此招致牛黨當權者令狐綯等忌恨，責其「背恩」。嗣是以往，義山即斷絕宦途，坎坷潦倒，春秋方盛，竟齎志以歿，與此有絕大關係。**（四）近體詩睥睨群英**。義山工詩，尤擅律絕，富於文采，長於抒情，語言凝練，典麗高華，傑然稱晚唐一大家。先與杜牧齊名，時稱小李杜；後又與溫庭筠齊名，時稱溫李。**（五）駢體文爲一代宗師**。義山早歲從事令狐楚幕，蒙楚親授駢文，標示津逮，於是盡得其衣缽眞傳；加以天才英特，鎔鑄古今，遂能開拓萬古心胸，推倒一時豪傑，卓然稱駢壇盟主。

綜上以觀，前列五端正爲書生釋褐登朝，致身榮顯之最大助力，而義山則無得而用之，或竟反成阻力，故自生民以來，詩人運數之窮，身世之厄，求諸中外古今，殆未有酷於義山者。夷考晉之陶潛，唐之李白、杜甫，清之黃景仁；遠至義大利之但丁（Dante 一二六五～一八二二），德意志之歌德（Goethe 一七四九～一八三二），英吉利之拜倫（Byron 一七八八～一八二四）、雪萊（Shelley 一七九二～一八二二）諸大家，均瞠乎其後，不可同日而語。

茲遴選其無題詩十首，略作新詮，以見大凡。

（一）錦瑟

錦瑟無端五十絃，一絃一柱思華年。
莊生曉夢迷蝴蝶，望帝春心託杜鵑。
滄海月明珠有淚，藍田日暖玉生煙。
此情可待成追憶，只是當時已惘然。

按此蓋追憶舊歡之作，對象可能是歌女或青衣，而此女可能已亡故，可視爲悼傷詩。

（二）無　題

相見時難別亦難，東風無力百花殘。
春蠶到死絲方盡，蠟炬成灰淚始乾。
曉鏡但愁雲鬢改，夜吟應覺月光寒。
蓬萊此去無多路，青鳥殷勤爲探看。

按此寫離別之苦，相思之深，生死不渝之愛情，殆爲初戀時作。由蓬萊仙山、青鳥仙禽可知對象可能是女道士（俗稱道姑）。

（三）無　題

來是空言去絕蹤，月斜樓上五更鐘。
夢爲遠別啼難喚，書被催成墨未濃。
蠟照半籠金翡翠，麝薰微度繡芙蓉。
劉郎已恨蓬山遠，更隔蓬山一萬重。

按此殆爲失戀之作，女子已有意與之決裂。以其用劉晨遇仙故事，可推斷此女大概是女道士。劉義慶《幽明錄》云：東漢浙江剡縣人劉晨、阮肇二人同入天台山採藥，迷路，遇二仙女，同居半年，返家，子孫已七世，歷時二百餘年，二人重入天台訪女，不見蹤影。

(四) 無 題

颯颯東風細雨來，芙蓉塘外有輕雷。
金蟾嚙鎖燒香入，玉虎牽絲汲井迴。
賈氏窺簾韓掾少，宓妃留枕魏王才。
春心莫共花爭發，一寸相思一寸灰。

按此可斷爲失戀後追憶前情之作，由賈氏、宓妃推斷可能是皇家貴族女子之入道者。唐王朝定道教爲國教，爲鼓勵普羅大衆信教，不惜強迫貴族、大官的女兒出家爲道姑，以其年幼或非出於自願，故常有不守清規、與凡人發生戀情之事。五句用西晉司空賈充愛女與年輕英俊祕書韓壽之相戀故事，見《世說新語·惑溺篇》。六句用魏陳思王曹植橫渡洛水時，在迷惘中與甄氏（假託爲洛水女神宓妃）相遇留枕故事，見李善《文選》曹植〈洛神賦〉注。

(五) 牡 丹

錦幃初卷衛夫人，繡被猶堆越鄂君。

垂手亂翻雕玉佩，折腰爭舞鬱金裙。
石家蠟燭何曾剪，荀令香爐可待薰。
我是夢中傳彩筆，欲書花葉寄朝雲。

按此乃讚頌女藝人而表達愛慕之意，當是初戀之作。牡丹花又名富貴花，國色天香，唐人尊為花中之王。作者藉牡丹花以喻豔冠群倫的女藝人，人花雙寫，八句八典，而無堆砌板滯之弊病，手法高明，實已臻於登峰造極，爐火純青之絕詣。首句言其雍容華貴，二句言其溫柔高雅，三句言其舞姿曼妙，四句言其衣裙豔麗，五句言其光彩耀目，六句言其香氣襲人，七句自詡才華洋溢，末句盛稱女藝人美如巫山神女朝雲。與李白以「名花（牡丹）傾國（美女）兩相歡」讚美楊貴妃（見〈清平調〉），可謂前後相輝，喧騰眾口。

（六）春　雨

悵臥新春白袷衣，白門寥落意多違。
紅樓隔雨相望冷，珠箔飄燈獨自歸。
遠路應悲春晼晚，殘宵猶得夢依稀。
玉璫緘札何由達，萬里雲羅一雁飛。

按此乃借「春雨」為題而思念女友，顯然是失戀之作。春回大地，細雨綿綿，觸動詩人的情思，因天候陰沈而回憶往事，由往事而懷女友，感慨往事多與願違，於是前往女友曾居住過的紅樓，隔著寒雨，遙遙相望，倍覺淒冷落寞，在浮想聯翩之餘，只好悵然獨歸。所幸自孟春以至季春，三月之間，伊人倩影頻頻入夢，雖然夢境迷離，音塵遠隔，亦差堪自慰。惟在夢醒之後，重回現實，伊人芳蹤，依然杳邈，刻骨相思，無從表露，玉璫（耳環）薄禮，無由寄達，孑然一身，眞像離群孤雁，迷失在浩瀚無窮的天際，不知飛向何方。

（七）無　題

鳳尾香羅薄幾重，碧文圓頂夜深縫。
扇裁月魄羞難掩，車走雷聲語未通。
曾是寂寥金燼暗，斷無消息石榴紅。
斑騅只繫垂楊岸，何處西南待好風。

按此爲戀愛中之作，對象當是女藝人。東方式的戀愛，往往是欲說還休，未歌先咽，此正適宜用李商隱「包藏細密，意境朦朧」的創作風格去表現出來。這首詩情意纏綿，遣詞含蓄，是最佳佐證。起首二句，是設想女子的夜生活——針線細密，縫製羅帳，直到深夜。三四兩句，回憶當初相見時的情景——用圓形扇子遮住嬌羞的臉面，匆匆驅車而去，輪聲隱隱，始終未通一語。五六兩句，寫別後之思念，經常挨到夜深燈殘，猶難入眠，而荏苒之間又已石榴花開，仍無消息。結尾二句是說在無奈之餘，只有日日騎馬到楊柳岸邊，期待西南好風把她吹進我的懷抱。

（八）無題

重幃深下莫愁堂，臥後清宵細細長。
神女生涯原是夢，小姑居處本無郎。
風波不信菱枝弱，月露誰教桂葉香。
直道相思了無益，未妨惆悵是清狂。

按此蓋失戀後自我安慰之作，對象可能是青衣或歌女。首聯用六朝歌女莫愁來比況所愛戀的女子，說她深鎖閨中，自傷身世，長夜無眠。頷聯出句言巫山神女曾與楚襄王在夢中歡會，以喻此歌女雖被高官所包養，畢竟沒有名分，仍無歸宿。對句言三國秣陵尉蔣子文第三妹小姑終身未嫁，死後入祀鍾山蔣廟爲神，以喻此歌女至今尚幽居獨處，無所依託。腹聯委婉諷勸歌女不可消極軟弱，任人欺負，而應在月照露滋下，吐芬揚芳，庶幾保住高潔美好的品格。尾聯爲流水句，意謂即使相思全無好處，沒有結果，也甘願終身惆悵，如醉如癡。

全篇寫出詩人對愛情的執著專注，與元稹〈離思〉詩「曾經滄海難爲水，除卻巫山不是雲」，柳永〈鳳棲梧〉詞「衣帶漸寬終不悔，爲伊消得人憔悴」，雖篇體不同，寄情各別，所以癡狂，其致則一，三者頗有異曲同工之妙。

（九）無　題

昨夜星辰昨夜風，畫樓西畔桂堂東。
身無綵鳳雙飛翼，心有靈犀一點通。
隔座送鉤春酒暖，分曹射覆蠟燈紅。
嗟余聽鼓應官去，走馬蘭臺類轉蓬。

按此乃初戀之作，對象可能是青衣或歌妓。詩人年輕時擔任祕書省正字期間，參加富貴人家通宵達旦的豪華宴會，遇到一個美麗多情的青衣，目成眉語，兩心相悅，在酒醉飯飽，餘興節目結束後，天色已亮，乃匆匆上馬，直奔蘭台（即祕書省）上班，留下了淡淡的哀愁與綿綿的懷思。

首聯點出夜宴的時間和地點，經過詩人之渲染點化，遂使「昨夜」、「星辰」、「微風」，以至「畫樓」、「桂堂」幾於無一不美，亦無一不令人陶醉。頷聯寫兩人身分不同，無法親近，但彼此愛慕，心心相印。腹聯舉出行酒時的兩種遊戲，極力凸顯宴會的歡樂氣氛。尾聯意謂自己聽鼓應卯，走馬蘭台，類似蓬草飛轉不定。蓋深恐後會之難期，兼怨職務之累身，尤歎官階之卑下。

通篇全用白描，無一典實，稍讀書者，類能解之，在《玉溪集》中極爲罕見。尤其頷聯二句，字雖平易，而意則生新，與白居易〈長恨歌〉詩「天長地久有時盡，此恨綿綿無絕期」，可謂後先輝映，傳誦千古，一代情聖，絕非浪得。

（十）暮秋獨遊曲江

荷葉生時春恨生，荷葉枯時秋恨成。
深知身在情長在，悵望江頭江水聲。

按此爲哀悼女友之徂逝，女友身分，無法臆斷。此詩風貌，極似南朝之樂府，唐宋之小令，元代之散曲，其實它是一首拗體絕句，也是詩人模擬民間歌謠極爲成功之作。前二句言詩人在曲江（長安東南遊覽勝地）「荷葉生時」巧遇意中人而種下愛苗，豈料不久卻轉爲相思之恨；在曲江「荷葉枯時」而伊人已不幸殂謝，鑄成傷逝之恨。後二句言者番舊地重遊，驟憶往昔同遊之歡樂，諦聽嗚咽之江聲，觸景傷情，何能自已，遂覺此恨綿綿，一如江水之永無休歇。

詩人在此自出機杼，獨運匠心，很有創意的以江水喻愁恨，言一息尚存，此情亦隨之以俱存，而此恨則綿綿無有止期；故欲解脫此情與此恨，除死外，實別無他途可出矣。

其後南唐李後主專學此種機調，其〈虞美人詞〉：「問君能有幾多愁，恰以一江春水向東流。」又〈烏夜啼詞〉：「胭脂淚，相留醉，幾時重，自是人生長恨水長東。」玩繹詞意，顯然全係濬源於此。

（本文係民國九十四年十二月十三日在桃園・萬能科技大學演講之講辭）

成惕軒先生駢文之用典與借代（二〇〇六）

當代駢文大師成惕軒先生逝世已逾十七年，其朋輩友生，既廣作詩文以悼之；其藏山著作，復高列坊間以存之，緬其行誼之大凡，當俟史官之秉筆，固無待吾人之喋喋。今所論列者，惟其駢文之創作技巧——用典與借代，有如彈丸脫手，典贍高華，實已臻於登峰造極，爐火純青，出神入化之絕詣，放眼當世，無有能與之抗衡者。余追隨杖履凡三十年，春風所拂，謦欬所親，蓋猶歷歷如在目前，爰綴長文以告世之同好者。

先生字康廬，號楚望，湖北陽新縣人，生於清宣統三年，卒於民國七十八年（西元一九一一——一九八九年），享壽七十九歲。髫年穎秀，庭督綦嚴，以是根柢廣厚，雛鳳聲清。弱冠負笈武昌，從羅田大儒王葆心氏遊，愈益刻苦銳進，冠其儕輩。民國二十年，長江泛濫成災，當夜靜月明之際，獨登黃鶴樓，目擊滾滾洪濤，哀鴻遍地，因草〈愁霖賦〉二千言以寄慨。時鄉賢張敍忠爲軍需學校校長，誦而善之，邀赴金陵聘主校刊編務，兼課諸生。抗戰入川，高闈獲雋，慈谿陳布雷愛其才，薦爲國防最高委員會祕書。公餘之暇，撰述時文，口誅奸回，筆伐倭寇，輿論多之。勝利後，改任考試院參事，轉任總統府參事，曾兼國史館纂修。四十九年，特任考試院考試委員蟬聯二十四載，並奉總統派令，為特種考試典試委員長三十餘次，廣攬英才，匡弼邦家。並兼私立正陽法學院、國立政治大學、台灣師範大學、中央大學、中國文化大學教授，甄陶俊髦，裁成極衆。書法褚遂良，廣攝各家，傑然自名一體。詩則瓣香杜甫，丕揚忠愛，老而彌篤。為文兼擅駢散，深慨晚近儷體式微，奮然有以挽頹振敝，傾注畢生心力，匯通古作，自鑄新詞，將個人懷抱，家國興衰，悉以儷辭韻語出之，瓊章麗曲，新製瑋篇，紛綸滿紙，卓然示一代軌範。生平著作極多，有《楚望樓駢體文內篇》、《外篇》、《續編》，另有《楚望樓詩》、《楚望樓聯語》、《汲古新議》及《續編》行世。

先生生平所作駢文凡三百餘篇，可謂字字珠璣，篇篇炳烺，其可得而言者凡四：㈠篇章美備，各體咸工。㈡具前修之所長，集百代之大成。㈢擺脫眾家之窠臼，自成一家之風貌。㈣與現代事物相結合，富有時代之精神。備此四善，遂成馨逸，髝髝六合，自足題名，巍然稱一代駢文宗師。茲就其心血所灌注，成就最輝煌之用典與借代二端，分別臚列十則，俾觀管中之豹。

（一）成氏駢文之用典

自六朝伊始，由於文學蓬勃發展，文字使用過於頻繁，載筆之倫乃相率使用「文學語言」——「典故」以替代繁複之敍述，流風所扇，遂使後人咸知化繁為簡，不以詞多事繁而害意，「用典」竟成為構成駢文之首要條件。病之者謂為戕賊性靈，賞之者謂為用意深厚。尤其清代桐城派諸子及民初五四運動主盟諸公更集矢於此，以爲雕蟲小技，有傷眞性，躲懶藏拙，莫此爲甚。此種仁智所見，原屬歷史公案，殊難遽下斷語，定其是非。惟吾人在此必須鄭重聲明者，文學乃緣歷史以發生，人不習知歷史，則不能從事文學之研究，此中國文史所以恆爲一體，不容分割之主要依據。

夫典，事也，所謂典故，古之事也，亦即歷史之事也。是以典故之定義，凡引證歷史中事實及前人言語入於文者，皆曰典故，前者謂之「事典」（亦稱「用事」），後者謂之「語典」（亦稱「用詞」）。苟不能禁人斷絕歷史知識，則不能禁人不引用古事，矧用典且爲修辭之一法。文學作品之用典者，無論美日印歐諸國，所在皆是，特以吾國爲獨多耳。是以典非不可以用，只看各人能不能用，善不善用，文章修辭之法，不止白描一端，固夫人而知之者也。

抑有進者，駢文爲唯美文學之極品，亦即屬於美感之文學，不可不著重詞采，其來源皆取材於典籍故實，讀書稍多，造語自有來歷。駢文原是間接表達作者之意念，與散文以直接表達作者之意念者殊科。魏晉以前多用排比，魏晉以後乃用典實，其作用在於用簡潔之文字，表達繁複之意思，使作品富有濃厚的神祕性、象徵性與趣味性，以增加讀者之美感，從而提高其藝術價值。

①浯溪作頌，遲匹馬於前驅；
　荊國銜文，眷高鴻於寥廓。（〈許世英《雙溪老人詩葉》跋〉）

上聯以唐元結之〈大唐中興頌〉喻己之〈還都頌〉。浯溪，水名，在湖南祁陽縣。唐玄宗時，安史倡亂，帝幸西蜀，太子即位靈武，元結上〈時議〉三篇，中有「天子獨以匹馬至靈武，合弱旅，鋤強寇」云云。迨亂平之後，又作〈大唐中興頌〉鐫於浯溪碣石上以紀其盛。民國三十四年八月，日本投降，翌年重慶各界人士僉議為文歡送國民政府勝利還都，成氏因作〈還都頌〉，足可抗衡元氏，且猶過之。

下聯以宋王安石之衡文取士喻己久膺高闈典試之任。王安石〈詳定試卷詩〉：「疑有高鴻在寥廓，未應回首顧張羅」。按成氏於民國三十七年起，即膺任高考典試委員，長達三紀有奇。

附許世英〈題瀛洲校士記詩〉（一九五二）

臺省文章屹不磨，兩持玉尺錄登科。

明年看寫中興頌，記取瀛洲得士多。

②嚮時鄰笛，都成慷慨之聲；
落月屋梁，但見淒涼之色。（〈哭李漁叔教授文〉）

上聯用晉向秀思念嵇康事以哭祭李漁叔教授，言嚮時鄰笛，如今都成慷慨悲悽之聲。向秀與嵇康、山濤、劉伶、阮籍、阮咸、王戎常集於竹林之下，肆意酣暢，世稱竹林七賢。見《世說・任誕》。又《文選・向秀・思舊賦序》：「余與嵇康呂安居止接近，其人並有不羈之才，然嵇志遠而疏，呂心曠而放，其後各以事見法。余逝將西邁，經其舊廬，于時日薄虞淵，寒冰淒然，鄰人有吹笛者，發聲寥亮，追思曩昔遊宴之好，感音而歎，故作賦云。」

下聯用唐杜甫思念李白以哀悼李教授，言月光普照屋梁，只見淒涼哀傷之顏色。杜甫〈夢李白詩〉：「落月滿屋梁，猶疑照顏色。」

③河汾授學，實弘唐室之基；釣瀨鳴高，詎讓雲臺之烈。（〈胡秋原《古代中國文化與中國知識分子》序〉）

上聯言唐代開國文武功臣，多出自王通門下。隋末大儒王通，字仲淹，絳州龍門人。幼篤學，強仕之年，西遊長安，上太平十二策，知謀不用，退居河汾之間，授徒自給，受業者千數。唐代開國功臣房玄齡、杜如晦、魏徵、李靖、薛收等皆出其門，著有《文中子中說》，門人諡曰文中子。見杜淹《文中子世家》。

下聯言漢光武帝崇尚氣節，敬禮高士嚴光，遂使東漢風俗淳厚，遠邁前朝，固無遜於雲臺二十八名武將。東漢高士嚴光，字子陵，餘姚人，少與光武同遊。及光武即位，光變姓名，隱居不見。帝思其賢，物色得之，除諫議大夫，不就，歸隱浙江桐廬縣西之富春山上，耕釣以終，後人名其釣處曰嚴陵瀨，中有嚴陵釣壇。見《後漢書・逸民傳》。雲臺，漢宮中臺名，以其高聳入雲，故曰雲臺。東漢光武帝中興漢室，其功臣之顯著者凡二十八人，至明帝永平三年，皆圖其形像於此，世稱雲臺二十八將。見《後漢書・陰興傳》注。

④桑田小劫，極人海之艱虞；蓬嶠新聲，等江關之蕭瑟。（〈《楚望樓詩》自序〉）

上聯極言世事變遷之迅速，遂使人事艱難，內心憂傷。葛洪《神仙傳》：「麻姑謂王方平曰：『接侍以來，已見東海三爲桑田，向到蓬萊水淺，淺於往者會時略半也，豈將復還爲陵陸乎。』」後謂世事變遷之速曰滄海桑田，或簡稱滄桑，均本此。

下聯言己在台灣所作歌詩，如同庾信在北朝所作詩賦，心境十分淒涼落寞。蓬嶠，即蓬萊、員嶠，皆渤海外仙山名，此借以指臺灣。杜甫〈詠懷古蹟詩〉：「支離東北風塵際，漂泊西南天地間。三峽樓臺淹日月，五溪衣服共雲山。羯胡事主終無賴，詞客哀時且未還。庾信平生最蕭瑟，暮年詩賦動江關。」江關，指全國之江河關口，意指全國。

⑤ 詞賡紅豆，徵南國之才多；情寄芳荃，比東陽之腰瘦。（〈張仁青《歷代駢文選》序〉）

上聯言張氏籍隸台灣花蓮縣，南國多才，信而有徵。王維〈相思〉：「紅豆生南國，春來發幾枝。願君多採擷，此物最相思。」二句言張氏擒辭宏麗，情思綿邈，甚能追王維之逸步。

下聯言張氏五短身材，如沈約之瘦腰，寄情香草，不求利祿。《文選・沈約・早發定山詩》：「忘歸屬蘭杜，懷祿寄芳荃。眷言採三秀，徘徊望九仙。」李善注：「《楚辭》曰：『荃不察余之中情。』王逸曰：『荃，芳草，以喻君子。』」按梁沈約幼孤貧，篤志好學，晝夜不倦，母恐其以勞致疾，常遣減油滅火，而晝之所讀，夜則誦之，遂淹貫百家，牢籠萬有。齊初，出爲東陽（今浙江金華縣）太守，有志台司，而帝不用。因陳情於徐勉曰：「百日數旬，革帶常應移孔，以手握臂，率計月小半分。」見《南史・沈約傳》。後因以沈腰爲身體瘦損之通稱。李煜〈破陣子詞〉：「一旦歸爲臣虜，沈腰潘鬢消磨。」

⑥ 情貴乎眞，故託興田園，咸推栗里徵士；
志欲其偉，故抗懷契稷，獨數杜陵布衣。（〈顧竹侯《跬園詩鈔》序〉）

上聯言陶潛賦性高潔，情意率眞，爲田園詩派之祖師。栗里徵士，謂東晉詩人陶潛。栗里在今江西九江縣西南，爲潛之故居。言徵士者，以其屢經徵聘不就，故謂之徵士，亦曰徵君。按陶潛稟性率眞，抱高世之志，寄身田園，徜徉自適，所作詩沖穆淡古，世咸以田園詩人稱之。

下聯言杜甫忠君愛國，己飢己溺，爲社會詩人之典範。抗懷，謂志向相等。契，高辛氏之子，佐禹治水有功，封於商，爲商之始祖。稷，即后稷，堯時爲稷官，封於邰，爲周之始祖。杜陵布衣，杜甫自稱，杜陵在今陝西長安縣東南，其西爲甫之故居。言布衣者，以其〈詠懷詩〉有「杜陵有布衣，老大意轉拙」之句，蓋逕以平民自稱矣。按少陵之志，本在經邦軌物，非徒欲以詩人終老也，而遭逢世變，志終未酬，遂將惓惓忠愛之心，一一託之於詩，以爲報國自靖之具。《孟子・離婁》：「禹思天下有溺者，由己溺之也；稷思天下有飢者，由己飢之也，是以如是其急也。」作者於此稍易其文，以契代禹，頗見才思，蓋契亦治水有功之人。

⑦ 海風應節，敢誇識曲之成連；
天意昌詩，還賴多才之江總。（〈江絜生《瀛海同聲選集》序〉）

上聯盛讚江絜生氏精通詩詞，音樂造詣甚深，有如成連。成連，春秋時人，伯牙嘗從學琴。吳兢《樂府古題要解》：「伯牙學鼓琴於成連先生，三年而成，至於精神寂寞，情志專一，尚未能也。成連云：『吾師方子春，今在東海中，能移人情。』乃與伯牙至蓬萊山，留宿，謂伯牙曰：『子居習之，吾將迎師。』刺船而去，旬時不返，伯牙近望無人，但聞海水汩沒崩折之聲，山林窅冥，群鳥悲號，愴然歎曰：『先生將移我情。』乃援琴而歌，曲終，成連刺船而還，伯牙遂為天下妙手。」

下聯盛稱江氏才華卓懋，弘揚風雅，有如先祖江總。江總，字總持，南朝考城人，工文辭，尤善五七言詩。時張纘、王筠、劉之遴並高才碩學，總持年少有名，纘等雅相推重，為忘年友。初仕梁為太子中舍人。入陳，為太子詹事。後主即位，擢僕射尚書令，世稱江令，與朝臣競作豔詩，頗為後主所愛幸。至隋，又拜上開府。見《隋書》本傳。

⑧ 羈愁莫遣，聊為莊舃之吟；
忠憤聿宣，或效包胥之哭。（彭國棟《廣台灣詩乘》序）

上聯言清德宗光緒二十一年（一八九五）與日本訂立〈馬關和約〉，割讓台灣予日本，部分愛國台民鄙棄異族，心眷宗邦，於是遄返內地，思念故鄉，有如莊舃之思念越國。《史記·陳軫傳》：「越人莊舃，仕楚執珪，有頃而病。楚王曰：『舃故越之鄙細人也，今仕楚富貴矣，亦思越不。』中謝（侍御之官）對曰：『凡人之思故，在其病也，彼思越則越聲，不思越則楚聲。』使人往聽之，猶尚越聲。」《文選・王粲・登樓賦》：「鍾儀幽而楚奏兮，莊舄顯而越吟。」

下聯言旅居內地之台民，紓其忠憤，向各地求救兵，誓復台疆，有如申包胥之哭秦庭。春秋時，楚大夫申包胥本與伍員善，員將出亡，謂包胥曰：「我必覆楚。」包胥曰：「子能覆之，我必能興之。」及員領吳師伐楚入郢，包胥入秦乞師，依庭牆而哭，七日七夜不絕聲，涓滴不入口。哀公感其誠，爲賦〈無衣〉三章，出師救之。吳兵退，昭王復入郢，庸酬功臣，包胥逃而不受。見《左傳・定公四年》。

⑨ 伯鸞高逸之才，偏棲客廡；
元龍湖海之氣，賸寄層樓。（〈高拜石《古春風樓瑣記》序〉）

上聯言福州高拜石氏具有梁鴻高逸之才，而竟隱居台北郊區之陋室。東漢梁鴻，字伯鸞，平陵人。少孤貧，有氣節。及長，博涉群籍，而不爲章句學，牧豕自給。娶妻孟光，偕隱霸陵山。後適吳依臯伯通，居廡下，爲人賃舂，每歸，妻爲具食，不敢於鴻前仰視，舉案齊眉，伯通異而舍之家。見《後漢書・逸民傳》。

下聯言高氏具有陳登湖海之氣，允宜高臥百尺樓上。東漢陳登，字元龍，下邳人。忠亮高爽，有扶世救民之志。建安中，爲廣陵太守，以功加伏波將軍。許汜嘗與劉備共論人物。汜曰：「元龍湖海之士，豪氣不除。」備問其故。汜曰：「昔過下邳，見元龍無主客禮，自上大牀臥，使客臥下牀。」備曰：「君有國士名，而不留心救世，乃求田問舍，言無可采，是元龍所諱也。如小人當臥百尺樓上，臥君於地，何但上下牀之間邪。」見《三國志・魏書・陳登傳》。元好問〈横波亭爲青口帥賦詩〉：「孤亭突兀插飛流，氣壓元龍百尺樓。」即詠此。

⑩ 箋裁蜀井，洪度飄零；拍案胡笳，文姬淒怨。（〈《薛玉松女史遺詩》序〉）

上聯言唐代女詩人薛濤才情洋溢，竟不幸淪爲樂籍。唐薛濤，字洪度，本長安良家女。父鄖，宦遊卒蜀中，母孀居貧甚，乃墮樂籍。知音律，工詩詞，喜與名士遊，韋皐、元稹、白居易、杜牧等皆嘗與唱和。僑寓成都百花潭，親製松花紙及小彩牋，酬獻賢傑，時號薛濤牋。今其地有薛濤井，相傳爲薛濤製牋汲水處。見費著《蜀牋譜》。

下聯言漢末女詩人蔡琰博學高才，竟不幸遠嫁番邦。東漢蔡琰，字文姬，陳留人，邕之獨生女。博學有才辯，妙解音律。初適河東衞仲道，夫亡無子，歸寧於家。興平（靈帝年號）間，天下喪亂，不幸爲胡騎所掠，沒於匈奴十二年，爲左賢王后，王甚愛之，生二子。魏武帝曹操素與邕善，痛其無嗣，乃遣大將軍以金璧贖之以歸，重嫁屯田都尉董祀。祀犯法當死，文姬蓬首徒行詣操，叩頭請罪，音辭清辯，旨甚酸楚，操憐而赦之。後感傷亂離，追憶前塵，作詩二首，首章爲五言古詩，描寫漢末一般亂離之慘象；次章爲《楚辭》體，縷述一己之遭遇，而於先前所生二子尤深致懷念云。此外，文姬尚有〈胡笳十八拍〉，載《樂府詩集》卷五十九，前十拍敍己入胡之原因及經過，其餘八拍亦是思子之哀吟。見《後漢書・列女傳》。

（二）成氏駢文之借代

「借代」亦爲修辭格之一種。捨去人或事物之本來名稱或辭匯，而借用與其相關之人或事物之名稱或辭匯來替代，通謂之「借代」。例如曹操〈短歌行〉：「慨當以慷，憂思難忘。何以解憂，惟有杜康。」杜康爲周代之善釀酒者，故以其名代酒，詞較雅馴，又便於押韻。又如杜甫〈贈左丞詩〉：「紈袴不餓死，儒冠多誤身。」穿紈袴（高級布料所做之衣服）者，乃富貴子弟之特徵；戴儒冠者，乃一般文士之特徵，因以其特徵代替所描述之對象。

駢體文爲中國唯美文學之神品，特重辭藻之華麗，故載筆之倫常以「典雅」替代「庸俗」，例如以「冰輪」代稱「月亮」，以「鯤嶠」代稱「台灣」。又以「生鮮」替代「爛熟」，例如以「國色天香」代稱「絕色女子」，以「焚膏繼晷」代稱「讀書勤奮」。借代能突出人、事、物之特徵，增強語言文字之形象性，並富有詼諧幽默之情趣。其實借代即雕琢，亦即聖人所強調之修辭或文采。例如《易經‧乾卦‧文言》：「修辭立其誠。」《左傳‧襄公二十五年》：「言之無文，行而不遠。」《論語‧雍也》：「文質彬彬，然後君子」。《禮記‧表記》：「情欲信，辭欲巧。」其例尚多，難更僕數。聖人所以反覆言之者，蓋欲人之不可輕忽文采，而應重視修辭。借代或雕琢既爲構成駢體文之重要特徵，亦爲重要條件，遂成爲世人抨擊之對象，謂駢文只著重形式之美觀，而忽略內容之富贍，此種扣盤捫燭之誤解，眞乃不知美學者也。

按借代與用典爲孿生姊妹，有時混淆不清，甚難區隔。要而言之，有故事性者爲用典，無故事性者爲借代，此其大較也。

①
離離香草，幽芳不絕於瀛湄；
粲粲客星，文采遙添於海澨。（〈陳曉齋《懷德樓詩草》序〉）

上聯言陳曉齋氏之詩作直逼《楚辭》，其芬芳散播於台灣。離離，繁榮貌。湄，水草交際之處；瀛湄，借指台灣。

下聯言陳氏之人品直若嚴光，其文采足以爲台灣生色。粲粲，鮮明貌。客星，指嚴光。嚴光曾與漢光武帝共偃臥，光以足加帝腹上，明日太史奏客星犯御座甚急。見《後漢書·逸民傳》。澨，水涯；海澨，借指台灣。

②
祕窺鴻寶，罄名山大小酉之藏；
清擁皋比，袪橫舍二三子之惑。（〈楊胤宗《離騷箋義》序〉）

上聯言楊胤宗氏遍讀祕書。鴻寶，謂祕藏名貴之書，見《漢書·劉向傳》。大小酉，謂大酉山與小酉山，均在湖南沅陵縣，藏書甚富，舊云秦人避地隱學於此。見《元和郡縣志》。

下聯謂楊氏膺任大學教職。皋比，虎皮，宋理學家張載常坐虎皮講學，見《宋史·道學傳》。橫舍，即黌舍，古之太學（見《後漢書·朱浮傳》），此借指台灣之大學。

③ 士不悅學，螢案久荒；
言之無文，驢券爭充。（〈陳雄勳《三蘇文選》序〉）

上聯言現代學生多不肯伏案苦讀。《晉書·車胤傳》：「胤博學多通，家貧不常得油，夏月則練囊盛數十螢火以照書，以夜繼日焉。」王逢〈泊龍灣詩〉：「十年螢案書連屋，八月龍灣浪拍天。」李中〈寄劉明府詩〉：「三十年前共苦心，囊螢曾寄此煙岑。」按此均用囊螢照書事，蓋稱人勤學之詞也。

下聯慨歎現代學生作文不肯修辭，措辭不得要領。《顏氏家訓·勉學篇》：「田里間人，音辭鄙陋，無所堪能，問一言輒酬數百，責其指歸，或無要會。鄴下諺云：『博士買驢，書券三紙，未有驢字。』使汝以此爲師，令人氣塞。」蓋譏人文辭散漫，不得要領也。

④ 探驪獨中，肯遺滄海之珠；
倚馬相矜，直奪廣筵之錦。（〈林寄華《荼蘼集》序〉）

上聯言林寄華女史行文作詩極爲中肯，故能深得其長官監察院于右任院長之賞譽。《莊子·列禦寇篇》：「河上有家貧恃緯蕭而食者，其子沒於淵，得千金之珠。其父謂其子曰：『取石來鍛之。夫千金之珠，必在九重之淵，而驪龍頷下，子能得珠者，必遭其睡也。使驪龍而寤，子尚奚微之有哉。』」後謂作詩行文之中肯者曰探驪得珠。《唐書·狄仁傑傳》：「仁傑舉明經，調汴州參軍，爲吏誣訴黜陟，使閻立本召訊，異其才，謝曰：『仲尼稱觀過知仁，君可謂滄海遺珠矣。』」後謂賢者不見知於時，猶如海中遺珠。

下聯言林氏構思敏捷，倚馬可待，媲美東晉袁虎；而才華出衆，又媲美唐初宋之問。倚馬，謂構思敏捷。《世說新語・文學篇》：「桓宣武北征，袁虎時從，被責免官。會須露布文，喚袁倚馬前令作，手不輟筆，俄得七紙，殊可觀。東亭在側，極歎其才。」奪錦，稱人才華出衆。《新唐書・宋之問傳》：「武后遊洛南龍門，詔從臣賦詩，左史東方虬詩先成，后賜錦袍。之問俄頃獻，后覽之嗟賞，更奪袍以賜。」高啓〈謝賜衣詩〉：「被澤徒深厚，慚無奪錦才。」即用此事。

⑤ 駒隙俄遷，鴻泥宛在。（〈蕭寺秋遊記〉）

上句言光陰迅速，有如白駒過隙。《莊子・知北遊篇》：「人生天地之間，若白駒之過隙，忽然而已。」成玄英疏：「白駒，駿馬也，亦言日也。隙，孔也。夫人處世俄頃之間，其爲迫促，如馳駿駒之過孔隙，欻忽而已。」袁褒〈東湖聯句〉：「蟻封徒曲折，駒隙漫拘攣。」

下句言凡事經過所留之跡象，亦作雪泥鴻爪。蘇軾〈和子由澠池懷舊詩〉：「人生到處知何似，應似飛鴻踏雪泥。泥上偶然留指爪，鴻飛那復計東西。」

⑥ 修蛇赴壑，驚去日之難回；
老驥識塗，卜亨衢之漸近。（〈履端三願記〉）

上聯言流光如駛，民國五十四年俄焉已逝，難以挽回。我國古以動物十二種分配十二支，子鼠、丑牛、寅虎、卯兔、辰龍、巳蛇、午馬、未羊、申猴、酉雞、戌犬、亥豬，謂之十二屬，蓋以人所生年定其所屬之動物也。詳見《論衡・物勢篇》。民國五十四年，歲次乙巳，俗稱蛇年。修蛇赴壑者，言乙巳年已消逝也。王渥詩：「棲棲活計依簷雀，冉冉年光赴壑蛇。」

下聯言經邦軌物之元老甚多，可使國家日趨強盛。《韓非子・說難篇》：「管仲隰朋從於桓公而伐孤竹，春往冬返，迷惑失道。管仲曰：『老馬之智可用也。』乃放老馬而隨之，遂得道。」梁元帝〈高祖武皇帝謚議〉：「天衢亨泰，王道升平。」

⑦ 驪駒在門，值重陽之佳節；
畫鷁浮海，戒萬里之修程。（〈王仲文《劬盧續稿》序〉）

上聯謂九月九日重陽佳節王仲文氏即將出國，親朋好友共唱驪歌爲之送別。《漢書・王式傳》：「博士江公，世爲《魯詩》宗，心嫉式，謂歌吹諸生曰：『歌〈驪駒〉』。式曰：『聞之於師，客歌〈驪駒〉，主人歌〈客毋庸歸〉。』」顏師古注：「服虔曰：『逸詩篇名，見《大戴禮》。客欲去，歌之。』文穎曰：『其辭云：驪駒在門，僕夫具存。驪駒在路，僕夫整駕。』」驪歌，爲〈驪駒〉之歌之省稱，後因謂送別之歌曰驪歌。李白〈灞陵行送別〉：「正當今夕斷腸處，驪歌愁絕不忍聽。」

下聯謂王氏將乘船遠赴埃及履新，浮海萬里，應多保重。鷁鳥善翔而不畏風，俗多畫其像於船頭，故謂船曰畫鷁。

⑧黍離麥秀，寄高丘寥廓之思；
海涸桑枯，極故宇淪亡之痛。（〈彭國棟《廣台灣詩乘》序〉）

上聯謂台灣詩社初祖沈光文（字斯庵，浙江鄞縣人。）所作詩皆懷念神州大地，傷悼朱明之覆滅。〈黍離〉，《詩經．王風》篇名，序謂憫西周之淪亡也。周室東遷，大夫行役至於宗周，過故宗廟宮室，盡為禾黍，閔周室之顛覆，徬徨不忍去，而作是詩。〈麥秀〉，歌名，亦名〈傷殷操〉。《史記．微子世家》：「箕子朝周，過故殷墟，感宮室毀壞生禾黍，箕子傷之，哭則不可，欲泣為其近婦人，乃作麥秀之詩以歌詠之。其詩曰：『麥秀漸漸兮，禾黍油油。彼狡童兮，不與我好兮。』所謂狡童者，紂也。殷民聞之，皆為流涕。」

下聯謂明朝遭遇重大變故，終於宗社丘墟，邦家傾覆，沈光文乃聯合台灣詩社諸詩友極力作詩，以申哀悃。海涸桑枯，猶言滄海桑田，謂遭逢巨大世變。已見前引。

⑨芸編早授，妙摘驪珠；
蕊榜旋登，高題雁塔。（〈黃惠威「可風堂」記〉）

上聯言黃惠威氏早歲刻苦勵學，得自母教者尤多，故能深通文理，詞采爛然。芸，香草，置書頁內，可以避蠹，故稱書籍爲芸編。陸游〈夏日雜題詩〉：「天隨（唐陸龜蒙別號）手不去朱黃，辟蠹芸編細細香。」驪珠，爲探驪得珠之省稱，古代寓言故事謂深淵中有驪龍，頷下有千金之珠，欲得之甚難。見《莊子·列禦寇》。

下聯言黃氏高考獲雋，題名雁塔，榮任縣長。相傳道教學道升仙，列名蕊宮，其後借指科舉考試中揭曉名第之榜示爲蕊榜，惟多指進士榜而言。葛立方《韻語陽秋》：「名字巍峨先蕊榜，詞章斐亹動文奎。」唐神龍時，新進士於曲江宴後，有題名雁塔（遺址在今陝西長安縣南慈恩寺中）之舉。錢易《南部新書》：「韋肇初及第，偶於慈恩寺塔題名，後進慕效之，遂成故事。」

按黃惠威氏湖南長沙人，民國二十八年高考及第，授湖南大庸縣長。三十六年其哲母楊太夫人以疾卒於官舍，樞府嘉其懿行，錫以「教義可風」扁額，成氏爲之作記，亦歐陽修撰〈相州晝錦堂記〉「乃邦家之光，非閭里之榮」之遺意。

⑩ 堆案積縹緗之富，
炳燭殫鉛槧之勤。

（〈江應龍《遼金元文彙》序〉）

上句言江應龍教授庋藏甚富，積書滿家。帛青白色爲縹，淺黃色爲緗，古用以爲書衣。蕭統〈文選序〉：「詞人才子，則名溢於縹囊，飛文染翰，則卷盈乎緗帙。」

下句言江教授篤老之年，猶賈其餘勇，盡其全力，編選《遼金元文彙》梓行問世。炳燭，謂老年治學，猶未爲遲。《說苑·建本篇》：「晉平公問於師曠曰：『吾年七十，欲學恐已暮矣。』

師曠曰：『何不炳燭乎。臣聞之，少而好學，如日出之陽；長而好學，如日中之光；老而好學，如炳燭之明。炳燭之明，孰與昧行乎。』」鉛、槧皆古人記錄文字之具。鉛，所以書；槧，木板也。劉歆《西京雜記》：「揚子雲好事，常懷鉛提槧，從諸計吏，訪殊方絕域四方之語，以為裨補輶軒所載。」

（三）餘　論

吾人縷舉成氏駢文之用典與借代，旨在突顯駢文中最為艱深，亦最難入手之兩件大事。蓋用典繁富須賴博極群書，此非窮年累月不為功；雕琢曼藻（即大量使用借代）須賴記憶特強，此必廣事涉獵而後可。此博學強記之功夫，一半得之於先天之稟賦，一半得之於後天之勤奮，成氏於此二者均能一以貫之，完美無缺，故其為文，乃能隨心所欲，信筆揮灑。例如一九六九年七月，美國阿波羅太空船登陸月球，不但為人類歷史首開新紀元，亦且為人類征服太空之起步，所宜大筆特書者。成氏得訊，為之狂喜，爰揮如椽之筆，撰〈美槎探月記〉刊於《中央日報》。以古典駢四儷六之美文，記述現代尖端科技之盛事，振古以來，一人而已，而舉目斯世，亦一人而已。其中用典與借代，一如平日之所作，略無窒礙難行之處。吾常謂成氏駢文富有時代精神，與時俱進，即將現代事物名詞融入篇什之中，或以典麗高華之辭藻稱述現代之事物。嘗鼎一臠，繫諸下方：

㈠美　槎——稱美國太空船。

(二)蘆溝鶴唳——謂民國二十六年日本軍閥發動侵華戰爭。
(三)磨牙鯨鱷——形容侵華日軍之兇殘。
(四)毒　鳶——指抗戰時轟炸中國之日本飛機。
(五)扶桑半萎——謂西元一九四五年日本戰敗後，其國中瘡痍滿目也。
(六)鐵幕四垂——謂民國三十八年大陸淪陷。
(七)健翮群飛——謂民國五十年三月，我空軍雷虎小組應越南之邀，前往西貢作飛行表演。
(八)影移仙舸——謂美國太空船直登月球之上。
(九)萬櫻如海——言日本盛產櫻花，有陸游詩「萬人如海一身藏」之意。
(十)忻逢米壽——欣逢八十八歲誕辰。米壽，日本名詞，謂年齡八十八歲，蓋析「米」字筆劃而言之。

此類文詞，在《楚望樓駢體文》中，觸目皆是，新穎雋爽，生面別開，故能方駕乾嘉諸老，推倒一時豪傑，卓然稱民國以來駢林第一高手，洵哉墨海之洪濤，文峰之鉅嶽矣。

（民國九十五年十二月在台北東吳大學人文社會學院主辦「二十世紀人文大師的風範與思想學術研討會」宣讀之論文）